Espiral/Fundamentos

LA LITERATURA HISPANOAMERICANA ENTRE COMPROMISO Y EXPERIMENTO

(Amorim, Cabrera Infante, Desnoes, Díaz Valcárcel, Donoso, Echeverría, Fuentes, Gallegos, García Márquez, González, Güiraldes, Icaza, Laguerre, Lezama, Otero, Rulfo, Sánchez, Sarduy, Soto, Vargas Llosa)

Colección Espiral, dirigida por Julián Ríos

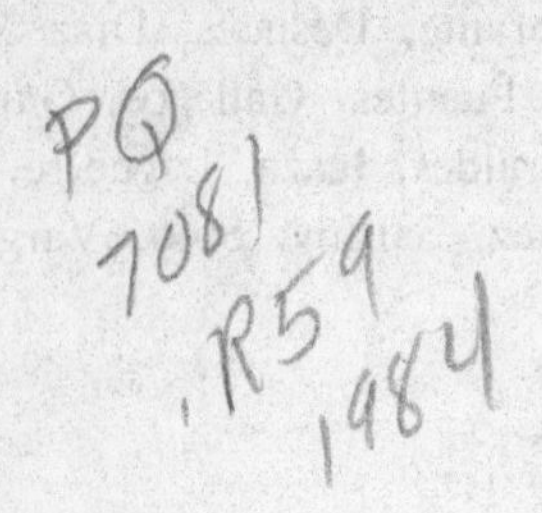

1ª edición dic. 1984

Compuesto en Linotipias Mínguez. Carolina Coronado 46. Madrid
Impreso por Grafisa. Emilia 58. 28029 Madrid.

ISBN: 84-245-0409-7
Depósito Legal: M-43.433-1984

Diseño cubierta: Cristina Vizcaino

JULIO RODRIGUEZ-LUIS: nacido en La Habana en 1937. En 1957 dejó Cuba con el objeto de completar sus estudios, haciéndolo en Puerto Rico y los Estados Unidos, en donde se doctoró en 1966. Ha enseñado en varias universidades norteamericanas, y actualmente es profesor de Literatura Comparada y de Estudios Latinoamericanos en la Universidad del Estado de New York en Binghamton.

En el campo de la literatura latinoamericana es autor de *Hermenéutica y praxis del indigenismo* (México, Fondo de Cultura Económica, 1981) y, con Aurora de Albornoz, de *Sensemayá. La poesía negra en el mundo hispanohablante* (Madrid, Ed. Orígenes, 1981), además de numerosos artículos aparecidos en *Cuadernos Hispanoamericanos*, *Insula*, *Sin Nombre*, etc. Es también autor de *Novedad y ejemplo de las Novelas de Cervantes* (Madrid, Porrúa, 1980-1984), varias ediciones críticas de las novelas de Fernán Caballero y artículos y ensayos sobre temas y autores de la literatura española clásica y moderna en relación a las demás europeas.

Para Carlos Cordua y Nilita Vientós,
este testimonio de opiniones compartidas.

A la memoria de Angel Rama.

PROLOGO

No estoy muy seguro si el texto que sigue constituye en realidad un todo unitario. Fue así que lo planeé, y el orden en que aparece es el que mantuve al escribirlo a lo largo de casi cinco años (1), pero me temo que el movimiento de la literatura hispanoamericana (2) que había querido recoger, entre el compromiso que domina *El matadero* y la pura experimentación, aparezca con menos claridad en cuanto complejo dialéctico (y aun sin esa salvedad) de lo que se me aparecía cuando el proyecto comenzó a tomar forma. Creo, con todo, que las premisas críticas por las que me he guiado han sido constantes.

La primera es que todo texto literario expresa una experiencia histórica desde cierto punto de vista (el cual no tiene que ser necesariamente político, o social, o separable de la obra como el «mensaje» que tanta burla provoca) (3). La segunda es la de no aceptar, por principio, la definición que de sí mismo nos da un texto literario, sino buscar, en cambio, tras la apariencia de los códigos, la razón de su existencia, concentrando en la resistencia del texto a revelar su conexión con el contexto histórico donde se inserta el esfuerzo crítico, el cual busca precisamente la iluminación de la totalidad histórica a través de una obra que no es nunca mero reflejo de la realidad.

Estos principios, aprendidos en Goldmann y en Jameson *(Marxism and Form)* principalmente (4), resultan cruciales para el estudio de la literatura latinoamericana contemporánea, cuya súbita «modernización» en las últimas décadas amenaza, en gran parte gracias al prestigio del formalismo que domina la crítica literaria, en trivializarla, haciendo que abandone toda actitud social y políticamente conflictiva (5) —precisamente cuando la situación de Latinoamérica lo es cada vez más—, para de esa manera integrarse mejor con la literatura «internacional», es decir, la de los países del capitalismo avanzado.

Por tanto, y pese a su título, o sus igualmente ambiciosas dimensiones, el propósito del libro es esencialmente práctico: contribuir al mejor entendimiento de ciertos textos, y con ello al de los problemas que enfrenta la crítica literaria comprometida o marxista en un momento histórico en el cual, mientras que por un lado la crisis del capitalismo contribuye a una nueva y pujante concienciación de los obreros, ese mismo capitalismo transnacional trata —con éxito— de absorber, de modo de hacerlo inocuo, el discurso crítico incluso marxista; en tanto que los medios de publicidad y la interacción económica universal promueven un consumismo también cultural que anula la especificidad cultural de cada literatura e intenta sobreponerse a la realidad histórica (6).

Cuernavaca, abril de 1982.

NOTAS

(1) Una primera interpretación de *El matadero* desde la misma perspectiva ensayada aquí apareció en *Casa de las Américas* (I, 3, 1960), y una versión del ensayo sobre el terrateniente fue leída como ponencia en 1974 (*Actas del V Congreso de la Asoc. Intern. de Hispanistas*, Université de Bordeaux, 1977).

(2) Mi intención ha sido distinguir dentro de lo posible entre literatura latinoamericana (toda la América no anglosajona), ibero (la española y portuguesa) e hispanoamericana, en el curso de mi discusión de textos de la tercera.

(3) Véase Raymond Williams, *Marxism and Literature* (Oxford University Press, 1977), esp. p. 199.

(4) Véase también Jacques Leenhardt, «Modelos literarios e ideología dominante», *Escritura*, I, 2 (1976), 207-16.

(5) Véase Julio Ortega, «La literatura latinoamericana en la década del 80», *Revista Iberoamericana*, XLVI, 110-111 (1980), 161-6.

(6) Véase Fredric Jameson, «Notes Toward a Marxist Cultural Politics», *The Minnesota Review*, 55 (Fall, 1975), 35-9.

CIVILIZACION O BARBARIE EN «EL MATADERO»

El matadero, de Esteban Echeverría, ocupa un sitio privilegiado en la literatura hispanomericana: sólo los cuentos más famosos de Quiroga, Borges, o Rulfo, han recibido el mismo grado de atención crítica.

Contemporáneo de los primerísimos cuadros costumbristas americanos y anterior, por tanto, al florecimiento de este género y a los primeros relatos realistas (1), *El matadero* es ambas cosas, cuadro costumbrista y cuento realista-naturalista, mas sin proponerse ninguno como finalidad principal: ambos géneros sirven de vehículo para la expresión de una posición política (2) cuya vehemencia acusatoria es la que proporciona la energía gracias a la cual el relato traspasa los límites del costumbrismo, pero también concluye apartándose del realismo. Por lo cual *El matadero* constituye más que un primer hito en la corriente socio-política dentro de la literatura hispanoamericana: forcejean dentro de este texto, sin que su autor lo advierta y trate, por tanto, de ponerlas de acuerdo, las dos aspiraciones características de lo que sería, a partir precisamente del romanticismo del que Echeverría es abanderado, la literatura hispanoamericana: voluntad de creación original, cuyo resultado puede ser incluso la obra independiente de cánones y géneros más o menos convencionales, y necesidad de expresar una convicción política. La cual, como articulación consciente de la ideología del escritor, y por tanto el elemento dominante de la relación obra-público, puede interferir negativamente en la realización del proyecto artístico en cuestión; lo mismo que la voluntad de originalidad a todo trance puede oponer aquél, merced a un proceso expresivo de cierta peculiar inversión de valores causada por la ceguera del artista a todo lo que no sea su proyecto, al movimiento de la historia, convirtiendo la obra en vocero de las fuerzas retrógradas cuyo estatismo social debería expresarse en una literatura contraria a la experimental.

El cuento comienza presentándose como historia en vez de ficción, condición que subraya el comentario que sigue inmediatamente a aquél sobre cómo el método del narrador no será el de los historiadores de Indias (los cuales empezaban «por el arca de Noé y la genealogía de sus ascendientes») (3), sin duda por tratarse aquí de un suceso contemporáneo, el cual tuvo lugar «los años de Cristo de 183...»

(la falta del último número garantiza la autenticidad de lo que va a narrarse, como si el autor no quisiera comprometer demasiado a sus fuentes), cuando los efectos combinados de la cuaresma y de inundaciones provocadas por copiosas lluvias dejan el matadero de Buenos Aires sin reses por quince días. Esta es la base de la narración, el suelo y subsuelo (pues incluye la discusión de supersticiones religiosas) del cual se supone que parten los acontecimientos subsiguientes: intervención del gobierno disponiendo la entrada de ganado, y excitación de los carniceros y sus acólitos, todos ellos «federales» o partidarios del «Restaurador».

El cuadro social incluye en seguida la crítica sociopolítica, primero de la Iglesia, e inmediatamente después de la demagogia rosista a la que aquélla sirve de vocero: «Es el día del juicio —decían— ... ¡Ay de vosotros, unitarios impíos que os mofáis de la Iglesia, de los santos, y no escucháis con veneración la palabra de los ungidos del Señor!» (página 311). Incluso otra vez antes de llegar a la descripción del «matadero de la Convalecencia» se vuelve a criticar a la Iglesia y al gobierno un par de veces, la segunda —respecto a las dispensas de ayuno de carne— con gran efectividad en la forma en que se implica al Estado en la crítica: «Pero no es extraño [que haya estómagos privilegiados, etc.], supuesto que el diablo con la carne suele meterse en el cuerpo y que la Iglesia tiene el poder de conjurarlo: el caso es reducir al hombre a una máquina cuyo móvil principal no sea su voluntad, sino la de la Iglesia y el gobierno», etc. (página 314); comentario que ilustran en seguida el grito que acompaña la entrada de los primeros novillos: «¡Chica, pero gorda! —exclamaban—. ¡Viva la Federación! ¡Viva el Restaurador! Porque han de saber los lectores que en aquel tiempo la Federación estaba en todas partes, hasta entre las inmundicias del matadero», y la explicación de que «el primer novillo que se mató fue todo entero de regalo al Restaurador, hombre muy amigo del asado. Una comisión de carniceros marchó a ofrecérselo en nombre de los federales del matadero, manifestándole *in voce* su agradecimiento por la acertada providencia del gobierno, su adhesión ilimitada al Restaurador, y su odio entrañable a los salvajes unitarios, enemigos de Dios y de los hombres ... Es de creer que el Restaurador tuviese permiso especial de su Ilustrísima para no abstenerse de carne, porque siendo tan buen observador de las leyes, tan buen católico», etc. (p. 315).

De hecho, la urgencia de Echeverría por denunciar al tirano interrumpe una y otra vez la descripción del matadero mismo: el párrafo que comienza «Estos corrales» (página 315), segundo de la descripción del matadero, concluye contando la visita de la esposa de Rosas a aquel sitio. Volvemos entonces a la narración de los verídicos acontecimientos que se había prometido relatarnos: «La perspectiva del matadero a la distancia era grotesca, llena de animación. Cuarenta y nueve reses estaban tendidas sobre sus cueros» (página 316), y ahora sí que nos concentramos en el objeto declarado del relato, con una serie de descripciones verdaderamente extraordinarias en relación a la época en que escribe Echeverría, pues corresponden al naturalismo en vez de al realismo pudoroso que hacia 1840, o para los años en que se compuso *El matadero,* hacía sus primeros pinitos en Francia e Inglaterra —crudezas que muy posiblemente una revisión para su publicación contemporánea del borrador que es *El matadero,* habría tratado de eliminar. Lo mismo que al naturalismo de Zola, al de Echeverría lo dirige un propósito extraliterario: revelar la miseria de la clase obrera, acusar los vicios sociales, denunciar la inmoralidad de la sociedad burguesa, en el del fundador; demostrar los abusos de la tiranía rosista en el del precursor argentino —intención que afirma la subjetividad del enfoque y excluye de entrada una elaboración literaria modelada en la ciencia, pues las ideas políticas no suelen expresarse en 1840 por medios cientificistas ni siquiera en los tratados sociales (algo que haría posible la revolución positivista), sino que su individualismo actúa libremente en cuanto expresión ideológica, o sin la mediación, según trataríamos de hacerlo contemporáneamente, de una consciencia de la necesidad de contrastar, oponer o articular dialécticamente prejuicios, pasiones, ideas recibidas, con el curso de la realidad histórica y de las fuerzas sociales. El resultado es el enfoque romántico de *El matadero,* o la exageración y el sentimentalismo en que se resuelven acción y mensaje político (como sucede también en *Amalia,* de José Mármol, 1851) (4).

No obstante lo cual, a lo largo de la descripción de la conducta dentro del matadero del brioso toro que ha sido llevado allí por típico error administrativo, y cuyo furioso escape, persecución y desjarretamiento final simbolizan la muerte del joven unitario que sigue inmediatamente, dominan la descripción económica, la capacidad de evocar el escenario físico y el movimiento de los personajes al modo que lo haría un narrador moderno, el cual emplea espontáneamente procedimientos sugeridos por el cine, lo mismo que Echeverría (5); la narración objetiva de acciones brutales, tan violentas y repugnantes algunas de ellas que, como el narrador no oculta ni disminuye su horror, pueden desagradar incluso al lector contemporáneo (por ejemplo, la decapitación de un niño por el lazo que se desprende del toro, episodio descrito algo confusamente: p. 319); el diálogo coloquial, donde las expresiones vulgares se hallan apenas veladas («¡Muéstreme los c... si le parece, c...o!»: página 318) (6).

En el curso de esas páginas descriptivas hallamos un solo comentario político, el cual se extiende, de hecho, fuera del rosismo: «Simulacro en pequeño era éste del modo bárbaro con que se ventilan en nuestro país las cuestiones y los derechos individuales y sociales» (p. 318). Esa moderación subraya cómo el narrador se encuentra dominado entonces por la intención de desarrollar en todas sus posibilidades la rápida, absorbente serie de escenas; al mismo tiempo, el simbolismo que en seguida descubre contener aquélla hace innecesaria ahora la crítica política, que será absorbida y afirmada dramáticamente por la conclusión del relato.

La transición del descuartizamiento del toro, con el cual concluye la matanza del día, a las doce, al intento de doma del joven unitario que repetirá el que acaba de tener lugar, exitosamente, respecto a la bestia, sucede abruptamente: «la poca chusma que había presenciado hasta el fin se retiraba en grupos de a pie y de a caballo, o tirando a la cincha algunas carretas cargadas de carne. [Mas de repente la ronca voz de un carnicero gritó:] «—¡Allí viene un unitario!» (página 321), pues el autor comprende que es la excitación de cuanto acaba de suceder, todavía no gastada del todo, la que provoca el atentado siguiente. La nueva captura paralela a la anterior casi paso por paso: el joven, sorprendido en su camino, es arrojado de su caballo, trata de defenderse, es apresado y conducido al matadero, le cortan las patillas, e intentan desnudarlo para azotarlo en el trasero, imagen ésta que repite, aún más explícitamente que la de afeitarlo, la castración *post-mortem* (pues sólo después de muertos será posible castrar a los valiente, sean toros o personas; ecuación coraje-testículos) del toro que precede a la captura del unitario; humillantes azotes —como los que se le dan a un niño— que quizá significan realmente una sodomización, equivalente a su vez a castración, en el orden personal, de la virilidad del personaje, y violación, en el político, de los ideales que representa (7).

Pero mientras que lo ocurrido al toro confundido con buey es parte integral del relato que había comenzado describiendo la escasez de carne durante la lluviosa cuaresma de cierto año (probablemente 1839) en Buenos Aires, la muerte del unitario, justificación —descubrimos ahora— del otro episodio, se sitúa desde un principio en un plano estrictamente ideológico e independiente, por tanto, de los acontecimientos que parecían constituir el motor del cuento.

El vínculo entre ambos aspectos de *El matadero* son los matarifes, todos partidarios furibundos del rosismo, y cuya reacción ante quien identifican como enemigo, Echeverría pinta con gran efectividad. La intención política, sin embargo, arrastra consigo la objetividad que constituía hasta aquí la mejor virtud de *El matadero*; es decir, que a pesar de que la crítica sociopolítica constituía un elemento digresivo durante la primera mitad de la narración, ésta perseguía en su curso como meta artística el realismo objetivo: relatar una anécdota o un grupo de anécdotas relacionadas con cierto espacio y circunstancia temporal, dejando al lector que interprete su sentido libremente, pues aunque la crítica del gobierno y de la Iglesia exprese explícitamente las opiniones del autor, resulta independiente de las acciones narradas, y la relación matarifes-rosismo, por más que repugne a Echeverría, no deja de constituir otro dato verídico más para entender el cuadro. Habría sido posible tratar la muerte del joven unitario del mismo modo, como la explosión del salvajismo característico de los matarifes, aún excitados por la persecución del torete, contra su enemigo político. Lo que, en cambio, sucede es que una vez que se ha descrito al joven («Era éste un joven como de veinticinco años, de gallarda y bien apuesta persona, que mientras salían en borbotones de aquellas desaforadas bocas las anteriores exclamaciones, trotaba hacia Barracas, muy ajeno de temer peligro alguno»: p. 321), la consciencia de la desgraciada suerte que se le va a hacer correr como castigo de un credo político, le parece al narrador un destino que representa el propio, más el de sus correligionarios, así que tendrá constantemente que acusar a los victimarios del personaje en cuanto autor, desde fuera del relato, lo cual perturba mucho más el cuento como estructura narrativa que lo hacían las intervenciones autoriales de la primera parte, pues se trata ahora de la *acción* —y aún más, de la que conduce al desenlace—, en vez de la presentación del escenario, una vez hecha la cual el relato procedía ejemplarmente.

«Notando, empero, las significativas miradas de aquel grupo de dogos de matadero [...] exclamó toda aquella chusma, cayendo en tropel sobre la víctima como los caranchos rapaces [...] ¡Qué nobleza de alma! ¡Qué bravura en los federales!, ¡siempre en pandillas cayendo como buitres sobre la víctima inerte!» (p. 321). Estos comentarios se acumulan en el curso de menos de una página; tan pronto como el joven comienza a dialogar con sus captores (después de descrita la casilla destinada al juez y al recaudador de impuestos, y de reproducir los comentarios de los carniceros y del juez, y las convulsiones de su prisionero, todo ello con ejemplar objetividad), el cuento se transforma inevitablemente en arenga política: «—¿Tiemblas? —le dijo el juez. / —De rabia porque no puedo sofocarte entre mis brazos. / —¿Tendrías fuerza y valor para eso? / —Tengo de sobra voluntad y coraje para ti, infame [...] ¿Por qué no traes divisa? / —Porque no quiero. / —¿No sabes que lo manda el Restaurador? / —La librea es para vosotros, esclavos, no para los hombres libres. / —A los libres se les hace llevar a la fuerza. / —Sí, la fuerza y la violencia bestial. Esas son vuestras armas; infames. ¡El lobo, el tigre, la pantera, también son fuertes como vosotros! Deberíais andar como ellos, en cuatro patas [...] —¿Por qué no llevas luto en el sombrero por la heroína? / —Porque lo llevo en el corazón por la patria que vosotros habéis asesinado, infames. / —¿No sabes que así lo dispuso el Restaurador? / —Lo dispusisteis vosotros, esclavos, para lisonjear el orgullo de vuestro señor, y tributarle vasallaje infame» (p. 323). Por más que la situación del joven, a quien el azar ha hecho prisionero de unos bárbaros, humillado, desprovisto de protección legal no obstante la presencia en la improvisada cámara de torturas de un juez, nos conmueve, exaltando nuestro sentido de la justicia, el cuestionario a que se le somete resulta exageradamente preciso, pues va a ilustrar las exigencias de la dictadura rosista, y las respuestas del personaje son consignas en lugar de espontáneas manifestaciones de sus ideas que expresen la circunstancia en que se encuentra en ese momento; especie de cartilla política, en fin, cuya convicción y capacidad de convencernos —pues de eso se trata— los movimientos igualmente superdramáticos del prisionero (le da un puntapié al vaso de agua que le ofrecen; su cuerpo funciona «ora [con] la flexibilidad del junco, ora la dureza del fierro») están destinados a subrayar. Hasta que la decisión de los matarifes de bajarle los pantalones a su enemigo le provoca, tras dramática lucha, una hemorragia interna, de la que muere.

El desenlace fatal resulta inevitable en relación al proceso de creciente violencia descrito en las últimas páginas; al mismo tiempo que falso (8) —no sólo exagerado o romántico—, impuesto por necesidades ideológicas con independencia de los datos ofrecidos por la trama. Repárese en que el joven no es asesinado, según podría esperarse de la violencia con que operaba la «mazorca» de Rosas contra sus enemigos, además de lo que el autor sugiere a través del diálogo («—Tiene buen pescuezo para el violín. / —Mejor es la resbalosa ... —No, no lo degüellen —exclamó de lejos la voz imponente del juez del Matadero»: p. 322), sino que muere en condiciones harto extraordinarias, las cuales responden a su vez a exigencias impuestas por la concepción del relato. Echeverría, escribiendo hacia 1840, sabe que el fanatismo político de los matarifes no se dispone verdaderamente a llegar al crimen, pues no se enfrentan con un enemigo activo o señalado del régimen, sino tan sólo ideológico (el joven lleva patillas en forma de «u», no trae divisa federal, ni señal de luto por la muerte de la esposa de Rosas en el sombrero), ni tampoco son ellos agentes oficiales de aquél, además de que la presencia del juez, según el testimonio del texto mismo, impone cierta dosis de orden legal. Pero permitir que el unitario sea desnudado de la cintura para abajo, azotado y dejarlo marchar luego sin más, perjudicaría el mensaje que se nos quiere transmitir —martirio e invencibilidad de la causa liberal—, de modo que su muerte resulta necesaria, pese a lo que tiene de poco convincente.

El comentario del segundo carnicero (después que otro ha dicho: «Reventó de rabia el salvaje unitario») al contemplar la violenta hemorragia que inmoviliza a todos de sorpresa: «—Tenía un río de sangre en las venas» (p. 324), funciona como un espontáneo elogio indirecto de la causa enemiga por los bárbaros rosistas, y podría haber concluido el argumento político explícito del cuento, pero a Echeverría no le parece todavía el mensaje suficientemente claro o dramático, así que nos martillea la cabeza con un par de párrafos de acusaciones contra Rosas: «Los federales habían dado fin a una de sus innumerables proezas. / En aquel tiempo los carniceros degolladores del matadero eran los apóstoles que propagaban a verga y puñal la federación rosina, y no es difícil imaginarse qué federación saldría de sus cabezas y cuchillas. Llamaban ellos salvaje unitario, conforme a la jerga inventada por el Restaurador, patrón de la cofradía, a todo el que no era degollador, carnicero, ni salvaje, ni ladrón; a todo hombre decente y de corazón bien puesto, a todo patriota ilustrado amigo de las luces y de la libertad; y por el suceso anterior puede verse a las claras que el foco de la federación estaba en el matadero» (Ibíd.).

Resulta, por tanto, que el matadero que se nos había dicho que era el verdadero objeto de la narración, no lo es en realidad, sino la Federación, que aquél representa, y de la que podemos considerarlo símbolo —es decir, que Echeverría podría en otras obras, sobre todo si presume que conocemos *El matadero,* referirse al régimen rosista sin nombrarlo directamente, por medio del matadero (9). El realismo de las descripciones y la profesión inicial de historicidad eran sólo auxiliares del planteamiento ideológico que ha movido al escritor a tomar la pluma.

El costumbrismo ofrecía una vía directa hacia el realismo al requerir la descripción objetiva de tipos y hechos en vez del desarrollo de conflictos pasionales; al menos ésa es su función inicial dentro de la literatura española (pues a la larga aquellas minuciosas descripciones como un fin en sí mismas dificultarán la reproducción de una realidad compleja) (10), y también, en cierta medida, en la francesa de principios del XIX. Echeverría, que había escrito por lo menos un cuadro de costumbres (11), podría haber conseguido en *El matadero* una pequeña obra maestra de realismo con sólo reprimir el comentario crítico y dejar al lector que juzgase los hechos libremente. El episodio del toro hubiese sido entonces verdadera antesala psicológica del maltrato del unitario en lugar de su invocación alegórica, y hasta la muerte del joven hubiese resultado menos chocante de haber concluido el cuento con las líneas que siguen a los comentarios de los matarifes y del juez, las cuales hacen al relato recuperar la sobria objetividad a la que, engañosamente, parecía aspirar su comienzo: «Es preciso dar parte; desátenlo y vamos [dice el juez]. / Verificaron la orden; echaron llave a la puerta y en un momento se escurrió la chusma en pos del caballo del juez cabizbajo y taciturno» (página 324). Hubiésemos tenido entonces un relato verídico de un día en el matadero de la ciudad de Buenos Aires durante cierta época del año y determinado período histórico, y el lector habría podido juzgar por su cuenta la barbarie imperante no más efectivamente, quizá, que con la ayuda de las intervenciones del autor, pero sin duda que con mejores resultados para el equilibrio artístico del cuento, cuyas últimas páginas, y especialmente el párrafo final, lo convierten en un panfleto político, de suerte que concluye en otro género de escritura literaria del que gobernaba, aunque con interrupciones, las secciones anteriores.

El matadero es una expresión, disfrazada de cuento costumbrista, del credo político de su autor; dirigida, además, a sus correligionarios, quienes se identificarán inmediatamente con el joven atropellado y padecerán por las ideas en cuya defensa muere aquél; ideas que sólo podemos conjeturar, sin embargo, pues en la confrontación entre el unitario y sus asaltantes sólo resulta manifiesta la oposición entre un apuesto joven que defiende su derecho a vestirse y afeitarse como le da la gana en vez de según las arbitrarias disposiciones de cierto régimen, y un grupo de rufianes cuyo credo político juzgamos negativamente, puesto que trata de imponer a la fuerza semejantes órdenes. Para el lector inocente de historia hispanoamericana (el estudiante extranjero que lee *El matadero* por primera vez, por ejemplo, sin la ayuda de notas históricas, o con un mínimo de ellas), lo sucedido parece tan sólo un conflicto entre fanatismo político y libertad de expresión, de suerte que cuando el unitario exclama, en lo que viene a constituir su único comentario político explícito: «lo llevo [luto] en el corazón por la patria que vosotros habéis asesinado» (p. 323), ese lector creerá que el asesinato de marras es el de los derechos civiles por la barbarie —con lo cual el conflicto gana en universalidad, o la capacidad de ser interpretado por el lector contemporáneo, o por el no-argentino de la misma época, es decir, por quien no comparte la experiencia de Echeverría, como una reflexión sobre los males del fanatismo político. Observado más de cerca, sin embargo, ese conflicto aparece como dependiente de factores sociopolíticos muy específicos, los mismos que explican la formulación por Sarmiento pocos años más tarde, en *Facundo, o civilización y barbarie* (1845), de esa oposición cuyo fantasma —lo mismo que el de Facundo Quiroga a Sarmiento: «¡Sombra terrible de Facundo!, voy a evocarte para ... que te levantes a explicarnos ... las convulsiones internas que desgarran ... este noble pueblo!»— perseguirá al intelectual hispanoamericano hasta nuestros días.

El ataque de los carniceros al joven unitario, gallardo y bien vestido, montado a la inglesa (p. 321), representa el odio a un modo de vida que se identifica con la militancia en el partido político contrario. Aún más claramente que sucede en la obra de Sarmiento, la cual va a justificar esa misma oposición social elaborando la del aislamiento rural frente a la cultura urbana, cuna de derechos civiles y motor de refinamientos intelectuales, la última parte de *El matadero* ilumina el carácter básicamente clasista de la pugna; cuya exacerbación en los términos recogidos allí responde a los fines de la demagogia del astuto Rosas, miembro él mismo de la oligarquía porteña, y enemigo, como dictador, de federalismos que disminuyesen su poder: que se olviden las consideraciones ideológicas o la discusión política de las diferencias entre los regímenes unitario y federal, en beneficio del reflejo externo de las diferencias de educación y origen social que separaban a los miembros de ambos bandos.

Que, no obstante la pasión política que lo dominaba y pervierte el final del relato, Echeverría poseía la agudeza de percepción en cuanto a la realidad social característica del narrador realista, se demuestra en el modo como revela en el curso del diálogo el odio que provocaba en los carniceros la clase a la que tan arrogantemente exhibe su pertenencia el unitario mediante su atuendo, así que lo llaman desde un principio «cajetilla», notan que «monta en silla como los gringos» y «trae pistolas por pintar» (¿aparentar?), pues «Todos estos cajetillas unitarios son pintores como el diablo» (p. 321). Cuando, en respuesta a una de las más rotundas acusaciones del joven («Lo dispusisteis vosotros [el llevar luto por doña Encarnación Rosas], esclavos, para lisonjear el orgullo de», etc.), el juez manda que le bajen los calzones, lo llama «mentecato cajetilla» (p. 323), caracterización que nos distancia súbitamente de los ardores y hermosa rebeldía del personaje, revelando el odio político como lo que era en realidad, lucha de clases.

Negarse a reconocerlo, según hace a la postre *El matadero*, culpando al odio político de los federales contra los unitarios por todo lo sucedido, de modo de poder concluir en arenga cívica un cuento cuya observación objetiva de la realidad debía precisamente precluir aquélla, especialmente del modo que se halla planteada, se explica por la absoluta comunión del escritor con los valores de determinado grupo social. Y nadie más adecuado para representar la humillación de esos valores que el joven unitario (camino de Barracas, como el Eduardo Belgrano de *Amalia*, de Mármol): su juventud expresa un ideal romántico, naturalmente, pero también, al nivel de las relaciones inconscientes entre texto y supraestructura cultural, la pertenencia de ese ideal a un período vital anterior a la comprensión de la historia. Aunque el narrador entiende, según acabamos de comprobar, el verdadero significado de las fuerzas sociales en conflicto, prefiere olvidarlo para identificarse con quien es acción en vez de pensamiento: joven, rico, hermoso, destinado a un trágico fin, el unitario asesinado en el matadero sólo necesita vivir su ideal, en lugar de analizarlo, o incluso de expresarlo en un discurso coherente.

Probablemente es su condición de «boceto» narrativo póstumo el que, al fin y al cabo, mejor explica el valor de *El matadero*: de haber tenido Echeverría la oportunidad de limarlo y revisarlo, además de que es muy posible que hubiesen desaparecido observaciones como las señaladas más arriba respecto a la visión del joven unitario que tienen sus enemigos, el realismo habría sido dulcificado, y el sermón político crecería y se ramificaría.

La concepción romántica de la inspiración, con el correspondiente culto a la subjetividad del artista y la autonomía de su obra respecto a la sociedad, se oponen, por definición, a la intención didáctica en aquélla, el «mensaje», y la expresión del «compromiso» del autor. La conciencia de un conflicto entre éste y la libertad de la «inspiración» no aparecerá, sin embargo, hasta la última parte del siglo XIX, cuando el agravamiento de las luchas sociales y la divulgación de su estudio, se le presentan al escritor, primero, como sujeto para la creación artística y, en seguida, como una alternativa en cuanto a la dirección a seguir. A lo cual la «educación romántica» retratada por Flaubert, muy bien enraizada ya, después de más de medio siglo de historia, en la conciencia europea, responde con modernismo, decadentismo, simbolismo, vanguardia, postmodernismo. Mucho antes de que surja la noción de tal conflicto, la obra, sin duda, más original, interesante y compleja de uno de los fundadores de nuestro romanticismo (12), obra que es, además, el primer cuento de la literatura hispanoamericana y uno de los primerísimos textos que podemos llamar americanos, está a punto de conseguir una perfecta fusión entre originalidad artística y denuncia sociopolítica (13).

Para Echeverría, activo en política y quien había pasado,

además, cuatro años en Europa, entre 1826 y 1830, la situación de la Argentina bajo Rosas era particularmente angustiosa y deprimente, pues representaba el fracaso de los ideales de la independencia, y con ello el presentimiento de que sería imposible reproducir en Hispanoamérica el modelo ideado por la teoría política del XVIII y enunciado por la Revolución Francesa. Es, pues, natural que acuse al rosismo, a su entender el principal culpable de ese estado de cosas (14) no sólo por medio del ensayo y la memoria «filosófica», sino en una obra narrativa también, la cual, utilizando procedimientos aprendidos del costumbrismo, los que permiten subrayar la veracidad de lo narrado, quisiera que impulsase la conciencia nacional a la destrucción del régimen allí denunciado. *Inspirado* por su celo político, Echeverría recorre en *El matadero* el camino que va del romanticismo, pasando por el costumbrismo, al realismo e incluso al naturalismo, el único medio que le permite finalmente representar en toda su *barbarie* la causa enemiga. El resultado es que la barbarie es el elemento más vivo del relato, el que verdaderamente, o a través de ciento cincuenta años, sostiene la atención del lector (lo mismo que en el caso de *Facundo*), mientras que el infortunado joven unitario carece de personalidad como mero vocero de cierta ideología. Dividido entre la realidad que enfrenta diariamente y ciertos ideales la lejanía de cuyo triunfo afirma su extranjerismo, Echeverría regresa, para afirmar éstos (*malgré lui*, pues era, al cabo, un buen observador, un buen novelista nato), y nuestra abominación del rosismo, a la exageración romántica, saliéndose finalmente de los límites de la literatura narrativa hacia el panfleto político. Lo cual deseaba hacer desde un principio, sólo que las exigencias del realismo, el cual no tolera fácilmente intrusiones didácticas, se imponen al relato durante la narración de los hechos sucedidos cierta mañana de 183... en el matadero de la Convalecencia; antes de que el joven prisionero se posesione de su papel, que es el de vocero de los ideales de la urgencia de defender los cuales frente a sus enemigos ha nacido el cuento como proyecto.

No es, por tanto, a causa de su deliberada intención política que *El matadero* no alcanza los logros del tipo de narración realista al que pertenece, la de intención histórica —maestros de la cual son, entre otros, Balzac, Tolstoi, Galdós—, sino como consecuencia del burdo modo como está urdida esa intención con la construcción del relato. La explicación del fracaso de *El matadero* hay que buscarla no en las torpezas características de *La guitarra*, *La cautiva*, etc., pues precisamente en *El matadero*, Echeverría, impulsado por la pasión política, trasciende tales deficiencias para componer un cuento de enorme originalidad, poder y cohesión artística. Es la ideología que defiende la narración la que mejor explica su fracaso, cuando interviene para cegar al autor a la comprensión de la historia, incluso después que se le ha revelado ésta y que, según vimos, reproduce el modo como las luchas sociales se manifiestan en la conducta de los personajes. Realización que no resulta, sin embargo, en calmar la pasión del autor permitiéndole recobrar e —idealmente, de haber reescrito el cuento— imponer a su totalidad el tono objetivo que había logrado antes, sino que lo impulsa al acto contrario: recrudecer el ataque, gritar hasta ensordecernos a cualquier otra realidad que la que quería comunicarnos.

La objetividad que, en el caso de los narradores mencionados antes, sustenta la efectividad artística al mismo tiempo que la validez de la pintura social y hasta de la visión política contenidas en sus obras, se halla fuera del alcance de Echeverría (como también de Zola y el naturalismo, cuyo realismo igualmente programático carece de la *espontaneidad* necesaria para captar de lleno el movimiento social) (15) porque la causa que defiende —el liberalismo mercantilista y parlamentario— es extranjera, y lo mismo que por faltarle raíces en el medio americano se ve pervertida y atropellada por los Rosas del continente, tampoco parece su validez, y aún menos, desde luego, su triunfo, tan obvia al narrador como para permitirle, sin temor a que quede insuficientemente comprendida, y sus enemigos no repudiados con bastante fuerza, presentar sin la intervención directa de su voz acusatoria la captura y tortura del joven unitario, cuyo sacrificio debe servir para anular permanentemente, en la ansiada apoteosis del triunfo de la causa «ilustrada», las contradicciones y tensiones que plagaban la historia del país, las relaciones entre las fuerzas sociales, las doctrinas políticas en pugna.

Contradicciones que sí recogen, en cambio, las novelas de Balzac y de Galdós, porque éstos no sólo eran partidarios de la monarquía el primero, de la república liberal el segundo, sino que las fuerzas que combatían sus ideales políticos no les parecían mayores que las que los apoyaban, sustentadas ambas por una larga tradición nacional y europea; convicción que les permite reproducir la realidad contemporánea e incluso la histórica sin forzarla a que sirva a la defensa de aquellos principios, es más, aun cuando los contradice.

El liberalismo representado por Echeverría —sinónimo de progresismo para la generación que triunfa políticamente en la Argentina después de la caída de Rosas en 1852— no suele en nuestros días manifestar su militancia por medio del vehículo literario; más bien sucede que, atacado como reaccionarismo, inseguro de sí mismo aun en los casos en que su victoria parece segura, se expresa indirectamente en la ideología del arte puro y experimental: puesto que el liberalismo por el que luchaban los intelectuales de la «Joven Argentina» ha triunfado o triunfará próximamente, estamos ya libres, insistirá en proclamar una mayoría de críticos y artistas, para dedicarnos al cultivo del arte con toda libertad, evitando la exaltación que tanto perjudica *El matadero*. «And yet, and yet.» *La cautiva* o *Elvira, la novia del Plata*, de Echeverría, obras de las que se halla ausente el fervor político, pertenecen sólo a la historia literaria en vez de a la literatura, donde permanece, en cambio, y por efecto de esa misma pasión, *El matadero*, independientemente de cómo valoremos su ideología, y no obstante las desgraciadas consecuencias que para el desenlace y el efecto general de la obra tiene la exaltación cívica del autor.

La interacción entre compromiso político y experimento es crucial para entender la literatura hispanoamericana: subordinar al primero la innovación formal, según termina haciendo *El matadero*; evitar del todo el «mensaje» e incluso la pintura de la realidad social e histórica; hallar un equilibrio entre ambos. La fuente de preocupación continúa siendo, para el artista latinoamericano, la misma que para Echeverría: la estabilidad sociopolítica que en los países europeos y en Norteamérica parece, cuando no alcanzada y asentada firmemente, posible al menos gracias al liberalismo parlamentario, la economía capitalista parcialmente dirigida por el estado, o bien el socialismo moderado y hasta marxista, parece en cambio fuera de las posibilidades de nuestra América; tan lejana o inalcanzable como el nivel artístico, la extensión de los medios de difusión y la magnitud y nivel cultural del público receptor en esos mismos países. Por tanto, y dependiendo de qué insuficiencia interese más al escritor, si la social o la artística, dirigirá su obra a servir principalmente ya sea la renovación histórica o la literaria. ¿Mas no dependerá acaso ésta de aquélla? ¿Podrá influir la segunda sobre la primera? (16). ¿Será posible un equilibrio entre ambas a través del cual las aspiraciones de la renovación artística y de la política se fermenten y renueven entre sí? Mas en ese caso, ¿cómo sería posible utilizar ambos elementos respetando sus mutuas exigencias? ¿No será mejor olvidarse del todo de uno de ellos? Pero en este caso, ¿de cuál? Finalmente, volviendo a *El matadero*, ¿será posible que dé mejores resultados artísticos que los obtenidos allí por Echeverría la exposición, con el mismo grado de pasión, de una ideología más a tono con la *verdadera* historia?

NOTAS

(1) Para una cronología, más nómina de autores, del desarrollo del cuento y del relato costumbrista en Hispanoamérica, véase por Luis Leal, *Historia del cuento hispanoamericano,* México: Andrea, 1966. Juan Bautista Alberdi, uno de los primeros costumbristas americanos, y el primero en cultivar el género en la Argentina, quien se firmaba con el seudónimo, copiado de Larra, «Figarillo», publicó sus primeros artículos costumbristas en 1837 (*op. cit.*, pp. 17-8, y Pedro Lastra, *El cuento hispanoamericano del siglo XIX,* Santiago de Chile: Editorial Universitaria, 1972, página 14). *El matadero* debió ser escrito entre 1839 y 1840 (la esposa de Rosas, cuya muerte, seguramente reciente, menciona el texto, falleció en octubre de 1838; el año siguiente Echeverría huye al Uruguay). El cuento apareció por primera vez en 1871, veinte años después de la muerte de su autor, en la *Revista del Río de la Plata* (Juan Carlos Ghiano, *El matadero de Echeverría y el costumbrismo,* Buenos Aires: Centro Editorial de América Latina, 1968, pp. 36, 48). El prólogo del primer editor, Juan María Gutiérrez, amigo del poeta, presenta el cuento como un «boceto», «bosquejo» o «cuadro» escrito en preparación de su poema «Avellaneda», páginas «no escritas para darse a la prensa tal cual salieron de la pluma que las trazó» (*Obras completas de Esteban Echeverría,* compilación y biografía por Juan María Gutiérrez, Buenos Aires: Antonio Zamora, 1972, pp. 310-3, nota).

(2) Así lo entiende Gutiérrez: «El poeta no estaba sereno cuando realizaba la buena obra de escribir esta elocuente página del proceso contra la tiranía» (ed. cit., p. 312). Noé Jitrik sugiere que Echeverría halla el camino hacia el realismo a partir de «la crítica política y social, la intención de hacer servir la literatura para una causa extraliteraria» («Forma y significación en *El matadero*»..., *El matadero..., Annales Littéraires de l'Université de Besançon,* vol. 103, París, 1968, p. 168; recogido en *El fuego de la especie. Ensayos sobre seis escritores argentinos,* Buenos Aires: Siglo XXI, 1971, pp. 63-98). Véase también Ghiano, pp. 50-51.

(3) *Obras completas,* ed. cit., p. 310. Todas las citas del texto provienen de esta edición. Enrique Pupo-Walker señala que existe un antecedente para el cuadro de costumbres hispanoamericano en ciertos relatos contenidos en las crónicas de la conquista, relación que el propio Echeverría sugiere, según se acaba de ver («El cuadro de costumbres, el cuento y la posibilidad de un deslinde», *RI,* XLIV, 102-3, 1978, 1-15, esp. 8).

(4) Para un análisis político de esa novela, véase Hernán Vidal, «Amalia: melodrama y dependencia», *Ideologies & Literature,* I, 2 (1977), 41-69.

(5) Pupo-Walker, en «Originalidad y composición de un texto romántico: *El matadero*»..., *El cuento hispanoamericano ante la crítica* (Madrid: Castalia, 1973), elogia la economía, precisión gráfica, sentido del ritmo, etc., del relato (pp. 41-5).

(6) Jitrik, explicando cómo el enfoque costumbrista da lugar a diálogos «que por comparación podemos llamar realistas», concluye que ese realismo «contamina» incluso la descripción proveniente del narrador (*op. cit.*, p. 167, n. 15).

(7) Para Jitrik, es obvio que se trata de violar al joven; el ocultar esa realidad expresa el modo como Echeverría sublima la sexualidad, que sustituye por la incorpórea pasividad del amor romántico, lo mismo que rechaza el verdadero significado del matadero del Alto como proveedor de la ciudad, para, ignorando la interdependencia de ambos, hacerlo representar exclusivamente la «barbarie» (pp. 173 y ss.).

(8) Cabe siempre la posibilidad de que el episodio esté basado en un suceso real.

(9) Preguntándose por qué escoge Echeverría el matadero como el sitio que reúne cuanto quiere expresar acusatoriamente, Jitrik concluye que se debe ello a su carácter híbrido de establecimiento situado en las afueras, al servicio de la ciudad, pero cuyos obreros «son marginales [a aquélla], participan del modo de ser rural», según refleja su conducta. «No es extraño que en este lugar híbrido tenga sitio tan relevante la federación, porque la federación rosista es igualmente híbrida; como sistema político representa el triunfo de las campañas pecuarias contra la ciudad. Y de este engendro no puede salir sino el crimen ... Sin duda que en este sentido [Echeverría] se anticipa a la famosa opción de Sarmiento, "Civilización y barbarie" ... Echeverría, en cambio, proponía una reunión de grupos o clases, una nueva burguesía que no excluyese a nadie ... de la cual el grupo de intelectuales encabezados por él tendría que haber sido vocero» (páginas 176 y ss.). No hay que perder de vista tampoco las implicaciones, bien que se trata de un proceso que sólo se afirma en el período postrosista, del hecho igualmente «híbrido» de que la oligarquía, cuya base económica era o fue la ganadería, fuese unitaria y europeizante.

(10) Véase a propósito José F. Montesinos, *Costumbrismo y novela* (University of California Press, 1960).

(11) «Apología del matambre. Cuadro de costumbres argentinas», publicado en 1836, según Ghiano (*op. cit.*, p. 39). «Historia de un matambre de toro» consta sólo de una introducción muy irónica sobre la cultura nacional. «Literatura mazorquera» son dos fragmentos de sátira política. En la «Apología» es evidente la influencia de Larra.

(12) Véase, para una explicación de la afirmación del romanticismo en la Argentina como una consecuencia de su independiencia política, Alfredo Roggiano, «Proposiciones para una revisión del romanticismo argentino», *RI*, XLI, 90 (1975), 69-77.

(13) Véase, por Alejandro Losada, «El surgimiento del realismo social en la literatura de América Latina», *I & L*, III, 11 (1979), 20-55, para un estudio de la significación de *El matadero* como la primera obra que logra darnos una imagen de la sociedad con un grado satisfactorio de complejidad, primera concreción del programa de la generación de Echeverría de creación de una literatura nacional. Losada señala muy acertadamente lo novedoso de *explicar* el fenómeno social, según hace o quiere hacer *El matadero*, así como las diferencias entre los costumbrismos argentino, peruano y español, pero exagera el carácter autónomo o no-dependiente de esa literatura, olvidando que el proyecto del grupo social que en ella se «autorreproduce» no es menos «dependiente», a la larga, que el que resulta, en vez de realismo, en «romanticismo-costumbrismo», según sugiere lo limitado de la visión social del cuento de Echeverría. Para una interpretación renovadora del romanticismo hispanoamericano, véase, por Hernán Vidal, *Literatura hispano-americana e ideolo-*

gía liberal: surgimiento y crisis (Una problemática sobre la dependencia en torno a la narrativa del «boom»), Buenos Aires: Hispamérica, 1976, esp. II. En otro ensayo, Losada se extiende con iluminadoras observaciones sobre costumbrismo y realismo en la literatura hispanoamericana: «Rasgos específicos del realismo social en la América Hispánica», *RI*, XLV, 108-109 (1979), 413-42.

(14) Explica Jitrik cómo, al menos inicialmente, Echeverría sentía menos la opresión rosista que el que el tirano fuese incapaz de comprender la necesidad de unir al país y facilitar su integración en el mundo «civilizado», como, en efecto, pudo haber hecho de no aferrarse a la defensa a todo trance de intereses limitados («Soledad y urbanidad. La adaptación del romanticismo en la Argentina», *op. cit.*, pp. 139 y ss.). Véase n. 9, final.

(15) Véase, a propósito del naturalismo, George Lukács, «Critical realism and socialist realism», *Realism in Our Time: Literature and the Class Struggle* (New York: Harper, 1971), esp. páginas 124-5.

(16) Según propone Julio Cortázar en «Literatura en la revolución y revolución en la literatura: algunos malentendidos a liquidar», *Literatura en la revolución...* (México: Siglo XXI, 1971), páginas 38-77.

PERSISTENCIA DEL TERRATENIENTE

El realismo se afirma en la literatura hispanoamericana hacia finales del siglo XIX. Ello ocurre en gran medida, según era de esperarse de la historia de ese movimiento, a través de la novela de ambiente urbano o burgués (de la cual la obra de Blest Gana es probablemente el mejor exponente en su época), pero también la novela de escenario rural contribuyó a superar romanticismo y costumbrismo y absorbe luego con eficacia la lección del realismo. En esa novela rural o semirrural —categoría que incluye los ambientes provincianos—, la cual tiende a predominar sobre la urbana hasta, aproximadamente, los años treinta, aparece a partir de la cimentación del realismo, con llamativa frecuencia, y a menudo en función protagónica, el terrateniente, es decir, el latifundista que ejerce una autoridad afirmada en una tradición secular, sobre un vasto conjunto de tierras, bienes y personas.

Una vez dejado atrás el romanticismo, el cual había dibujado también algunos terratenientes, aunque sin preocuparse de su verdadera función social, y hasta idílicamente (*María*, de Isaacs) (1), los nuevos cánones estéticos exigen que se preste atención, con el fin de perfeccionar la pintura social que preocupa ahora al novelista, al dueño de ese campo donde tiene lugar la acción, por ejemplo, de las novelas todavía básicamente costumbristas de Roberto Payró, o de Javier de Viana; que se le preste atención no sólo a su caracterización en cuanto personaje de cierta trama, sino a su significado como fuerza social. De ahí la aparición, consciente o deliberada, del terrateniente dentro de la novela hispanoamericana moderna; de ahí también que esa caracterización, una vez reconocida la importancia del fenómeno social que representa, se escape de los límites del realismo hacia la alegoría, la tesis política, inclusive el simbolismo plurisignificante de la novela contemporánea.

El modelo histórico del terrateniente es característico de sociedades como las latinoamericanas, en cuya formación y desarrollo han predominado formas de producción primero esclavistas y luego feudalizantes. El proceso de modernización de esas sociedades ha exigido la transformación del primitivo terrateniente en hombre de empresa moderno, so pena de perder su liderazgo económico y social, y así ha sucedido en efecto, más o menos rápidamente, en cada país. Mas como entretanto la situación histórica y las condiciones económicas que dan lugar a la aparición del terrateniente continúan vigentes en la mayor parte de Hispanoamérica bajo diferentes circunstancias, no podría desaparecer de súbito su retrato de nuestra novela con el cambio de foco de ésta del campo a la ciudad: tampoco las capitales absorben sino marginalmente a la población campesina que fluye a ellas, e incluso la economía de las naciones más prósperas y cercanas al estado de superdesarrollo no se halla completamente industrializada. En el marco de las nuevas condiciones socioeconómicas, el primogénito del antiguo terrateniente continúa apareciendo en la novela moderna de intención realista, a veces para expresar las transformaciones sociales que afectan su poder; a veces en un medio urbano, o predominantemente urbano; a veces no ya como protagonista, pero sí como personaje de importancia crucial.

El realismo sólo ha comenzado a ceder su primacía dentro de la literatura hispanoamericana a formas novelísticas interesadas fundamentalmente en la transformación estética de la realidad en lugar de su reproducción, en los últimos veinte años; mas lo mismo que yerra quien imagine difunta la caracterización del caudillo latifundista con la desaparición de la novela regionalista, se equivoca igualmente quien presuma su muerte del reciente triunfo de la novela experimental, o, en otro terreno (aunque muy próximo), quien crea desaparecidas las condiciones que dieron origen al terrateniente histórico —lo cual, naturalmente, ningún crítico medianamente al tanto de la condición presente del continente sostendría honestamente. La persistencia de una estructura económica de subdesarrollo, o, en el caso de algunas naciones, de semidesarrollo también dependiente, resulta en la continuidad del control de la vida política y económica hispanoamericana por una oligarquía cuya fuerza, aun cuando la sostengan recursos bancarios, industriales, comerciales, vastas propiedades urbanas, continúa asociada a la posesión de grandes extensiones de tierra, que es donde se originó aquel poder, o al menos donde conjeturamos que debió tener su origen, según es tradicional y afirman los ejemplos mejor conocidos.

Universalmente, el latifundio le confiere al poder una impresión de legitimidad que explica el origen agrario de la sociedad capitalista y más de un milenio de feudalismo, cuya desaparición ha sido en Hispanoamérica aún más tardía que en España (2): de ahí que la figura del terrateniente haya sobrevivido en la novela hispanoamericana como latifundista y caudillo —aun después que el poder que representa ha dejado de depender del latifundio (situación que varía, claro está, de país a país, a veces enormemente)—, y hasta con carácter protagónico, en los casos en que esos novelistas se proponen una visión nacional o social de cierto alcance.

La caracterización del terrateniente a través de la historia de la novela hispanoamericana expresa el dinamismo natural de un complejo socioeconómico en constante proceso de cambio; el modo en que aparece, se le alude o sugiere, a veces por medio de señalar su ausencia, en algunas novelas de las últimas décadas, confirma su valor arquetípico para nuestra literatura. (El concepto de arquetipo al que me refiero podría caber en la tercera categoría de Northrop Frye, correspondiente a la de obras realistas en las que puede reconocerse un modelo sobrehumano: *Anatomy of Criticism*, «Archetypal Criticism: Theory of Myths», Introducción; siempre y cuando nos mantengamos en el ámbito de la estilización a prudencial distancia de la elaboración de verdaderos patrones míticos.) Porque se trata, en su caso, no de un mero tipo, sino de la encarnación de una realidad que, incluso en los casos en que pueda haber perdido parcialmente su vigencia, continúa viva en el esquema de representaciones históricas común a toda la nación, la pintura del terrateniente le exige al novelista que se propone retratar a su través, más o menos parcialmente, cierta sociedad, una respuesta que toca necesariamente, en el transcurso de su expresión, todo su arte. Esa reacción puede representar tanto el rechazo como la admiración, a menudo —sobre todo contemporáneamente— por medios cuya sutileza o ambigüedad revelan, lo mismo que otros más tradicionales, la verdad íntima del artista; también porque suele ocurrir que la caracterización del terrateniente marca una etapa decisiva en su carrera.

El caso de las literaturas cubana y puertorriqueña puede servir de prueba, aplicado negativamente, de la función literaria del terrateniente en relación a una realidad nacional.

En Cuba, la devastación de la agricultura producida por la primera guerra de independencia (1868-78), especialmente durante su último período, se combina al concluir esa contienda de diez años con la baja continua del precio internacional del azúcar, la competencia de otros productores de ésta y la del azúcar de remolacha, y el alto costo de la nueva maquinaria necesaria para reducir los costos de la producción y para transportar, por ferrocarril, el azúcar a los puertos, para provocar la ruina de la clase terrateniente. Incapacitados económicamente para mantener la operación de los latifundios que proveían de caña sus ingenios, los terratenientes criollos venden sus tierras, principalmente a intereses norteamericanos, o las convierten en *colonias* (fincas de caña de azúcar que venden ésta a una cercana *central* o ingenio moderno, de la cual dependen, por tanto, económicamente); aquéllos más afortunados en evitar la ruina, rehacen su poder desde la base de intereses bancarios, comerciales, de bienes raíces urbanos, etc., pero aun en los casos en que la oligarquía cubana logra mantener la posesión y el control de sus latifundios, éstos no serán ya la fuente principal de su poder (3).

Lo mismo va sucediendo para las mismas fechas, o sucederá más adelante, en el resto de Hispanoamérica; la diferencia en el caso cubano es que allí el latifundio deja también de *parecer*, ya desde el último cuarto del XIX, la fuente del poder, incluso de la oligarquía de origen terrateniente, la cual opera desde centros urbanos, en tanto que ha arrendado sus tierras, si aún las posee, a empresas anónimas. Es claro que esta situación no se produce súbitamente, pues era ya corriente que la clase latifundista de las provincias occidentales, dada la pequeña extensión del país, residiese en La Habana, pero es un hecho que para la década del ochenta la oligarquía cubana ha perdido del todo esa conexión de naturaleza feudal con la tierra que perduró mucho más en tantos países americanos, y todavía existe en algunos (4). Paralelamente, o como consecuencia de la ausencia o la desaparición de los antiguos propietarios, en tanto que la administración de la tierra quedaba en las manos de sus agentes o de intereses extranjeros, gran parte del campesinado se convierte en proletariado rural, libre del vínculo de tipo señor-vasallo que caracterizaba sus relaciones con el patrón en otros países. La guerra de independencia de 1895 la hará en Cuba en gran parte ese mismo campesinado, en mucha mayor medida aún que lo hizo en la guerra anterior, y con el apoyo no ahora de la clase oligárquica que había financiado la primera guerra, pero prefiere para entonces mantener el *status quo* —en forma de un régimen autonómico respecto a España—, sino de la burguesía profesional y los obreros industriales.

Esta transformación social, con los factores derivados de o asociados a ella (la pérdida de su base campesina por la oligarquía, la conversión del campesinado en proletario o independiente, el aumento de las clases medias con el del capital dedicado al comercio, y el de la dependencia de aquéllas y de la oligarquía de Estados Unidos no sólo económica, sino también culturalmente; lo cual, junto con la proximidad de Cuba a ese país, facilitará su emigración y adaptación a él), ayuda a explicar el fácil triunfo de la revolución socialista de 1959, y también explica la conspicua ausencia del terrateniente de la literatura cubana de ficción después del triunfo del realismo, no obstante haber sido los ambientes urbanos más bien excepcionales en ella hasta hace poco.

Como era de esperarse de sus intenciones, la novela romántica no concede al terrateniente como figura social un papel importante; llama la atención, sin embargo, sugiriendo de hecho que la rapidez con la que desaparece del escenario social después de la guerra del 68 representa la conclusión *natural* de un proceso en marcha desde finales del siglo XVIII, con la conversión de la economía de la isla a la producción de azúcar, la cual requería mucho menos que la ganadería o la agricultura la presencia del dueño del latifuncio en él, que en *Francisco,* de Anselmo Suárez y Romero, seguramente la primera novela antiesclavista escrita en las Américas (5), el dueño del ingenio donde trabaja el pobre esclavo sea una dama caprichosa que vive lejos de él, en La Habana, ha pasado a veces hasta cuatro años sin visitarlo, y deja que su hijo administre el latifundio, aunque —factor muy importante— sin renunciar a su autoridad de amo en cuanto a los esclavos (de modo que el hijo de la señora Mendizábal debe engañarla en cuanto a Francisco para evitar obedecer la orden que le ha dado aquélla de suspender el castigo del esclavo). *Cecilia Valdés o la Loma del Angel,* de Cirilo Villaverde, la más importante de las novelas cubanas del XIX (6), es de ambiente urbano, y su protagonista masculino no pertenece a la clase latifundista, pues aunque la familia posea un ingenio que heredó la madre, el padre, don Cándido, es hijo de un comerciante español y ha hecho su fortuna en el comercio.

La literatura narrativa florece en Cuba sólo después de 1880, con novelas de tipo costumbrista, histórico o seudohistórico, realista, incluso naturalista (Martín Morúa Delgado), etc., y de localización generalmente rural, hasta que ya durante la era republicana —después de 1902— aparecen las novelas sociales de Carlos Loveira, de ambiente urbano. Aunque la literatura novelística no ha tenido manifestaciones tan importantes en Cuba, al menos hasta los últimos veinte años, como en el resto de Hispanoamérica, el cuento sí que ha contado con cultivadores de fama continental e hispánica (Hernández Catá, Novás Calvo, Virgilio Piñera) y la producción en ese género, de cualquier modo, ha sido abundantísima. Será inútil buscar, no obstante, en la obra cuentística (lo mismo que en la novela) de los autores que más han cultivado los ambientes campesinos —Luis Felipe Rodríguez, Jesús Castellanos, Carlos Montenegro, Enrique Labrador Ruiz, Onelio Jorge Cardoso— la figura del terrateniente con una función central (7). La miseria, el aislamiento, los atropellos, son en esos cuentos el producto de males sociales bien identificados, en vez de aparecer unidos a la omnipresencia de un latifundista heredero del señor feudal y dispensador, pues, tanto del mal como del bien.

La literatura puertorriqueña es de florecimiento más tardío que las demás hispanoamericanas, según era de esperarse de la situación de Puerto Rico, primero como colonia marginal de España, y después como colonia estadounidense, en la cual fue obligatorio hasta 1949 el uso del inglés como idioma de la enseñanza en las escuelas (8). La pequeñez de Puerto Rico, aun mayor que la de Cuba, influye también hasta cierta medida en contra de la pintura del terrateniente en la novela puertorriqueña, pues es claro que aquélla se desarrolla mejor en el marco de vastos latifundios, los cuales abundan aún menos en Puerto Rico que en Cuba. No obstante, también el latifundio existió y continúa existiendo en las islas del Caribe, aunque con dimensiones menores que en el resto de América (9), de suerte que si no hallamos al terrateniente como personaje en las literaturas mencionadas es porque su florecimiento, y más en particular el del realismo dentro de ellas, tiene lugar después, o paralelamente cuando menos, con el proceso mediante el cual el dueño del latifundio se extingue como fuerza social dominante. Que se trata de un tipo cuya caracterización literaria sirve de vehículo para expresar la concepción que de los procesos sociales nacionales tiene un escritor, lo prueba el modo en que se acerca al terrateniente, ya difunto para entonces en cuanto tal, la primera novela puertorriqueña importante de la era moderna.

En *La llamarada,* de Enrique Laguerre, aparecida en 1935, se narra el descubrimiento por un joven agrónomo recién egresado de la universidad, de las miserias asociadas con el corte de la caña, labor con la cual, por su profesión, y a la larga como miembro de una sociedad cuya base económica era entonces la producción del azúcar, el futuro del protagonista parece indefectiblemente ligado, en su múltiple condición de factor económico, social y político. Para la época en que tiene lugar la acción de *La llamarada,* que es aproximadamente contemporánea con su fecha de publicación, la clase latifundista puertorriqueña ha sido sustituida por las grandes compañías anónimas norteamericanas dedicadas a la producción de azúcar en gran escala, fenómeno respecto al cual se articula la conducta de Juan Antonio Borrás, el protagonista de *La llamarada.* Desde su llegada a las tierras de la central, aquél se asocia espiritualmente con quienes representan allí los vestigios de la antigua clase: la familia Alzamora, antaño dueña del ingenio, pero cuya hacienda o finca, «Santa Rosa», depende ahora de la central, a la cual arriendan su tierra. Es en la casa-vivienda de «Santa Rosa», lo único que queda a las señoritas Alzamora de su antiguo esplendor, donde va a alojarse Borrás al tomar posesión de su empleo. Muy poco después, como expresión del cariño que le han tomado sus patronas, aquél recibe las espuelas de plata que pertenecieron al padre de las Alzamora; símbolo de que su ansiada identificación con el pasado terrateniente ha tenido éxito, ha sido aceptada por sus herederos —herederas en este caso, y por tanto desprovistas, de acuerdo con el esquema de valores dentro del que funciona la figura del terrateniente, de la capacidad de revivir ese pasado (10).

Pero es con otros ex terratenientes con quienes Borrás hará aún más amistad y concluirá vinculándose a través de su boda con un miembro de la familia. La hacienda en cuestión, «Palmares», fue en sus tiempos la «más famosa de estos contornos, con más de tres mil cuerdas de terreno, sus grandes hatos, sus copiosas cosechas de café y caña, su prestigioso ingenio, sus memorables festivales y su extensa servidumbre» (p. 56). El mayordomo, francés como los dueños (11), termina comprando la hacienda y continúa haciéndola prosperar: «Adquirió ["don Juan Moreau"] prestigio de hombre adinerado [es decir, como si lo hubiese sido siempre] y a su casa afluían los estancieros, los políticos, la gente humilde y hasta los pordioseros de distintos puntos, pues era mucho lo que se hablaba de su generosidad» (página 57). Mas se trata ya de la decadencia de la antigua clase propietaria: no sólo el nuevo dueño ha llegado a serlo por su esfuerzo y «buena suerte», sino que su mujer es «una muchacha cuarterona [en parte negra], sencilla y hacendosa» (p. 56). Bajo la administración del hijo de ambos, «Palmares» se arruina y sigue el destino de las demás haciendas de la región: «Arrendó los mejores terrenos —los más llanos— a la Central, dejando, además de unas cuerdas alrededor de la casa, las tierras quebradas, con sus montes, sus abras y sus cafetales. Preparó cercados en otras fincas más pequeñas que poseían y allá fue llevado el ganado de menos necesidad» (p. 58).

Es crucial dentro de la estructura ideológica de *La llamarada* que esta familia, aunque arruinada como productora de azúcar y latifundista independiente y poderoso, conserve sus cafetales, ya que es a las tierras altas donde se cultiva el café —en este caso las suyas propias heredadas de su padre— donde se retira al final el protagonista, cuando, fracasados sus esfuerzos por adaptarse a las exigencias de su cargo como agente de la central, espera hallar en ese retiro las fuerzas necesarias para la lucha que debe emprender: «¡Cañaverales, lagos de desventuras! Abrotoñó la semilla vellosa regada por el sudor de los tristes siervos. La sabana está invadida: se oye el galope fiero de la miseria. Lo va atropellando todo: vidas, árboles, el orgullo insular... ¿Dónde, dónde se encontrará refugio? El último indio se refugió en el Yunque y allí murió con sus dioses. Tenemos que emprender el camino a la montaña, pelear bravamente en contra del hacha, en contra de las tormentas, en contra de los invasores» (p. 289) (12).

Conclusión harto insatisfactoria para una novela cuya dirección política es obviamente progresista, pero que termina dándole la espalda al conflicto al que necesariamente tendría que conducir a Borrás su posición de empleado de un sistema cuya injusticia ha comprendido y aborrece, por la fácil vía de hacerlo heredero de un próspero cafetal, de suerte que pueda emular, bien que en condiciones mucho más cómodas, al indio de la leyenda. Lo cual no significa una victoria, sino derrota a lo sumo heroica, porque, además, el café como producto económico no iba a salvar a Puerto Rico de su dependencia mejor que el azúcar. En este callejón sin salida ideológico en que concluye la novela se concreta la identificación que antes observábamos del protagonista con los restos de la clase terrateniente en los dos niveles representados por los Alzamora y los Moreau (es importante que Borrás rechace el posible enlace con los Alzamora, a través de la sobrina de sus caseras; es decir, con los herederos directos de la antigua oligarquía, para preferir el entronque con quienes han suplantado, aunque demasiado tarde, a aquélla). La decadencia económica de ambas familias, aunque no idéntica, facilita la identificación emocional de Borrás con ellos; por lo mismo que no les queda ya apenas poder, y en consecuencia subordinados que oprimir, la tradición cultural que representan resulta mucho más atractiva que la civilización puramente material de los directores de empresa modernos y sus secuaces, agentes, además, del imperialismo económico norteamericano. El culto de aquel pasado se sostiene, sin embargo, en el olvido de que, de no haber perdido su potencia económica sus actuales representantes, no se diferenciarían de los representantes del nuevo latifundismo en cuanto fuerza (o mal) social; escamoteando, por tanto, el planteamiento de los problemas inmediatos con los que la novela intentaba enfrentarse (13).

La novela rioplatense de finales del siglo pasado y principios del presente ha caracterizado con frecuencia al estanciero o terrateniente de la pampa. Algunos de los más interesantes entre esos retratos son los del uruguayo Carlos Reyles. En *Beba* (1894), el protagonista masculino es un estanciero cuyo empeño en modernizar la ganadería de su establecimiento fracasa, lo mismo que su relación con Beba, su sobrina: el hijo de ambos es un monstruo, y nace muerto; los potros de raza del establecimiento son también hijos de caballos consanguíneos y heredan las enfermedades de ambos padres. *El terruño* (1916), novela rica en pinturas costumbristas y en comentario político (cómo afectan el campo las guerras entre «blancos» y «colorados»), concluye con el abandono por el seudointelectual Tecles, convertido a pesar suyo en estanciero, de sus sueños de escribir tratados filosóficos, para dedicarse, en cambio, a hacer prosperar sus estancias, en tanto representa, como diputado, los intereses de su clase.

La figura del terrateniente es esencial a *Los caranchos de la Florida* (1916), de Benito Lynch, donde también aparece bien caracterizado el gaucho, especialmente respecto a su dependencia feudal del estanciero, la opinión que le merece a éste, etc. Menos importante que en la novela de Lynch, la cual no se propone la caracterización del terrateniente como tema central, sino un conflicto pasional entre padre e hijo, es el papel de las figuras de terratenientes que aparecen en *La sombra del convento* (1917), de Manuel Gálvez, donde se pinta la intransigencia religiosa de la vida provinciana, y en *La pampa y su pasión,* del mismo autor, la cual describe el ambiente de las carreras de caballos en que se recrea la aristocracia ganadera argentina (14).

En todas o casi todas las novelas mencionadas, el lector curioso puede hallar indicios de la inminente desaparición del sistema socioeconómico representado por esos poderosos estancieros que reinan látigo en mano sobre un vasto número de subordinados: situación particularmente urgente en la Argentina, donde la acumulación de capital y las exigencias del creciente comercio internacional hacían ya necesaria a finales del XIX la transición a sistemas de explotación económica modernos y, por definición, impersonales (15).

Ocurre al mismo tiempo que en la Argentina (al igual que en el Uruguay, países muy parecidos geográficamente y cuyas respectivas historias se entrelazan muy a menudo hasta, por lo menos, el final de la guerra de la Triple Alianza contra Paraguay, en 1870): el tipo de vida, la cultura asociada con el campo y en particular con la ganadería según la practicaba el gaucho, en un principio independientemente y más adelante bajo la supervisión del gran terrateniente de la pampa, ha tenido un enorme impacto en la imaginación popular, afincándose, a través de la literatura y de otros medios de comunicación, como la esencia del carácter nacional. Esa identificación no fue inmediata, pues contra la popularidad de la literatura gauchesca (a la poesía de Hidalgo, Ascasubi, Del Campo, Hernández y Obligado se suman las novelas y piezas de teatro de Eduardo Gutiérrez y de Roberto Payró), actuaban la orientación europea de la educación nacional según la entendían los líderes culturales y el impacto de los millones de inmigrantes europeos que llegaron a los países del Plata entre el fin del rosismo y el comienzo de la segunda guerra mundial (seis millones en el caso de Argentina; cuatro millones y medio de 1857 a 1914). Para 1920, sin embargo, el gaucho parece el representante indiscutible del alma —por decirlo de algún modo— nacional (16). La falta de una cultura indígena de la misma envergadura que las que enorgullecen a otros países americanos, al mismo tiempo que la necesidad nacionalista, aumentada por la independencia —la cual coincide a su vez con la introducción del romanticismo y su exaltación del *volksgeist* y las expresiones culturales *espontáneamente* nacionales—, de identificar para el país unas raíces culturales totalmente diferentes de las españolas, dan lugar ya desde el *Facundo,* de Sarmiento (1845), al tipo de atención hacia el gaucho que concluirá idealizándolo. La importancia económica para la nación de la zona que constituye el medio original del gaucho —que es la pampa—, y muy en especial de la ganadería en que se ocupaba aquél, garantiza el éxito de la ecuación gaucho = Argentina; paralelamente, la dependencia de la prosperidad nacional de la explotación eficiente de la misma región exigía el control y transformación de la actividad económica del gaucho y, por tanto, su desaparición.

Martín Fierro (1872, 1879), corona de la literatura gauchesca al igual que de la argentina, probablemente la obra más rica de la literatura decimonónica hispanoamericana, resulta de la intención de expresar el drama del gaucho desplazado o absorbido por el sistema económico y político que reemplazaba a aquel del cual había surgido. La segunda parte de la obra, *La vuelta de Martín Fierro,* trata de afirmar, de acuerdo con la creciente estabilización política argentina, concluida la guerra civil, la necesidad para el elemento nomádico, asocial, primitivo, de la vida nacional —el gaucho—, de encarrilarse él también por la vía del progreso por donde marchaba firmemente el resto de la nación; sin embargo, la intensidad con que la primera parte del poema ha pintado una verdad psicológica y social, le impide a Hernández hacer más que sugerir los méritos de la probable —o quizá sólo posible— conversión de Fierro en un buen ciudadano. (Borges, que para 1940 había abandonado ya toda ilusión respecto a la transformación de la patria en una democracia estilo británico, para insistir, por el contrario, en la función catártica de la barbarie, hace en su cuento «El fin» —es decir, el *verdadero* final de Martín Fierro— que éste muera, como le corresponde, en una pelea a cuchillo.) (17). Tenemos así que la afirmación del gaucho como un arquetipo nacional coincide con la de la irrevocabilidad de su extinción; de hecho, el segundo factor garantiza la eficacia del primero: tan sólo cuando está confirmada la inanidad social del tipo puede la burguesía rectora identificarse sentimentalmente con él.

Estanciero y gaucho son, naturalmente, figuras opuestas

en el cuadro económico, pues éste representa un tipo de actividad independiente, casi nómada, anterior a la creación de vastos establecimientos rurales dedicados a la cría de ganado para su explotación en gran escala con destino al consumo urbano y a la exportación. No obstante, la extensión de esos fundos, su aislamiento, la inmensidad del país, facilitará el que el gaucho mantenga aún durante algún tiempo su existencia semiindependiente en relación al régimen económico de la gran estancia. El efecto sobre las relaciones sociales de esos factores recién mencionados acortaba al mismo tiempo la distancia entre estanciero y subordinado, no porque provinieran del mismo estrato social, sino porque compartían, en gran medida, un mismo tipo de vida. Las novelas citadas más arriba ofrecen ejemplos de tal identificación; pero hay un caso más interesante, por histórico, que los que puedan aparecer en aquéllas: Juan Manuel Rosas, quien gracias a su experiencia juvenil como estanciero podrá desarrollar más tarde, no obstante su carácter de miembro de la oligarquía porteña y dictador absoluto, una identificación ideológica con la gauchada anárquica. Mas cuando, para el siglo XX, desaparece por fin el sistema estanciero semifeudal que había dominado la vida económica argentina durante el siglo anterior, desaparece también el gaucho que había hallado allí un último, aunque incómodo, refugio.

Ese sistema de tensiones entre el gaucho y el estanciero en primer lugar, y más adelante entre el sistema representado por éste (el cual ha absorbido al gaucho como entidad económica y se lo ha apropiado además como símbolo, aunque es claro que sin eliminar la oposición entre ambos) y la organización moderna de la ganadería, Ricardo Güiraldes lo expresa por fin en toda su complejidad, en 1926, con su novela *Don Segundo Sombra.* Güiraldes, que había tratado ya en *Raucho* (1917) el tema de la vuelta a la tierra (18), acomete en su novela mayor la caracterización del personaje arquetípico, identificándolo con el estanciero o terrateniente y hasta con el escritor o el hombre culto en general, con el obvio propósito de salvar lo que representaba aquél, aunque sabiendo muy bien al mismo tiempo, según sugiere el texto de su novela, que nada puede evitar el que don Segundo Sombra desaparezca para siempre de la pampa —es decir, de la escena nacional argentina.

El *guachito* de catorce años que al principio de la historia deja la vida del pueblo por la pampa, lo hace por seguir a don Segundo, a quien acaba de conocer, pero quiere ya emular: éste sirve de catalizador a la aún informe vocación del chiquillo por la vida campesina, orientándola definitivamente hacia la del vaquero, respecto al cual, intuye inmediatamente el protagonista-narrador, don Segundo representa la perfección del tipo. Este responde a esa admiración apadrinando al mozuelo, enseñándole a través de largos meses no sólo las tareas del oficio ganadero (doma, arreo, etc.), sino también cómo comportarse en varias situaciones sociales (el amor, el juego, las peleas, etc.).

Güiraldes sitúa deliberadamente la acción de su novela

en una época imprecisa, jamás definida, de suerte que la consciencia de una determinada realidad socioeconómica e histórica no interfiera en el juicio del lector con la imagen de la independencia del gaucho, afectándola negativamente: don Segundo Sombra puede, por tanto, representar ésta en su más integra pureza. [Hay que notar, no obstante, que Güiraldes, respondiendo en ello a la ideología de su clase, la vencedora en las guerras civiles, sí reconoce la extinción del papel político del gaucho: «¡Qué caudillo de montonera hubiera sido!» (19), exclama en una ocasión el narrador nostálgicamente a propósito de su mentor.] Pero por más que la fecha de la acción permanezca imprecisa, al lector interesado en el aspecto económico de la actividad ganadera reflejada en el relato, no puede escapársele que el tipo de ganadería practicado por don Segundo y sus hombres es de carácter primitivo, en tanto que para la época en que apareció la novela, la industrialización de la ganadería había avanzado notablemente en Argentina.

Varios capítulos de *DSS* revelan con sus vívidas descripciones cómo las operaciones del arreo y del rodeo causaban la destrucción de numerosas cabezas de ganado. La conducción del ganado de un sitio a otro de la pampa en busca de pastos era un proceso en sí mismo costosísimo, por el tiempo y los preparativos que exigía, además de que resultaba prohibitivo al subir el costo de la tierra y ser toda ella parcelada; fenómeno derivado a su vez del aumento en importancia de la agricultura, y más específicamente del cultivo del trigo, que llegaría a sustituir a la ganadería como la principal fuente de riqueza del país. El rápido aumento en el consumo de carne en el mundo, especialmente en Occidente, y la subida en el costo de la tierra en la Argentina, se combinan con mejoras en la calidad alimenticia del pasto, la utilización de frigoríficos y de buques-frigoríficos, la extensión de las líneas férreas, etc., para eliminar el tipo de ganadería cuya descripción anima las páginas de *DSS*, y con él la existencia del gaucho como trabajador semiindependiente, cuyo conocimiento de las tareas que forman parte de su ancestral independencia (pues en el ejercicio de ésta las ha aprendido) dejan de serle necesario al estanciero una vez que el ganado es concentrado en fincas perfectamente cercadas, con pasto abundante, y desde las cuales será conducido, por tren, a los puertos, todo ello bajo la supervisión de empleados que viven permanentemente en la estancia.

Güiraldes, que conocía bien la pampa y dependía él mismo económicamente de la ganadería, echa mano entonces, para evitar la extinción de los don Segundos, a un recurso extremo: hace de súbito al hijo espiritual de su gaucho ideal, a ese joven que don Segundo Sombra ha formado a su imagen y semejanza, heredero de un vasto latifundio, de modo que el espíritu y la enseñanza del viejo gaucho puedan sobrevivir en quien posee los medios de preservar esas virtudes. «Ya has corrido mundo y te has hecho hombre; mejor que hombre, gaucho. El que sabe de los males de esta tierra, por haberlos vivido, se ha templado para domarlos...» (p. 178), le dice su tutor a Fabio Cáceres, el protagonista, quien tiene ahora un nombre. Pero la fusión de gaucho y estanciero, el desarrollo de cuyos intereses supone precisamente la eliminación del antiguo dueño nómada de la pampa, es imposible, y tanto es así que Güiraldes, de hecho, no trata de escamotearlo, sino que, por el contrario, la desarrolla en los capítulos finales de *DSS* a través de la tensión que desgarra al protagonista.

Al enterarse de su herencia, lo cual implica que «*había dejado de ser un gaucho*» (p. 174), pues requiere el abandono de la vida nomádica característica de éste, Fabio imagina tres soluciones: rechazar la herencia por soberbia («Si en vida del finao —decía yo— no ha sabido reconocerme como hijo, yo aura lo desconozco como padre»), aceptar sus posesiones para, «como un hombre de ley ... hacer picadillo de aquellas tierras, para repartirlas entre el pobrerío», o, simplemente, darle la espalda a todo: «Me imaginaba disparando de mi nueva situación como Martín Fierro ante la partida... ¿Qué diablos iba a sacar en limpio de todo ese bochinche?» (p. 173). El origen de la última posibilidad, que hay que atribuir a la cultura literaria del protagonista (pues por más que el *Fierro* era muy popular entre los habitantes de la pampa, que se reunían a oírlo leer, la relación que establece Fabio entre esa acción de Fierro y su propia situación resulta demasiado tenue para provenir de un lector vulgar de la obra), subraya, al aludir indirectamente a su nueva situación, que paralela la del autor Güiraldes, lo absurdo de tales deseos y da inicio a la aclimatación del ahijado de don Segundo a su nueva posición social: «Gracias a Dios, me cansé de tales ejercicios. Entonces mis ojos cayeron sobre el tuse de mi caballo. Del tuse pasé [...] La rastra, apoyada entre mis ingles, era mi única prenda de riqueza. ¡Qué raídas por el trabajo, las lluvias y el sol estaban mi blusa y mis bombachas! ¿Tiraría todo eso? / Parece mentira: en lugar de alegrarme por las riquezas que me caían de manos del destino, me entristecía por las pobrezas que iba a dejar. ¿Por qué? Porque detrás de ellas estaban todos mis recuerdos de resero vagabundo y, más arriba, esa indefinida voluntad de andar» (pp. 173-74). Las últimas frases implican la aceptación de la condición de dueño, y con ello el adiós a una miseria que, por más que soportable y hasta placentera, se reconoce como perteneciente a otra etapa vital. Cuando al final del capítulo Fabio le pregunta ansiosamente a su padrino si sigue siendo «el de siempre y que esos malditos pesos van a desmentir mi vida de paisano» (p. 175), don Segundo responde «—apoyando sonriente su mano en mi hombro—: Si sos gaucho en de veras, no has de mudar, porque andequiera que vayas, irás con tu alma por delante como madrina'e tropilla» (Ibíd.).

Pero el autor, como bien consciente de las necesidades internas del relato que ha ido componiendo, no va a concluirlo con esa suerte de imposible *happy ending* —el cual, además, en vez de *realizarse* en la acción, no trasciende el nivel puramente enunciativo de la escritura. Valientemente, Güiraldes enfrenta entonces el natural alejamiento de Fabio de su vida de gaucho, haciéndolo pasar tres años bajo la tutela directa de su tutor legal y del hijo de éste, llamado Raucho, como el protagonista de la primera novela de Güiraldes (véase nota 18), años que incluyen varios viajes a Buenos Aires y abundante lectura. El resultado será la creación de un «gaucho acajetillao» (p. 179), o, ya menos en chanza, de «un hombre culto», el cual, no obstante, halla que nada en su nueva existencia le proporciona «la satisfacción potente que encontraba en mi existencia rústica» (página 183).

Gaucho, estanciero, hombre culto. Por medio de esa sucesión ascendente de representaciones de su narrador-protagonista, Güiraldes aspira a salvar al gaucho de la extinción total que lo amenaza, pero como sabe que, al fin y al cabo, ello es imposible, hace que don Segundo, en vez de permanecer junto a su ahijado —que se convertiría entonces en su patrón—, continúe su vida nómada: «El estaba hecho para irse, siempre, y tres años de permanencia en un lugar [en tanto Fabio se educaba como patrón, su padrino ha permanecido en la estancia, de modo de poder despedirlo/despedirse, garantizando de ese modo su ingreso en el nuevo imposible destino que lo aguarda como gaucho/estanciero], lo habían saturado de inmovilidad. Demasiado sentía yo en mí la sorbente sugestión de todo camino para no comprender que en Don Segundo huella y vida eran una sola cosa. ¡Y tenerme que quedar!» (p. 183). Es claro que el permanecer en la hacienda desmentiría irremediablemente el carácter del personaje como símbolo del gaucho; su ida, en cambio, asegura, en relación proporcional a la efectividad de la caracterización del tipo, la desaparición de éste: Don Segundo galopa, como era de esperar de un gaucho —es decir, que no trota, cansadamente— («galopar es reducir lejanía. Llegar no es, para un resero, más que un pretexto de partir»; p. 183), hacia el pasado, de donde se había hecho surgir artificialmente a su *sombra* (es decir, su espíritu), en 1926, la fecha de la conclusión del libro. De ahí que las últimas palabras del narrador cuyo oficio, lo mismo que su alma, ha formado Don Segundo, sean, mientras piensa en el modo como su mentor se pierde en el horizonte: «Me fui, como quien se desangra» (p. 184). Frase que trata de expresar, al nivel de la trama, como sus palabras finales, lo que siente el autor que querría haber sido Fabio.

La intuición de Güiraldes, al revelarle la desaparición irremediable del gaucho como fuerza social, lo conduce a interpretar su sentido para el alma nacional («Al gaucho que llevo en mí, sacramente, como la custodia lleva la hostia», concluye la dedicatoria de la novela), con tanta efectividad que *DSS* le pone punto final al tema gauchesco en la literatura argentina. Al mismo tiempo que a la caracterización del terrateniente, pues al convertirse la ganadería en industria, cuyos empresarios van a habitar además regularmente en centros urbanos, la actividad del estanciero no sólo se separa del todo de la del gaucho, perdiendo así el prestigio épico que la proximidad de aquél le prestaba, sino que parece perder del todo la capacidad de inspirar su representación literaria.

Contrariamente a lo que vimos que sucedía en el caso de Puerto Rico, donde *La llamarada* trataba de invocar sentimentalmente una figura desaparecida largo tiempo atrás, en la Argentina, el terrateniente, en cuanto oligarca, continuaba existiendo en 1930 (la misma dedicatoria recién citada de Güiraldes, de familia estanciera, incluye «A los paisanos de mis pagos»); lo que hace entonces *DSS* es tratar de investir al terrateniente con las características básicas del gaucho, obligándolo a ascender (en la persona de Fabio) hasta su todopoderosa posición a través de un aprendizaje como paisano; es decir, que puesto que el terrateniente cuya fortuna territorial contaba un siglo y hasta más de vida, continuaba existiendo en la Argentina, mas aislado ya de la tierra y, por tanto, del ejercicio directo de su poder feudalizante, Güiraldes no tiene que evocar artificialmente ese poder, como hace Laguerre, sino que trata, en cambio, desesperadamente, de legitimarlo, integrándolo con la persona del dueño anterior de la tierra, que sigue siendo su poseedor legítimo, pues es él quien la trabaja, como pastor o como agricultor. El fracaso de ese empeño al nivel de la trama (es obvio que el Fabio que escribe no es ya gaucho, ni siquiera «acajetillao») expresa la incompatibilidad de dos tipos en proceso de extinción, el terrateniente y el gaucho. A partir de *DSS*, la aparición del segundo en la literatura rioplatense tendrá un carácter puramente marginal (20).

Las novelas de Reyles, Lynch, etc., sugerían ya la consciencia de ese proceso de extinción del terrateniente tradicional (estancieros que tratan de modernizar la ganadería, hijos de estancieros que pasan años en Europa o estudian una profesión liberal); dos novelas del uruguayo Enrique Amorim, *El paisano Aguilar* (1934) y *El caballo y su sombra* (1941), constituyen una especie de epílogo del tema dentro de la literatura ríoplatense. En la primera se retratan vívidamente los efectos de la vida rural sobre Pancho Aguilar, quien después de varios años de residencia en Montevideo, «donde hiciera estudios, y luego de haber pulsado la vida comercial del pueblo vecino» (21), regresa a la estancia donde se crió para hacerse cargo de ella, en condiciones especialmente negativas, pues todos los miembros de su familia inmediata han muerto, y los negocios van bastante mal.

Los efectos en Aguilar de la permanencia en ese ambiente son desastrosos, de suerte que para el final de la novela lo tenemos convertido en un «paisano» más, expresando, en un castellano incorrecto, el reaccionario adocenamiento que en un principio lo irritaba en sus vecinos estancieros: «Yo creo que todo anda mal, por culpa de esos doctores... Se la pasan inventando impuestos» (p. 166), y a poco: «Pero si el mundo está bien como está... ¿Pa' qué desvivirse, si no se puede mejorar?... ¡Paciencia!» (p. 197), es todo cuanto acierta a responder «el paisano Aguilar» a la crítica de orientación socialista de un amigo contra los males del país (falta de garantías para el trabajador, de leyes que eviten el control del parlamento por «caudillitos analfabetos», necesidad de un planeamiento eficiente de la economía).

La degeneración de Aguilar permite a Amorim desarrollar sus ideas sobre la cultura en la que ha sumergido a su protagonista. El punto de partida es, básicamente, positivo: la casa-vivienda de «El Palenque» «hablaba a los forasteros de una era de trabajo y de amor a la tierra. La estancia, signo de un esfuerzo, alzaba su seguridad feudal en muchas leguas a la redonda. Altanería de la piedra, en la multitud de ranchos endebles, de vida limitada ... Dentro de aquellos muros se había incubado un sueño de empresa. Las puertas bajas parecían custodiarlo. Ventanas de tosca madera defendían la vida sobria, casi misteriosa, de aquellos forjadores reservados, solemnes» (p. 6). El novelista apoya esta admirativa descripción del esfuerzo del difunto Aguilar (hay que presumir, dada su falta de cultura —apenas sabía escribir—, que sería el primero de su dinastía) contando que obligaba a sus hijos, tan pronto cumplían doce años, a convivir con los troperos y peones fuera de la casa principal.

En unas reflexiones sobre el carácter del gaucho, Aguilar lo define por su orgulloso individualismo: «Los tres peones a su mando tenían una vida independiente, perfectamente caracterizada ... cada uno "rumbeaba por su lado". Vidas definidas, libres y aparte del conglomerado de la estancia ... Individualistas en grado máximo, en relación directa con la naturaleza, sólo les interesaba su suerte. Cuenta aparte en el boliche, pilchas perfectamente diferenciadas, trabajo claramente establecido ... Cuando alguien la pedía [ayuda], era por cierto ante la imposibilidad material de llevar a cabo un determinado trabajo sin ayuda de segundos o terceros. El que acudía en su auxilio marchaba a colaborar con la importancia de quien concede un favor» (p. 30), situándolo luego en una perspectiva histórica: «cada vez que lo intentaba a fondo ["descubrir el perfil de aquella figura legendaria"], se afirmaba en sí la idea de que no existieron gauchos, de que apenas si existió un gaucho, en cada cimarrona provincia. Hacer "una gauchada" ha sido siempre prestar una ayuda considerable; dar un par de reses para carnear; ceder el paso de una tropa; permitir el corte de un alambrado; ordenar a sus peones incorporarse a una patriada. Gauchos fueron Artigas, Rosas, López, Rivera, Saravia. Contados seres de privilegio, dueños de vidas y haciendas, serviciales, dueños de la suerte de los paisanos de la comarca. Gaucho fue después el estanciero poderoso, capaz de ayudar a alguien, de decidir la suerte de los hombres a su servicio. Era el vivo ideal del paisanaje, lo que cada uno de ellos anhelaba ser. Medida y modelo de su ambición, resultante del pobre espíritu imaginativo» (Ibíd.). Resulta explícita en estas consideraciones la identificación propuesta antes —en relación a *DSS*— de gaucho y estanciero, al mismo tiempo que la conclusión de que lo que pueda quedar de aquél para el momento en que tiene lugar la acción (principios del siglo XX) lo ha absorbido el estanciero —el estanciero a la antigua, naturalmente—, el cual se halla también en rápido proceso de extinción: «Año tras año, disminuían las posibilidades de hallar gauchos, porque eran menos fáciles de producirse "las gauchadas", los servicios. La vida de campo, en lugar de simplificarse, se complicó cada vez más ... Y, en esa forma, la condición servicial del gaucho, del patrón criollo, conoció la decadencia. La cardinal de su existencia había desaparecido» (p. 31). En fin, que el gaucho se había ya «perdido en la historia, enredado en algún alambrado o simplemente corrido del campo» (p. 30).

El vecino de Pancho, don Cayetano Trinidad, es uno de los pocos estancieros que conserva las características del patrón-gaucho de antaño, y tanto es así que lleva el poncho «con una gravedad de capa guerrera de caudillo» (p. 31). Su preocupación principal son los «campos empastados [...] Odiaba la chirca, los pastizales, el yuyal, y era partidario ... de las quemazones que limpian los campos de garrapatas y hacen brotar pasto fino y alimenticio» (Ibíd.); de suerte, que en cuanto ve un campo «empastado», le arroja cerillas encendidas, sea de quien fuere. «Sus ideas de progreso giraban alrededor del saneamiento, por medio de quemazones» (p. 32), concluye el autor, y a partir de este punto, lo limitado del entendimiento de don Cayetano se impone a lo que podía haber de admirativo en su caracterización inicial, haciéndola crecientemente negativa [quema con gran deliberación unos campos en el Brasil, donde está enterrado su abuelo; recuerda con sus hermanos cómo jugaban los tres con el esqueleto del viejo; durante la tarde que pasa bebiendo con Pancho en la pulpería, descubre, pese a sus ínfulas de «persona de bien», que es un burdo paisano, e irrita enormemente a Aguilar (22); trata a su familia como un tirano; halaga ridículamente a los políticos]. Porque don Cayetano representa, a fin de cuentas, la oposición al progreso, identificado por el autor con el desarrollo de la agricultura, el cual obstaculiza el sistema ganadero tradicional.

Es claro que ninguno de ambos regímenes económicos implica por necesidad el latifundio, al igual que es también posible la conversión de la ganadería, tal y como la practican Aguilar y su vecino, en una producción moderna e industrializada, la cual podría combinarse con la explotación agrícola. Mas la búsqueda de soluciones positivas a los problemas nacionales, incluso en relación a la *modernización* de la explotación ganadera, se ve precluida por la afinidad espiritual que siente el autor —y le oímos expresar en su evocación del gaucho como estanciero (o viceversa)— con el mundo rural primitivo destinado a la desaparición. El resultado será un melancólico callejón sin salida.

Pancho Aguilar no ama el campo, al cual sólo las circunstancias económicas lo hacen regresar: «Cuando soñó formarse una situación en la capital, eliminó todo contacto con el campo. Todo aquello era un lastre» (p. 25), y un poco antes: «Los tiempos que corrían se habían hecho duros para los hombres jóvenes de la ciudad ... Sus padres tenían dinero para pagarle una carrera, pero no les alcanzaba para comprarle un destino» (p. 15); su padre le inspira cierta vergüenza «la torpe caligrafía de su padre, capaz de hacerle ruborizar» (p. 5), y ante las labores ganaderas se siente empequeñecido, inseguro. Amorim retrata este último sentimiento con gran perspicacia a través de la escena en la cual Pancho observa cómo unos toros atacan sexualmente a otro. El patrón, que hasta ese instante, «se sentía en su rol, identificado con el campo» (p. 52), pasa, mientras arrea su torada, a recordar historias de bestialismo escuchadas en su niñez, y alejándose mentalmente cada vez más de «El Palenque», abandona por último el «aparente poderío» de «su nuevo mundo» (Ibíd.): «¡Endiablado ir y venir, el de Aguilar con su pensamiento atribulado, de la ciudad al campo, del campo a la ciudad! Puente que "el paisano" quería destruir a viva fuerza, pero que se mantenía firme, indestructible ... El más pequeño accidente en su estancia le recordaba inútilmente cosas y hechos de la ciudad [...] ¿Le costaría asimilar de nuevo los hábitos campesinos, para hacerse respetar por la gente y adquirir el mando capaz de conducirle a la realización de sus propósitos? ... La cuestión era no ser derrotado ... hacer una sólida fortuna» (p. 54), y tras escuchar las explicaciones de sus peones sobre lo sucedido (al percibir los toros que uno de ellos se deja abusar, todos cargan sobre él), Aguilar, quien, obviamente, ha establecido cierta identificación entre el toro que sufre los ataques de la manada y su propia suerte, se siente «como abofeteado por el campo» (p. 55).

Es por eso, porque la pampa lo humilla como un destino que no ha escogido, por lo que Pancho no hará nada por mejorarla, sino que se deja roer por la bestial rutina de aquella vida. Las últimas frases de la novela lo describen palmeando cariñosamente, como a un animal doméstico, a la campesina madre de sus hijos, mientras contempla la noche y se formula preguntas a las que responden «voces inquisitivas ... Oyendo, no atinaba a responder. / Porque aún no ha comenzado el diálogo entre el hombre y la llanura» (página 200).

La novela no nos dice qué se pregunta Aguilar, qué escucha, o cómo podrá establecerse por fin una relación fructífera entre el país y su principal fuente de riqueza, pues Amorim no puede aún a este punto desprenderse de la nostalgia por el tipo de pasado que evoca el gaucho, anterior a constricciones económicas, políticas, y técnicas modernas, más otras limitaciones de la magnífica soledad a la que aspira idealmente su protagonista. La identificación de éste con el mundo del estanciero a la antigua es semejante a la de Güiraldes, en cuanto ambas proceden a partir de las semejanzas entre los medios de aquél y del gaucho, y se hallan además perfectamente conscientes del próximo final de esos tipos. El enfoque de Amorim resulta, sin embargo, principalmente objetivo en vez de subjetivo (23), de modo que, en vez de proponer una ideal fusión que salve el espíritu del gaucho (o, al menos, el del antiguo estanciero), nos da una excelente pintura realista de las relaciones sociales en la provincia uruguaya, de los manejos políticos, de la crisis económica que afectaba al Uruguay esos años, incluso de los cambios en las relaciones entre los sexos (24). La imagen que controla el final de la novela no alude, por tanto, como la última de *DSS*, a un desgarramiento inevitable, sino a un mundo fosilizado: «En toda la zona era frecuente dar con pedazos de madera convertidos en piedras ... sorpresas de la naturaleza, juego de las aguas, entretenimientos del tiempo y el clima [...] Volvieron a mirar los troncos fosilizados ... dos centinelas del reino vegetal, eternizados por la acción de las aguas, por la insistencia mineral de las corrientes ... Se fueron hundiendo en la tierra y, como premio al sacrificio, la naturaleza los eligió para una vida eterna, incluidos en otro reino, desafiando los siglos. Ahí estaban, en una resurrección impresionante, duros, ejemplares, ásperos ... —¿Cuántos años se necesitará para llegar a ese estado? ... —se preguntó en voz alta Luciano. / —Andá a saber; a lo mejor, en poco tiempo, un par de años» —responde Aguilar (p. 198). Imagen, claro está, no sólo mucho más negativa que la que cierra *DSS*, sino que rechaza heroicamente cualquier nostálgica idealización para expresar la transformación, por efecto de un medio brutal, de lo que había sido vivo, en materia muerta.

En *El caballo y su sombra* (1943) nos hallamos de nuevo en «El Palenque», propiedad que comprende la antigua de Aguilar, heredada por su hija legítima, Adelita, y la de los Azara, y administra Nico Azara, casado con aquélla. Pero si la figura de don Cayetano Trinidad, el vecino de Pancho Aguilar, se beneficiaba, aunque fuese superficialmente, del prestigio del pasado que evocaba, nada positivo adorna a Nico Azara hasta el final de la novela. Lo que caracteriza a este personaje es su obstinado propósito de mantener la estancia como «un lugar fuera de lo común, detenido en el tiempo», llena de «peones astrosos, a los que pagaba una miseria» (25). Ese propósito de Azara se manifiesta principalmente en su obsesión por negar el paso a través de sus campos a los campesinos de los alrededores, haciendo arar a ambos lados del callejón, de modo que si por estar el camino intransitable «me cortan el alambrado, no puedan pasar por adentro del campo» (p. 21).

Esa gente que trata de atravesar la estancia son labradores, pues «El Palenque» se halla ahora rodeado de campos de labranza, los cuales trabajan en su gran mayoría inmigrantes europeos, muchos de ellos judíos de la Europa oriental recién llegados al Uruguay. La invasión de la pampa ganadera por la agricultura paralela, pues, la del país por extranjeros, de modo que Nico se enfurece aún más considerándose el único defensor de la cultura criolla, o poco menos. El conflicto entre el pasado y el presente, que no acababa de definirse en *El paisano*, se precisa en la segunda novela en forma de una decidida oposición entre ganadería y agricultura, agudizada por ser los agricultores inmigrantes (26). Pero hay más, y es que agricultura contra ganadería resulta en este caso equivalente a reforma agraria contra latifundio, pues los representantes de aquélla son pequeños propietarios rurales, o colonos; al mismo tiempo, la inmigración europea representa una fuerza constructiva frente al reaccionarismo característico de la clase estanciera o latifundista (la palabra latifundio se repite una y otra vez en el curso de la novela con la fuerza de una acusación).

El rechazo de la clase de los Azara parece total: repárese en que Marcelo Azara, aunque se opone a las ideas y a la conducta de su hermano y defiende la inmigración, hace esto último por su propio beneficio, pues recibe una comisión del dinero que aquellos desgraciados pagan por entrar al país con pasaportes y visados falsos, actividades que terminan arruinando su carrera. Marcelo, además, no vacila en seducir a la sirvienta Bica, pese a que sabe cuánto afecto le tiene Adelita a aquélla (en cierto modo, Marcelo está empleando a Bica como sustituto sexual de su cuñada, pues percibe el parecido entre ambas hijas de Pancho Aguilar) (27). Adelita es, junto con Bica, el único personaje simpático de los que componen el cuadro protagónico de la novela, de modo que el autor excusa su matrimonio con Nico con razones que parecen provenir de una novela de Zola o de la Pardo Bazán: «Dijeron que Adelita se casó porque necesitaba de la honrada salud de Nico ... de frágil naturaleza hereditaria, cuidadosamente vigilada por los padres, quería tener hijos sanos» (p. 11). Al enterarse de la desgracia de Bica, Adelita le revela a Nico que es su hermana, y dispone por su cuenta que reciba un rancho junto al río, donde pueda criar a su hijo con tranquilidad. Frente a la oposición de su marido, Adelita resulta inflexible, y de un modo, además, que prefigura una verdadera toma de conciencia de la posición social de la mujer: como Nico propone que se le compre a Bica una casita cerca del pueblo y se le dé una pensión hasta que su hijo crezca, su esposa dice: «Sí, y después que trabaje de sirvienta, ¿no? ... ¿Y aparezca algún canalla que se aproveche de ella?» (p. 129), y a poco, al decir Nico, empleando «una frase que había oído hacía tiempo y que creía daba un aire de autoridad a su pensamiento endeble: —Cumplirá su destino. ¡Qué le vamos a hacer! », lo interrumpe encolerizada para recordarle que no tendría Bica que sufrir tal destino de vivir aún su padre y tener ella misma más carácter y menos respeto a la autoridad de su marido, frases que enmudecen a éste, pues le recuerdan que es de su mujer «la mitad del largo latifundio que pisaban ... —¡Si mi padre viviese —recalcó ella, transfigurada—, Bica no habría caído en las garras de tu hermano, porque no habría sido "la gaucha"! ... ocuparía un lugar muy diferente ... Porque es hija suya, tan hija suya como lo soy yo» (pp. 129-130). (En otra ocasión, Adelita le explica a Nico que a su hermana «le toca una parte de lo que mi padre dejó ... mucho mayor que la fracción de campo que le destinamos», de modo que deben alegrarse de que por vivir allí en lugar de en la ciudad, donde «algún picapleitos habría abogado por ella», siga siendo «"la gaucha", para tranquilidad de la familia»: pp. 148-149.)

Aún más revolucionaria respecto a la afirmación de los derechos femeninos es la reacción de Adelita a la sugerencia de su suegra, cuando muere su niño, de adoptar el de Bica: «—No ... El hijo de Bica tiene que ser de ella... ¡y de nadie más!» Mas como su interlocutora, molesta por la cesión de una chacra a la madre de su nieto bastardo, insista en su propuesta, Adelita responde con una razón básicamente sentimental: «—No quiero que Nico pierda la esperanza de que yo le dé un hijo» (p. 150).

Que es al cabo la respuesta apropiada para quien se halla sólo parcialmente consciente del problema que ejemplifica la situación de su medio-hermana. Ello expresa indirectamente, o al nivel de la trama, la actitud del propio Amorim, deseoso de salvar de una transformación social que sabe irrevocable ciertos valores del antiguo mundo. Nico muere a manos del labrador piamontés, la muerte de cuyo hijo ha causado al impedir el paso por sus tierras («surcos inútiles» llama el narrador a los que ha mandado cavar el empecinado estanciero a los lados del camino; p. 156), pero durante el curso de la pelea, primero a revólver y luego a cuchillo, y sobre todo una vez terminada aquélla, herido ya de muerte, Nico da muestras de un coraje y una honradez extraordinarias: impide a sus peones que intervengan para ayudarlo, y sus últimas palabras son: «¡No le hagan nada!» (p. 166), reacción que puede haber sido provocada por las palabras del piamontés: «¡Si a ustedes se les hubiese muerto un hijo por culpa de ése... habrían hecho lo mismo! ... Ahora, hagan de mí lo que quieran...» (p. 165). A pesar de lo cual, o de lo que dice un paisano sobre como «cuando se pelea en su ley, es de criollo respetar al que gana y al que pierde» (Ibíd.), el narrador sugiere que los peones de «El Palenque» le aplicarán al matador de su patrón «las leyes del campo abierto» (p. 166), es decir, la muerte.

Rossi ha matado también al caballo padrillo orgullo de Azara, y del nacimiento de cuyo primer retoño, tenido en una yegua corriente que han cruzado con él los paisanos a escondidas, trata el epílogo, uniendo ese episodio a la descripción de Bica mientras amamanta a su hijo y piensa que es, como el potrillo, «igualito al padre» (p. 170). Al igual que ese potrillo será el único vástago del hermoso caballo «Don Juan», también Bica, equiparada a la yegua zaina, ha tenido un Azara-Aguilar que reemplaza al hijo que ya Nico y Adelita no podrán tener. Queda, sin embargo, Marcelo, en quien Bica continúa pensando, aun a sabiendas de que sus ilusiones no tienen base real alguna: «Si el alba le trajese a Marcelo montado en "Don Juan", al trotecito por la nueva senda que separa la tierra recién arada!... Pero es tan sólo una ilusión, el gusto secreto de pensar en cosas lindas» (página 170). Es natural que la pobre Bica recuerde al padre de su hijo, de modo que eliminar esos pensamientos sería dañar su caracterización, lo mismo que perjudicaría la de Adelita el hacer de ella una rebelde total. Ambas mujeres comprenden, además, los límites de sus propias ilusiones, en tanto que es el autor hablando como tal quien parece desear engañarse y engañarnos con la sugerencia de un porvenir donde ya se han resuelto positivamente los problemas que él mismo tan certeramente ha retratado en las dos novelas de «El Palenque»: «La tierra se levanta con el sol. Está amaneciendo», concluye *El caballo y su sombra*. Es decir, hay esperanza, cambiarán las cosas, el político corrupto y su hermano el reaccionario estanciero han desaparecido de la escena, «El Palenque» ha empezado a dividirse; Adelita, la nueva dueña, no impedirá el paso por sus tierras o el avance de la agricultura, etc. Medias soluciones, naturalmente, las cuales revelan el apego del novelista al pasado que Nico Azara alcanza todavía a encarnar al final mismo de su vida, y, en definitiva, cierta dosis de conservadurismo. Es éste el que impulsa a Amorim a intervenir en el último párrafo con una cucharada de optimismo (28); no cabe duda, sin embargo, que ha conseguido pintar en estas dos novelas una imagen convincente y verídica de la desaparición del sistema socioeconómico que había dominado la región del Plata desde antes de la independencia.

La región venezolana de los llanos cumple la misma función económica que la pampa. Es allí donde se desarrolló la ganadería del país, de suerte que sus haciendas, junto con la cultura que originaron, corresponden al modelo que hemos visto retratado por Güiraldes y por Amorim. La evolución económica tanto como política y social del Llano ha sido, sin embargo, muy diferente de la de la pampa argentina y de la uruguaya, pues Venezuela no ha alcanzado la relativa estabilidad política y la prosperidad económica de que ya gozaban la Argentina y el Uruguay a finales del siglo XIX, hasta época reciente; la inmigración europea en grandes masas y la urbanización del país son también fenómenos contemporáneos en Venezuela. Es, pues, natural que el terrateniente, lo mismo que el mundo rural que Rómulo Gallegos retrata en *Doña Bárbara,* en 1929, presenten características muy diferentes de las que vimos en las novelas de la pampa. Mientras que Güiraldes y Amorim ven al gaucho como destinado a la extinción, y el segundo de ellos sugiere también las ventajas de la extinción de la clase estanciera, que Güiraldes quisiera *gauchificar*, en la novela mejor conocida del escritor venezolano, el representante de esa clase hacendada expresa una esperanza de progreso frente a la anarquía legal y los abusos característicos del medio rural donde tiene lugar la acción, pero también del país entero: del cual planea huir Santos Luzardo, rumbo a «la vieja y civilizadora Europa» (29), al principio de la novela, tan pronto como venda «Altamira», y todavía otra vez más adelante, cansado de sus esfuerzos civilizadores (30). Esa sociedad rústica a la que se enfrenta el protagonista de Gallegos es la «barbarie», y su símbolo natural es la selva, el opuesto del llano, donde la civilización se detiene como ante una muralla. De allí («¡De más allá del Cunaviche, de más allá del Cinaruco, de más allá del Meta! De más lejos que nunca»: p. 57) procede Bárbara, cuya dañina influencia es preciso destruir, dominar, o al menos desterrar para siempre de modo que la civilización —el llano— imponga su *luminosa* influencia sobre todo el país gracias a Santos Luzardo, quien de ese modo abandonará definitivamente su sueño de marcharse a Europa para dedicar en cambio su energía a la reconstrucción nacional (31).

Así planteado, el enfoque de Gallegos parece harto ingenuo, pero no podía ser de otro modo cuando los problemas que confrontaba el desarrollo económico y sociopolítico de Venezuela eran los que pinta *DB* (32). Repárese en que el principio que trata de imponer Santos como base legal para la estabilidad a que aspira, es la cerca, la cual ya existía en la pampa argentina desde 1850 (33), o en cómo la agricultura, que chocaba con la práctica de la ganadería a lo gaucho, y en la que Amorim veía un futuro económico más estable y civilizado que el basado en la ganadería, no se menciona para nada en *DB*. Durante una de las secuencias más dramáticas de la novela (III, cap. 2) vemos a Santos tratando de establecer una vaquería (incluida la producción de quesos), y desistiendo no a causa de la interferencia de doña Bárbara, sino de la naturaleza (34).

En otro plano de la novela desempeña un papel muy importante un problema que no afecta para nada la pintura del estanciero de Amorim: la injerencia de los Estados Unidos en los asuntos de Venezuela, representada por «Míster Danger», aliado de doña Bárbara; no porque la Argentina o el Uruguay dependieran menos de los intereses económicos extranjeros, pero sí porque esa dependencia era menos explícitamente política, y se ejercía, después de 1850, sin manifestaciones militares (35), reflejándose en decisiones de largo alcance en vez de en la administración cotidiana del país, al modo que ocurría en Venezuela (36). Es, pues, natural que un escritor liberal (no radical, desde luego, y sin verdadera formación política) ponga toda su esperanza en el «buen cacicazgo» (p. 357), pues, como comprueba Santos Luzardo, sólo la fuerza puede oponerse con éxito a la «barbarie» (37).

La mera idea del cacicazgo, es decir, de un jefe en el sentido militar, al que sigue u obedece una masa de llaneros, paisanos o gauchos, estaba desacreditada en la Argentina desde los tiempos del rosismo por lo menos; de ahí que Güiraldes quiera idealmente identificar al gaucho con un estanciero culto, y que Amorim señale cómo el gaucho, en lo que tenía de caudillo, era cosa del pasado. En Venezuela, en cambio, la dictadura de Juan Vicente Gómez, la cual poseía características típicas de las de los caudillos más bárbaros del siglo pasado, duró hasta 1935 (la había precedido la de otro caudillo bárbaro, Cipriano Castro, de 1899 a 1908). Es claro que hubiese sido posible proyectar la visión novelística más allá de ese futuro inmediato en el que Venezuela debería librarse del bárbaro despotismo de Gómez, con lo cual *todo* tipo de caudillismo, por más *ilustrado* que fuese, incluso el del liberal Santos Luzardo, dueño ideal a la conclusión de *DB* de toda «Altamira», es decir, de toda Venezuela («desaparece del Arauca el nombre de El Miedo, y todo vuelve a ser Altamira. ¡Llanura venezolana! ¡Propicia para el esfuerzo, como lo fue para la hazaña, tierra de horizontes abiertos, donde una raza buena ama, sufre y espera!...»), habría sido rechazado, por innecesario. Pero es inútil pedirle a un escritor que nos dé lo que no alcanza a ver. *DB* es, sin duda alguna, un honesto manifiesto, donde se retratan las condiciones de Venezuela en 1929 y donde Gallegos propone la única solución que le parece válida: imponer el orden jurídico de la burguesía liberal europea (recuérdese cómo Santos ha estudiado Derecho en Caracas; p. 54). Es, pues, natural que partiendo de semejante base, el novelista escoja como vehículo alegórico de esa transformación, ya que resulta necesario un líder de capacidad guerrera para llevarla a cabo, al hacendado, depositario del poder feudal asociado con la posesión de la tierra, y cuya clase posee en Hispanoamérica la cualidad adicional de haber sido la que se opuso al poder colonial español, representado a su vez por el comercio y la burocracia, en tanto que la tierra era ya para principios del siglo XIX de quienes debía serlo por derecho —en opinión de los señores de las oligarquías criollas, con sus ideas enraizadas, pese a algún barniz de enciclopedismo, en la mentalidad estamental del medioevo español (38).

Las diferencias entre las situaciones sociopolíticas de Venezuela y de la Argentina resultan también en que Santos, contrariamente a lo que le sucede al intelectual Fabio Cáceres, quien continúa todavía aspirando al final de *DSS* a la identificación con la tierra, perciba el país en que le ha tocado nacer como una versión primitiva y, sobre todo, a-intelectual de los modelos europeos de los cuales se siente relegado: «Caracas no era sino un pueblo grande ... algo muy distante todavía de la ciudad ideal complicada y perfecta como un cerebro, adonde toda excitación va a convertirse en idea y de donde toda reacción que parte lleva el sello de la eficacia consciente, y como ese ideal sólo parecía realizado en la vieja y civilizadora Europa, acarició el propósito de expatriarse definitivamente» (p. 54). El cambio de escenario, de la pueblerina capital al vasto llano donde el espíritu del país vive a plenitud, más libre que en aquélla del «asalto de los hombres de presa» (Ibíd.), sin duda que servirá de contrapeso al sentimiento de inferioridad cultural de Santos, haciéndolo comprender que el potencial que encierra la patria no se rebaja ante «la vieja Europa»; realización en la que deberá ayudarlo su amor por Marisela, el lado «salvaje» o meramente espontáneo de su propia raza, que es donde primero se ejercita (y triunfa) su propósito civilizador. No hay que olvidar, sin embargo, que incluso la victoria final de Altamira = Venezuela constituye tan sólo el prólogo al comienzo de la civilización de la barbarie rural, algo muy diferente, por tanto, a la idealización *post-mortem* de la pampa gaucha por Güiraldes, o al nostálgico ataque al que la somete Amorim.

Mas la sugerencia de la identificación entre el llano y la totalidad de Venezuela contradecía en realidad la circunstancia económica y política de la nación en esos mismos instantes, afirmando en consecuencia la inanidad del proyecto; es decir, que la falta de visión histórica que llevaba a Gallegos a escoger como vocero de su patriotismo al heredero de una clase —la terrateniente— ya muerta como fuerza histórica progresiva, corresponde, en un paralelo estructural que expresa la coherencia de *DB*, al modo en que la historia imposibilitaba, por vía de la conversión de Venezuela en un país exclusivamente petrolero, la cual se afirma precisamente hacia los años de la publicación de *DB* (39), la realización del brillante porvenir nacional que Gallegos sintetiza, en cuanto potencial humano tanto como económico, en la llanura; quizá —la posibilidad merece alguna consideración— por influencia del ejemplo rioplatense, donde el llano, que en un tiempo representó la barbarie, sería, en gran parte, por contribuir a atraer la inmigración europea, la base de la prosperidad nacional, y a su través del desarrollo de un medio cultural único por su riqueza en Hispanoamérica. El prólogo que *DB* quisiera ser resulta así más bien un epílogo: lo mismo que los gauchos, y más tarde los estancieros de Amorim y de Güiraldes, también los llaneros y los hacendados venezolanos —tanto los ilustrados como los bárbaros— iban a desaparecer muy pronto como agente social de transformaciones políticas, barridos en el caso de los primeros, absorbidos en el de muchos de los otros, por las nuevas condiciones económicas y sus consecuencias sociopolíticas (40).

Huasipungo (1934) no goza de gran estima entre los críticos literarios (41). No intento aquí revalorar la novela de Jorge Icaza (estudiando, por ejemplo, su riguroso realismo, o el modo como enfrenta la necesidad de reproducir el habla indígena en castellano, esfuerzo no muy diferente al cabo de los de José María Arguedas por conseguir el mismo resultado), sino de situarla dentro de la perspectiva que nos ocupa.

Por tratarse de una novela política, cuyo autor se halla convencido de la necesidad de un cambio radical en la sociedad que reproduce, la pintura del terrateniente don Alfonso Pereira es totalmente negativa, hasta el punto de que a veces cae en la caricatura (42). Es decir, que Pereira no posee ninguna de las virtudes ancestrales que aún adornaban a Nico Azara, por ejemplo, sino que es tiránico con su familia, pusilánime ante las situaciones difíciles (la preñez de su hija), servil ante quienes son más poderosos que él (su tío, los yanquis), abusivo con los indios, cobarde, mezquino, etc. (43). Esta conducta se explica parcialmente por las condiciones del país, pues contrariamente a los estancieros de Güiraldes y de Amorim, o al hacendado de Gallegos, los cuales comparten el individualismo y la independencia del gaucho y del llanero, y son también diestros en los hermosos quehaceres de la ganadería, don Alfonso reina sobre una vasta hacienda cuyos habitantes son indios aplastados por cuatro siglos de esclavitud, y cuyo trabajo, básicamente agrícola, carece además del prestigio del otro. No es sólo por estas razones ambientales por lo que el terrateniente de Icaza resulta tan repulsivo, sino porque el autor quiere mostrar a su través la desaparición de esa clase, o más bien su transformación en clase dependiente, la etapa final del proceso que Amorim sugiere sin llegar a describirlo.

Porque aunque don Alfonso sea todavía llamado «patrón grande, su mercé», su conducta es bien diferente de la de su padre, quien se comportaba todavía como señor feudal; es decir, alguien de quien sus siervos, si eran obedientes, podían esperar cierta dosis de protección —aun y cuando hubiese ya tratado en una ocasión de desalojar a los indios de sus *huasipungos* (véase p. 73). Don Alfonso empieza por comprometerse a construir una carretera (lo que habría escandalizado a Azara), tala sus bosques, inicia la explotación de las tierras tradicionalmente concedidas a los indios para su sustento (los *huasipungos*), los arroja a otras, les niega los socorros incluso más míseros («una vieja costumbre enraizada en esa tendencia un poco patriarcal del latifundismo»: p. 120), y termina haciendo venir al ejército para expulsarlos definitivamente. Y es que Pereira necesita hasta el último grano de maíz de sus tierras para cubrir sus crecientes gastos, habida cuenta de que su familia reside ya permanentemente en la capital, y él mismo pasa sólo temporadas en el campo.

La novela comienza con el convenio entre Pereira y los intereses norteamericanos representados por su tío, quien vive en Quito y funciona dentro de otra etapa de la evolución económica del país, como agente de compañías internacionales, para facilitar la explotación de la zona por los gringos, cuya progresiva aproximación va alterando drásticamente el régimen social de la región, hasta que su llegada, finalmente, determina la abolición del régimen del *huasipungo*, la rebelión de los *runas* y la partida del ex patrón grande que les ha arrebatado las tierras que cultivan para arrendárselas, junto con el resto de la hacienda, a los extranjeros. Nótese que los yanquis no se proponen explotar la agricultura ni tampoco los bosques, como pretendían inicialmente querer hacer, sino el petróleo que sabían que abundaba en la región (y el cual han mantenido de hecho en reserva hasta hace muy poco, cuando ha empezado a explotarse en gran escala en el Ecuador) (44).

Con recursos naturalistas y antropológicos, desde el enfoque de una ideología socialista, y hasta con el rigor que cabría esperar de un marxista, Icaza ha retratado en *Huasipungo*, brutal, descarnadamente, sin sutilezas de caracterización y, desde luego, sin nostalgia alguna por lo que representaba, el mismo fenómeno que preocupaba a Güiraldes y a Amorim, y Gallegos ignora: la desaparición del terrateniente —lo que no implica, desgraciadamente, la del latifundio (45).

La definitiva presentación por Icaza de esa transformación social sugiere que de ahí en adelante el marco más apropiado para la representación literaria del terrateniente tradicional debería ser la novela de denuncia social con fondo histórico, pero precisamente en el instante en que la novela hispanoamericana empieza a internarse definitivamente por el camino de la experimentación técnica, la primera novela «nueva» de un autor muy preocupado con la realidad sociopolítica, Carlos Fuentes, replantea el problema en términos muy cercanos a los de Güiraldes.

La muerte de Artemio Cruz (1962) es la historia de un hombre cuya carrera sirve para ilustrar el proceso de la Revolución Mexicana, y a su través la evolución del país hacia la industrialización y el desarrollo característicos de los países dominantes. Hacia el final de la campaña de Obregón y Carranza contra Villa, Artemio, quien participa como soldado en la Revolución desde su principio (46), quisiera ardientemente adquirir un poco de tierra, construir una casa y dedicarse a «Ver cómo crece una semilla, cuidarla, atender el brote de la planta, recoger los frutos» (p. 180), pero precisamente entonces conoce a su futuro cuñado, Gonzalo Bernal, y el pesimismo de este intelectual de la Revolución, ya convencido —pese a que estamos en 1915— de la futilidad de la lucha, de la corrupción y el personalismo de los jefes en pugna, constituye la semilla que destruye los ideales de Artemio, más drásticamente, por carecer de una base intelectual sólida, que los del propio Bernal (47); así que el protagonista se dedicará concienzudamente a suplantar a la antigua oligarquía, para lo cual escoge como objetivo inicial al padre de su inconsciente maestro, un hacendado poblano de antigua alcurnia, con cuya hija se casa (el matrimonio de Artemio con Catalina subraya cómo la sustitución de un régimen por otro no es ni siquiera total); entra en la política, y a raíz del asesinato de Obregón —circunstancia argumental que sirve para precisar la conexión histórica entre la adopción total por Cruz de las leyes del especulador y el empresario inescrupuloso, y la corrupción en gran escala de la Revolución (cap. «1927: Noviembre 23»)— se convierte en industrial, dueño de periódicos, intermediario de empresas norteamericanas, y cuanto aspiraba a ser el ridículo don Alfonso, de Icaza.

La desilusión de Gonzalo Bernal, típico intelectual burgués latinoamericano, superficialmente interesado en socialismos y anarquismos, al igual que sus antepasados de finales del siglo XVIII y comienzos del XIX lo estuvieron en los ideales del enciclopedismo y de la Revolución Francesa, sirve de motor a la sed de poder económico de Artemio; es en realidad la excusa para desencadenar sobre México, en la forma de su ambición desmedida, el resentimiento del protagonista, bastardo rechazado y huérfano, frustrado como padre y como amante (tres veces por lo menos) (48); ambición que expresa en su falta de principios la convicción del autor sobre el destino de la Revolución Mexicana y, por extensión, sobre todas las revoluciones, pues es claro que Bernal, quien había leído hasta a los bolcheviques, se hallaba mejor entrenado para entender el proceso histórico que la gran mayoría de los seguidores más o menos espontáneos de Villa, Obregón, Carranza, Zapata. Del impulso hacia un cambio social drástico que estalla, luego de larga gestación y varias explosiones y represiones, en 1913, con el asesinato de Madero, sólo puede resultar un caos de apetitos criminales, le revela a su escandalizado, ingenuo, renuente discípulo Gonzalo Bernal —por cuya boca habla el autor que conoce de cerca las manifestaciones contemporáneas del fracaso de la Revolución. La lección del presente sirve, aplicada anacrónicamente, *a posteriori*, para justificar, a partir de 1915, la corrupción que reproduce la carrera empresarial de Artemio: ¿qué otra alternativa le quedaba al inocente Cruz, una vez que se le revela no sólo la ambición de poder de ciertos líderes o el desgobierno con que se conducían éstos y la tropa (para lo cual no necesitaba realmente más que mirar en derredor suyo), sino la inutilidad de cualquier esfuerzo por detener ese proceso y desviar el curso de la Revolución hacia el impulso original, qué remedio le quedaba sino aprovecharse del desorden imperante, aun cuando ello requería explotar a los campesinos, engañarlos, atropellarlos? Entretanto, las verdaderas razones de la corrupción de la Revolución no aparecen planteadas o incluso aludidas en las reflexiones de Bernal, cuyo culto desengaño sirve de vocero a la interpretación burguesa-liberal de la Revolución (por más que Fuentes en aquel momento —1960— fuese partidario de la Revolución Cubana), de modo que aunque Bernal reconoce los prejuicios y terrores del intelectual burgués en contacto con la masa revolucionaria, no los intenta ni desea, en definitiva, superar (49). Lo que le interesa al autor verdaderamente es despertar en el protagonista la semilla del hombre de empresa, y a la larga la del terrateniente, que llevaba en la sangre, según veremos en seguida. Para lo cual la Revolución, su necesidad lo mismo que su fracaso, son sólo una excusa, elementos que no importan por sí mismos, y los cuales representa en la concepción del autor, Bernal, ideólogo *blasé*, quien debería hallarse en París en lugar de en una prisión de Chihuahua.

Aunque Artemio aparezca como director de diarios y magnate financiero, nunca deja de preocuparle la tierra, de modo que compra la hacienda donde nació y educa allí a su hijo varón. El contacto de éste con la naturaleza debe ser lo que le permite *salvar* parte del antiguo espíritu de su padre en cuanto inocente soldado de la Revolución, a través de su participación en la guerra civil española. En la carta que le escribía a Artemio al morir, Lorenzo dice que nunca olvidará esa vida, porque luchando con las Brigadas Internacionales aprendió todo lo que sabe, algo «muy sencillo» (página 240); pero también dice que «otra cosa» empezará tan pronto como cruce la frontera, lo cual subraya cómo la experiencia de la guerra no le ha servido ni siquiera para identificarse con la suerte de los sobrevivientes de la causa que defendía, los cuales quedarían, tanto a uno como al otro lado de la frontera, a merced de los fascistas. Lorenzo Cruz siente que está continuando la misma batalla en que participó su padre: «tú también luchaste, y te daría gusto saber que siempre hay uno que sigue la lucha. Pero ahora esta lucha va a terminar. En cuanto crucemos la frontera, se habrá acabado ... y empezará otra cosa» (Ibíd.). Artemio habría querido que su hijo lo redimiese de su corrupción «reanudando» el hilo de su vida que él mismo rompió (página 242), en tanto que la superconsciencia del protagonista que se dirige a él como «tú» le explica al moribundo en la introducción al episodio de la muerte de Lorenzo, que en Veracruz, su tierra natal, cuarenta años atrás «algo se rompió» «para que algo comenzara o para que algo, aún más nuevo, no empezara jamás» (p. 227); quizá la segunda posibilidad revolucionaria que la muerte de Lorenzo deja truncada, pero que la de su padre tratará, *metafísicamente*, de reanudar. La guerra civil española ha sido, mientras tanto, principalmente una experiencia semiturística para el joven Cruz —lo mismo que lo fue para Hemingway, la fuente de las páginas que tratan de ella (al igual que Faulkner lo es del capítulo «1903: Enero 18») (50).

En el capítulo que describe la recepción de Año Viejo —«1955: Diciembre 31»— descubrimos las preferencias estéticas de Artemio, quien ha acumulado en su mansión de Coyoacán —suburbio de la Ciudad de México donde muchas de las casas son o semejan ser casas-vivienda de haciendas coloniales— fragmentos preciosos del pasado colonial mexicano, que, como la propia casa, «lo acercaban a episodios del pasado, a una imagen de la tierra que no quería perder del todo» (51). La descripción de la apoteosis social de Artemio, rodeado de piezas de museo, obedecido y respetado como un rey, sugiere un vínculo con el pasado de México representado por la oligarquía terrateniente (repárese en cómo aquél no colecciona arte precolombino o artesanía popular) y de la cual Artemio parece la quintaesencia: no sólo aprecia con excepcional finura la antigua cultura material de esa clase, sino que, además, ama y se siente ligado a la tierra. Los dos capítulos siguientes (pues una vez alcanzada esa suerte de culminación de la biografía de Cruz resulta superfluo continuar ordenando la historia de acuerdo con los vaivenes de la consciencia del moribundo, según hacía la narración hasta aquí, imponiéndose ahora otro orden, dirigido explícitamente por el autor-omnisciente, y el cual nos lleva de Artemio niño a su nacimiento, que tiene lugar al mismo tiempo en la acción narrativa que la muerte del protagonista) revelan cómo Cruz es el último vástago de una familia latifundista cuya grandeza se remonta por lo menos a los tiempos de Santa Anna (1823-55); factor que vale para explicar, por medio de misteriosas afinidades, el origen del espontáneo refinamiento, incluso artístico, del protagonista, no obstante su humilde pasado y mínima educación académica.

No se trata en *La muerte de Artemio Cruz* de que el protagonista aspire a poseer un latifundio, lo cual no pasaría de ser parte de su ambición económica (el primer fin de ésta, como el más apropiado a las propias circunstancias y a las del país al concluir la guerra revolucionaria), sino de cómo la posesión de la propia tierra, la de sus antepasados y aquella donde nació, parece colocar a Cruz por encima del afán de lucro y de la mezquindad de cuantos lo rodean; incluido su suegro don Gamaliel, cuyo latifundio poblano se apropia casi a la fuerza, pero sin que deje de ser legalmente de los Bernal (de suerte que no se trata de poseer *cualquier* latifundio). La posesión de Cocuya, la hacienda natal, salva a Artemio, aun antes de que tenga lugar la participación del hijo varón en otra guerra. Pero hay más, y es que Artemio ni siquiera es verdaderamente «hijo de la Malinche» (la india que traicionó la raza por su amante Cortés, la madre-prostituta, amada-odiada de todos los mexicanos, en la interpretación de Octavio Paz en *El laberinto de la soledad*), en cuanto hijo de una negra o mulata. Lo cual quizá explique su falta de interés en el arte precolombino, pero que desde luego contribuye a acreditarlo como el futuro salvador de México que vislumbra la última secuencia de la novela, pues representa su composición racial (la mezcla de indio ha de sobreentenderse en todo país amerindio) sin que lo toque, por la madre, el *pecado* da la Conquista.

La encendida visión del país que Artemio ha recorrido de uno a otro confín y conoce, pues, mejor que nadie, y la herencia de corrupción que lega a sus descendientes, tanto biológicos como espirituales (52), que adornan las últimas páginas de la novela, concluyen, curiosamente, con una manifestación de esperanza: en tanto que los otros heredan los males, Artemio se dice a sí mismo: «heredarás los rostros dulces, ajenos, sin mañana porque todo lo hacen hoy ... tú serás el futuro sin serlo, tú te consumirás hoy pensando en mañana: ellos serán mañana porque sólo viven hoy» (página 278). Sigue a esta secuencia la presentación del origen del personaje y, tras otra exaltada visión del universo según lo percibe el niño Artemio al dejar la tierra natal, nace aquél mientras muere de una rotura de los intestinos aquello que llegará a ser. Limpio por fin a través del vómito de los propios excrementos, de la corrupción que él mismo contribuyó tan efectivamente a crear, el espíritu, ya que no el cuerpo del protagonista, podrá renacer en un país donde su desilusión no será ya posible, una vez abolida (no sabemos cómo, naturalmente, pues se trata de intuiciones ahistóricas) la corrupción que, sin embargo, el novelista ha retratado hasta allí tan minuciosa y objetivamente.

Probablemente el personaje de Artemio Cruz representa, mejor que ningún otro de empresario latinoamericano, y a partir del momento mismo en que se lo presenta al lector, ejerciendo su poder, cómo ese poder de la clase empresarial, y en general de la oligarquía latinoamericana, no se basa en nuestros días en la posesión de la tierra ni de la industria, sino en su posición de intermediario entre el capital extranjero y la explotación de recursos agrícolas, mineros, bancarios, que esa clase no controla ya. Resulta, sin embargo, que la ascendencia *paterna* de Artemio lo entronca de lleno con la oligarquía tradicional, la que se apropió las tierras de los indígenas e hizo la independencia. El descubrimiento de su origen no alcanza a Artemio, que muere sin conocerlo, mas es claro que Fuentes ha querido explicar de ese modo la personalidad de su personaje, y especialmente su voluntad (recuérdese cómo su abuela, aunque centenaria, llena de voluntad de sobrevivir, se opone físicamente a los que quieren quitarle su último criado, y antes *reconoce* al nieto, sin duda por poseer esa cualidad familiar [p. 291]), la que lo lleva a matar, aún niño, a quien cree que viene a llevarse a su tío Lunero, y, ya moribundo, hace que se niegue a morir sin antes revivir su propia vida (de modo que, como en la cita de Montaigne que, entre otras muchas, encabeza la novela, «la préméditation de la mort» sea «préméditation de la liberté»). Esa voluntad es la que lleva a Artemio a suplantar a Gonzalo como dueño de las tierras de su familia, a casarse con su hermana, a entrar en la política, a asociarse con el presidente Calles. Pero no erremos creyendo que se trata de la voluntad de poder de un mero *parvenue*: no, Artemio Cruz desciende directamente de una de las familias pilares de la oligarquía mexicana. Lo cual expresa una ideología conservadora que ve a la clase terrateniente como depositaria de una serie de virtudes que podría, quizá, mediante el aporte de nueva sangre, poner en actividad para el bien común: buen gusto, capacidad de liderazgo, amor a la tierra (es decir, a la nación como entidad física generadora de un espíritu peculiar), incluso visión política. Artemio no logra levantarse sobre la corrupción que finalmente lo consume (físicamente, además, según lo representa la horrible causa de su muerte), pero su hijo, de no haber muerto en la prosecución de una causa noble, sí que lo habría conseguido, obviamente, por haberse criado en la tierra (Artemio lo separa de su madre y lo lleva a vivir a la hacienda natal, que resulta ser la de sus antepasados); como terrateniente, es claro, pero espiritualmente identificado con ella como otro Fabio Cáceres o Santos Luzardo (o Nico Azara, pero con resultados negativos en el caso de éste). No existe en la novela referencia alguna a un pasado campesino de Artemio, quien de Veracruz, «de la tierra», ha ido a la Ciudad de México, y aunque es posible que haya trabajado algún tiempo como labrador (por la mención de «la tierra»), tiene menos de veintiún años cuando se une a la Revolución, inspirado por un maestro bajo cuya tutela espiritual parece haber estado bastante tiempo (p. 70; n. 46). El deseo ya citado de Artemio de ver crecer la semilla, etc. (p. 180), suena como el de alguien que no ha conocido esa experiencia, mas resulta aquí que poseer —que no es lo mismo que trabajar, en el caso de Cruz— la tierra es equivalente a liderazgo social y hasta político; en el futuro, cuando, pagada su culpa, renazca Cruz como «el buen caudillo».

Es muy significativo que en la primera novela mexicana deliberadamente «moderna» en su técnica, y donde culmina además —al menos de momento— el proyecto de su autor de desarrollar una interpretación de la realidad social e histórica de México *(La región más transparente, Las buenas conciencias),* reaparezca el terrateniente bajo el elegante terno de hombre de empresa moderno. Es decir, que Fuentes, en su empeño de darnos una cosmovisión de su patria, tiene que incluir *la tierra* y hacerlo, además, por vía del latifundista, el terrateniente, el caudillo. Parece, pues, como si el fantasma del caudillismo persiguiera a la novela hispanoamericana lo mismo que a la historia del continente; en el caso de aquélla, bajo la apariencia del terrateniente, encarnación ideal respecto a las condiciones históricas en las que surge del otro fenómeno (53).

El obsceno pájaro de la noche (1970), de José Donoso, presenta al terrateniente a través de una técnica más revolucionaria en sus implicaciones narratológicas que la de *La muerte...*; la cual refleja a su vez los cambios operados en el tipo social representado por el protagonista de esta novela, Jerónimo de Azcoitía. Este es tan rico que se lo describe ocasionalmente en términos apropiados a los magnates financieros internacionales (54); pero aunque don Jerónimo sea también banquero e industrial, pues la tierra por sí sola no permite acumular fortunas como la suya, la imagen con que se lo caracteriza, tanto en la narración *realista* de su biografía como al final, cuando regresa —para morir allí— a su vasto fundo, convertido en el escenario de la fantástica «corte de los milagros» que inventa el narrador de la novela, o que sueña el Mudito, es la de un típico terrateniente hispanoamericano, descendiente de varias generaciones de latifundistas, participando en la política, rodeado, en el escenario de su fundo, de perros y sirvientes que son aún como siervos.

Jerónimo, quien a su regreso a Chile después de una larga estadía en Francia, proyecta romper con ese mundo y regresar a Europa (lo mismo que quería hacer Santos Luzardo), se convence a poco de que no puede, que su destino es el de un oligarca hispanoamericano, que debe continuar cierta tradición, intervenir en la política, imponer la voluntad de su clase a la historia nacional; para hacer todo lo cual es preciso también que viva —o al menos que regrese a menudo— en la tierra de donde proviene su poder y donde reina como señor feudal (55). La relación de Azcoitía con la tierra llama la atención sobre la base rural de la oligarquía chilena, lo que equivale a decir la antigüedad y solidez de su poder, tan bien demostradas en su victoria de 1973 sobre el socialismo (56), mientras que en el plano inmediato de la acción de la novela esa relación vale para explicar la fuente del poder del «cacique» que fundó la dinastía. Cuando Jerónimo olvida ese principio y entrega la administración de «La Rinconada» al seudointelectual Humberto-Mudito, quien a su vez se la pasa a los monstruos que multiplica su imaginación, Azcoitía pierde la consciencia de su propia identidad, de suerte que al encontrar, de regreso en la finca, su propia imagen reflejada en un estanque, la confunde con la de un monstruo, y creyendo (quizá) que se ha convertido en tal, se suicida (p. 506).

El obsceno pájaro no se propone, desde luego, la caracterización del terrateniente criollo, por lo mismo que rompe tan drásticamente con los límites del realismo de las primeras novelas de Donoso. Uno de los títulos que tuvo la novela durante el proceso de su creación —«El último de los Azcoitía»— sugiere, no obstante, que el énfasis narrativo no se hallaba, originalmente al menos, muy distante del aspecto

que aquí nos ocupa (57). Ese último oligarca es (en la mente o en el manuscrito de la voz principal que es también a veces el narrador) un monstruo, Boy, resultado (quizá) de las ancestrales relaciones de los Azcoitía con Satanás; Minotauro creado y recreado en los aquelarres que tienen lugar en «La Rinconada», o bien en la casa-asilo que sirve de basurero, de cárcel («él manda aquí a sus enemigos para encerrarlos, que se pudran transformados en viejecitas ... los que saben demasiado de su vida, sus maquinaciones, o sus debilidades»; p. 444), pero también de sostén del poder de la clase dominante (repárese, además de en la dependencia de Inés de su aya Peta Ponce, de la que se sugiere que es su parienta, pues desciende del bastardo de la supuesta bruja-beata hija del primer cacique —pp. 358 y ss.—, en lo que debe a Brígida la familia de sus patrones: cap. 19).
En comparación con las obras del *noveau roman* y de sus imitadores hispanoamericanos, *El obsceno pájaro* resulta altamente «legible», amena, apasionante; permite que determinemos la cronología de los sucesos *reales* que recrea (la fundación de la dinastía de los Azcoitía se remonta a finales del siglo XVIII; los hijos del primer cacique participan en la guerra de independencia; Jerónimo regresa a Santiago a raíz de la primera guerra mundial; los periódicos que las viejas usan como envoltorios traen fotos de Fidel Castro, etcétera); descubre constantemente, en fin, un contexto social y, a su través, las actitudes y preocupaciones del mismo autor de las obras anteriores de Donoso, en vez del enfoque que cabría esperar de un novelista totalmente enfrascado en experimentos narrativos y juegos lingüísticos. De ahí que, a partir de un artículo de Alicia Borinski, de 1973, se trate de deslindar entre los sentidos de la novela como expresión de varios autores posibles. Máscaras que ocultan, a la vez que promueven, la dispersión de sentidos a través de paquetes vacíos, hasta concluir en el «imbunche» o recién nacido cuyos orificios han sido tapados, el signo por fin cerrado e incapaz de repetirse que salvará a las viejas ex criadas aisladas en la Casa, portadoras hasta entonces eternas de los residuos de las vidas de sus amos, de su obsesivo deseo de salvar, en pequeños envoltorios, esos restos (58).

Que es lo mismo que trataba de hacer el autor respecto al pasado: el relativo al papel social de la oligarquía como un conjunto atractivo, y el propio como narrador, ocultándose tras la serie de disfraces que constituyen los varios textos (lo que sucede en la Casa, lo que imagina Mudito que sucede allí, la *verdadera* novela escrita por Peñaloza, etc.) y voces de la novela (59). Si es cierto que el «supertexto» a través del cual Mudito, el narrador aparente, trasciende las limitaciones de ese papel y se transforma en otros personajes, funciona como un «meta-texto», un comentario sobre la posibilidad de la novela como género que cuestiona el texto realista inicial privándolo de su centro significativo, es obvio también que ese nuevo texto, al contener dentro de sí al realista, le infunde a éste nueva vida. Basado en él, con él convive hasta el final mismo del libro llamado *El obsceno pájaro de la noche,* y de él continúa alimentándose en el otro supertexto donde prosigue la obra de Donoso. Ese género de escritura no desaparece quemado junto con el ovillo de papeles viejos que al final resulta ser el imbunche; al igual que tampoco cesa, naturalmente, la proliferación de significados cuya conclusión podría sugerir ese estuche de significados perfectamente sellado que es el imbunche, sino que ambas escrituras continúan entrelazadas por las novelas subsiguientes del autor, por más que incapaces hasta ahora de generar un producto tan rico o efectivo como *El obsceno pájaro,* donde la destrucción del texto tradicional es el objeto deliberado de la escritura, y la «nueva novela», consecuentemente, un experimento apasionado, absorbente, pleno de tensiones, en vez de mero juego imitativo, como sucede en algunas ficciones posteriores de Donoso.

Mudito desearía suplantar el orden social representado por don Jerónimo Azcoitía, y cuya disolución venía anunciando desde hacía tiempo Donoso, principalmente a través del combate de ese mundo con sus propias obsesiones (60), ese «lado oscuro» que se impone por fin aquí a través del monstruo bicéfalo Boy-Mudito (61). El último Azcoitía es un monstruo que debe ser ocultado; el encargado de cuidarlo es un escritor burgués —secretario del cacique, como lo han sido tradicionalmente los intelectuales hispanoamericanos— que va a continuar el texto donde narraba admirativamente la historia de Jerónimo Azcoitía (62) en otro donde la monstruosidad de su vástago refleja la propia, hasta que consigue por fin lo que siempre deseó: nacer de nuevo del útero de la clase odiada y deseada, cuando Inés de Azcoitía, esposa y prima del cacique, da a luz, después de Boy, a Mudito. Nacer para desaparecer finalmente en este caso, pues las viejas ex sirvientas que velan desde la Casa por el destino y el buen nombre de sus amos, harán en las últimas páginas del milagroso recién nacido un atado de sacos, de papeles, de palabras que sólo sirven de combustible.

El obsceno pájaro es una novela social, psicológica, fantástica (modalidad que recuerda en sus obsesivas visiones el «Informe sobre ciegos» de *Sobre héroes y tumbas,* de Ernesto Sábato), y al mismo tiempo el texto que niega todas esas lecturas y también las destruye —momentáneamente, claro, pues un atado de periódicos viejos, un paquete vacío es siempre reconstruible, o cuando menos reproducible. El empeño del narrador en definirse como una ausencia sugiere, según un artículo reciente, una suerte de suicidio, pues batallando entre comunicar un contenido y la urgencia de deshacerlo inmediatamente, afirmándose y negándose, transitando constantemente de lo familiar a lo monstruoso, el autor ha perdido el contacto tanto con su propia intimidad como con su ambiente, para identificarse, en cambio, como con un absoluto, con el vehículo de ambos, el lenguaje —es decir, un vacío (63). Logro que, aparte de su valor artístico y capacidad de continuar generando textos literarios plurisignificantes y autorreferenciales, sirve para expresar, con un deje de admiración, el aún inviolado (y ahora oculto) poder del terrateniente que creó la Casa y sus habitantes (las viejas, Humberto-Mudito) y generó el monstruo con el que paga su violación de la tierra (equivalente a su culpa social), y también expresa la doble obsesión del inventor del texto que leemos respecto al terrateniente y a su propia escritura. Al igual que el terrateniente latinoamericano afortunado ha conseguido transferir la base de su riqueza a la propiedad urbana, la industria y las finanzas, cruzando de ese modo el umbral que lo separaba del mundo del capitalismo moderno, también *El obsceno pájaro* consigue su propósito de ser una novela *contemporánea,* pero ni el uno ni la otra, a la larga, hacen más que enmascarar sus orígenes: el nuevo magnate se cree socio con los mismos derechos del capitalista de los países industrializados, pero en realidad la estabilidad de su riqueza (en tanto no la convierta en capital totalmente transferible o móvil, según han hecho tradicionalmente nuestros dictadores, siempre inseguros respecto a la duración de su poder o fuente de ingresos) depende del funcionamiento del engranaje del capitalismo avanzado que le ha asignado cierto papel, lo mismo que hace la crítica «avanzada» respecto a la novela latinoamericana. La novela realista que Donoso *deconstruye* a través de ese texto que es (quizá) el de Mudito-Peñaloza, se reconstruye por sí sola al final ante nuestros ojos: la Casa será vendida, como dispuso don Jerónimo —contra los deseos de su mujer—; el producto de la venta lo empleará el Arzobispado para apoyar en las campañas políticas a los candidatos conservadores (p. 307); Azcoitía triunfa, paladín de su clase, aun cuando no tenga (quizá) a quien heredarle tanta riqueza.

El título de la obra, tomado de una reflexión de Henry James padre sobre el sentido de la vida («The natural inheritance of everyone who is capable of spiritual life is an unsubdued forest where the wolf howls and the obscene bird of night chatters», citado como epígrafe de la novela), alude con gran efectividad a la cháchara interior de Mudito, semejante a la de un pájaro que, invisible en la oscuridad, despierta sensaciones que alteran la armonía de la noche, deseos indefinidos, etc. (64). Como el propio autor ha divulgado, sin embargo (véase n. 57), el título original («El último Azcoitía») sobrepone al deliberado vacío aludido en el título definitivo una alusión al verdadero sentido de la novela, el cual la hace entroncar con una sólida tradición de novela psicológica y social, muy afín, por otra parte, con el resto de la obra de Donoso. Y en particular con *El lugar sin límites* (1965), donde se trata de la desaparición inminente de un villorrio vista desde la perspectiva de la matrona del prostíbulo local, y la de su padre, «la Manuela». Don Alejo, el latifundista dueño de los viñedos que rodean el pueblo y de éste mismo, «padre», si no biológico (como Pedro Páramo), al menos espiritual de todos sus habitantes, ha creado La Estación del Olivo de la nada, alrededor del apeadero de tren donde embarcaba sus vinos. Cuando sus sueños de engrandecer y modernizar el pueblo —equivalentes al proyecto de la clase que representa de pasar al terreno de la industria y el comercio internacionales— fracasan, don Alejo se dispone a arrasar, literalmente, la prueba de su fracaso y devolver toda la tierra a la viña, proyecto tan simbólico (pues no entraña resultados económicos tangibles) como los cuatro perros negros que, al igual que a los primeros Azcoitía, rodean al cacique; siempre cuatro —de modo que si nacen más cachorros que el número mágico, se los mata— y dispuestos a destrozar a quien el amo, el único ser al que obedecen, ordene (65).

Sólo dos personajes escapan al poder del omnipresente don Alejo, ambos por provenir del mundo exterior. Octavio, dueño de una gasolinera y poseedor de cierta conciencia social, que trata de comunicar a su cuñado Pancho en tanto le facilita los medios económicos de romper su dependencia respecto a don Alejo, y la «Manuela», el protagonista de la novela, un travestí que llegó al pueblo contratado para celebrar la elección a diputado de don Alejo (la cual debería haberlo puesto en el camino del éxito) y se queda allí atraído por la ilusión de ser propietario (y acercarse, pues, a la clase del cacique, quien lo protege). La «Manuela» descubre los designios de su hasta entonces admirado protector en cuanto a matar el pueblo, y trata, sin éxito, de escapar de La Estación. Unos momentos antes de morir, «Manuela» reconoce que no es «la Manuela», sino Manuel, al igual que don Alejo tampoco es el patriarca bondadoso que pretende ser (o Pancho, el macho todo virilidad que aparenta). Ese latifundista fracasado en sus ambiciones de gloria y cercano a la muerte (don Alejo parece estar enfermo de una dolencia fatal) constituye un serio intento por parte de Donoso de representar a la clase latifundista en un momento de crisis (¿1930?); es decir, cuando la base de su poder, ya menos fuerte, debía hacer cuanto antes, para salvarse, la transición a clase empresarial e industrial (además de latifundista). Según sucede en *El obsceno pájaro* y reproduce la estructura de la novela (66).

Conversación en la Catedral (1969), de Mario Vargas Llosa, intenta una caracterización del Perú a través del progresivo desmoronamiento de las vidas de dos caracteres representativos de polos opuestos del espectro social, el «miraflorino» Santiago Zavala y el negro Ambrosio; vistas ambas contra el fondo de varias docenas de personajes con los que entran aquéllos en contacto. En ese complejo mural del país no falta la figura del terrateniente, pero aunque veamos ocasionalmente los manejos del senador Arévalo desde su hacienda (I, 7, 8) o se nos presente brevemente a otros latifundistas que son, además, caudillos políticos (II, 7), no se trata en ninguno de esos casos de personajes esenciales, y lo que interesa de sus acciones, además, es la repercusión que tienen en el medio urbano de Lima y en relación a las actividades del siniestro ministro Cayo Bermúdez.

La conspicua ausencia del terrateniente de *Conversación* como personaje de alguna importancia sugiere que posee un valor muy diferente para Vargas Llosa del que tiene para otros autores, así que lo incluye en la trama porque no podría faltar en una novela de proyección social cuando continuaba para el momento de la acción —y hasta quizá continúa— siendo un elemento activísimo de la estructura socioeconómica y política peruana, pero sin concederle la menor pizca de categoría protagónica, lo mismo que no la tiene ya contemporáneamente en la vida social en cuanto terrateniente, ni presentarlo tampoco en su medio original, pues pintar al empresario hispanoamericano en el marco de la hacienda de la cual no depende ya su poder, resulta en sacralizar éste, legitimándolo, tal y como si la tierra significase todavía algo para nuestra capitalista dependiente —según sugiere *La muerte de Artemio Cruz*.

El que las novelas de Vargas Llosa sean esencialmente urbanas (en *La casa verde* y en *Pantaleón y las visitadoras* la selva está vista principalmente a través de su repercusión en una aldea), no precluye el que pudiese haber creado un terrateniente como vehículo de la imagen de desintegración social y política que persigue *Conversación*; mas para caracterizar el poder y la corrupción de la oligarquía peruana, se escoge allí a un hombre de empresa moderno, Fermín Zavala, de origen burgués (II, 5), con una fortuna de proporciones modestas o más de acuerdo con la escala latinoamericana, cuya prosperidad depende de toda clase de componendas ilegales protegidas por sus conexiones políticas, pero cuya ideología es liberal. Resulta claro que la actividad económica de Fermín Zavala representa, mejor que la del terrateniente, la etapa de semidesarrollo dependiente en que se hallan los países más prósperos de Latinoamérica (67).

El hacer a don Fermín el protagonista del estado de cosas que Vargas Llosa se propone reproducir (lo que equivale en este caso a denunciarlo), me parece que expresa la posibilidad de una ruptura definitiva de la novela hispanoamericana moderna con la tendencia a concentrarse en el terrateniente cuando se propone la descripción del panorama social nacional (según sucede todavía en las novelas recién estudiadas de Fuentes y de Donoso), casi como si aquél expresase arquetípicamente nuestra realidad, como si el haberse apropiado la tierra le concediese un derecho permanente a *protagonizar* una historia de la que, en definitiva, es sólo personaje, y cuya complejidad y proceso de transformaciones el concentrarnos en él tiende a simplificar y, a la larga, a tergiversar.

Pero Vargas Llosa va un paso más allá, al hacer a don Fermín homosexual, y digo que lo hace porque la relativa inverosimilitud de la caracterización del personaje en cuanto homosexual (su atormentada relación con Ambrosio, o su dominio de sí mismo frente a su hijo, que ignora del todo esa actividad de su padre hasta el asesinato de Hortensia, chocan con el que fuese tan conocido su vicio que lo apodaran «Bola de oro» en los burdeles de Lima) se justifica como un imperativo ideológico destinado a excluir la admiración que don Fermín podría generar como líder social

—aunque ya sin conexión con la tierra— en el lector, sentimiento a través del cual podríamos acercarnos de nuevo al terrateniente en lo que tenía de figura generatriz de reacciones positivas —como las que provocan Artemio (quien es, además, casi un prototipo de machismo) o don Jerónimo (cuya potencia excepcional desea apropiarse Humberto y hereda Boy).

Este análisis, muy parcial, de algunas de las novelas hispanoamericanas más importantes del siglo XX propone, pues, la existencia de una constante directamente relacionada con condiciones históricas, políticas y económicas propias del estado de semidesarrollo de las sociedades hispanoamericanas, y cuya manifestación literaria alcanza, a causa de ello, las expresiones más complejas de la «nueva novela» siempre y cuando se den dos condiciones: la obra en cuestión se interesa en la realidad social; existe aún en el medio de donde proviene el novelista, y que sirve de marco referencial a su obra, una oligarquía cuyo poder se origina en el latifundio.

Si aceptamos también que *Conversación en la Catedral*, perteneciendo a ese mismo patrón novelístico-histórico, representa la voluntad de anular las íntimas exigencias del arquetipo en el sentido de que se lo represente positivamente, el planteamiento ensayado en las páginas precedentes podría servir como una especie de modelo teórico aplicable a otros textos que reúnan, en diferentes medidas, aquellas condiciones.

Tres ejemplos, sobre dos de los cuales se volverá en capítulos subsiguientes: *Pedro Páramo* (1955), cuyo protagonista es dueño del difunto Comala a la vez que padre de todos sus habitantes varones. *Gracias por el fuego* (1965), de Mario Benedetti, novela urbana en la que un padre, especie de Artemio Cruz a la escala uruguaya, es odiado y admirado por su hijo. *Cien años de soledad* (1967), donde la acción gira en torno de una familia cuyo poder e inagotable riqueza sugieren, obviamente, los de la oligarquía terrateniente, pero que no aparece, sin embargo, conectada con la tierra sino en cuanto a la fundación de un núcleo urbano, en tanto que su prosperidad proviene del comercio (los caramelos que hace Ursula) o de causas sobrenaturales (la fertilidad de los animales de su bisnieto, provocada por su concubina), con lo cual se niega, situándolo en un contexto cómico-mágico, el origen *terrestre*, y por tanto aparentemente irrefutable, del poder de la oligarquía hispanoamericana.

NOTAS

(1) Para una lectura de la novela que subraya su relación con los altibajos de la fortuna y las ambiciones sociales del autor, véase Gustavo Mejía, «La novela de la decadencia de la clase latifundista: *María*»..., *Escritura*, I, 2 (1976), 261-78.

(2) Sobre la interpretación del concepto de feudalismo en un sentido amplio en vez de restrictivo, véase Abilio Barbero y Marcelo Vigil, *La formación del feudalismo en la Península Ibérica* (Barcelona: Crítica, 1979), Introd.

(3) Véase Hugh Thomas, *Cuba. The Pursuit of Freedom* (New York: Harper, 1971), caps. 22 y 23. No fue hasta 1875 cuando los rebeldes llevaron la guerra al centro y occidente de la isla, contra los deseos de los cubanos ricos que, principalmente desde el exilio, financiaban gran parte del costo de la campaña. La destrucción de ingenios, aunque limitada a zonas del centro y del oriente de Cuba, se unió, pues, a los otros factores mencionados, los cuales afectaban a los dueños de ingenios en todo el país, para dificultar la obtención de los préstamos que aquéllos necesitaban desesperadamente para hacer frente a las nuevas condiciones económicas, incluida la abolición de la esclavitud —bien que ya desde hacía tiempo resultaba menos costosa la producción de azúcar por trabajadores asalariados que por esclavos—. Véase también Manuel Moreno Fraginals, *El ingenio; el complejo económico social cubano del azúcar* (La Habana: Unesco, 1964).

(4) Hay también que tener en cuenta cómo un factor que operaba contra la formación de una verdadera clase terrateniente al estilo de la del resto de Hispanoamérica, el origen de la fortuna de gran parte de la clase alta habanera —es decir, de la oligarquía cubana— en el comercio o en la administración colonial. Véase Thomas, *op. cit.*, apéndice I, «The Cuban Oligarchy», con árboles genealógicos de once familias cubanas del siglo XVIII.

(5) *Francisco. El ingenio o las delicias del campo* (la segunda parte del título es una adición irónica al original por un amigo del escritor) fue escrita entre 1838 y 1839, y publicada póstumamente en 1880. Parece que con anterioridad a *Uncle Tom's Cabin* (1852), Lydia Child escribió, en 1833, una narración abolicionista. Véase la edición de *Francisco* en *Cuadernos de Cultura*, octava serie, 1, reimpresa por Mnemosyne, Miami, 1969, introd., y página 184, n. 6.

(6) La primera parte de la novela apareció en La Habana en 1839, y la versión definitiva en 1882, en New York (lo mismo que *Francisco*). El éxito de ambas publicaciones fue «inmediato. Nadie ... se había atrevido tan abiertamente a dirigir la atención pública sobre los problemas explosivos de la isla [especialmente la esclavitud] ... el cuadro político, social y moral de la Cuba colonial» (ed. Olga Blondet y Antonio Tudisco, New York: Anaya, 1971, p. 20).

(7) Véase Raimundo Lazo, *Historia de la literatura cubana* (México: UNAM, 1974), III, C, 7, y IV, A, 14 y 16, y Salvador

Bueno, «Los temas de la literatura cubana», *Asomante,* XVI, 4 (1960), 39-48.

(8) La degeneración del castellano en Puerto Rico se recrudece después de 1940. Sobre el problema, estudiado en un contexto sociopolítico, véase Germán de Granda, *Transculturación e interferencia lingüística en el Puerto Rico contemporáneo* (1898-1968) (Río Piedras: Edil, 1972).

(9) Una ley del Congreso norteamericano de 1900 limitó la posesión de tierra por las corporaciones en Puerto Rico a 500 acres. Para 1910, las empresas norteamericanas controlaban ya la mejor tierra azucarera; en 1941, el Congreso de la isla creó un organismo encargado de velar por la aplicación de la ley, cuyo efecto se limitó a evitar que los competidores de las corporaciones norteamericanas, las cuales desobedecían abiertamente la ley, adquiriesen grandes extensiones de tierra. Véase Edward J. Berbusse, *The United States in Puerto Rico,* 1898-1900 (University of North Carolina Press, 1966), p. 228, y sobre lo mismo, el régimen de la hacienda, y la desaparición de la clase hacendada nacional; Angel G. Quintero Rivera, «Background to the Emergence of Imperialist Capitalism in Puerto Rico», *The Puerto Ricans: Their History, Culture, and Society,* ed. Adalberto López (Cambridge, Mass.: Schenkman, 1980). Para otra visión literaria de los efectos sociales de la producción azucarera, véase el drama *Tiempo muerto* (1940), por Manuel Méndez Ballester.

(10) Repárese en estas descripciones: «la casa solariega de los Alzamora, semialta, sobre desnudos estantes, con su amplio balcón y sus puertas pesadas y verdes, con su techo a cuatro aguas, construida con maderas del país. Un verdadero tesoro de vivienda española, de "a la banda allá" del '98. Más abajo ... el antiguo ingenio con sus oscuros edificios, con su alta chimenea de rojos ladrillos»; «Experimenté cierto dolor por las glorias muertas de estas heredades en un tiempo con vida propia y ahora sujetas a la oscura tiranía de la Central», *La llamarada* (México: Orión, 1962), pp. 38 y 42.

(11) En las primeras décadas del XIX, familias francesas provenientes de Haití y de la Louisiana se establecieron en Puerto Rico; hacia finales de siglo, intereses comerciales franceses comenzaron a invertir en la industria azucarera (Quintero Rivera, artículo cit.).

(12) La resistencia de los indios de Borinque contra la colonización no concluyó con la derrota del cacique Guaybana y sus seguidores en 1511. Los caciques de Humacao y de Dagao, pero sobre todo el que dominaba la sierra de Luquillo, continuaron, en alianza o ayudados por indios de las islas vecinas, hostigando las poblaciones españolas por varios años (Salvador Brau, *La colonización de Puerto Rico,* San Juan: Instituto de Cultura, 1969, páginas 254 y ss.); de ahí la creencia de que los indígenas que no habían sido sometidos se refugiaron en las cuevas y los remotos valles de la montañosa isla (Stan Steiner, *The Island's. The World of the Puerto Ricans,* New York: Harper, 1974, p. 17). En *La carreta,* de René Marqués, el personaje que representa el espíritu tradicional más incorruptible, don Chago, se va a morir, al final del primer acto, a «la Cueva del Indio».

(13) Borrás se identifica con los sufrimientos de los peones, sus justas demandas y su deseo de rebelarse; traba honda amistad con don Polo, antiguo líder socialista, llama la caña «invasora», y repara en los efectos negativos de la industria sobre la sociedad nacional. Después de un período durante el cual —en gran parte movido por los celos que, respecto a su futura esposa, le inspira un peón rebelde, Segundo— se identifica con los intereses de la central en contra de los obreros sublevados, deja su

empleo tras acusar a su jefe de servir intereses feudales y criminales en su explotación de los trabajadores.

(14) A esta última lista podría agregarse *Las águilas* (1943), de Eduardo Mallea.

(15) El drástico aumento de las exportaciones de carne congelada tiene lugar a comienzos del siglo XX, bien que los primeros frigoríficos datan de 1883. Una conjunción de factores (la guerra de los boers, sequías en Australia, el cese de la importación de ganado argentino en pie, debido a una epidemia) convierten a la Argentina en pocos años en el principal abastecedor de carne congelada para Inglaterra (1905); para 1916 sólo Estados Unidos la supera, por breve margen, como exportador de carne en el mercado internacional. La distinción dentro de la clase ganadera entre los que criaban el ganado y los que lo compraban ya engordado para venderlo a los empacadores tiene enorme importancia económica, y se relaciona con la dependencia de la producción respecto a los puertos de la provincia de Buenos Aires, orientada cada vez más hacia el comercio exterior; dependencia que favorece a la segunda clase de ganaderos. Véase Ezequiel Gallo y Roberto Cortés Conde, *Historia Argentina*, vol. 5, *La república conservadora* (Buenos Aires: Paidós, 1972), esp. páginas 118-28; Ed Daniels, «From mercantilism to imperialism: the Argentine case», 1 & 2, *NACLA* Newsletter, IV, 4 y 6 (1970), y Walter Larden, *Estancia Life* (Detroit: Blaine Ethridge, 1974; reimpresión de una obra de 1911), esp. caps. II y III, donde se describen los enormes cambios ocurridos en una estancia entre 1882, cuando no estaba aún cercada, y el ganado era de origen local y de pobre condición, y 1908, cuando todas las propiedades están perfectamente cercadas, y el ganado se ha triplicado en número y es casi todo de procedencia extranjera. También trata Larden del gaucho: cómo los que vivían en la hacienda, al encargarse de ella su hermano, son desalojados (p. 43), y, más en detalle, en el cap. IV, sobre su origen, hábitos de vida, vestido, y desaparición (para 1908), al convertirse en peón asalariado. Al comienzo de *Los caranchos*, Lynch cuenta cómo don Pancho había adquirido su campo «de un gaucho viejo, que vegetaba allí desde hacía medio siglo» (Buenos Aires: Troquel, 1958), p. 9.

(16) El cambio en la consideración de la figura del gaucho, de representante de una barbarie ya superada, a símbolo de la nacionalidad, lo marca la aparición de *El payador*, de Lugones, en 1916. Véase sobre ello Emir Rodríguez Monegal, «El *Martín Fierro* en Borges y Martínez Estrada», *RI*, XL, 87-88 (1964). Véanse los reveladores estudios de la poesía gauchesca como poesía revolucionaria, y de la literatura hispanoamericana de la independencia en general, por Angel Rama, en *Los gauchipolíticos rioplatenses. Literatura y sociedad* (Buenos Aires: Calicanto, 1976).

(17) Véase mi artículo «La intención política en la obra de Borges: hacia una visión de conjunto», *Cuadernos Hispanoamericanos*, 361-362 (1980), 170-98.

(18) A punto de perder la razón después de años de vida bohemia en Buenos Aires y París, el protagonista regresa a la sana vida de la estancia donde se crió. En una carta de 1925 al crítico francés Valéry Larbaud relata Güiraldes que *DSS* fue el resultado de una visión en la «que la Argentina se le hizo presente como geografía e historia, como cuerpo y espíritu, como pasado y presente ... tuvo la intuición de que en su patria sólo el gaucho y nadie más que el gaucho tenía personalidad», propósito estrechamente relacionado con la preocupación nacionalista común a muchos escritores de su tiempo (citado por Hugo Rodríguez Alcalá, «Lo real y lo ideal en»..., *Narrativa hispanoamericana*, Madrid: Gredos, pp. 11 y ss.). Véase Alberto Blasi, «Vanguardismo en el Río de la Plata: un "Diario" y una exposición», *RI*,

XLVIII, 118-19 (1982), 21-36, para una descripción del diario de Güiraldes de 1923-1924, donde se pone de manifiesto cómo la observación y hasta la convivencia con sus peones mientras reside en su estancia lo ayuda en la novela que planea.

(19) *Don Segundo Sombra* (Buenos Aires: Losada, 1962), p. 63.

(20) Para un estudio de la novela que incluye sus relaciones con el contexto histórico dentro del que se asienta, véase Jorge Schwartz, «*Don Segundo Sombra:* una novela monológica», *RI*, XLII, 96-97 (1976), 427-46. Señala el crítico cómo don Segundo es en realidad un personaje secundario, para así «exponerlo menos y mantener su aura mítica constantemente» (p. 433), o cómo se evita la oposición civilización/barbarie, reduciéndola «a una relación de identificación o extensión» (p. 430). Güiraldes no reconoce al gaucho como perseguido, pues lo ve desde el punto de vista del patrón; los personajes carecen de relieve; el lenguaje popular no está verdaderamente integrado con la narración; el autor, en fin, se impone a su propia creación para evitar el desarrollo de una novela «polifónica». Noé Jitrik, en *El escritor argentino. Dependencia o libertad* (Buenos Aires: Ediciones del Candil, 1967, pp. 95-102), nota que *DSS* cierra el ciclo de la literatura de la pampa al mismo tiempo que ofrece a la juventud un retorno al criollismo como terapéutica espiritual, el que resulta en una espiritualización del campo. Véase también, en la misma obra, los artículos sobre *Zaigobi* y la decadencia de una familia terrateniente al perder las virtudes de la raza, y sobre *Los caranchos* y la elegía del gaucho desaparecido.

(21) *El paisano Aguilar* (Buenos Aires: Claridad, 1937), p. 7[illegible].

(22) Irritado con su vecino y consigo mismo después de pasar horas bebiendo con él, Aguilar quiere, no obstante, concluir la velada «en forma perfectamente criolla, sin dar lugar a que al día siguiente comentase su aparcero momentáneo un gesto poco gaucho del dueño de El Palenque» (p. 41), y se despide cortésmente de don Trinidad a la entrada de su estancia; pero inútilmente, aquél insiste en acompañarlo entonces hasta la suya, en vista de lo cual Aguilar lo acompaña de vuelta, sólo que su vecino quiere entonces repetir la cortesía (pp. 40-8).

(23) Es así como distingue entre los narradores («más subjetivos que objetivos», y viceversa) Enrique Anderson Imbert en su clásica *Historia de la literatura hispanoamericana* (México: FCE).

(24) Amorim reflexiona, por ejemplo, sobre cómo el dueño de una fábrica de calzado se considera inferior, por obra «del casi feudalismo americano», al hacendado, y lo apena el que su padre no hubiese podido «constituirse en estanciero», de modo de hacerlo a él también «hijo de terrateniente»; en tanto que él a su vez desprecia olímpicamente al dueño de una tipografía, «cuya inteligencia, aplicada en un sentido noble y artístico, era de orden inferior al fabricante de botines», el cual a su vez transforma el cuero, «la materia prima que Aguilar apenas si cultivaba», mas «Su padre tenía estancia, lo cual era un privilegio y una ventaja. Extraño orden de cosas, prejuicio en vías de desaparecer» (p. 96). Véase también, para algunos de los temas recién mencionados, pp. 100-6.

(25) *El caballo y su sombra* (Buenos Aires: Losada, 1957), página 11.

(26) La presencia de éstos es objeto del interés de Adelita, quien, porque siente el «culto a la tierra», admira su capacidad de trabajo, y el modo en que disfrutan de la libertad que les ofrece el nuevo medio, segura de que ello redundará en el beneficio económico de todos (pp. 34-36). Para su marido, en cambio, son «rusos atorrantes», «judíos ... gente sucia», a lo cual responde su hermano que se trata en realidad de lituanos, «y uno que otro polaco» (p. 54), tan extranjeros como los antepasados de

casi todos los uruguayos, pero más beneficiosos para el país que gente como el vecino de Azara, «que trabaja con la estancia llena de lacras, como si fuese un feudo [y] no permite que en las cuarenta mil cuadras que tiene entre un vigilante, un policía que no sea de su agrado. ¡Ni una escuela en su feudo! [...] ¡Vive como un miserable, trabaja como un pirata del coloniaje! Y porque es fuerte, no se somete a las leyes ni respeta las órdenes oficiales. ¡No se le ha podido hacer levantar una escuela en su fantástico latifundio!» (p. 55).

(27) La señora Micaela, madre de Nico y Marcelo, se comporta como pequeño-burguesa en vez del modo que tradicionalmente se espera de la clase estanciera: se sirve en la taza de su hijo para no desperdiciar el azúcar que ha dejado aquél (p. 30), o recrimina agriamente a Bica por dejar caer una bandeja, calculando inmediatamente que el destrozo importa más de ocho pesos, «más o menos el sueldo prometido a Bica desde su mayoría de edad» (p. 26).

(28) Para un estudio completo de la personalidad biográfica y literaria de Amorim, véase K. E. Mose, *Enrique Amorim, the Passion of a Uruguayan* (New York: Plaza Mayor, 1972). En 1929 el escritor declara ya su rechazo de la falsa literatura criolla costumbrista, producto de escritores de clase latifundista sin interés en el proletariado rural. La radicalización política de Amorim, de familia estanciera él mismo, culmina en su conversión al comunismo, en tanto que escribe novelas comprometidas como *El caballo y su sombra,* donde intentaba, según afirmó, desarrollar aquel diálogo entre el hombre y la tierra que sugería confusamente el final de *El paisano* (Mose, pp. 101 y ss.). Otras novelas de escenario rural de Amorim son *La luna se hizo con agua* (1944), donde se trata de nuevo de la comunión con la naturaleza a través de la unión de un miembro de la clase latifundista con un paisano; *Corral abierto* (1956); *Los montaraces* (1957); *La desembocadura* (1958). Para muchos, lo mejor de la obra de Amorim son sus cuentos y novelas no explícitamente políticos, como *La carreta, La trampa del pajonal, Después del temporal. El caballo y su sombra* contiene estupendas pinturas de la miseria de los colonos o arrendatarios criollos (pp. 130 y ss.).

(29) *Doña Bárbara* (México: Orión, 1971), p. 54.

(30) «Si resuelvo, por ejemplo, regresarme a Caracas o irme a Europa, como antes lo pensaba y ya vuelve a ocurrírseme por momentos» (p. 283).

(31) Nótese cómo el padre de Santos está, con ocasión de la guerra hispano-cubano-americana, a favor de la victoria española («Se necesita ser muy estúpido para creer que puedan ganárnosla los salchicheros de Chicago», p. 49), mientras que su hijo mayor «se entusiasmaba por los yanquis» (*ibíd.*), tanto que se enfrenta a su padre, quien lo mata y muere luego de pena. Es el mismo conflicto que Rodó y otros traducen en términos de una oposición entre civilización y barbarie.

(32) La acción de la novela tiene lugar hacia 1920: Santos tenía unos catorce años cuando su padre y su hermano discuten a causa de la guerra de Cuba, en 1898 (p. 17); regresa al hato después de concluidos sus estudios de abogado; Marisela, quien tiene entonces unos quince años (p. 79), debe haber nacido poco después de la muerte del padre de Santos, pues fue hacia esa época cuando su padre se lió con doña Bárbara (p. 27). Mas aunque el presente del relato no sea, por tanto, el de Venezuela cuando se escribió aquél (1927-29), y el Llano no fuese en realidad tan primitivo ya como lo pinta *DB* (pese a que Gallegos pasó allí algún tiempo documentándose para escribir la novela), lo cierto es que recoge lo esencial de una región que continúa siendo una de las menos desarrolladas de Venezuela, haciéndola representar

esa barbarie política, económica y social que tanto le dolía en la vida nacional. Véase sobre ello François Delprat, «Doña Bárbara, vigencia de una leyenda», *Relectura de Rómulo Gallegos*, XIX Congreso Internacional de Literatura Iberoamericana, II Reunión, I (Caracas: Centro de Estudios Latinoamericanos Rómulo Gallegos, 1981), 203-9.

(33) Véase n. 15. Explica Gallegos que, «Como en aquellas sabanas sin límites las fincas no están cercadas, los rebaños vagan libremente y la propiedad sobre la hacienda es una adquisición que cada dueño de hato viene a hacer, o en las vaquerías [redadas de ganado] que se efectúan de concierto entre los vecinos y en las cuales aquél recoge y marca con su hierro cuanto becerro ... caiga en los rodeos» (p. 157; v. también p. 261); práctica que, aunque atractiva como deporte, Santos quiere suprimir para implantar el derecho donde predominaba la fuerza: «Todo esto perjudica el fomento de la cría porque destruye el estímulo, y todo esto desaparecería con la obligación ... de cercar sus hatos» (p. 158), y sueña con «El hilo de los alambrados, la línea recta del hombre dentro de la línea curva de la Naturaleza [demarcando] en la tierra los innumerables caminos, por donde hace tiempo se pierden, rumbiando, las esperanzas errantes, uno solo y derecho hacia el porvenir»; meditación a la que sigue, como corona «del Llano futuro, civilizado y próspero», la visión del ferrocarril llegando hasta allí (p. 159) —a recoger el ganado para llevarlo a los puertos, naturalmente, como en la Argentina.

(34) La quesera sería útil, no sólo como fuente de ingresos, sino también «porque sirve para el amansamiento del ganado, que el de aquí es de más de bravo ... todo lo que contribuyese a suprimir ferocidad tenía una importancia grande» (p. 157). Mas cuando un tigre mata al nieto del viejo encargado de la quesera, Santos desiste de su empeño: «Suelte la quesera ... Que se quede salvaje el ganado» (p. 327), declaración de pesimismo a la cual sigue la alegría de comprobar que sus empleados han asimilado el concepto de la cerca como una necesidad («la idea del civilizador germinando ya en el cerebro del hombre de la rutina», *ibid.*).

(35) Véase John F. Cady, *Foreign Intervention in the Rio de la Plata*. 1830-50 (New York: Ams, 1969; reedición de una obra de 1929).

(36) La injerencia extranjera en los asuntos de Venezuela se manifiesta explícitamente en conflictos fronterizos con Inglaterra a propósito de la Guayana, en relación a empréstitos con ése y otros países, el pago forzoso de los mismos (en lo cual interviene Estados Unidos) y la lucha por el control de la producción de petróleo entre Inglaterra y Estados Unidos. Véase Mariano Picón Salas y otros, *Venezuela independiente*. 1810-1960 (Caracas: Fundación Eugenio Mendoza, 1962). Doña Bárbara, manifestando el resentimiento general de la población por la intervención extranjera, se alegra de que Santos, su enemigo, humille al norteamericano Mr. Danger (p. 193).

(37) La caracterización de Altamira —es decir, Venezuela— como bárbara, y del proyecto de Santos como un «plan civilizador» que trata de erradicar un salvajismo ya secular, es constante en la novela (p. ej., pp. 91, 292, 294). Para llevar a cabo su plan, sin embargo, Santos debe combatir el atractivo de la libre vida del llano y su sugerencia de que se la ame «tal como era, bárbara pero hermosa, y de entregarse y dejarse moldear por ella» (p. 301), y, finalmente, recurrir a la violencia él mismo para destruir el mal donde únicamente se lo puede enfrentar, en su propio terreno (p. 344 y ss.).

(38) Bela Josef interpreta *DB* como un «romance» cuyo héroe representa el ideal de la clase dominante, y demuestra cómo la

estructura y los elementos del relato corresponden a las exigencias de esa forma narrativa, sus personajes son alegóricos, la realidad es aprehendida en forma dualista, etc. («Lectura de *Doña Bárbara:* una nueva dimensión de lo regional», *Relectura de Rómulo Gallegos, op. cit.*, 391-403). También Rodríguez Monegal propone que se estudie a *DB* como «un romance cabal», y señala de paso que también habría que leer como tales muchas novelas del *boom* («*Doña Bárbara:* texto y contexto», *ibíd.*, 211-20).

(39) La expansión de la industria petrolera tiene lugar entre 1920 y 1930. Para 1928, Venezuela es el segundo productor y el primer exportador mundial de petróleo. «El alegre otorgamiento de las concesiones petroleras» a compañías extranjeras, que apenas pagaban impuestos y refinaban el petróleo fuera del país, no disminuyó drásticamente hasta 1943, pero no obstante las nuevas leyes, y más recientemente los beneficios fiscales derivados de la activa participación de Venezuela en la OPEP (en cuya fundación tuvo un papel crucial), la absoluta dependencia del país del petróleo (las reservas del cual se ha calculado que sólo durarán otros veinte años), no ha resultado en el desarrollo de una economía estable, sino en el abandono del campo, el crecimiento exagerado de las importaciones, inflación, inestabilidad social y hasta política (véase Picón Salas, *op. cit.*, esp. pp. 305 y ss. y pp. 377 y ss.). En los últimos años se ha dado auge a un programa de industrialización sobre la base de los demás recursos mineros del país, así como a la reforma agraria y préstamos a los campesinos.

(40) Véase la reseña, por Bela Josef, del libro de Maya Scharer *Rómulo Gallegos: el mundo inconcluso* (Caracas: Monte Avila, 1979), en *RI*, XLVI, 110-11 (1980), 337-38, sobre las implicaciones de la obra de Gallegos para la clásica oposición barbarie/civilización, y la modernidad del novelista. «En *Cantaclaro* [1934], la historia intenta domesticar a la naturaleza. En *Canaima* [1935] es el espacio "inhumano" quien deshace el antiguo camino: de ahí el fracaso de la empresa civilizadora. A su voluntad progresista se sustituye la figura poderosa del eterno retorno. El camino de Santos Luzardo encuentra en *Canaima* su "negación" definitiva» (p. 338). El estudio de *DB* ensayado en las páginas precedentes puede agregar muy poco al de Adalbert Dessau («Realidad social, dimensión histórica y método artístico en»..., *Relectura, op. cit.*, 57-71), quien explica el papel de la civilización burguesa liberal en esta novela como el único proceso histórico y meta social *auténtico,* comparando esa función con la que juega en *DSS* y en *La vorágine,* y el modo en que influye en los procedimientos de Gallegos (alegoría, costumbrismo, relaciones sentimentales). La conclusión es que Gallegos hace entroncar «la civilización con el supuesto carácter nacional» cuando Santos se «humaniza» enamorándose de la «natural» Marisela. *DSS,* en cambio, rechaza la civilización en busca de otra autenticidad, más subjetiva, pero como se trata de un ideal sin base en la realidad, la novela se encierra al final en su propio esquema significativo: «La imagen del gaucho, como la novela que lo articula, se cierran en sí mismas y, rebosando de realidad, se niegan a seguir alimentándose de ella y a acercarse al carácter y la dinámica de su proceso evolutivo» (p. 60).

(41) Sobre éste y otros aspectos de la novela, véase la sección correspondiente en mi *Hermenéutica y praxis del indigenismo. La novela indigenista, de Clorinda Matto a José María Arguedas* (México: Fondo de Cultura Económica, 1980).

(42) «Chilla» que hará cuanto piden los gringos, y a continuación se cae aparatosamente de la tarima que lo sostenía; se aterra hasta el punto de echarse «de bruces sobre su cama» después de negar socorros a los indios; se imagina que ha hecho

una gran hazaña cuando moviliza la hacienda contra el ganado invasor; ocupado en sus imaginaciones, casi se cae de los hombros de Andrés durante el cruce del pantano, o lo atropella un coche: *Huasipungo* (Buenos Aires: Losada, 1969), pp. 161, 127, 55-6, 16, 7.

(43) Pereira se niega a regalar, como era costumbre, los desperdicios del grano, o a dar más guarapo a los indios (p. 119); pretende que éstos le compren el grano a él (p. 120), y rehusa dar a sus siervos los socorros tradicionales terminada la cosecha (pp. 122-5).

(44) A partir de 1972, aproximadamente. La abolición oficial del régimen del huasipungo en 1964 forzó a los indios a tierras estériles, en tanto tienen que pagar al hacendado por el uso de los pastos. Sobre esto y la distribución de la tierra y la riqueza en el Ecuador, véase Penny Lernoux, «Ecuador: Rags and Riches», *The Nation*, dic. 27, 1975, 681-6.

(45) Prueba de lo bien que entendía Icaza todas las implicaciones del problema sociopolítico que retrata es la descripción del artículo que envía al «latifundista» (llamado siempre de ese modo) Pereira, su tío: «los miembros de las sociedades colonizadoras buscan, con toda razón, zonas adecuadas para su establecimiento. Hay que dar a la expansión del capital extranjero todas las comodidades que él requiere en sus colonias económicas. Así lo exige la inversión de la plusvalía en la acumulación capitalista de las naciones patronas» (p. 108).

(46) En el capítulo «(1913: Diciembre 4)» se dice que Artemio se unió a la Revolución «cuando el maestro Sebastián le pidió que hiciera lo que los viejos ya no podían: ir al Norte, tomar las armas y liberar el país», en 1910, al comienzo de la agitación antirreeleccionista (*La muerte de Artemio Cruz*, México: FCE, 1969, p. 70).

(47) Véase sobre la función de éste mi art. «La neutralidad ideológica de *La muerte*»..., *Actas del VI Congreso de la Asoc. Intern. de Hispanistas* (University of Toronto, 1980), pp. 619-23.

(48) Respecto a Regina, Catalina y Laura. Esta última aparece en una sola secuencia, «(1934: Agosto 12)», que sirve para darnos una nueva versión de Artemio, sólo verosímil si aceptamos que su voluntad de educarse pudo sobreponerse a obstáculos gigantescos (el guerrillero de 1910 escucha ahora música barroca, asiste a exposiciones de pintura, etc.).

(49) Dice Bernal: «Toda la vida leyendo a Kropotkin, a Bakunin, al viejo Plejanov, con mis libros desde chamaco, discute y discute. Y a la hora de la hora, tengo que afiliarme con Carranza porque es el que parece gente decente, el que no me asusta. ¿Ves qué mariconería? Les tengo miedo a los pelados, a Villa y a Zapata» (p. 195).

(50) Hay menciones de la Residencia de Estudiantes, de «los estrenos de Lorca» (p. 237), citas de las coplas más famosas del cancionero de la Guerra. Al final dice el hijo de Cruz: «Del otro lado está la frontera y pasaremos esta noche en Francia, en una cama, bajo techo. Cenaremos bien» (p. 240).

(51) Vale la pena incluir el resto de la cita: «Sí, se daba cuenta de que había en todo ello una sustitución, un pase de magia. Y, sin embargo, las maderas, la piedra, las rejas, las molduras, las mesas de refectorio, la ebanistería, los peinazos y entrepaños, la labor de torno de las sillas conspiraban para devolverle realmente, con un ligerísimo perfume de nostalgia, escenas, aires, sensaciones táctiles de la juventud» (p. 253). Véase también páginas 251-52 y 308.

(52) «aceptarán tu testamento [...] legarás las muertes inútiles ... legarás este país ... los codazos y la adulación, la conciencia adormecida por los discursos falsos de hombres mediocres ...

una clase descastada, un poder sin grandeza, una estulticia consagrada, una ambición enana, un compromiso bufón, una retórica podrida, una cobardía institucional, un egoísmo ramplón; les legarás sus líderes ladrones, sus sindicatos sometidos, sus nuevos latifundios, sus inversiones americanas, sus obreros encarcelados ... sus indios iletrados, sus trabajadores cesantes ... tengan su México: tengan su herencia» (pp. 276-7).

(53) El antecedente directo de Artemio dentro de la obra de su autor es Federico Robles, de *La región más transparente* (1958), otro ex revolucionario convertido en hombre de empresa. Robles no desciende de la oligarquía, pero regresa a la tierra, como labrador, después de su ruina.

(54) Después que Humberto contrata docenas de monstruos para el servicio de Boy (cap. 14), «los agentes europeos [de Jerónimo] encontraron en Bilbao a uno de los grandes expertos en casos de esta clase»: *El obsceno pájaro de la noche* (Barcelona: Seix Barral, 1972), p. 240.

(55) Cuando su tío don Clemente le dice que lo ha inscrito en el «Partido» como preludio a la postulación de su candidatura como diputado, Jerónimo decide que es hora de marcharse de vuelta «a un mundo más claro» (p. 175), pero su tío se atora, aquél se demora en auxiliarlo, y el atractivo de ese mundo luminoso, rico, protegido «del asalto de la inteligencia» (p. 173); quizá también la tentación del poder que le ofrecen, lo hacen quedarse. Una página después se enamora «de la muchacha más linda e inocente que por entonces bailaba en los salones, una prima lejana con muchas abuelas Azcoitía ... heredera, como él, de tierras y abolengos» (p. 177). Durante su última visita al fundo lo vemos salir a recorrer a caballo «las alamedas de su fundo, las lagunas rodeadas de batros, a escuchar las bandadas de queltehues, a visitar las chozas de los inquilinos» (p. 489).

(56) El sociólogo Maurice Zeitlin explicaba en una conferencia («Cuba and Chile: Class and Class Conflict», SUNY-Binghamton, marzo de 1974) cómo la oligarquía chilena, a diferencia de la cubana, mantuvo y fortaleció su poder después de la independencia, a través también de la participación en la política. Su estudio de los vínculos entre los intereses financieros e industriales y los que controlan la tierra sugiere para Zeitlin que se trata en gran medida de los mismos, factor que fortalece el aura de legitimidad social que rodea a esa clase (véase Zeitlin y Ratcliff, «Research Methods for the Analysis of the Internal Structure of Dominant Classes: The Case of Landlords and Capitalists in Chile», *Latin American Research Review*, X, 3, 1975, 5-62). La relativa movilidad social que ha caracterizado la vida chilena le permite a la burguesía, que llega al poder en 1938, gracias a la baratura del trabajo agrícola, los modos de vida de la antigua clase terrateniente, observa Carla Cordua.

(57) Véase «José Donoso: La novela como "happening". Una entrevista de Emir Rodríguez Monegal sobre»..., *RI*, XXXVII, 76-77 (1971), 517-36. Ese título —«uno que se descartó pronto»— recuerda el de la primera novela de Gallegos, «El último solar», luego llamada *Reinaldo Solar*, donde se pinta la abulia y degeneración del último vástago de una familia terrateniente; es decir, el destino que Santos Luzardo evita en favor de la regeneración nacional. Véase también a propósito de «El último Azcoitía», José Donoso, «Las semillas de las anécdotas», *Zona de carga y descarga* (San Juan), I, 2 (1972), 16.

(58) Alicia Borinsky, «Repeticiones y máscaras: *El obsceno pájaro de la noche*», *Modern Language Notes*, 88 (1973), 281-94. Nelly Martínez, en «El *obsceno pájaro*...: La proclividad del texto», *RI*, XLVI, 110-11 (1980), 51-65, elabora el mismo tipo de interpretación, que apoya también en la filosofía de Jacques Derrida.

Su ponencia «Lo neobarroco en»... (*XVII Congreso del Instituto Internacional de Literatura Iberoamericana*, I, Madrid: Cultura Hispánica, 1978, 635-42) deslinda entre las varias novelas que constituyen el texto, de las cuales la más acabada, la contemporánea, comprende las demás.

(59) En la entrevista con Rodríguez Monegal citada dice Donoso: «Creo que el tema de los monstruos corresponde quizá a una caricaturización, a una parodia ... de toda una temática mía anterior, y al parodiarla hay como un deseo de descartarla: ese mundo aristocrático que yo he tomado en serio hasta ahora; pero en esta novela, y en el tema de los monstruos, me parece que he querido deshacer, demoler, aclarar hasta qué punto es algo que me puede haber entorpecido la vida y que me ha monstrificado a mí [...] a través de la parodia, está el miedo a que ese mundo me pueda hacer daño todavía. En esta novela me enfrento con ese mundo y me bato y me peleo con él por todo lo que me ha hecho» (p. 519). En la misma entrevista menciona el novelista como una de las vivencias matrices de la novela la visión una vez, en Santiago, de un monstruo dentro de un lujoso auto. Véase Hugo Achugar, *Ideología y estructuras narrativas en José Donoso* (1950-1970), Caracas: Instituto de Estudios Latinoamericanos, 1979, para un análisis neomarxista de *El obsceno...*, en relación, principalmente, al sentimiento de ambigüedad con el que cierta clase media fronteriza (aquella a la que pertenece el escritor, según declaración propia) entre la oligarquía y la burguesía media, asimila la realidad social, aspirando al desarrollo o modernización capitalista, a la vez que añora los valores tradicionales en proceso de desaparición. Se trata, insiste el crítico, no de una visión universal, sino muy particular, que resulta en el universo caótico representado en las obras de Donoso. Para una reseña de la obra de Achugar, John Beverly, *RI*, XLVI, 110-111 (1980), 303-7.

(60) Según sucede en *Coronación, El lugar sin límites*, la novela corta *Paseo*. De *Coronación* (1958) dice Donoso, en la entrevista recién citada, que no contiene elementos paródicos porque le faltaba entonces distancia respecto a aquel mundo, dentro del cual se hallaba demasiado metido. Véase Hernán Vidal, *José Donoso: surrealismo y rebelión de los instintos* (Barcelona: Aubi, 1972), para un análisis, entre otras cosas, de las implicaciones de la pintura de la disolución del orden social burgués dentro de la obra de Donoso.

(61) Véase a propósito Gloria Durán, *El obsceno...:* la dialéctica del chacal y el imbunche», *RI*, LXII, 95 (1976), 251-7.

(62) Abundan las descripciones de la inteligencia, la apostura, el «orden» o «armonía interior» del *penúltimo* Azcoitía. En el capítulo 12 lo vemos imponiéndose él solo a la multitud de «rotos» que tiene sitiados, dentro de su casino, a los señores de la región.

(63) John Caviglia, «Tradition and Monstrosity in *El obsceno*»..., *PMLA*, 93, 1 (1978), 33-45.

(64) Para Caviglia, la cita del padre de los James «evokes the image of the novel — a tangled growth sinking roots into an abscence», vacío destinado a destruir las esperanzas juveniles, pues ilumina la distancia que media entre la desilusión y los ilusorios deseos juveniles. Es por ello por lo que los personajes se agrupan en viejos y jóvenes (p. 43).

(65) En una entrevista de 1972 para *La Quinzaine Littéraire* (número 136) dice Donoso que de millares de páginas que tenía escritas tomó una para *El lugar*, «que es, en sustancia, una página de *El pájaro*» (citado por Fernando Moreno Turner en *Donoso, La destrucción de un mundo*, Antonio Cornejo Polar et al., Buenos Aires: García Cambeiro, 1978, p. 98). Véase en el

mismo volumen, por Cornejo Polar, «*El obsceno...*: reversibilidad de la metáfora... (pp. 101-12), sobre las implicaciones sociales también, pero principalmente para la narración, del sentido de destrucción que gobierna la obra de Donoso.

(66) Luis Iñigo Madrigal, en «Alegoría, historia, novela (a propósito de *Casa de campo*, de José Donoso)», *Hispamérica*, IX, 25-26 (1980), 5-31, explica la última novela de Donoso como una alegoría de la historia contemporánea de Chile centrada en el gobierno de Allende. El propósito último de *Casa* parece ser «ahistórico» (art. cit., pp. 28-31). Nelly Martínez ve la novela como una burla «del decadente orden capitalista de Occidente en general, y de la declinante burguesía latinoamericana en particular», dirigida a celebrar la desaparición del logocentrismo, y «un existir auténtico en un mundo despojado de Centro»: *Narradores latinoamericanos*, 1929-1979, Instituto Internacional de Literatura Iberoamericana, XIX Congreso, II Reunión, t. II (Caracas: Centro de Estudios Latinoamericanos Rómulo Gallegos, 1980), 261-8. Hugo Achugar explica la evidente relación de *Casa* con los sucesos chilenos de 1973, y la de esa novela con la preocupación por la lucha por el poder como constante en la obra de Donoso. La respuesta de *Casa* a esa problemática es una imaginación que funciona fuera de la historia («Ficción, poder y sociedad en»..., *Texto/Contexto en la lit. iberoamericana*. Memoria del XIX Congreso del IILI, 1979, Madrid, 1981, 1-9).

(67) A propósito de ello, véase M. J. Fenwick, *Dependency Theory and Literary Analysis: Reflections on Vargas Llosa's «The Green House»* (Minneapolis: Institute for the Study of Ideologies and Literature, 1981), donde se demuestra cómo, independientemente y hasta en oposición a la ideología liberal del autor, la estructura narrativa de *La casa verde* reproduce una situación histórica de dependencia que engloba la totalidad de la sociedad peruana, en la selva y en la costa, la cual le resta coherencia a las acciones de los individuos, lo mismo que pasa con las de los personajes de la novela.

SUBDESARROLLO Y NEOBARROCO

Parte integral del sistema de relaciones entre literatura y estructuras sociales, y más esfecíficamente entre la primera y la conciencia colectiva que se manifiesta en forma de ideología, es el modo como se inscribe la noción de subdesarrollo, de origen económico, pero estrechamente dependiente de factores políticos, dentro del texto literario, el cual reproduce inevitablemente, aun cuando sea por medio de ocultarlo, el contexto social dentro del que se inserta. El efecto del subdesarrollo como concepto sobre nuestra interpretación de la cultura es, naturalmente, negativo, pues al igual que se define el desarrollo económico en relación al modelo de las sociedades industriales avanzadas, también la producción cultural local va a medirse por la de aquéllas, identificando economías totalmente industrializadas y apogeo cultural. De hecho, la conciencia del subdesarrollo como fenómeno totalizador que comprende todos los aspectos de una sociedad, se halla a estas alturas tan extendida dentro del Tercer Mundo, que comenzamos a olvidarnos de su significado y perder de vista sus implicaciones y consecuencias. Un creciente número de libros y ensayos sobre el tema sugiere la importancia para el estudio de la cultura latinoamericana del de la articulación subdesarrollo-literatura (1), el examen crítico de la cual debiera contribuir efectivamente al entendimiento de la unidad mayor.

La literatura latinoamericana tiene lugar en sociedades en estados muy diferentes de desarrollo económico, desde el subdesarrollo neto hasta un semidesarrollo avanzado (2); la preocupación respecto al problema, o su reproducción indirecta por los escritores, y en particular los novelistas, expresa esos varios estados en la temática, pero también en la estructura de sus ficciones. Las páginas que siguen se proponen estudiar varias novelas de gran fama en la literatura contemporánea del Caribe español, en relación, principalmente, a la noción de subdesarrollo, la cual nos servirá de herramienta crítica en la medida en que es punto de partida y de constante referencia. (El concepto de semidesarrollo, como más técnico, no afecta la visión del artista en cuanto a su arte, pues aquél tiende a verse a sí mismo en relación a polos opuestos de significado, de suerte que por más que el medio donde produce o el que constituye la fuente principal de temas y significados de su obra, se encuentre en efecto en un estado de semidesarrollo, el escritor no definirá su obra en relación a aquél como «semidesarrollada», pues este concepto equivale, dentro de la escala de valores que la aspiración universal al desarrollo industrial ha establecido, al lado negativo del término: domina el prefijo, sugiriendo que se trata en realidad de subdesarrollo.)

Según se indicó antes, éste resulta en ciertos casos el objeto explícito de la escritura, de modo que el texto en cuestión es visión, comentario, reflexión sobre el problema, y no sólo su concreción artística, según sucede respecto a otras novelas, en las cuales, aunque ni se menciona ni se retrata el subdesarrollo, la estructura interna de la obra lo reproduce. Si bien cualquier texto latinoamericano revelará, una vez que se lo somete al análisis aquí propuesto, la presencia del subdesarrollo como fuerza constitutiva, en las literaturas de Cuba y Puerto Rico, a las cuales pertenecen los ejemplos seleccionados, la expresión de la preocupación con el subdesarrollo aparece repetidamente en los últimos quince o veinte años, sugiriendo que es allí particularmente urgente o apremiante.

Ambos países tienen en común, frente al resto de Hispanoamérica, el carecer de un pasado cultural precolombino importante, o incluso de población indígena (según sucede en el caso de Venezuela y del Brasil, países cuyos habitantes autóctonos, aun cuando pertenecen a culturas muy inferiores a la quechua o la maya, al igual que sucedía en el caso de taínos, siboneyes, etc. —los habitantes primitivos de Cuba y Borinquen—, atraen, por su número, el interés de los antropólogos), el haber sido colonias españolas hasta 1898, y el hallarse, ya desde antes en el caso de Cuba (3), dentro de la esfera de influencia cultural y económica de los Estados Unidos. El escritor cubano de los cincuenta y el puertorriqueño de los sesenta y los setenta hallan constantemente en derredor suyo una flamante apariencia de desarrollo económico según el modelo norteamericano, el cual llama a su vez la atención sobre la verdadera —es decir, pese a los esfuerzos de los líderes culturales— indigencia cultural en relación a ese mismo modelo. Frente al atractivo ejercido por éste, ese intelectual carece al mismo tiempo del apoyo desde donde entablar el contraataque dialéctico que le ofrecen al escritor mexicano o peruano sus vastos países de gigantesco potencial económico, ricas culturas indígenas y pasado colonial, y hasta una historia revolucionaria de trascendencia continental (campañas de Bolívar, Revolución Mexicana) —carencia que la Revolución Cubana suplirá con creces respecto a esa nación en las últimas dos décadas.

La pequeñez de ambas islas, la facilidad y el relativo desarrollo desde el siglo XIX de los medios de comunicación, la poca diferenciación entre sus regiones geográficas y, sobre todo, la proximidad a los Estados Unidos, todavía metrópoli de Puerto Rico, y metrópoli también, incluso política, de Cuba hasta 1959, facilitó la adquisición por las capas superiores de la sociedad de las dos naciones del aparato material que asociamos con las etapas más avanzadas del capitalismo, en particular dentro de la sociedad que más frecuentemente le sirve de modelo (a través del cine, la prensa y la publicidad) (4). Al mismo tiempo, el escritor consciente de la interacción de su obra con la historia donde se produce descubre fácilmente bajo la fachada de superdesarrollo la verdadera tensión que caracteriza a sociedades donde coexisten etapas drásticamente diferentes de desarrollo económico y social.

A partir de 1959, aquél parece detenido en Cuba —siempre de acuerdo con el modelo capitalista y más específicamente con el norteamericano—, incluso negado, de modo que el país aparenta retroceder hacia etapas ya superadas por ese modelo; al mismo tiempo que la total liberación de Cuba de su dependencia política y económica de los Estados Unidos, junto con su adopción igualmente total del socialismo, la sitúa en una etapa superior de desarrollo político y social a la de su vecino caribeño. ¿Corresponderá ese avance a un auge también extraordinario de la producción cultural? ¿Ha dejado Cuba atrás para siempre el subdesarrollo, en cuanto noción dependiente de premisas capitalistas, con su integración en el bloque socialista? ¿Afectará, por el contrario, su producción cultural el estancamiento o retroceso del país respecto a las sociedades capitalistas, las cuales continúan sirviendo de modelo tanto consumista como artístico en el mundo occidental, para el hombre medio y para el intelectual, cuya cultura y origen social suelen ser burgueses? Los países socialistas, y en particular la Unión Soviética, de la cual depende ahora Cuba económicamente, no ofrecen a esta altura de su evolución modelos culturales fácilmente aceptables para un país hispánico cuya cultura es de raíz europea u occidental; el reciente éxodo de cubanos, muchísimos de ellos nacidos o criados dentro de la nueva sociedad revolucionaria, principalmente por razones económicas, indica que los Estados Unidos continúan siendo la metrópoli socioeconómica de, al menos, una porción considerable de la población cubana. ¿Será posible, en cambio, que haya dejado de serlo culturalmente —en el sentido más amplio del término— para el resto del país? El reciente impulso que ha adquirido la producción cultural puertorriqueña permite, por otra parte, preguntarse si no será acaso allí de ambas islas donde está elaborándose una literatura más rica en intenciones experimentales (y, por tanto, *revolucionarias*), en ruptura más drástica, por tanto, con el subdesarrollo cultural.

La primera novela en alcanzar cierta resonancia entre las aparecidas en Cuba después de la Revolución es *La situación* (1963), por Lisandro Otero González. Allí se pasa revista, centrándose en las andanzas y los pensamientos de un joven habanero, a la sociedad cubana en el período inmediatamente anterior al golpe de estado de Batista de marzo de 1952, el cual marca, al poner punto final al sueño liberal de la década anterior, el comienzo del camino que conduce a la revolución triunfante en diciembre de 1958. El relato alterna las reflexiones en primera persona de Luis Dascal con las descripciones de un narrador que a veces se aparta del radio abarcable por la vista y el oído de aquél para incluir otras conversaciones de los personajes con quienes el protagonista entra en contacto. Precediendo cada capítulo, las secciones paralelas «Oro blanco» y «Un padre de la patria» narran, de acuerdo con un procedimiento aprendido de Dos Passos, la biografía de las dos familias de la alta burguesía que atraen al protagonista, la del millonario Sarría y la del senador Cendrón. Esas historias expresan la intención por parte del autor de situar su narración en una perspectiva histórica: el desarrollo de la burguesía cubana desde finales del siglo XIX, y su participación en las peripecias políticas y económicas del país. La relación de Dascal con esas familias tipifica a su vez la de un joven de la pequeña burguesía —aunque lo suficientemente acomodada en su caso como para permitirle entrar en contacto con la clase alta— atraído por el prestigio del dinero, el poder y la vida de la clase ociosa. Los Sarría y los Cendrón representan dos posibilidades de triunfo social, la una por medio de los negocios y la rápida acumulación de capital; la otra —que podría servir de base a la primera y resulta más accesible a Dascal, estudiante de Derecho y periodista— por el camino de la política. Si aquél no sigue ninguno de esos caminos es a causa de una actitud crítica, consecuencia de su superioridad intelectual, que le revela constantemente la vacuidad de los miembros de ambos grupos, impidiéndole integrarse a ellos; posición que se expresa mediante la distancia que Dascal impone entre sí mismo y el mundo que, no obstante, prefiere frecuentar.

De los factores a través de los cuales se expresa esa superioridad intelectual el más obvio es la consciencia que posee Dascal del subdesarrollo del país, o cómo el lujo lo mismo que el poder son en Cuba versiones imperfectas de modelos inalcanzables gracias al calor, la pereza congénita, una herencia hispánica y africana que lastran sin remedio el avance de la nación: las alusiones a ese estado de cosas abundan a través del texto, explícita o indirectamente (5). A la postre, Dascal se refugia en el pasado, representado por su elogio de una capital provincial, Matanzas, ciudad un tanto marginada, debido a su proximidad a La Habana, del desarrollo económico del país, y la cual conserva, por tanto, más intacta que otras su imagen colonial, a través de parques tranquilos, hoteles decimonónicos, y un teatro que fue en su época el segundo en importancia de la isla (página 312). Ese refugio de Dascal en el pasado, ya prefigurado en su visita a la casa de los padres de Cristina Sarría, en el Cerro, el barrio residencial noble de La Habana durante la mayor parte del siglo XIX (equivalente, por tanto, del *faubourg* Saint Germain de la novela de Proust, pero dilapidado y triste), resulta, aunque sincero, tan superficial como su actitud de observador *blasé* o de héroe existencialista con la que imita a los protagonistas de Sartre y de Camus, equiparando la «náusea» que en aquéllos es el resultado de una experiencia histórica y filosófica por la que no ha pasado el protagonista de Otero, con su alienación de pequeño burgués aprendiz de intelectual en medios adversos (6).

Esa imitación del existencialismo, lo mismo que refugiarse en el pasado —aun cuando éste no se halle magnificado: aunque algunas casas de Matanzas se parecen «a las que bordean los canales venecianos» (p. 313), la porcelana de la casa paterna de Cristina no tiene «el vigor de Wedegwood y el fondo blanco poseía casi siempre una calidad opaca que no llegaba a la porcelana de leche» (p. 167)— antes de haber vivido el presente, constituyen expresiones paralelas del subdesarrollo que preocupa al narrador y al protagonista, sirviendo de excusa en el caso del segundo para que despliegue una elegante abulia. El autor que elabora la perspectiva de Dascal demuestra a su través, empleándola como consciencia directora de la novela, su propia pertenencia al mundo del subdesarrollo: lo único que lo separa de quienes critica es que éstos no son ni siquiera conscientes de la existencia de esa condición o de la influencia que tiene en sus vidas; pero tampoco sabe él —lo cual viene a ser lo mismo— cómo expresar que el punto de vista que adopta no es el suyo propio, sino el de ese personaje que representa, quizá, el joven que fue él por aquellas mismas fechas.

La única acción que Luis Dascal emprende, bien que sin demasiada perseverancia, se relaciona con la seducción de Cristina Sarría, y el continuo asedio amoroso a la hija del senador Cendrón; vehículos ambos para su ingreso —por medio del empleo que obtiene gracias a la mujer del millonario, y de la posibilidad de casarse con una rica heredera cuyo padre es además un político influyente— en la clase que tanto lo atrae. Es significativo que esos dos personajes sean, en cuanto esposa la una e hija la otra, recipientes en lugar de agentes del poder y la riqueza. La identificación de éstos con su representante pasivo facilita la idealización, sin necesidad de comprometerse con su defensa, de aquella sección de la burguesía cubana que participaba más de cerca de los placeres y comodidades característicos de la clase ociosa de los países superdesarrollados, pues resulta que ambos personajes, Cristina y María del Carmen, son infinitamente superiores a los hombres de su misma clase que conocemos, mejor educadas, más inteligentes, más sensitivas (7).

Esa caracterización del desarrollo por vía femenina confirma cómo es la preocupación por el subdesarrollo la que genera la inspiración de la novela y moldea su composición, pues Otero expresa así espontáneamente la posición que mejor caracteriza a la burguesía de las sociedades dependientes o subdesarrolladas, carentes de iniciativa propia más allá de lo que permite la metrópoli. Mientras que en una obra verdaderamente significativa esa «situación» típica del estado de subdesarrollo y del anterior al «despegue» económico daría lugar a una actitud crítico-dialéctica (aquella gracias a la cual recordamos, por ejemplo, novelas de Theodore Dreiser) (8), Dascal trata vanamente de enmascarar su arribismo con una imitación del vacío existencialista combinada con la idealización de un pasado anterior incluso al subdesarrollo —si entendemos por éste un régimen económico que supone al menos la posibilidad de la industrialización. Combínese con ello lo improbable de la situación argumental misma, donde un miembro de la pequeña burguesía alterna con los hijos de la oligarquía (9), tiene coche, cena sólo en restaurantes caros y, siendo todavía estudiante, se le ofrece un puesto dirigente en un nuevo diario, más otras fallas en la verosimilitud (10), y tenemos, sin duda, la descripción de una novela *subdesarrollada,* en la cual la obsesión con el subdesarrollo cubano impide trascender aquél artísticamente, dando lugar, en cambio, a la imitación atropellada de modelos culturales cuya validez queda sin cuestionar, y que no pueden, por tanto, ser absorbidos de un modo fructífero, entre otras cosas porque se ha identificado desarrollo económico con intelectual.

La crítica a la novela de «Eddy» contenida en *Memorias del subdesarrollo* (1965), de Edmundo Desnoes, podría aplicarse a *La situación,* aunque es claro que va dirigida, explícitamente, contra la primera novela de Desnoes, *No hay problema* (1961), muchas de cuyas características comparte, no obstante, la novela de Otero: «un cubanito desarraigado [...] personajes típicos —la mulata, el babalao (11), el hijo del hacendado— y situaciones pintorescas» (12), al igual que la segunda novela de Desnoes, *El cataclismo* (1965). El juicio del protagonista-narrador de *Memorias* respecto a la novela de «Eddy» —«Es de un simplismo que me ha dejado boquiabierto. Escribir eso después del psicoanálisis y los campos de concentración y la bomba atómica es realmente patético. Yo creo que lo ha hecho por oportunismo» (p. 66), y más adelante: «Mientras existan esos personajes en Cuba no habrá literatura seria ni profundidad psicológica en el ambiente. Los hombres serán simples marionetas, papeles recortados [...] Eddy quiere que la gente lea la novela y exclame: "Sí, asimismo eran las cosas antes en Cuba." Para decir lo que la gente ya sabe no hay que escribir una novela. Lo que hay que hacer es enseñarle a la gente *lo que el hombre es capaz de sentir y hacer*» (p. 67)— abarca, en definitiva, a las tres obras como expresiones de cierta actitud cultural que al enfrentarse con la drástica transformación de la sociedad cubana a partir de 1959, sólo atina a reproducir el pasado inmediato con una intención política, la cual se disuelve, no obstante, en costumbrismo o en imitaciones del existencialismo y de la novela de acción *à la* Malraux.

La primera novela de Desnoes —su título reproduce una frase idiomática cubana— resulta particularmente lamentable en cuanto a la acumulación de escenas y personajes inútiles, y el torpe diálogo, donde el autor no consigue siquiera expresar el hecho de que los personajes hablan en inglés durante secuencias enteras de la narración (a la manera, por ejemplo, en que Cortázar, ya desde los cuentos de *Final del juego*, sugiere la confluencia de varias lenguas en el castellano del texto). Su protagonista encarna incluso mejor que Dascal el ideal cultural característico del subdesarrollo, en cuanto se le concede, por ser su madre norteamericana, un dominio perfecto del inglés y, merced a ello, un puesto increíblemente bien pagado como corresponsal de una revista de New York, de modo que goza de las condiciones propias del capitalismo avanzado (casa independiente, automóvil, viajes al extranjero) dentro de Cuba, o a un ritmo esencialmente tropical y subdesarrollado (sirvientes, siestas, mínimo de trabajo). Al final de *No hay problema* el protagonista parece encaminado, cuando decide regresar a Cuba, hacia la etapa revolucionaria que Luis Dascal alcanza en la continuación de *La situación*, *En ciudad semejante* (1970). Más lograda es *El cataclismo*, en la cual una serie de escenas semiindependientes pintan las reacciones de diferentes sectores de la sociedad cubana, a través de personajes representativos, a la Revolución o «cataclismo» (13), pero aun allí la pobreza de recursos y la construcción un tanto deshilvanada no permitía suponer la posibilidad de la novela siguiente, *Memorias del subdesarrollo* (1965), donde Desnoes supera los clichés de las obras anteriores y consigue una novela de extraordinaria cohesión y vasto alcance.

El foco no es ahora un batiburrillo de intelectual posando de angustias existenciales, sino un hombre ya cercano a la madurez, bien ubicado dentro de cierto medio o clase (la burguesía acomodada), sin aspiraciones a pasar a formar parte de la oligarquía, sin un apego escapista al pasado colonial, sin deseo tampoco de chocar con su familia o con su clase y educación sin motivo (el protagonista de *No hay problema* le propone matrimonio a una semiprostituta mulata, ex criada de su madre; el de *Memorias* apenas puede tolerar a Elena, versión mucho más sofisticada del otro personaje, ya desde sus primeras entrevistas). Solo en su apartamento, en una Habana de la que han huido sus amigos, su familia, su esposa, ese protagonista-narrador decide estudiarse a sí mismo por medio de una memoria que consiste, básicamente, en pasar revista al subdesarrollo; a la vez que, en un juego de palabras jamás enunciado en la novela, alude al final de ese subdesarrollo. Contrariamente a lo que sucede respecto a los protagonistas de *La situación* y *No hay problema*, el de *Memorias* ha conocido de cerca el mundo del capitalismo avanzado, a través de viajes anuales a los Estados Unidos o a Europa (p. 65), y aún más íntimamente a través de su relación con Hanna, una muchacha judía alemana (14), el matrimonio con la cual pospone cobardemente (aunque al parecer sin que intervenga en ello el prejuicio racial, como no sea a través de una presión familiar indirecta), hasta que al volver a verla halla que está comprometida para casarse con «un escritor de verdad» (p. 84), aquello que el narrador desearía haber sido («Encontraría trabajo en Nueva York, sería escritor; Hanna prometió en su delirio romántico trabajar para mí hasta que me hiciera famoso»; pp. 81-82) y cree ahora que jamás llegará a ser —como no lo es, en efecto—, el autor de las novelas anteriores.

El Desnoes de *Memorias* explora constantemente la realidad en derredor suyo con la intención de entenderse a sí mismo a través de esa observación; convirtiendo de ese modo su «soledad atolondrada» (p. 81) en el instrumento de un concienzudo autoanálisis. La visión que del subdesarrollo cubano tiene este personaje es semejante a la que preocupa a Otero y, según veremos en seguida, a Cabrera Infante; agravados sus efectos por la carencia o la escasez, a causa de la terminación de las relaciones comerciales con los Estados Unidos después de 1960, desde los objetos más comunes (un peine de bolsillo, refrescos; pp. 13-14) hasta aquellos con los que la burguesía cubana imitaba a la de los países avanzados (piezas de repuesto para un automóvil; página 36). El método empleado por este narrador es, sin embargo, diametralmente opuesto a la reflexión costumbrista-existencial, pues a partir de la consciencia de su soledad, primero física —tras la partida de su mujer y de sus padres—, y en seguida espiritual («ni me importaba la elegancia de mi mujer, ni quiero a mis padres, ni me interesaba ser el representante de la Simmons en Cuba ... ni mis amigos lograban otra cosa que aburrirme. Por ahora no quiero escribir más; la verdad es que me siento mal, triste con mi nueva libertad-soledad [...] ¿Cómo explicar lo que siento hoy? Es como si me derrumbara por dentro; como si la soledad fuera un cáncer que me estuviera comiendo»; páginas 10-11), tratará de hacer aquélla fructífera imitando el método de Montaigne, el primer ensayista y uno de los primeros escritores modernos (15).

En éste, la descripción de los hábitos propios, incluyendo los más íntimos y cotidianos, de sus preferencias y aversiones, de sus facultades intelectuales y manuales, de la disposición de su casa, de la composición de su libro y cómo lo va afectando ésta («De la presunción», «De la vanidad», «De los coches», «De las tres clases de sociedad», «De la experiencia») son el hilo que permite tejer la reflexión que, nacida a partir de una de esas observaciones lo mismo que de otras más explícitamente intelectuales, de un recuerdo, del comentario de un verso o de la cita de un historiador o de un filósofo, conduce a conclusiones de alcance universal. El propósito de la escritura de los *Ensayos* es para su autor conocerse a sí mismo; de ahí que no lo asuste el insertar en el comentario no sólo lo estrictamente contemporáneo —algo que se evitaba entonces en un libro *serio*—, sino lo que solamente lo afecta a él, pues de hecho, según declara el último Ensayo: «Yo me estudio más que a ningún otro sujeto; ésa es mi metafísica y mi física»; «Yo me juzgo sólo por la sensación presente, no por la razón», y un poco antes: «A fin de cuentas este fricasé que aquí borroneo no es sino un registro de los ensayos de mi vida, suficientemente ejemplar para la salud espiritual si sus instrucciones se toman al revés» (16). Desnoes parte del cortarse las uñas de los pies, de la falta de un peine, de la observación de sus hábitos físicos, de sus acciones, su reflejo en el espejo, los comentarios de un amigo, para reflexionar sobre la situación presente del país, su vida pasada, las actitudes y la ideología de la burguesía cubana, el diario que escribe, sus sentimientos, y pasar otra vez de su persona espiritual a la historia que lo rodea.

La adopción del método de los *Essais* resulta también en la exclusión o el empleo mínimo de los elementos novelísticos tradicionales —la acción narrativa *(récit)*, lo mismo que el argumento *(histoire)*— como el vehículo de la meditación que gobierna totalmente la composición de *Memorias*: lo que en el texto de ésta puede llamarse *novela* (la relación del narrador con Elena, incluida la intervención de la familia de la muchacha que da lugar al breve encarcelamiento del protagonista; el *affaire* con Noemí) no domina como propósito, o incluso temáticamente, la escritura, pues está tratado también como acontecimiento pasado que provoca la reflexión. De suerte que el aspecto *novela* dentro de *Memorias* podría interpretarse como aquello que corresponde al subdesarrollo en esta memoria de sus efectos, en tanto que la reflexión introspectiva que se apoya, ocasional en lugar de exclusivamente, en la trama argumental, corresponde a la superación de aquél.

La novela concluye con los acontecimientos de 1962, cuando con motivo de los proyectiles dirigidos soviéticos instalados en Cuba, Estados Unidos estuvo a punto de iniciar una guerra nuclear. El narrador reflexiona entonces sobre cómo sus compatriotas —en otra manifestación cultural más del subdesarrollo característico del país— no comprenden la magnitud de la crisis, en tanto que él, que visitó Alemania poco después de concluida la segunda guerra mundial (quizá para vengarse, subconscientemente, del rechazo de Hanna [17]), se aterra ante la idea de la muerte vecina. Las frases de Fidel Castro a propósito de la crisis ponen de manifiesto, en su exaltación patriótica («Los ex-ter-mi-na-re-mos»; «Nosotros adquirimos las armas que nos dé la gana de adquirir ... A nuestro país no lo inspecciona nadie ... Si hacen un bloqueo van a engrandecer a nuestra patria, porque nuestra patria sabrá resistir ... Tenemos que saber vivir en la época que nos ha tocado vivir y con la dignidad con que debemos saber vivir. Todos, hombres, mujeres, jóvenes y viejos, ¡todos somos uno en esta hora de peligro!»; pp. 123-24), otro aspecto del subdesarrollo: cómo «todo es desproporcionado. Nosotros y el resto del mundo. La energía nuclear y mi pequeño apartamento» (página 123). A partir de ese punto crece la desesperación del personaje, convencido de una muerte inminente, ya sea por efecto de bombas «limpias» (p. 126), o de una bomba de hidrógeno, el horror de la cual atormenta su imaginación, gracias a sus viajes, sus lecturas y una película vista recientemente, «Hiroshima, mon amour» (p. 30). El diario que escribe, y donde expresa «la mierda de mi personalidad, mis recuerdos, mis deseos, mis sensaciones», es ahora «inútil. Subdesarrollo y civilización. No aprendo» (p. 132), en tanto que se afirma en él el deseo de no morir, «de ser feliz algún día» (pp. 131-32).

La memoria identifica el estado de desarrollo con el de civilización —entendida desde un punto de vista espiritual en vez de meramente material— y, por tanto, con la capacidad, también aprendida de Montaigne, de entenderse a sí mismo, que es el único vehículo, a través del distanciamiento respecto a los problemas personales que resulta de esa capacidad, de comprender la realidad histórica en la que nos hallamos inmersos, y la propia relación con ella. El narrador comprende, por tanto, la coyuntura histórica en que le toca vivir, mas como no ha conseguido todavía absorber su significado en cuanto a sí mismo sino parcialmente, sólo acierta, ejercitando un pueril mecanismo de defensa, a rechazar el tomarse en serio, en tanto que la crisis de esos días va absorbiendo todo su pensamiento, hasta que al final parece aceptar la idea de una muerte inminente: «Voy a morir y ya. Está bien, lo acepto. No voy a tratar de huir ... Las rendijas y los agujeros y los refugios se acabaron» (página 132) (18).

Pero la crisis se ha resuelto mientras tanto, así que en los últimos párrafos, tras reflexionar que continúa vivo, el narrador añora «el momento de intensa profundidad» que significaba la muerte inminente, y, después de una breve reflexión autocrítica —(«¡Qué palabras más falsas!»)—, expresa el deseo de «mantener la visión limpia y vacía de los días de la crisis. Las cosas y el miedo y los deseos me ahogan ... El hombre (yo) es triste, pero quiere vivir... Ir más allá de las palabras» (p. 133). Dentro de las contradicciones propias de una reflexión introspectiva, Desnoes nos ofrece en este párrafo final una solución para el subdesarrollo cuya exploración dominaba su obra anterior (tratando de su primer cuento, el narrador menciona que lo escribió «ya con la idea fija del subdesarrollo»; p. 82) y resulta finalmente en la presente.

No se trata de que el país haya superado aquél: «No lo creo, cohetes aquí, en Cubita linda»; «¡Nosotros tenemos bombas atómicas! Nosotros, cohetes. Es que no me lo puedo imaginar»; «Ya somos un país moderno, tenemos armas del siglo XX, bombas atómicas, cohetes, ya no somos una colonia insignificante, ya entramos en la historia ... Nuestro poder de destrucción nos hace iguales por un momento a las dos grandes potencias»; pues es claro que Cuba no se ha transformado mágicamente en un país industrializado: el desarrollo es en su caso *prestado*: «No nos podrán aceptar, estoy seguro, nos arrebatarán las armas, nos ignorarán, aplastarán la isla»; «Esta isla es una trampa y la revolución es trágica, trágica porque somos demasiado pequeños para sobrevivir, para triunfar. Demasiado pobres y pocos. Es una dignidad muy cara» (pp. 121, 123, 124, 127). El protagonista, sin embargo, a través del terror que pone fin a la experiencia autorreflexiva emprendida al quedarse voluntariamente solo, sin los asideros de su clase, y en recuerdo de Hanna, o de lo que quiso ser, en la nueva Cuba, parece haber entendido por fin no sólo quién es, sino a qué país pertenece, junto con aquello que lo une y lo separa de él al mismo tiempo; es decir, ha dejado atrás el subdesarrollo, pues una vez definida su relación con él, desaparece la obsesión que generaba. Y también su patria expresa en aquel instante, claro que menos lúcidamente, por tratarse de un sentimiento colectivo, la doble convicción de haber salido para siempre de la órbita del capitalismo avanzado, y, en consecuencia, también del subdesarrollo, el cual depende, conceptualmente y como realidad socioeconómica, de aquél, y de constituir la avanzada del Tercer Mundo: el furibundo reto del líder de la Revolución así lo proclama, incluyendo en su enunciación las contradicciones propias de un proceso histórico aún incompleto (19).

Contrariamente a lo que su abulia, constante introspección, y crítica social sugerían a primera vista, el narrador de *Memorias* no es un intelectual alienado, sino un hombre que se ha encontrado a sí mismo gracias al método de Montaigne; alguien que ha salido del subdesarrollo por la vía de analizarlo. El aparente negativismo del final de la novela no es, por tanto, sino la conclusión más apropiada a la introspección de un intelectual burgés habitante de un país socialista del Tercer Mundo —lo cual anuncia filosóficamente uno de los lemas que introducen la novela: «En el marxismo la filosofía burguesa encuentra la forma de su supresión, pero la supresión envuelve el movimiento mismo de que ella es supresión, en tanto que lo realiza, suprimiéndolo. Tran-Duc-Tao» (20).

La primera novela cubana que ha alcanzado el honor de ser considerada, sin duda alguna, como parte del «*boom*» (21), gracias a su estructura experimental y a sus juegos con el lenguaje, es *Tres tristes tigres*, de Guillermo Cabrera Infante (1965). Existió una primera versión de *TTT*, *Vista del amanecer en el trópico* (1964), la cual, según quienes la han leído (22), trataba de reproducir con una intención crítica el ambiente de La Habana noctámbula prerevolucionaria. *TTT* rechaza el relativo tradicionalismo del título original, el cual, por más que contuviese en su título una alusión paródica a clichés típicos de canciones sentimentales y la literatura folletinesca, resulta eminentemente estático, como las «vistas» del cinematógrafo primitivo, sustituyéndolo por un juego verbal con un valor puramente lingüístico y sin relación con la materia argumental de la novela, la cual no trata de «tres tigres», sino de cuatro, ya que Códac juega un papel casi tan importante en la novela como Ribot o Eribó, quien resulta, no obstante, muchísimo menos importante que Silvestre y Cué, los personajes principales.

Mas tampoco se trata en *TTT* de dos «tigres», sino tan sólo de uno, el narrador externo, el cual tiende a identificarse con Silvestre, pero no del todo, pues subraya de cuando en cuando su independencia de aquél. En la última secuencia de la novela, Silvestre, quien narra ahora, pasa a través del monólogo interior —«Entraba gente al restorán. Salían. Un camarero echaba aserrín a la puerta. / Una noche de mil novecientos treinta y siete» (23)— a un recuerdo infantil que no es, por tanto, parte del diálogo que se dice que sostenía con Cué, sino una reflexión del narrador, a pesar de lo cual resulta, al final de la escena, que su interlocutor lo escuchaba. Una página más adelante, Silvestre le muestra a su amigo unos papeles, incluidos a renglón seguido en el texto, donde se expone la historia de la traducción del cuento del bastón, la cual había sido recogida antes por el autor en la sección «Los visitantes». Cuando Silvestre comenta, de nuevo como narrador, y respecto a lo que afirma un personaje que conocimos hacia el principio de la novela en relación con Cué (p. 55): «La beldad no recordaba. Menos mal» (p. 373), está asumiendo de nuevo la posición de un narrador omnisciente en vez de la de otro más entre los personajes y voces que participan en *TTT*, ya que Silvestre no se entera de ese episodio hasta que Cue se lo revela unas horas después (p. 423), ocasión en que vuelve a asumir el papel de autor: «El cuento está en la página cincuenta y tres [donde comienza el relato del episodio en cuestión]», antes de narrar su desenlace. Al final mismo de la novela, ido Cué, Silvestre-narrador se duerme «soñando con los leones marinos de la página ciento uno» (p. 445), episodio en el que no estaba presente Silvestre y que relata Eribó como narrador, mas no al lector solamente, como parecía, sino, antes que a él, al autor, que se lo ha comunicado a Silvestre. En conclusión, que aun cuando el narrador prefiera la voz de aquél, al demostrar que sabe más de la acción de lo que puede saber Silvestre, rehúsa identificarse con él permanentemente para insistir, en cambio, en la total libertad de su ominisciencia. En cuanto a Silvestre y Arsenio, hay que notar que comparten los mismos o muy parecidos intereses culturales y afinidades, tienen oficios paralelos (periodista y actor, respectivamente) y han nacido en pueblos muy cercanos el uno del otro, según descubren en la página 303.

En páginas de estupenda riqueza lingüística —especie de ininterrumpida cabriola verbal— Cabrera Infante hila la historia de un personaje, Silvestre (con cuya biografía comparte la propia elementos esenciales: origen provinciano, situación económica inicialmente humilde, profesión periodística, pasión desde la infancia por el cine) (24), y empleándolo como foco, elabora una presentación bastante completa del mejor amigo de Silvestre, el escritor fracasado y actor de televisión Arsenio Cué, e incluye fragmentos importantes de las vidas de varios de los personajes con quienes aquéllos entran en contacto: Eribó, Laura, Cuba Venegas, Estrella, en gran parte —en lugar de totalmente, como se ha afirmado a menudo— contra el escenario de la vida noctámbula de La Habana en el período inmediatamente anterior al derrumbe de la dictadura de Batista en diciembre de 1958 (25).

Según ha demostrado Julio Matas (26), el esqueleto narrativo de *TTT*, aunque sugiere el azar, obedece a un plan riguroso, por más que hermético, del cual el novelista, deliberadamente, impulsado por el rigor mismo del plan, ha colocado aquí y allá las señales que permiten desentrañarlo, clave de las cuales es la primera voz entre las de «Los debutantes» (p. 23), aquella que se confiesa a un psicoanalista, la de Laura, amada por Cué, pero que terminará casándose con Silvestre, hecho que provoca la ruptura de los amigos al final de la novela (27).

El cine sirve a *TTT* de constante punto de referencia temático, pero también de modelo estilístico. Se trata en su caso —la distinción es crucial— del cine sonoro, de modo que en el modelo juega un papel esencial la grabación que acompaña el trabajo de la cámara (durante la proyección de la película, pues antes trabajaron ambas por separado: es independientemente de la filmación como los actores graban el diálogo) (28). La elección del cine como el punto de vista ideal del narrador de *TTT* expresa su interés en ese arte, seguramente el que prefiere entre todos, según lo sugieren sus cuentos, libros de viñetas y la relación autobiográfica *La Habana para un infante difunto*, arte que constituía, además, su medio de vida a través de las crónicas de películas que escribía para revistas y diarios. La imitación literaria del cine corresponde a una tendencia característica de la literatura norteamericana de ficción inmediatamente posterior a 1920, muy influida por la técnica cinematográfica; literatura que, al igual que el cine que tan a menudo le sirve de modelo, y en proporción ascendente, además, con el perfeccionamiento de la técnica de éste, iba a ejercer universalmente, por varias décadas, una influencia decisiva. El cine que mejor conoce y que más atrae a Cabrera Infante, a juzgar por la frecuencia con que le sirve de referencia, es el norteamericano; sin embargo, la imitación del cine en *TTT* no se propone, como continúa sucediendo en general en el cine, la reproducción de la realidad social y psicológica, sino, muy modernamente, subrayar cómo la literatura de ficción debe evitar el análisis psicológico, la caracterización, la pintura social tradicionalmente característicos de aquélla; de modo que se intentará aquí la reproducción de conversaciones e imágenes tal y como suceden o, más bien, como serían recogidas por los manipuladores de la cámara y de la grabadora —en este caso la misma persona, el autor—, mas teniendo buen cuidado de no someter las tomas al tipo de montaje que organizaría la película en un todo coherente desde el punto de vista realista. Las palabras, sobre todo si son organizadas de acuerdo con el ideal mimético, sobre todo si son las del autor, *traicionan*, lo mismo que la traducción, de la cual trata con frecuencia *TTT*.

Rechazo, por tanto, del realismo tradicionalmente asociado con la novela, de ésta en cuanto género diferente de otros y perfectamente identificable, y del significante, en fin, como vehículo de comunicación, distorsionando, en cambio, esa función constantemente, ya sea por medio de utilizar su parecido respecto a otros signos lingüísticos («Venabente» en vez de Benavente [p. 255], donde el nombre de un dramaturgo español de segunda importancia se transforma en una palabra sin sentido mediante el cambio de la *b* en *v*, con el fin de subrayar la caricatura del asesinato de Trotski que está elaborando el autor: «En ese momento, como si fuera Venabente y no Shawkspear, se oye lejana primero y luego cercana, o al revés, la voz de Molotov»; es decir, que la importancia histórica del hecho merece no un Shakespeare —¿escrito según suena?—, sino un Benavente, excepto que el nombre de éste no merece que se lo transcriba según la norma ortográfica), o bien, por un procedimiento que depende de poner el signo en actividad en cuanto significante, se transforma su significado: «No recueldo, la veldá. / La beldad no recordaba» (p. 373), donde la deformación de la *r* en *l* y la desaparición de la *d* final en *verdad*, típica del habla popular cubana y caribeña en general, convierten el significante en otro, perfectamente lógico, sin embargo, gracias a haber hecho el autor a la hablante, ya desde su primera aparición en la novela, una «beldad».

La justificación, lo mismo que el motor de ese complejo de intenciones artísticas que resulta en la continua pirueta verbal que es *TTT*, reside en la concepción por parte del autor del modo como el intelectual de un país del Tercer Mundo —ese doble protagonista que se ha escogido como punto de vista principal— responde a y maneja la cultura europea: al comienzo de la sección «Bachata», Cué, pese a sus alardes de entendido melómano, confunde una composición de Bach con otra de Vivaldi (p. 297), error que caracteriza su acompañante, Silvestre, como manifestación de «la cultura en el trópico» (p. 298). Cué intenta brevemente excusarse («En el fondo, yo tenía razón. Bach se pasó toda su vida robándole cosas a Vivaldi»), y en seguida invoca al amigo ausente, Bustrófedon, quien «ya hubiera dicho Vibachldi o Vivach Vivaldi o Bivaldi (Ibíd.). Es decir, que lo mismo que hace el calor con todo, impidiendo que prospere, se asiente o se solidifique la cultura en la isla, habrá que hacer con las palabras que sirven a aquélla: derretirlas, transformarlas en otras que se les parezcan, especialmente cuando se puede así transitar de los clásicos, de la «alta cultura», a la popular, al cine, al habla local y el contexto cultural que en ella se expresa: «Marlowe (Christopher, no Philip) o la cultura me salvaron. Recordé una vez que la incultura o la cultura perdió a una mujer. Era Shelley Winters, que le dijo a Ronald Colman en "El Abrazo de la Muerte": "Apaga la luz" ... y qué cosa la vida, éste, Colman [aquí se imita el dialecto cubano] le dio al chucho [conmutador] y dijo: "Apagaré la luz y pagaré la luz. Pero si ésta pudo encenderla gracias a Westinghouse y a Edison en seguida, ¿con qué fuego prometeico?"» (p. 308), etc. Bach, o Bach-Vivaldi, da lugar a una «bachata», sinónimo, en el dialecto local, de fiesta, relajo —150 páginas de *puns* y deformaciones verbales deliberadas sobre la base de la cultura estrictamente local, el cine, la literatura.

TTT parte de una preocupación con el subdesarrollo como constante de Cuba —y, por extensión, del Caribe, de Hispanoamérica, del Tercer Mundo— similar a la que alienta *La situación* y *Memorias*, sólo que aquí se pasa de ello a cuestionar, por medio de una mañosa desintegración del lenguaje en cuanto vehículo normal de comunicación, el género lo mismo que las premisas culturales e históricas que sostienen las otras dos novelas. Tal rechazo expresa fielmente los sentimientos de Cabrera Infante, cronista de cine, ensayista, autor de relatos, viñetas y guiones cinematográficos, cuya obra narrativa, incluidos los cuentos, es, no obstante, muy reducida (29). «Caín», como se firmaba el cronista de cine Cabrera Infante, aspira en su única novela, *TTT*, a crear un texto que dependa, en vez de un contenido argumental, de la palabra como elemento independiente; y, en efecto, la obra consigue minimizar la función del argumento en favor del juego verbal continuo desarrollado sobre la base del habla o dialecto cubano, según lo articulan el hablante inculto (Cuba Venegas, Magalena), o, mucho más a menudo en el texto, los aprendices de intelectual Silvestre y Cué, cuyas deliberadas deformaciones de la palabra tienen como punto de referencia la literatura y el cine, principalmente, y como guía ideal la obra —puramente verbal— de Bustrófedon, mentor creado explícitamente con el propósito de, desde la seguridad de la vastísima cultura de ese personaje ideal, burlarse del empleo de ésta por su vecino, el pseudointelectual del subdesarrollo (30); de ahí que su única obra sea la serie de «parodias, aquellas que grabamos en casa de Cué, que grabó Arsenio, mejor dicho, y luego yo copié y nunca quise devolver a Bustrófedon, menos después de la discusión con Arsenio Cué y la decisión violenta de los dos de borrar lo grabado ... eso que Silvestre quiso llamar memorabilia, que ahora devuelvo a su dueño, el folklore [?] ... "La muerte de Trotsky referida por varios escritores cubanos, años después —o antes"» (páginas 223-25).

En un iluminador artículo, Josefina Ludmer explica la presencia de dos series simétricas de órdenes narrativos en *TTT*, aquellos que utilizan el lenguaje como ritmo, música, etcétera (a ellos corresponden Estrella, Códac, Eribó), y los que lo emplean como letra y juego gráfico (Bustrófedon y sus discípulos Cué y Silvestre); de ambos es el que representa la escritura, correspondiente a su vez a una posición superior en la escala social, el que predomina, contra lo que podría esperarse de la declarada desconfianza del autor respecto a la palabra escrita y la literatura en general, la cual no es, quizá, sino otra *actitud* más, debajo de la cual continúan vivas las preferencias y convenciones que eran de esperarse. Pero hay más, y es que Cué, el actor, «cuya voz debe trasladar a lo oral lo que el escritor ha grabado en la escritura» (31), termina derrotado por su camarada: pierde a Laura, la amada común, y es «excluido» de *TTT*. Lo mismo que le sucede, por cierto, a la realidad política, presente en la primera versión de la novela, *Vista del amanecer en el trópico*, pero de la que apenas quedan algunas breves alusiones en *TTT*, a través de Códac y Cué (32).

El drástico rechazo por Cabrera Infante en *TTT* de cualquier tipo de intención sociopolítica es, curiosamente, la consecuencia última de su interés en la articulación entre lenguaje literario y realidad política, la cual el escritor se declaraba, indirectamente, incapaz de expresar con los medios lingüísticos a su alcance en la viñeta con que concluyen las quince que enlazaban los cuentos de *Así en la paz como en la guerra*, donde la detallada descripción de las inscripciones dejadas en una celda de las mazmorras de la dictadura batistiana por sus sucesivos habitantes, concluye: «Si hubiera más luz se podrían leer los demás mensajes. Pero los que hay bastan. Ellos son la verdadera literatura revolucionaria» (33). Esa afirmación sugería, en 1960, el propósito de abrirse camino, por medio de una revolución en el lenguaje literario, hacia la incorporación efectiva de un contexto igualmente revolucionario; intención que abandona definitivamente el autor con la conversión de *Vista* en *TTT*.

La nueva novela, sin embargo, comienza con la presentación realista de un mundo perfectamente reconocible, al cual sirve de foco un sitio histórico, el más famoso cabaret de La Habana, «Tropicana» (34), visto como emblema de las aspiraciones sociales de la burguesía cubana de los años cincuenta. Allí se reúnen la mujer de un coronel, el «fotógrafo de las estrellas», una cantante, una muchacha perteneciente a la alta burguesía, etc. Después de evocar a niveles diferentes de profundidad el mundo de esos personajes y de varios otros, la novela se detiene en una larga conversación («Bachata»), apenas interrumpida por la intervención y las acciones de otros personajes, y la inserción de algunos documentos, entre Cué y Silvestre, cuyo diálogo, al igual que su amistad, trata de poner punto final a dos problemas que preocupan la trama desde el principio (véase la sección «Seseribó», pp. 92 y ss.): la posible promiscuidad de uno de los personajes del prólogo, Vivian, cuya posición social —por más que caricaturizada en el apellido que se le impone, «Smith-Corona»— encandila a Ribot, a Silvestre y a Cué, quien revela por fin que fue el primero en acostarse con la jovencita (p. 433), y el futuro de Laura, de quien Arsenio Cué parece enamorado, y Silvestre declara (p. 435) que va a ser su esposa; resoluciones, nótese, tan bien ancladas en un contexto social como los personajes del prólogo y las situaciones en que se hallan: es natural que a Vivian la haya atraído el aura del apuesto actor, y que Laura, cuya vida ha sido bastante desgraciada, prefiera a aquél el mucho más estable Silvestre. ¿Novela al fin y al cabo realista? ¿Visión de cierto mundo social desde un personaje muy próximo al autor, Silvestre, quien como narrador asume otras personas con el objeto de recoger más aspectos del mundo que le interesa retratar (la de Cué, principalmente, pero también las de Ribot y Códac)? Cuando en «Oncena» la voz de Laura se acerca (disociación de la personalidad) a la de la esquizofrénica del «Epílogo», ¿no querrá eso mismo sugerir que el universo (es curioso, por cierto, que también ella, lo mismo que Cué y Silvestre, haya emigrado de niña del campo a la ciudad, fuese actriz —como Cué— y alterne precariamente con miembros de una clase social superior) cuyo emblema es el *night-club* conduce inevitablemente, o a pesar de la intervención de Silvestre, quien al casarse con ella se ha salido él mismo y la ha sacado de ese mundo (véase cómo le describe la paciente a su esposo «escritor» al tercer psiquiatra al que acude, en el primero de esos diálogos psicoanalíticos: pp. 71-75), al «final de Laura»? ¿Será *TTT* todavía una novela de intención social, no obstante el obvio abandono del realismo por su autor?

Pero es claro que el cambiante y polifónico texto de *TTT* se sustenta en una crónica social y un tejido de biografías tanto como los de aquellas novelas en las cuales basó Lukács su estudio del género; excepto que la crónica social y la biografía funcionan aquí a través de medios desacostumbrados, más próximos al entrenamientos profesional de Cabrera Infante como crítico de cine —junto con la visión de la literatura de ficción que ello conlleva— que al realismo tradicional. El rechazo de la observación social explícita y de la intención política que conduce a la conversión de la novela original en *TTT* expresa en el plano artístico la convicción ideológica conservadora —es decir, «liberal»— que a nivel político produce la igualmente drástica ruptura del autor con la Revolución Cubana (35). El resultado final en cuanto a la novela es la máxima potenciación del elemento juego como la expresión, a la vez que el vehículo, de la experimentación con la técnica novelística y la persecución de cierto modelo cinematográfico. Es el juego verbal el elemento que contribuye más eficazmente que ningún otro a la *modernidad* de *TTT*. La abundante presencia en el texto, no obstante, de materiales cuya presencia es independiente del proceso narrativo central, o bien se relaciona con éste sólo muy indirectamente —las versiones literarias del asesinato de Trotski, las del episodio del bastón de Mr. Campbell, la historia de Estrella («ella cantaba boleros»), o la de Cuba Venegas, contada por una amiga de su madre—, bastaba con creces para diferenciar a *TTT* de una novela al uso corriente; además de que incluso lo que hace a los personajes centrales —Cué, Silvestre, Laura— está presentado con los recursos más novedosos u originales que la novela contemporánea ha desarrollado, a partir especialmente de Joyce: por ejemplo, los *flash-backs* que nos presentan, sin intervención de un narrador explícito, escenas de la niñez de Silvestre, o de los comienzos de la carrera de Cué, según los recuerdan ambos; el discurso de Laura en el diván psiquiátrico; escenas de la vida (en forma de diálogo o de monólogo) de otros personajes.

La ironía característica del escritor Cabrera Infante, la cual es de naturaleza eminentemente verbal, se combina entonces con su pasión por la pirueta lingüística para alejar aún más la novela de las formas tradicionales, dándole la apariencia de un puro artefacto de palabras. Por debajo del retozo y del experimento, sin embargo, el fondo sociobiográfico (autobiográfico, en definitiva) permanece constante, aunque sea objeto de inusitadas maniobras artísticas, reordenado, barajado aparentemente al azar con otras biografías, constantemente desrealizado por medio del lenguaje.

Es gracias a ese material autobiográfico, o porque al autor le urgía componer una obra que reprodujese su experiencia personal de periodista y escritor en La Habana del segundo lustro de la década del cincuenta, enfocando esa experiencia desde una perspectiva favorita —la de la vida noctámbula, en contacto con «el mundo de la farándula» (según la jerga de los gacetilleros locales)— que la novela se pone en marcha. El signo que caracteriza la experiencia de ese autor, como salta a la vista de cualquier crítico avisado, o atento a lo que el punto de vista Silvestre-Cué y el narrador, en general, revelan sobre aquélla, es la alienación, una alienación peor que la característica del intelectual corriente, por efecto del medio en el que se desenvuelve, el cual, contrariamente al universitario, que podría esterilizarla, o al comercial, que la ignoraría, parece aceptar su vocación artística fácilmente, pero en realidad sólo si la expresa, según hacen Cué (sobre todo) y Silvestre, a un nivel popular, perfectamente asequible a la masa (recuérdese la experiencia, en el medio, aunque menos brutal, similar, de Hollywood, de Scott Fitzgerald y de William Faulkner): de ahí el tono de chanza perpetuo para burlarse de una preocupación que no halla el público que desea.

Cué, actor de televisión que no ha podido desarrollar su vocación de escritor, y Silvestre, periodista que podría ser, a juzgar por su cultura, catedrático de literatura, constituyen ejemplos agudos de alienación. El modo como concluye su amistad, con un rápido duelo de *puns* (en inglés o con mezcla de inglés) de intención homosexual (p. 443), pero aún más claramente el empleo que hacen ambos de las seudoprostitutas Magalena y Beba («Bachata», XVI-XVIII) como público y pared de rebote de sus cabriolas verbales, las cuales aquéllas no pueden entender, por carecer de las referencias culturales necesarias, caracteriza esa alienación como impotencia respecto al sexo contrario. Que es el mejor modo de expresar, claro que inconscientemente, el peso de cómo se siente y se interpreta el objeto de esa alienación (36). Las «mariposas nocturnas» que, hacia el final de la novela, los dos «tristes tigres» invitan a una *boîte* para confundir con su parodia de la literatura, el cine, sus amigos, y finalmente abandonan, representan paradigmáticamente (atracción por, y rechazo final) el universo intelectual al que Cué y Silvestre aspiran desesperadamente y que, en su opinión, característica del intelectual burgués que no ha comprendido las causas de su alienación, insiste en rechazarlos por incapaz de entender su superioridad. Posición a su vez emblemática de la de Cabrera Infante respecto a la novela y la literatura de ficción en general, la cual lo atrae poderosamente y dentro de la que ha producido cuentos extraordinarios y una novela memorable, mas sin haberse, a través de ellas, afianzado en el género como en terreno propio.

TTT es, claro, una antinovela, cuyo interés y originalidad resultan de la astuta utilización de una serie de procedimientos que parodian, cuestionan o niegan el género novelístico; técnica, por otra parte, de tan antigua tradición como la novela moderna misma (*Don Quijote* es una antinovela) y dentro de la cual autores contemporáneos (los *nouveaux romanciers*, los postmodernistas norteamericanos) han desarrollado un enfoque más o menos original, pero capaz en cualquier caso de facilitarles el manejo de ese género al cual Cabrera Infante se ha acercado tantas veces, mas sin llegar a afincarse en él. La expresión de una realidad social y personal, la discusión intelectual, la constante parodia lingüística, no llegan a constituir una novela: el análisis del *collage* titulado *TTT* descubre el papel de cada uno de sus componentes en relación a los demás, en vez de cómo constituyen un todo orgánico, pues no lo es —y Cabrera Infante seguramente afirmaría que tampoco quería él que lo fuese— el lienzo donde se engarzan y cuyo marco los contiene. Lo cual no deja de ser una lástima desde el punto de vista de la novela, ese género que el autor insiste en rechazar, no obstante la convicción y dramática efectividad con que puede retratar a sus personajes: los recuerdos, sueños y declaraciones de Laura, Silvestre niño, incluso Cuba Venegas; es decir, aquellos personajes a quienes no toca, o no ha tocado aún, la cultura, la cual sólo puede funcionar paródicamente en el caso de *TTT*, para deformar en forma de juego lingüístico manipulado por el autor como tal, la percepción de la realidad.

La novela es un objeto fervientemente deseado —según lo indica, en primer lugar, la carrera de Cabrera Infante como cuentista, y, ya en *TTT*, la abundante recreación de tanta biografía, enredo sentimental, cuadro costumbrista como contiene aquélla—, pero a la larga rechazado, merced a una noción equivocada de la propia posición dentro del mundo de la cultura, la cual se expresa a través de ese rechazo de la novela como género dentro del texto novelesco que recoge la expresión autobiográfica de aquella noción lo mismo que de la aspiración a escribir una novela. Ese rechazo no consigue, sin embargo, lo que se proponía: no sólo no anula el género dentro del texto en que resulta, sino que tampoco obtiene un enfoque verdaderamente original del mismo, pues no lo es el modo como juega con la armazón y pone en evidencia el telón de fondo de *TTT*, nueva versión de una *película* anterior, *Vista del amanecer en el trópico*. Que sea así no puede sorprender, sin embargo, pues la nueva producción reproduce la distancia que media entre el film experimental al que aspira como modelo *TTT* y el tipo de película que irremediablemente fascina a su autor. El cine norteamericano, el cual le sirve de punto constante de referencia, ha sido siempre el más ajeno a la cinematografía de vanguardia; tampoco *TTT* logra —pese a trucos de montaje, ágil cámara, o estupenda, original fotografía— romper con la historia al uso.

La justa comprensión de las intenciones de esta novela exige tener presente siempre cómo existen dentro de ella dos niveles de significado, el uno más ambicioso y hasta universal, puramente local el otro; dependientes ambos para su expresión de la distorsión lingüística. La elaborada parodia (pp. 224-58) del asesinato de Trotski expresa, en cuanto selección temática, el rechazo de cualquier tipo de preocupación sociopolítica por parte de Cabrera Infante; puesto que su vehículo es la imitación del estilo de Martí y de los escritores cubanos más importantes del comienzo de los sesenta (Virgilio Piñera, Lezama Lima, Alejo Carpentier, Lino Novás Calvo, Nicolás Guillén, Lydia Cabrera), a través de supuestas versiones del hecho por ellos, podría, por medio de la recreación de un estilo perfectamente indentificable (del llamar la atención sobre los procedimientos verbales de que depende) haber iluminado la distancia que nos separa de la obra de ese escritor, y facilitado, por tanto, la comprensión de la importancia y de la función de aquellos autores respecto al universo cultural retratado en *TTT* (según sucede con los *pastiches* de Proust) (37). Esta otra serie de pastiches se basa, sin embargo, en la exageración de ciertas cualidades estilísticas obvias incluso para el ojo crítico más superficialmente entrenado, pues su intención es fundamentalmente cómica. La mera parodia de los recursos de esos autores en el tratamiento de un sujeto de trascendencia universal supone Cabrera Infante que revela su irremediable provincianismo —la imposibilidad de universalizar sus recursos, por decirlo de algún modo—, y junto con ello, la imposibilidad de que un escritor local alcance la universalidad, aun cuando se proponga un tema que la posee por definición. Con lo cual nuestro autor explica cómo entiende su propia ubicación cultural, la justifica ante sus propios ojos, y extiende a la literatura cubana (y a la latinoamericana en general) su negativismo en cuanto a su posibilidad de trascender aquel mezquino espacio.

El propósito último de Cabrera Infante es rechazar la literatura cubana como entidad cultural, caracterizándola categóricamente como perteneciente, sin remedio ni redención posibles, al subdesarrollo; entretanto, el vehículo de esa convicción («La muerte de Trotsky referida por varios escritores cubanos») encierra también esa sección de *TTT* en un espacio sólo asequible al lector (o mejor dicho, al intelectual) cubano.

El comentario intelectual típico de la novela postrealista, el cual juega un papel esencial en *TTT* —es el sostén de la sección más larga, «Bachata», y en general de la amistad-diálogo entre las dos voces principales del autor—, recibe a lo largo de toda la obra el tratamiento paródico al nivel lingüístico que mejor caracteriza la composición de esta novela y permite identificarla como experimental. *Puns*, deformaciones y trastrueques de títulos y referencias culturales revelan la cultura de Silvestre y de Cué; la relativa ingeniosidad, siempre de carácter verbal, con la que éstos manejan, desinflándolo, ese mundo por el que transitan y del que se alimentan, sirve para subrayar, según se indicó antes, de qué manera perciben su distancia respecto a aquél, que es como decir el subdesarrollo que para ellos define el medio en que viven, irremediablemente alejado, mas siempre en atolondrada búsqueda o imitación del universo característico de los países líder.

La revelación y parodia del subdesarrollo implica su rechazo (que es un primer modo, al distanciarse de él —según comprobamos que sucedía en *Memorias*— de empezar a acercarse al ansiado modelo); ello tiene lugar en *TTT* por el empleo de la palabra y de la reproducción de la voz humana en particular como vehículo y como objeto lúdico. Mas el resultado del procedimiento es que la novela se afinca peligrosamente, por el modo como termina dependiendo de ella para su justa apreciación, en la realidad local y biográfica que determina la articulación de sus voces en uno u otro dialecto del habla cubano-habanera (y más específicamente en la de cierto grupo social en un determinado momento histórico), manejada por el genio verbal de «Caín», y en el complejo de referencias culturales locales —cuyos ejes son escritores, la política, la publicidad comercial, actores, etc.— que determina no sólo el objeto de la parodia, sino también su interpretación, la cual, cuando ese objeto no es habanero o cubano, suele proceder por vía de la civilización norteamericana (véase, por ejemplo, la cita relativa al *Otelo*). Todo lo cual resulta inalcanzable —aún más que las deformaciones lingüísticas de los hablantes populares— para el lector ajeno a ese mundo (38). El cual, por más que la lectura de *TTT* le confirme su riqueza, lo más probable es que sienta que la novela se cierra para él lo mismo que una exótica flor tropical. Como señaló al reseñar la traducción inglesa de la novela un novelista que es también un crítico de gran perspicacia, John Updike (39), el procedimiento por medio del cual *TTT* evita la novela normal, tiene como modelo —pues por más que el cine lo sea del arte del autor, una novela no está hecha de imágenes visuales, sino de palabras— el vertiginoso diálogo y el infinito humor verbal del *Ulysses* de Joyce, con la diferencia de que esas palabras dependen en muchísima mayor medida que las del irlandés para su entendimiento (y hasta exclusivamente a veces) de las deformaciones semánticas y fonéticas del dialecto local, y de ciertas codas privadas (40).

La comparación sugerida por Juan Mestas (art. cit., n. 38) de *TTT* con *Rayuela*, revela cómo en esta última el juego con la palabra (en las interpolaciones del autor y en el diálogo de los personajes) se encamina a cuestionar la realidad tangible y la capacidad de la lengua literaria para recoger aquélla, del modo que sucede, principalmente, en los sueños, en vez de pretender como propósito renunciar a la literatura, según ocurre en *TTT*. Sucede también que Cortázar no parte en *Rayuela* de una realidad tan trivial como La Habana noctámbula vista por dos seudointelectuales enamorados de la misma mujer, y cuya conversación, cuando no trata de *epater* o de ofuscar con sus cabriolas al interlocutor-lector, suele girar en torno a si Vivian se «acuesta» o sólo pretende que lo hace. Libre de la preocupación con el subdesarrollo que anima y obstruye a *TTT*, la novela de Cortázar sugiere, a través de las peripecias de Oliveira y la Maga, la posibilidad de un contacto positivo entre cultura europea y «barbarie» latinoamericana, y puede también, a fin de cuentas, no obstante ser una obra decididamente moderna y experimental, internarse por caminos afines a los de la novela tradicional, la cual su autor, novelista nato, no se siente obligado a rechazar en nombre de la experimentación. El resultado es no sólo una novela más «legible», gracias a la ausencia del juego verbal como constante intencional, sino también más universal.

El tipo de ficción de contenido social de los primeros cuentos de Cabrera Infante o la sugerida por la primera versión de *TTT*, porque reflejaban, indefectiblemente, el subdesarrollo, parecían al autor que lo encerraban en él. El narrador de *TTT* va más allá del rechazo de esa narrativa, hasta el de la novela como forma; de ese modo, al mismo tiempo que revela exhaustivamente el subdesarrollo local, pretende superarlo intelectualmente —lo mismo que ya lo había dejado atrás físicamente cuando escribe la novela— para integrar, en cambio, su obra con la novela experimental europea y norteamericana. Si *TTT* falla en su empeño es, a mi ver, porque su estupenda adaptación literaria de la cámara cinematográfica y de la grabadora —del cine sonoro— no consigue trascender, apropiándoselo, ni el modelo literario original, el *Ulysses*, ni tampoco el cine, la fascinación con el cual en cuanto ventana al mundo del capitalismo avanzado, impide que se lo adapte eficazmente al propósito de construir una novela que trastorne nuestra noción del género. Burlándose del subdesarrollo, *TTT* lo subraya: lo que leemos es una versión insular o provinciana de la alta cultura, mas ininteligible fuera del medio original.

De las novelas cubanas del «*boom*», probablemente ninguna ha tenido mayor impacto crítico que *Paradiso* (1966), de José Lezama Lima; incluso más que *TTT*, y más también que las novelas de Severo Sarduy, quien ha escrito sobre Lezama reconociéndolo como modelo (41). La riqueza de *Paradiso* como *bildungsroman*, su carácter de arte poética, la brillantez de sus imágenes, compensan con creces al lector curioso de la extensión del texto y la dificultad de su lectura, de modo que la novela congregó muy pronto en torno suyo una vasta bibliografía. Buena parte de ésta, sin embargo, y especialmente la más próxima a la aparición de la obra, cuando los hispanistas no habían tenido aún tiempo de leerla y escribir sobre ella, tiende a concentrarse en la figura del autor (42), el enigmático Lezama Lima, que es narrador y protagonista implícito de *Paradiso*, y cuya personalidad, importantísima dentro de Cuba como poeta, y todavía más como animador de una empresa cultural muy influyente, la revista *Orígenes*, era, salvo en medios reducidos, prácticamente desconocida en el mundo hispánico (43).

Como ha visto Esperanza Figueroa, *Paradiso* se compone, en cuanto estructura narrativa, de tres novelas: la que trata de la infancia del protagonista, José Cemí, y de la historia de su familia, novela cuyo fin se sitúa hacia 1917 y se orienta hacia un «daguerrotipo retocado con amorosa delectación» (44); paralelamente a veces con ese relato, pero independiente de él a la larga, tiene lugar la novela del aprendizaje de José Cemí, el *bildungsroman* propiamente dicho dentro de *Paradiso*, con las discusiones de aquél con sus amigos Fronesis y Foción, y el desarrollo de su vocación literaria. Diez años después, «sólo en una ciudad bullanguera» de la que han desaparecido sus amigos, Cemí define su vocación en las páginas más importantes de *Paradiso.* Esta sección, al igual que las que la siguen, la que contiene las cuatro historias paralelas de los capítulos XII y XIII, y el capítulo final, que trata de la muerte de Oppiano Licario, el mentor secreto de Cemí, elaboran, iluminando sus premisas, la poética del autor, pues es en ellas donde se define el sentido, la dirección de la búsqueda de la poesía por el protagonista. Esa poética de un poeta se engarza dentro de una novela a la cual sostiene al mismo tiempo, pues en cuanto poética implica, sin duda, una teoría general de la literatura.

En lugar de empezar por investigar la relación entre la *novela Paradiso* y la poética de Lezama —reconociendo, desde luego, que no se trata de una novela al uso y que requiere, por tanto, que se le apliquen a su estudio otros criterios que los empleados para la novela realista, psicológica, etc.—, la crítica ha preferido dedicarse a desentrañar o meramente a elogiar la riqueza verbal del texto, a explicar sus alusiones culturales, a proponer esquemas alegóricos interpretativos y, desde luego, a ponderar el barroquismo de la obra (45), mas sin relacionarla estructuralmente con la poética de Lezama Lima, poeta hermético que trató de llevar a sus últimas consecuencias el *trascendentalismo* simbolista combinándolo con el surrealismo y cierta dosis de poesía conversacional o prosaísta, de modo de crear, de acuerdo con claves de recóndita elucidación que expresan el ser del poeta, una realidad diferente a la cotidiana.

No se tratará aquí de valorar la contribución de Lezama como poeta, pero sí es menester apuntar que por más que no recibió la atención que merecía, y que sin duda alguna habría recibido de haber escrito en francés o en inglés, no se encuentra entre los poetas que han contribuido sustancialmente al curso de la poesía contemporánea en castellano, de lo cual se sigue —a causa de que el desarrollo de cada una de las literaturas hispanoamericanas no tiene lugar independientemente del resto o del de la castellana, sino sujeto a las mismas influencias y *epistemas*— que aun cuando restrinjamos ese área de influencia a Cuba, la de Lezama ha sido marginal o secundaria respecto a los poetas y escritores de las generaciones siguientes, no obstante haber recibido el apoyo de poetas de primer orden (fue Juan Ramón Jiménez, por ejemplo, quien primero publicó sus poemas, en una antología de la poesía cubana preparada durante su estancia en Cuba en 1936) (46), y ejercer, durante más de una década, el control de la más importante —en gran parte por su extraordinaria (para Hispanoamérica) longevidad (véase n. 43)— revista literaria cubana, *Orígenes.* Los estupendos aciertos de Lezama como poeta no compensan de sus caídas, del verso malo o pedestre, de lo mucho, quizá muchísimo, cuyo cerrado hermetismo el primer esfuerzo hermenéutico sugiere que no merece la exégesis. Al igual que muchos otros escritores latinoamericanos, Lezama ha sido especialmente importante como animador cultural, en su posición de director de una revista influyente, y, aún más, desde un plano personal, como el hombre cuyo ejemplo —vivir para la literatura, no obstante sus escasos recursos económicos— sirvió de ejemplo a dos generaciones de escritores y artistas cubanos. Paralelamente, es el elemento personal o biográfico de *Paradiso* —la historia familiar de José Cemí, básicamente, la cual no es identificable sino parcialmente con la biografía de José Lezama— lo que *permite* la lectura de la *novela* (en vez de ciertos fragmentos privilegiados de ella sobre la poesía, por ejemplo) incluso para el crítico mejor intencionado, y lo que facilita el desentrañarla para el más sofisticado también. El lector medio y el estudiante de literatura que, por efecto de la ingenuidad o de las buenas intenciones de su profesor, se embarca en la lectura de *Paradiso,* lo más probable es que se detenga para siempre en el capítulo VIII, despeñadero fálico del ascenso hacia la poesía de José Cemí.

Otro problema importante en cuanto a la recepción de *Paradiso* es su situación respecto a la Revolución Cubana (cuyo papel en el «*boom*» establece Rodríguez Monegal en el artículo citado en la n. 21); o más concretamente, que semejante novela haya salido de las prensas de una editorial oficial (47). *Paradiso,* pese a su origen dentro de la Cuba revolucionaria, no sólo ignora cualquier tipo de preocupación social, sino que reproduce sin empacho alguno las actitudes más característicamente reaccionarias de la burguesía cubana respecto a la política, los individuos de raza negra, el servicio doméstico (48); es decir, que no la afecta en lo más mínimo el ambiente progresista que facilita —gracias al relativo ocio con que la Revolución recompensó tan merecidamente la labor del poeta Lezama Lima, concediéndole un cargo afín con sus intereses, relativamente bien pagado, etc.— (49) y donde tiene lugar o se completa su escritura. Ello ha influido drásticamente, sin duda alguna, en que la novela se haya convertido en objeto crítico favorito de una crítica —y en particular de un hispanismo— que tiende a ser liberal y, por tanto, antirrevolucionario, así que gusta, implícita cuando no indirectamente, de identificar a *Paradiso* con la continuidad de la pura preocupación estética en condiciones, a su entender, adversas. La novela de Lezama se conjuga de ese modo con *TTT,* obra de un escritor exiliado voluntariamente en oposición a la Revolución, y también con las novelas de Sarduy, quien dejó Cuba a principios de los sesenta. Ahora que Reinaldo Arenas, cuyo *El mundo alucinante,* publicado fuera de Cuba (México: Diógenes, 1969; Buenos Aires: Brújula, 1969), ha sido objeto, por otra parte muy justamente, de la atención que no habían recibido *Celestino antes del alba,* o *Con los ojos cerrados,* ha dejado Cuba, también crecerá su fama para confirmar que la literatura, para serlo, tiene que escribirse fuera de sociedades dirigidas por regímenes socialistas (50).

Paradiso afirma constantemente el valor de la palabra como entidad casi independiente, emblema del destino del poeta puro que Cemí-Lezama aspira a ser, y cuya carrera se pinta en esas páginas. A pesar de lo cual, la vida cotidiana desempeña un papel crucial en vez de accidental (como en el caso de la obra narrativa de otros poetas: Juan Ramón Jiménez, Luis Cernuda, Rilke, por ejemplo, o en el *Magister Ludi*, de Hesse, obra sobre la que se volverá muy pronto) en esta novela, la cual pinta morosa, alambicadamente, con la intención, sin duda, de integrarlos en el camino hacia la iluminación de Cemí respecto a la poesía, de hacerlos, en definitiva, parte de su sistema poético, elementos pintorescos de la historia de Cuba (el exilio en la Florida de familias de convicción independentista), la biografía de varios miembros de dos familias de la burguesía media cubana, la vida doméstica de una de ellas en La Habana de los años veinte, y una serie de anécdotas de carácter sexual con las cuales comienza (la escuela, cap. VIII) y servirán luego de hitos en la educación de Cemí, ayudándolo, aunque sin afectarlo directamente, a entender el mundo en torno. Puesto que Paradiso, por tanto, incluye un contexto novelístico semejante al de una novela tradicional —la biografía de un hombre— enmarcado por y, de hecho, dependiente de la búsqueda de una poética por ese personaje, habría, paréceme, que juzgar la obra de acuerdo con el propósito central de la poética de su autor, la cual, como básicamente «simbolista», se propone recrear una experiencia subjetiva de modo de revelar su valor universal. La realidad desempeña entonces en el poema un papel deliberadamente indirecto, pues la palabra se propone trascender su valor connotativo habitual a través del uso inusitado de la metáfora, para sugerir el *misterio* (de ahí el hermetismo como necesidad) aludido por el poema, correspondiente a un universo originalmente equivalente (simbólico) del cotidiano, pero situado en un plano más rico y más noble. En el caso de Lezama, en ese proceso entran también la liberación del inconsciente y la multiplicación de sugerencias y significados de la palabra característicos del surrealismo. En consecuencia, el efecto del simbolismo en cuanto al universo social que en *Paradiso* sirve de fondo a la búsqueda y ascenso al *paraíso* de la poesía, debería resultar en transformarlo, sustituyendo el referente cotidiano reconocible por un signo más complejo —es decir, más *poético*.

Lo cual nos lleva a Góngora y el barroco con el que constantemente se asocia a *Paradiso*. El redescubrimiento de aquél hacia 1927, tricentenario de su muerte, da nombre a una generación de poetas españoles por su interés, expresado a través del que sienten por la poesía gongorina, en una poesía que concentra sus aspiraciones en el valor absoluto de la palabra —*pura*, por tanto, como la quería Juan Ramón Jiménez, el epígono más importante del simbolismo en España, mentor o modelo de la mayoría de esos poetas del 27, y cuya lección, magisterio e interés en su obra ayudaron inmensamente la vocación de Lezama, específicamente por medio de su estancia en La Habana en 1936 y 1937 (véase n. 46). La poesía «barroca» de Góngora se propone evitar metódicamente la representación de la realidad tal cual es, sustituyéndola por su absoluta estilización: «De la naturaleza no sólo ha desaparecido lo feo, lo incómodo, lo desagradable, sino que aun su misma belleza se ha estilizado o simplificado para reducirse a bien deslindados contornos, a escorzos ágiles, a armoniosas sonoridades, a espléndidos colores. Peinada estilización, hábil escamoteo que sólo con el continuo y complicado juego de metáforas de que usa Góngora hubiera sido posible. Con él no sólo se borra la individualidad del objeto, sino que éste entra dentro de una categoría a la cual cubre y representa una metáfora [...] Cierto que estas metáforas carecen casi siempre de novedad, pero permiten huir el nombre grosero y el horrendo pormenor: son como un bello eufemismo. Abstraen del objeto sus propiedades físicas y sus accidentes, para presentarle sólo por aquella cualidad, o cualidades, que para el poeta en un momento dado son las únicas que tienen un estético interés» (51). Pero, continúa explicando el mejor exégeta y crítico de Góngora, hay dos Góngoras: aquel que se limita a sustituir cada significado por un significante acuñado por el poeta (agua y bellos miembros de mujer = cristales; cualquier objeto dorado = oro; cualquier objeto blanco = nieve) y cuya lectura requiere primero que nada un vocabulario (de ahí los varios «comentarios» a su obra por los admiradores del poeta) (52), y el Góngora de las estupendas, inolvidables imágenes («Quejándose venían sobre el guante / los raudos torbellinos de Noruega [halcones]»; «de fugitiva plata / la bisagra, aunque estrecha, abrazadora / de un Océano y otro [el estrecho de Magallanes o de Tierra del Fuego]»; «Paréntesis frondoso / al período son de su corriente [las islas en un río]»; «Los horizontes / hacían desigual, confusamente / montes de agua y piélagos de montes [desvaríos producidos por la luz del crepúsculo]»), a las cuales sirven de fondo esas otras «imágenes vulgares», «los puntos neutros de la poesía de Góngora, lo que correspondería en un poeta normal a las partes no poéticas expresadas en lenguaje cotidiano ... el cañamazo, la materia neutra, el excipiente de su lenguaje poético» (Alonso, p. 20). Es el primer Góngora el que puede resultar incomprensible; el segundo no se oculta a la intuición del buen lector.

El caso de Lezama y *Paradiso* es, claro, diferente del de Góngora en cuanto no se trata allí de crear un nuevo lenguaje que sustituya sistemáticamente por otra, más rica, original y libre de vulgaridades, la representación habitual de la realidad, sino de tratar consistentemente ésta de modo poético, y específicamente a la manera gongorina tan sólo en la medida en que los procedimientos de Góngora entraron a formar parte del lenguaje poético de la generación del 27 y sus seguidores hispanoamericanos (musicalidad del verso, o interés en el valor del fonema, pero sobre todo, empleo sistemático de la metáfora simbolista). Al igual que sucede con la poesía de Lezama, la prosa de *Paradiso* nos asombra también de cuando en cuando con una metáfora portentosa, con un juego de imágenes de alucinante riqueza conceptual (ábrase el texto al azar; en cualquier página habrá por lo menos una imagen deslumbrante), pero las más de las veces o a lo largo de los otros cuarenta renglones de cada página, esa prosa se *enrosca* meramente, sin lograr trascenderla de modo que sea capaz de revelar mejor su oculto sentido, la universalidad a la que aspira la intuición lírica, sobre la realidad que sostiene el *bildungsroman*, la historia familiar de Cemí, las anécdotas que más lo impresionaron, las conversaciones con sus amigos, sus fantasías sexuales o culturales (v. g., Fronesis viene a estar relacionado indirectamente con Daghilev a través de la amistad con él, además de con Hofmannsthal, Schnitzler, y Alban Berg, de su padre, hijo de un diplomático cubano —la República de Cuba fue fundada en 1902— en la Viena anterior a la primera guerra mundial: pp. 301 y ss.). Es el mismo procedimiento de acuerdo con el cual el albañil sevillano o mexicano del XVII y el XVIII recubre laboriosamente de volutas, hojas de acanto y angelotes la fachada de una simple iglesia de planta rectangular recién construida, o la de otra que quizá data de varios siglos atrás. El efecto puede resultar estupendo —amén de abrumador—, pero para el ojo educado no oculta la verdadera estructura o el origen y estilo del edificio. Si la impresión total es casi siempre artística, sus elementos, examinados de cerca, se revelan como ingenuos o incluso grotescos.

Podría, quizá, argüirse, teniendo en cuenta el resto de la obra de Lezama y el tipo de experiencia que quiere expresar *Paradiso*, que a aquél no le interesa la novela en sí misma, como género; mas ocurre que ese texto —el cual ha servido, además, para consolidar su fama— adopta definidamente la forma de una novela, siendo principalmente como tal que se deja leer; novela en la que domina como punto de vista el subjetivismo de carácter lírico, abundantísima en discusiones literarias y filosóficas, pero con una acción siempre reconocible por irse tejiendo en derredor de una biografía —hasta los últimos capítulos, aquellos donde Cemí define el ejercicio de la voz poética antes de emprender, a través de la composición de varias novelas cortas que constituyen otras tantas biografías, su propio camino (53). La poética de Cemí-Lezama se aplica a ese material novelístico con el propósito de transformarlo o de revelar su sentido, de acuerdo con el modelo simbolista-surrealista que gobierna explícitamente las narraciones paralelas recién mencionadas del capítulo XII, pero en tanto que allí el carácter fantástico u onírico de la historia facilita su conversión en objeto poético, no sucede lo mismo con el material seudoautobiográfico, realista, intelectual y pornográfico de los diez capítulos precedentes.

Lo que caracteriza la novela *Paradiso* es, pues, el esfuerzo por expresar en un plano capaz de trascenderla, potenciándola de modo de transformarla en arte puro, la experiencia cotidiana —de ahí la similaridad con la poesía gongorina—; esa experiencia, sin embargo, atrae por sí misma al autor, y su reproducción domina la escritura, lo cual, en definitiva, se aviene perfectamente con la naturaleza de la novela como género. *Paradiso* no es sólo la historia del desarrollo de la vocación de su protagonista, sino también su biografía (hasta cierto momento de su vida), más, en forma total o parcial, las de sus familiares y amigos, interrumpidas todas ellas por discusiones literarias y filosóficas y, hacia el final sobre todo, por la reflexión de ese personaje-protagonista sobre la poesía, antes y después de tejer una serie de narraciones más imaginativas que realistas, tres de las cuales, sin embargo, constituyen fragmentos de otras tantas biografías. No cabe duda alguna sobre la riqueza, autenticidad y hasta originalidad del impulso poético de *Paradiso*, pero ello no quita que sea el material tradicionalmente novelístico el que continúe dominando: su proximidad al poeta-novelista como parte de la propia biografía pesa mucho más que su distanciamiento respecto a esos materiales con el objeto de elaborar emblemáticamente la biografía de su protagonista como el ascenso hacia la poesía; de modo que permite que el mundo físico, social y psicológico de Cemí detenga constantemente ese movimiento ascensional, interfiera con su desarrollo y con la mismísima intención de la memoria poética que parecía constituir el motor de la obra.

El empleo de una biografía como esqueleto o sostén de la narración es característico de la novela realista, cuya descendencia de la *historia* señala; la atención al medio físico y social, y con él al detalle que garantiza la autenticidad con que ha sido observado y reproducido, constituyen el mejor modo de desarrollar la biografía ficticia que interesaba al novelista hasta época reciente. Pues después que el naturalismo agota las posibilidades del realismo, el objeto principal de atención del novelista se desplaza hacia otras esferas, al menos dentro de la corriente principal de las literaturas europeas (la cual, por otra parte, apenas toca a las hispánicas). En la novela mayor de Proust, la cual es en gran medida autobiográfica y, como *Paradiso* también, concluye con la definición de una vocación artística, la atención a la realidad social, psicológica, física, es absorbente; pero mientras que Proust explica y analiza minuciosamente la cotidianeidad sólo en relación a los sentimientos y las ideas de su protagonista, el comentario de Lezama teje alrededor de la realidad una orla de metáforas cuya intención no es interpretativa, sino ornamental: es la realidad cotidiana misma la que interesa en cuanto evocadora de su propia biografía, y no, como al novelista de la modernidad, la memoria (Proust), la palabra (Joyce), la consciencia (Svevo), problemas éticos, filosóficos, culturales (Kafka, Mann, Gide, Musil). Lezama se limita a adornar la reproducción de la realidad, a *poetizarla* —que no es lo mismo que trascenderla.

Quizá porque el mundo de *Paradiso* y su autor mismo me quedan muy cerca, me resulta más difícil que a otros lectores aceptar su continua ornamentación de la realidad: pese a la imagen, más o menos brillante u original, que intenta trascenderla, continúo viendo una escuálida realidad pequeño-burguesa que no es aceptada como tal y cuyo interés, por tanto, no se transmite —como sucedería en una verdadera novela realista, por ejemplo— del hombre Lezama a nosotros. Leticia, recordándole a su hermana Rialta que le debe el equivalente de cuatro meses de pensión de viuda, a propósito de la observación de la segunda a la criada de Leticia de que no gaste más electricidad de la necesaria al planchar (p. 191); la mancha de una remolacha aplastada sobre el mantel (p. 196), secuencias y detalles que el narrador trata de potenciar a un plano poético o puro, capaz de liberarlos de su contenido social, o meramente anecdótico, el cual, aunque no oculta al modo de otros novelistas, tampoco acepta sencillamente; lo mismo que sucede con su absorbente preocupación homosexual, que trata, casi siempre brillantemente, de trasladar a un plano filosófico, sólo que en seguida regresamos a falos tan descomunales como los de los personajes de Sade y a penetraciones anales y bucales, incluso cuando se trata de parejas heterosexuales (54).

El resultado es una novela premoderna, *pre-Proust*, pues a partir de *A la recherche*, obra que absorbe, transformándola, toda la lección del realismo decimonónico, objetos como los mencionados antes (la discusión sobre el uso de la plancha, la comida familiar en la que cada plato, al igual que aquello que cae accidentalmente de las fuentes al mantel, es descrito en detalle, o, si no, los portentosos ejercicios sexuales de los condiscípulos de Cemí) pierden su valor intrínseco para un discurso novelístico al que ha dejado de interesarle la biografía de los personajes y el argumento por sí mismos; cesan incluso de ser objetos sociales al modo que lo eran en una novela de Balzac o de Galdós, convirtiéndose en trampolín de otros significados. *Paradiso*, en cambio, se limita a ejercer sobre esos elementos una reelaboración metafórica paralela a la que caracteriza la arquitectura «barroca» hispánica. La novela de Lezama se encuentra estructuralmente tan lejos de cualquier interés en la renovación del género, que adopta la división tradicional en capítulos, con la cual había ya roto Cervantes en el primer *Quijote*, como parte de su crítica del *roman* medieval (55).

Cemí, «el hombre que mejor había dominado el tiempo, un tiempo tan difícil como el tropical» (p. 348) (56), representa un ideal para su creador, pero ¿corresponde en efecto *Paradiso* al paralelo con la *Divina Comedia* que nos propone su título, además de esa visión de una luz cegadora en el último capítulo? Mejor vía para el entendimiento de la novela es interpretarla como un apasionado cántico al universo *real* de su autor, a los objetos de su mundo cotidiano y, al mismo tiempo, a la rica subjetividad que trata de extraer de ellos su cualidad *paradisíaca*, voluntad que se expresa en una alegría vital exuberante y casi infantil en su espontaneidad, la cual puede apropiarse momentáneamente cualquier teoría, el tomismo o la cosmología budista (57), y en el mismo plano, además, como objetos culturales que enriquecen una vida vuelta totalmente hacia el intelecto y la creación literaria, como lo es la de Cemí y lo fue la de Lezama (58). La segunda parte, en fin, del nombre del protagonista, Cemí, alusiva a un dios o ídolo del panteón de los indios cubanos (59), sugiere que se le preste al menos tanta atención a la relación de la novela con la cultura local —José Cemí-intérprete privilegiado de aquélla; «poeta nacional», por tanto— como a su aspiración a emular el camino del Dante (60).

Suele ocurrir cada vez con más frecuencia, como resultado de la reacción, harto justificada, contra la crítica filológica, la de influencias, el comentario de texto formalista, que el crítico aborde el texto que se propone a su atención empleándolo en realidad como inspiración, de acuerdo con esta o aquella teoría literaria francesa, para divagaciones más o menos críticas, y a menudo para emular a su objeto con un texto semejante. Algunos de los intérpretes de *Paradiso*, alentados por la hipótesis del libro de Julia Kristeva sobre, originalmente, el *Jean de Saintré*, de Antoine de la Sale (61), caracterizan la novela de Lezama como literatura de carnaval, celebración y blasfemia (62), con lo que el elemento espiritual en ella resulta disminuido si no negado; mientras que en otra interpretación, más dominante, se acepta sin cuestionarlo el paralelo con el Dante adoptado por el autor, para explayarse a su cuenta sobre la conquista de la realidad por la poesía, o sobre cómo ésta representa una suerte de resurrección (cuando el padre de Cemí, tratando de enseñarlo a nadar —p. 138—, lo suelta en el agua y lo salva en seguida de ahogarse, lo está lanzando al agua de la vida —en la cual parece, por tanto, que el protagonista no puede sobrevivir sin ayuda externa— para conducirlo, a través de un cristianismo salvador —la imagen de un padre-pez recoge el simbolismo cristiano asociado con el pez—, a una región nueva), e ignorando el papel de la sexualidad en el texto, ponderar la espiritualidad central de la obra —de suerte que aunque la apertura del protagonista al mundo tenga lugar a través del *eros*, y el homosexualismo sea tema constante de conversación (o de «exorcismo»), lo mismo que sujeto de descripciones, la definición de nuestro origen como andrógino garantiza la liberación del pecado y, como fuente de permutaciones, hasta resulta equivalente a la poesía (63).

Ese androginismo, o la reunión de ambos sexos en un ser que no puede ser fecundado, tema de tradición platónica (discurso de Aristófanes en el *Symposium*), es el sujeto de varias discusiones intelectuales en la novela; las escenas eróticas, en tanto, incluso si pudiera interpretárselas exclusivamente como ilustración de las teorías que discuten Cemí, Fronesis y Foción, poseen tal carga de excitación sexual, que sería mejor aceptarlas provisionalmente como pornográficas (64), y en lugar de suponer que el contenido erótico es en ellas otra ilustración más de la poesía pura, examinar cómo funciona el erotismo en relación al *bildungsroman*, por un lado, y la búsqueda por Cemí del paraíso, por el otro. Esta es la orientación de un artículo reciente de Enrique Lihn (65), donde el análisis de la estructura narrativa de *Paradiso* —predominio de la *historia* al mismo tiempo que de la *sustitución* en vez de la *imitación* de la realidad por obra de la *causalidad metafórica*— lleva al crítico a definir el carácter incestuoso —Cemí/Rialta— de la intención sexual del texto: el protagonista, al cual le está vedado el sexo (66), parece aspirar a la androginia, en efecto, a una edad biológica anterior a la diferenciación sexual, pero esa ideal «castidad incestuosa» no reemplaza a la homosexualidad como el verdadero motor del discurso (67).

Más acertado que buena parte de las interpretaciones de *Paradiso* resulta, gracias a su conocimiento personal del autor y una larga familiaridad con su obra, el juicio de Severo Sarduy sobre Lezama. En el ensayo ya mencionado de *Escrito sobre un cuerpo,* Sarduy empieza citando una imagen del poeta a propósito de una función de ballet: «Irina Durujanova, en las puntuales variaciones del Cisne, tenía la categoría y majestad de Catalina la Grande de Rusia cuando paseaba en su alazán por las márgenes congeladas del Volga» (p. 62), y a continuación la critica: «Lezama jamás vio el Volga, y menos congelado; la comparación con la Emperatriz, que añadía a su obesidad la magnitud de la panoplia zarista, era más que dudosa» (Ibíd.), con el objeto de concluir que lo que debe interesarnos es la frase en sí misma, en vez de su extravagante contenido. Lezama, sigue diciendo Sarduy, «opera por *duplicación,* por *espejeo*», a través de metáforas de origen «exclusivamente cultural» (Ibídem), las cuales funcionan como dobles de la realidad para poner en marcha no representaciones de contenidos, sino puras relaciones verbales. La distancia entre significante y significado se ahonda de ese modo, y al liberarse de su lastre verista, la palabra cuenta por sí misma, y no a causa de una asumida identidad con un objeto no verbal externo a ella. El segundo término de la comparación devora entonces al primero, lo devora y lo *fija,* de acuerdo con un principio esencial a la poética de Lezama, la fijeza. *Paradiso* es, pues, una inmensa metáfora que avanza creando a su paso infinitas conexiones que cubren «la substancia o resistencia territorial de la novela» (p. 67) —lo cual Sarduy identifica con el barroco, entendido como la estética para la que «la única verdad de la escritura» son sus propias «necesidades y exigencias poéticas» (p. 71). La sistemática «gongorización» de lo trivial en *Paradiso* realiza el propósito de Lezama de *fijar* una sintaxis cultural cubana cuya clave es la *superposición* en vez de la síntesis (p. 69).

El brillante ensayo de Sarduy, rebosante de agudas clarificaciones y sugerencias, parte de la impresión del poeta Lezama Lima, su peculiarísimo, inolvidable tono de voz («voz de entonación monótona, o más bien ritual, que permanecía en suspenso al final de cada frase, lista para recuperar el aliento, amenazado por el asma, y engranar con otra, en un proceso de asociación de ideas y de imágenes que podía prolongarse, salpicado de alusiones históricas y citas librescas, hasta el infinito») (68), sus gestos, su persona física como expresión de la intelectual, sobre su audiencia —factor por definición inefable—, y pasa de ahí a citar una comparación absurda entre una ballerina y Catalina la Grande. En esa imagen, típica, en efecto, de Lezama, no se intenta aprehender el objeto *danza* poéticamente, sino de crear otro, según un procedimiento de estirpe gongorina, al que toca también, aunque en muchísima menor medida que a los poetas españoles de la revalorización de Góngora, la asociación libre de los surrealistas con su exclusión de la necesidad de explicar o iluminar *racionalmente* su objeto.

Góngora es, en efecto, el referente más apropiado en la discusión del barroco literario que sirve a Sarduy para explicar a Lezama, pues el sistema de éste aspira, como el del poeta barroco, aunque muy lejos de su ligereza y musicalidad, a una recreación poética de la realidad *total* del poeta —física, familiar, intelectual, etc.—, en lugar de la de trozos privilegiados de ella; en su caso, por medio, casi siempre, de comparaciones culturales o históricas (La naturaleza de la metáfora en Lezama «es cultural y sus referencias extremadamente vastas»: Sarduy, p. 68.) Las cuales, según sucede con la escogida por Sarduy, suelen, sometidas a un examen objetivo, revelarse como incapaces de transformar el mundo físico, ni por medio de una apertura lírica intuitiva, ni tampoco por la hábil selección de conceptos, pues dependen totalmente de un bagaje cultural imperfectamente asimilado, y que aparece como grotesco, en consecuencia. Lo imperfecto de esa asimilación, con sus enormes lagunas, sus errores y confusiones, y las exageraciones deliberadamente tremebundas que tratan de compensar aquéllos, constituye al fin y al cabo una imagen ideal del subdesarrollo, según era de esperarse, después de todo, en el escritor que ha servido de mentor e inspiración artística y espiritual a los intelectuales cubanos de los cuarenta y los cincuenta. La cultura de la que está hecha *Paradiso* no es una cultura asimilada pausadamente en excelentes bibliotecas familiares representativas de varias generaciones de burgueses bien instruidos, o adquirida en universidades de primer orden y pasada por el tamiz de una educación profesional rigurosa, sino absorbida a la carrera, según se la va encontrando, y con herramientas inadecuadas; de ahí la falta de deslindes, de distinción entre planos intrínsecamente diferentes, los saltos en el vacío, el constante transcurrir de lo verdaderamente inteligente y perspicaz, a lo absurdo, pasando por lo simplemente ininteligible, de lo pedestre a lo ridículo (69). Si, en efecto, la transcripción verbal de esas comparaciones y reflexiones fuese toda de la misma calidad de la gran poesía —sea de Góngora o de Mallarmé—, podríamos detenernos en la fachada para siempre, olvidándonos de lo que oculta, pero, desgraciadamente, tampoco ahí está el poeta a la altura de sus modelos culturales. Desmedida como el apetito de Lezama, la cultura de Cemí querrá resumir, transformados por su propio sistema poético, todos los objetos de la cultura occidental, desde el platonismo hasta, qué remedio, el *Magister Ludi*, de Hermann Hesse.

En *El juego de abalorios* o *Magister Ludi* (1943), el protagonista escribe una serie de biografías paralelas como parte de su aprendizaje intelectual, la prueba de que se halla listo para iniciar el juego que Hesse, no obstante, jamás llega a describir (70). El ambicioso proyecto de la novela de Hesse de elaborar una imagen sintética de nuestra evolución espiritual, queda bien lejos de realizarse (lo cual aquél admite indirectamente haciendo a su protagonista renunciar al maestrazgo del juego); en *Paradiso*, la *fijación* por José Cemí, hacia el final del capítulo XI (pp. 376 y ss.) de su vocación, da paso, en el siguiente, a la composición de cuatro historias paralelas, ninguna de las cuales guarda una relación directa con la biografía del protagonista, de modo que hay que entenderlas como una elaboración, en un plano simbólico, de la realización que se define en el capítulo precedente; ejercicio semejante, por tanto, a las biografías que escribe Joseph Knecht en la novela de Hesse (cuya traducción castellana tuvo amplia difusión en Hispanoamérica).

La situación de esos cuatro relatos, entre la definición de la vocación de Cemí y el encuentro con Oppiano Licario, prolongación del padre, y cuya muerte lo va a forzar a enfrentarse solo a la vida —es decir, en su caso, al cultivo de la vocación— («Vi morir a tu padre; ahora, Cemí, tropieza» [p. 489], le deja escrito Oppiano), sugiere que se los interprete como prueba de que la poesía ha preparado al protagonista para el ejercicio *total* de la literatura. Antes del último párrafo, las cuatro narraciones del capítulo XII de *Paradiso* se funden: el hombre que tiene visiones fantasmales ve dentro de un foso al niño que rompe la jarra danesa, recibe ésta, se la entrega al «garzón» y lo vuelve a ver, antes de morir él mismo, ocupando el sitio del crítico musical dentro de la urna que guarda su cadáver, en tanto que la esposa de éste ve allí al capitán romano que luchaba contra las hechicerías de la Tesalia. La última escena describe cómo el busto de un geómetra, saltando por sí solo, altera la posición de los dados en el juego que intentan dos centuriones (el empleo de este motivo recuerda también *El juego de abalorios*): de tres y dos pasan a sumar cuatro: «Quedó el cuatro debajo de la cúpula en ruinas, al centro de la nave mayor a igual distancia de las dos naves colaterales. Los dos centuriones se cubrieron con una sola capota, del cuello surgía como una cabeza de tortuga grande, y evitando dar traspiés, se fueron con paso de marcha forzada» (p. 428).

Orden que asombra y paraliza, parece el sentido último de esa serie de relatos, y, en efecto, el capítulo siguiente nos trae de regreso a La Habana de Cemí-Lezama, donde éste coincide con otros cuatro personajes, uno de ellos al menos proveniente de las memorias de su familia (Vivo, mencionado a principios del capítulo II), en un ómnibus, de modo que el protagonista pueda devolver a Oppiano Licario las monedas antiguas que éste se ha dejado robar para así ponerse en contacto con su hijo espiritual. Será inútil, sin embargo, escudriñar las narraciones del capítulo XII, o los episodios y trozos de biografías del XIII en busca de una relación entre las primeras, y de éstas a su vez con los sucesos del nuevo capítulo, capaz de esclarecer el sentido de la novela que las contiene a todas. Que Cemí está consciente de su vocación ya lo sabíamos perfectamente por el capítulo XI; que a ella lo conducía, afirmándola y protegiéndolo, un espíritu familiar (el de Oppiano, amigo de su padre, y cuya vida representa, en buena medida debido a su desahogada situación económica, un ideal para Cemí), queda confirmado en el último capítulo. El resto son fragmentos de novelas o de biografías, asociaciones de carácter surrealista, a menudo totalmente herméticas, vulgaridades de las que se trata de exprimir alguna virtud estética, recuerdos y codas personales; todo ello brotando en una avalancha tal que a veces ni respeta la sintaxis, y mucho menos el orden, la capacidad de alusión y de síntesis que habría cabido esperar de la poesía según Cemí, según Mallarmé, Juan Ramón, Bretón, Eliot, pero no, obviamente, según Lezama Lima. Verborrea tropical, en fin, interrumpida a trechos por una imagen memorable, o meramente certera.

Describiendo el gigantesco fibroma que han extraído a la madre de Cemí, y cuyo crecimiento obligaba al organismo a un trabajo excesivo, pues «Para conseguir una normalidad sustitutiva había sido necesario crear nuevas anormalidades ... una salud que se mantenía a base de su propia destrucción», el narrador concluye enfáticamente: «De la misma manera, en los cuerpos que logra la imaginación, hay que destruir el elemento serpiente para dar paso al elemento dragón, un organismo que está hecho para devorarse en el círculo, tiene [la arbitraria puntuación indica, erróneamente, que es el dragón el que se devora a sí mismo] que destruirse para que irrumpa una nueva bestia, surgiendo del lago sulfúrico, pidiéndole prestadas sus garras a los grandes vultúridos y su cráneo al can tricéfalo que cuida las moradas subterráneas. El fibroma tenía así que existir como una monstruosidad que lograba en el organismo nuevos medios de asimilación de aquella sorpresa, buscando un equilibrio más alto y más tenso» (p. 344).

Como ha visto con estupendo acierto el autor del artículo cuya lectura me sugiere el estudio de estas líneas (71), el fibroma parece, hacia el final de esa evocación, emblemático de la estética de *Paradiso,* verbo que consume todo lo que toca hasta superponerse, como la escritura de Góngora, a la realidad que alude; en tanto que la fealdad original del tumor (descrito como una joya de misterioso trazado y extraños colores) sería la del mundo de Cemí, en constante proceso de transformación artística por aquél. La salud = literatura realista resulta, por otra parte, semejante a una serpiente que se devora a sí misma, eterna, pasivamente; excepto que el dragón que la destruye en este caso es a su vez destruido para que el cuerpo de Rialta, de quien Cemí depende espiritualmente (véase, por ejemplo, en la página siguiente a la citada, lo que dice el narrador a propósito de los ojos de aquélla: «tenían esa facultad sorprendente y única: le acercaban lo lejano, le alejaban lo cercano. Borraban para él lo inmediato y lo distante, para lograr el apego tierno, la compañía omnicomprensiva»), pueda recobrar la salud, entendida, pues, a pesar de todo, como el ideal. Resulta inútil, por tanto, proponerse el análisis conceptual de un texto que opera exclusivamente a base de asociaciones mentales (por «espejeo», explica Sarduy) sugeridas por imágenes culturales —el corazón que alimenta un tumor, descrito como salud que se mantiene a costa de destruirse, evoca la conocida imagen de la serpiente que se muerde la cola (repárese en que la misma imagen podría haber sido elaborada en la dirección de una literatura que se consume para continuarse en la memoria, imagen favorita de la teoría postestructuralista, pues es claro que esa serpiente que aparece devorándose a sí misma es inmortal), y ésta a su vez crea, ayudada por los colores, la textura, fealdad y peligro del fibroma, la del dragón—, las cuales no son jamás examinadas o cuestionadas por el intelecto, sino que se les aplica un procedimiento de origen surrealista, dentro, sin embargo, de un contexto gobernado, en lugar de por la espontaneidad del subconsciente, por un atropellado apetito cultural (72) que trata, a base de paletadas de cultura mal digerida, de elevarse sobre el subdesarrollo, recubriéndolo de modo que parezca semejante a la cultura que nos encandila.

En un medio más refinado que el cubano, dentro del superdesarrollo de París o de Nueva York, el arte verbal de Lezama podría, quizá, haber evolucionado hasta convertirse en un equivalente literario del de Marcel Duchamp: el objeto vulgar o industrial que gracias a la rápida visión integradora de un artista capaz de abarcar a un mismo tiempo el objeto plástico y el lingüístico, se convierte en un *pun* visual-verbal (73). La mezquindad burguesa y lo chabacano del ambiente familiar, social, intelectual de Cemí, al igual que su cultura, desmedida, arbitraria, estrambótica, plagada de lagunas inmensas y de nociones erradas, podrían entonces haberse trascendido a sí mismos en un continuo juego de ingenio, el cual, naturalmente, no falta en *Paradiso*, lo mismo que la estupenda imagen. Mas la verborrea en vez del sutil y económico ingenio del artista con un propósito definido, y consciente además de los límites de su arte respecto a los de su universo, ahoga el acierto ocasional, hunde la imagen alada, arrastra la novela lejos de la literatura moderna.

De los escritores cubanos surgidos durante las últimas dos décadas —o quizá incluso sin esa limitación— es Severo Sarduy el que ha provocado una atención crítica más sostenida y metódica, y sin duda alguna el mejor integrado con la literatura postmodernista. La bibliografía sobre Sarduy es ya imponente; una buena porción de ella, sin embargo, sobre todo inicialmente, consiste en entrevistas con el novelista, pues ante la dificultad de sus textos, el presunto crítico acude al autor en busca de explicación, la cual, desgraciadamente, no siempre discute o critica (74).

Gestos (1963), la primera novela de Sarduy, no es, según éste ha explicado a menudo, un texto difícil. Se trata allí de aplicar la técnica del *nouveau roman* —y en particular la de la «novela concreta»— a cierta realidad inmediata al novelista, física y cronológicamente, la de La Habana de los últimos meses de la dictadura de Batista, donde imperaban el terror de la policía represiva del régimen y la actividad terrorista de las guerrillas urbanas. El método del novelista consiste aquí en darnos consistentemente la superficie o la apariencia de los movimientos de los personajes, en lugar de tratar de internarse en ellos; de suerte que, aun cuando se incluyan alusiones a la vida sentimental de la protagonista, aquélla, al igual que sus empleos (lavandera, actriz, cantante), o, lo que resulta todavía más llamativo, su actividad revolucionaria (coloca bombas) permanecen deliberadamente en un plano inmediato, de bajorrelieve en vez de escultura, de grabado o cartel unidimensional.

El procedimiento se justifica perfectamente si prestamos atención al contexto histórico que reproduce la acción novelística, el cual Sarduy no va a desarrollar *à la* Malraux o *à la* Sartre (y mucho menos al modo «barroco» de *El acoso,* de Carpentier), ignorándolo, en cambio, por medio de un procedimiento que coloca la actividad revolucionaria de la protagonista en exactamente el mismo plano del resto de la acción novelística, como otro objeto más de la escritura, semejante a las actuaciones artísticas o la neuralgia de aquélla, mero movimiento o *gesto* al que no le corresponde la atención dentro de la composición que estábamos acostumbrados a esperar respecto a contextos explícitamente históricos. Esa renuencia a hacer de la historia que constituye, no obstante, el motor de la acción, y ha sido la fuente inicial o principal de motivaciones para la novela («El impulso evidente fue, por supuesto, el hecho de la Revolución», afirma Sarduy en la primera entrevista con Rodríguez Monegal: p. 17), el objeto de una elaboración al menos parcialmente diferente de la que recibe el resto de la acción (en forma, por ejemplo, de un diálogo entre los personajes, una reflexión, una explicación, siquiera un comentario o alusión explícita —del modo que sucede incluso, según vimos ya, en *TTT,* novela que aun y cuando tiene lugar en el mismo instante histórico, le vuelve la espalda, no *sucede* verdaderamente en él, como sí ocurre con *Gestos*), no expresa, contrariamente a lo que podría creerse a primera vista, una posición reaccionaria por parte del novelista, sino sólo su alejamiento respecto a la preocupación social directa (75). A pesar de ello, Sarduy representa dentro del texto de *Gestos* la actividad revolucionario-terrorista del modo que mejor conviene a ésta: el absoluto secreto que exige corresponde exactamente a la ignorancia en que se nos mantiene respecto a la personalidad, historia y multitud de oficios de la protagonista, todos ellos tratados en exactamente el mismo plano: qué hace, por qué, quién la dirige, etc. Con lo cual el aspecto político afirma, aunque indirectamente, su importancia (76).

La consciente transformación del elemento sociohistórico en pura escritura expresa, ya a principios de los sesenta, la voluntad de Sarduy de trascender la realidad cubana contemporánea que exigía, según vimos en los casos de Otero, Desnoes y los cuentos de Cabrera Infante de *Así en la paz como en la guerra,* la consideración del tema político. El objeto cultural de esa voluntad —la experimentación técnica característica de la novela francesa de esos mismos años— es el que sugiere al escritor hacer de la obra cuyo protagonista es una terrorista revolucionaria, una colección de *gestos* donde las bombas que aquélla coloca se convierten en otra convención más del texto —como lo demuestra la escena en que la explosión de la bomba se transforma en su propia representación según la va dibujando un espectador infantil (77). La acción de la novela debe resultar de su escritura, en lugar de ser anticipada por la mente del narrador, al igual que el dibujo donde se concentra en ese instante el texto quiere *representar* —en el sitio correspondiente a la descripción que habría cabido esperar del autor— la acción apenas aludida. Hay en *Gestos*, a pesar de todo, una riqueza no totalmente negada u omitida de acción novelística, de descripción psicológica, de intriga sentimental, de pintoresquismo (en relación a La Habana), de elementos alegóricos —el perenne dolor de cabeza de la protagonista como expresión de una tensa vida interior: terrorista por amor, aspirante a actriz, lavandera y cantante mientras tanto.

En *De donde son los cantantes* (1967), esa potencialidad temática y psicológica desaparece en favor de los *gestos*. La primera novela de Sarduy era una obra *seria*, que seguía diacrónicamente, aunque a través de gestos, una historia o argumento siempre reconocible; *De donde son* consiste también básicamente de gestos o movimientos, pero utilizados de modo diferente, sincrónicamente, como constante resorte de gestos imprevistos: puesto que el origen del nuevo gesto se halla en el precedente, resulta que el gesto original no concluye jamás, sino que continúa indefinidamente. El novelista multiplica aquí las *manifestaciones* de sus personajes, somete las escenas a una distorsión de sus posibilidades destinada a transformarlas en nuevas secuencias, bromea con los personajes en cuanto autor (78), etc. El modo como en el segundo capítulo se obliga a la narración a seguir el orden de los versos de cierto epitafio, en vez del cronológico de la historia, subraya cómo en *De donde son* se trata sólo de escritura en lugar de la imitación de una realidad social o psicológica.

La salamandra altera su apariencia según la luz de los sitios donde se halla o por los que transita; tampoco la escritura de *De donde son* cambia de color según un plan deliberado, sino por efecto del ambiente (la palabra) contiguo sobre un cuerpo (texto) que es, como dice el epílogo respecto a Mortal el Deseado, siempre «el mismo» (79). El procedimiento estilístico que expresa, pues, la concepción de la novela por Sarduy es la vertiginosa transformación verbal independiente de un contenido argumental y hasta semántico, en la medida en que ese cambio aspira a la autonomía psicológica tanto como ideológica de la escritura. Un ejemplo: «Allí están los dos —serpientes emplumadas— *cheek to cheek*, pegados uno a otro, pegadas las bandejas. Hermanos siameses, forcejeando. Murciélago de la Bacardí, mancha de tinta, animal doble, ostra abierta, cuerpo con su reflejo; eso son Auxilio y el General» (p. 19). La primera alusión cultural a la serpiente de la mitología azteca, seguramente vía la novela *The Plumed Serpent*, de

D. H. Lawrence lleva a través de varias descripciones como fotos instantáneas (de las cuales la primera depende para su entendimiento del conocimiento del inglés por el lector, y del de los estilos de bailar predominantes hace un par de décadas), a otra alusión que sólo reconocerá el lector que comparta la nacionalidad del autor, o que conozca de rones (las etiquetas de las botellas del ron «Bacardí» incluían la figura de un murciélago), de donde saltamos a otra alusión menos recóndita desde el punto de vista cultural, pero oculta a su vez en la anterior (las figuras amurcielagadas del *test* psicológico de Rorschach), y de allí a otras más simples (80).

La diferencia entre este sistema estilístico y el de Lezama, a quien tanto admira Sarduy, es que el de éste no depende exclusivamente, ni tampoco principalmente, de las lecturas del autor, sino que mezcla éstas, en un rapidísimo barajar de imágenes que recuerda la técnica surrealista, con alusiones culturales de toda índole, cuya gama cubre desde las más obvias, pasando por las que apenas trascienden el mundo biográfico del autor, hasta las estrictamente literarias características de la técnica de Lezama. Al final de la serie de evocaciones recién citada, la pareja enredada en el restaurante *self-service* es nuevamente una culebra, esta vez devorándose a sí misma: «encuentra un bocadito sonante, apetitoso, un pastelito piramidal que traga de un tiro y entonces da el grito, porque acaba de tragarse su cola, y así desaparece y vuelve a la Nada pelona ["la pelona" es un cubanismo para la muerte]» (Ibíd.); demostración práctica de cómo tampoco el general es independiente en cuanto personaje, sino también él proyección de Auxilio-Socorro, la Diva, la Siempre-Presente, «the one and only», quien termina absorbiendo, además del general (la fuerza) y de la muerte, a una china y a una negra, de modo de completar el «curriculum cubense» (p 20).

El origen de esa sinfonía incesante de permutaciones es, contrariamente a lo que el interés del autor en la pura experimentación podía sugerir, Cuba, la idea o el concepto de Cuba, en lugar de cierto personaje viviendo dentro de un proceso histórico determinado, como en *Gestos*. En varias entrevistas, Sarduy ha explicado cómo la necesidad de entender a Cuba lo llevó a escribir ambas novelas, siendo sólo gracias a la necesaria distancia respecto a la isla natal que logró a partir de su establecimiento en Francia después de 1960, que pudo por fin explicarse aquélla. Y el título de la novela indica, en efecto, que se trata allí de una respuesta en vez de una pregunta (el adverbio «donde» no está acentuado): los cantantes han sido hallados, y son de Cuba, entendida como la tierra del *choteo* y el *relajo*, la patria ideal, por tanto —con lo cual se trascienden las limitaciones geográficas de la verdadera Cuba—, de las incesantes transformaciones verbales que caracterizan como propósito el arte de Sarduy (81); en tanto que su intención inmediata —el modo como esa estructura teórica se manifiesta en la escritura— es cómica. Auxilio y Socorro, cuyos nombres son significantes sinónimos del mismo significado (por más que el segundo, como uno de los nombres de la Virgen María, esté autorizado como nombre propio por el santoral católico), transcurren por el texto de *De donde son* reclamando nuestro *auxilio* para desarrollar una de las obras más divertidas de la novela hispanoamericana actual.

La «Nota» por medio de la cual sugiere Sarduy al final de la novela su interpretación de Cuba debería haber ayudado a revelar para sus críticos lo que realmente se proponía allí, de ser aquéllos más versados en la historia del continente: «Tres culturas se han superpuesto para constituir la cubana —española, africana y china—; tres ficciones que aluden a ellas constituyen este libro». La existencia en Cuba, y casi exclusivamente en la capital, de varios millares de chinos y descendientes de chinos (82), no justifica la afirmación anterior. Sarduy lo sabe, es claro: de lo que se trata en cuanto a la cultura china es de aplicarla al panorama elaborado por *De donde son* ciertas posibilidades, entendidas principalmente en sus aspectos decorativos, de aquélla —el simbolismo de los números, la rigidez de las actitudes físicas en el teatro como un código a descifrar—; de lo que se trata a la larga es de mistificar, burlándose: después de todo, el más famoso de los burlescos o teatros pornográficos de La Habana se hallaba, casualmente, a la entrada del barrio chino, y se llamaba «Shanghai» («Homenaje al "Shanghai", burlesco habanero», dice el pie de la introducción a la segunda sección de *De donde son*), y la calle principal del mismo barrio se llama Dragones, mas no en homenaje al papel de esos monstruos en la iconografía china, sino a causa del regimiento español del mismo nombre (83). La dedicatoria de la novela, «A Salamandra», subraya cómo se tratará en ella de cambios, cambios de trajes, de pelucas, de caracterizaciones de los personajes, por parte de las dos protagonistas, Auxilio y Socorro, «también llamadas las Floridas, las Siempre Presentes, las Siamesas, las Divinas, las Sedientas, las Majas... las Parcas» (p. 151), además de las Ranitas, las Culito, las Ojito, etc., y quienes son sucesivamente, después de presentadas en el «Curriculum Cubense», coristas, criadas y beatas. El protagonista masculino varía también de personalidad: el general condecorado que encuentran Auxilio y Socorro en el prólogo, necesario para crear la escena de farsa adonde nos encaminaban sus pelucas y abalorios, con las que se enredan las medallas del general (el mismo personaje a quien han estado tratando de ver antes «las Divinas»), será luego, sucesivamente, el general apasionado de Flor de Loto, el político (como lo era ya el personaje del prólogo o «Curriculum Cubense») (84) amante de Dolores, y por fin el Cristo en cuya búsqueda se empeñan las «Siempre Presentes» desde un principio eterno.

Menos importante es la tercera mujer del grupo, excepto en el segundo capítulo, donde encarna en su protagonista, la mulata Dolores Rondón, autora de un epitafio famoso en una capital provincial; lo cual, o el que ese personaje ocupe el primer plano sólo en una sección, pero se subordine a Auxilio y Socorro en las otras dos, lo mismo que hace la china del primer capítulo, sugiere que de las «tres ficciones» que menciona el epílogo, una de ellas domina verdaderamente sobre el resto; es decir, que el elemento blanco representado por Auxilio y Socorro, más el objeto de su deseo, Mortal, predomina definidamente respecto a los otros en una proporción que corresponde, sin que se lo haya propuesto el autor, y con independencia de la declaración de la nota-epílogo, la cual sugería, aunque con un guiño de ojo, una rigurosa división tripartita del texto, a la verdadera estructura de la sociedad cubana, donde la población de raza blanca, la más numerosa desde mediados del siglo XIX, ejercía también un control desproporcionado del poder político y económico; pero resulta, además, que los otros elementos del complejo cultural que el texto, de acuerdo con la afirmación de su autor, quiere iluminar, el chino y el negro (la mulata Dolores Rondón, Bruno, Rita Plá, Flor de Loto) no poseen realmente una vida autónoma, sino que dependen para existir del constante trueque de papeles por Auxilio y Socorro. Lo mismo que en *Gestos* el sistemático distanciamiento del autor respecto a su protagonista reproducía el secreto que exigía la labor política en aquellos momentos, las andanzas de los personajes de *De donde son*, identificados por su raza, también reproducen cierta realidad social e histórica.

De donde son depende, en un sentido más concreto también, de Cuba, como ha declarado su autor. El lector de la novela que conozca La Habana podrá reconstruir en el prólogo, no obstante la falta de datos concretos y el tono de guiñol abstracto, el recorrido de Auxilio y Socorro por la zona de La Rampa, o, más adelante, las peripecias de Flor de Loto y sus acólitas por el barrio chino. El segundo capítulo es la elaboración de un epitafio bien conocido en Camagüey (véase el epílogo, pp. 151-52), la ciudad natal de Sarduy, y la última sección desarrolla un paralelo con el curso de la revolución de 1956-58, el cual repite a su vez el de las «invasiones» o marchas de Oriente a Occidente de ambas guerras de independencia (1868-78, 1895-98). Lo mismo que en 1958 respecto a los guerrilleros, los helicópteros militares siguen a los peregrinos, tiene lugar el bombardeo de Santa Clara (p. 138), y a continuación seguida de ese episodio (la toma de Santa Clara por los rebeldes precipitó el triunfo de la Revolución y su toma de la capital) (85), entra el Cristo en ésta, acompañado de una nevada. Victoria y muerte del Cristo, balaceras, Mortal se desintegra, pero ya sus eternas amantes recogen los pedazos, preparándose para comenzar otra búsqueda, es decir, otra novela.

Por medio de esa secuencia final, *De donde son* se acerca, deliberadamente esta vez, al tema político aludido en *Gestos*, el cual concluye la segunda novela de Sarduy con una sugerencia muy semejante a la que pone punto final a la primera, cuya protagonista lo tira todo a la calle, incluyendo sus aspirinas, durante el saqueo general que representa el triunfo de la Revolución, y se marcha, sola, meditando en su dolor y en que ese día ni siquiera ha lavado. La victoria revolucionaria tampoco afecta a Auxilio y Socorro, no obstante haber participado directamente en ese proceso mediante su marcha de Santiago a La Habana con Cristo (Castro)-Fidel a cuestas —imagen en la que el líder de la Revolución Cubana podría representar un objeto deseado a la vez que negado o preterido (múltiples amantes de Auxilio y Socorro, detenciones de su búsqueda que duran siglos); equivalente al doble proceso de alusión y rechazo por medio del cual enfrenta Sarduy el compromiso político.

Pero la presencia de Cuba en *De donde son* no se reduce a la representación de circunstancias locales, incluidas las históricas y hasta las ideológicas, sino que Cuba provee verdaderamente la clave interpretativa, según afirmaba el autor, aunque desviándose por interpretaciones etnográficas de aquélla. Porque se trata en *De donde son* de explotar la técnica del «choteo», tipo de burla o mecanismo humorístico encaminado a minar la seriedad, verdadera o pretendida, de *cualquier* objeto, a poner en entredicho, descubriendo su punto risible, no sólo la afirmación que expresa cierta autoridad, sino cualquier frase, cualquier comentario, y en cualquier momento además, pues se trata por su medio de no tomar nada en serio, de «tirarlo todo a relajo», burlándose sistemáticamente de todo, anulando todo respeto y noción de jerarquía. Este recurso crítico, pariente de la ironía, no es exclusivamente cubano, desde luego, pero halló allí un terreno especialmente fecundo (86), y Sarduy, subrayando lo que su esencia tiene de lingüística, hasta hacer esta cualidad del choteo la dominante, se lo aplica a textos novelísticos cuyos supuestos los harían aparecer de otro modo como harto convencionales: una búsqueda mística —del estilo de las de Hesse—; una pasión senil —el general y la bailarina—; una relación sentimental entre un joven ambicioso y una mujer del pueblo —Dolores y el político.

Esa intención «choteadora» se define, en fin, explícitamente, en el tercer capítulo, cuando las ex místicas Auxilio y Socorro se «aplatanan» en el trópico santiaguero (87). El cambio que se opera en ellas bajo esas nuevas circunstancias, paradero temporal de las peripecias y transformaciones que han venido experimentando a lo largo del capítulo y de la novela en general, representa su adopción del choteo criollo como el estilo que mejor les conviene, pues ese procedimiento verbal que puede prolongarse casi indefinidamente una vez que se ha apropiado del objeto de su burla, expresa idealmente la función de las alegres parcas en cuanto a la realidad por la que transcurren como sobre una página impresa. La última sección de la novela explica, por tanto, el principio que dirige la obra: Auxilio-Socorro se «cubaniza» —en una inversión del camino seguido por la persona biográfica de Sarduy— de modo de servir, por su adopción del choteo que, naturalmente, sutilizará y refinará con el brillo y el rigor de su cultura europea, de perfecto vehículo novelístico al sistema o arte de su autor. La dispersión de los significados, el juego de los significantes, la infinita contaminación de la palabra como fonema y grafía por su vecina, de un texto por otro, todo ello resulta súbitamente posible gracias a la sabia utilización de un procedimiento que estuvo siempre a la mano (el autor de

Gestos distanciaba la realidad por medio de una técnica que databa ya entonces de casi dos lustros (88), porque no sabía aún que la burla como método resulta mucho más efectiva para cuestionar aquélla): la verbalización del *relajo* con el que el cubano —y el latinoamericano en general— se defiende, desnudándolo, del oprobio del subdesarrollo.

Cobra (1972), la tercera novela de Sarduy, continúa la elaboración de la técnica desarrollada en *De donde son*. La salamandra es ahora una cobra, serpiente más venenosa y con mejor tradición literaria, serpiente actriz que danza al son de una flauta, y parece, gracias al dibujo en forma de anteojos de su cabeza, maquillada. Toda reproducción de y alusión a la realidad —frecuentemente realizada por medios originados de la imitación del cine, según sucedía ya en la novela anterior— se subordina en *Cobra* a la lengua como el principio que controla una escritura íntegramente vuelta sobre sí misma. En vez de obligar a la narración, por ejemplo, a seguir el orden de un texto exterior a ella misma, según sucedía en *De donde son* con la historia de Dolores Rondón, aquí una serie de descripciones, algunas explícitamente contradictorias entre sí, de las actividades de las «muñecas» y sus maquilladoras, ilustran «lo que la escritura es»: el arte de la elipsis, de la digresión, la recreación de la realidad, la restitución de la historia, el arte de descomponer un orden y componer un desorden, el arte, en fin, del remiendo (89). Las intervenciones del autor se multiplican, y la libertad de asociaciones que convertía un texto en otro en *De donde son*, crece en flexibilidad: la «Señora» golpea a tres «juguetones» envueltos en un cubrecama rojo; su furia semeja la de quien flagela a un penitente, de modo que escucha una saeta y pasamos a la visión de un encapuchado durante la celebración de la Semana Santa en Sevilla, en tanto que la «Señora» es Cristo sobre las andas que transportan devotos (pp. 22-24).

El empleo de ecuaciones para representar la relación entre Cobra y Pup (pp. 53 y ss.), o de la astronomía —en relación a las estrellas llamadas «enanas blancas» (p. 41), y en general al concepto de un universo en expansión— demuestra, en tanto, cómo el novelista, merced a su frecuente desdoblamiento en crítico y ensayista, ha aprendido a utilizar con suprema eficiencia, de acuerdo con las pautas de la teoría literaria francesa contemporánea, su cultura científica y artística en función de la propia obra novelística, la que aquélla apoya, relacionando el producto de la escritura artística con teorías físicas, matemáticas, lingüísticas, etc., cuya validez es tema de discusión contemporánea.

El escenario inicial de la acción es una especie de teatro, el «Teatro lírico de muñecas», también burdel y agencia de transacciones sexuales, versión más sofisticada —en primer lugar porque se trata aquí de travestís— del teatro burlesco del primer capítulo de *De donde son*; reaparecen Auxilio y Socorro con su Cristo a cuestas (pp. 69, 91) y se lleva a su última conclusión el interés del autor, central ya a *Gestos*, en la actuación, en el gesto en lugar del pensamiento como emblemático de la escritura de ficción: lo que importa es la apariencia, el «gesto verbal» que da lugar a otros muchos; allí reside la posibilidad de variaciones combinatorias, y no en contenidos psicológicos, sociales, filosóficos.

La protagonista de *Gestos* era una lavandera-actriz clásica-cantante-terrorista; en *De donde son* se trata de dos *gesticuladoras* en constante movimiento, postulantes, coristas, parcas, santeras; en *Cobra* volvemos a la unidad, pero para insistir en cómo puede ésta multiplicarse: Cobra-Pup, incluso dos «Señoras» (por asociación con la otra duplicación), o, en la segunda parte, los desdoblamientos de la banda de *black-jackets* en lamas o aprendices de lama, del gurú en cartomántica; además de las sucesivas muertes y resurrecciones de Cobra, bella de pies horribles quien, antes de la operación quirúrgica que, principalmente a través de eliminar a Pup —equivalente de su «desperdicio», su «residuo grosero» (p. 115)—, confirma momentáneamente a Cobra como su propio ideal estético, «La Dama de las Camelias» (p. 121) interpretada por Greta Garbo, «una especie de animal heráldico de hocico barroco» (p. 126), era flexible hasta la pura elasticidad (sus pies se achican y se agrandan, o surge de ella Pup). Como notará cualquier lector avisado, el sexo de Auxilio y Socorro es bastante menos seguro que el de la protagonista de la novela anterior: sus disfraces y exceso de maquillaje sugieren que se trata de travestís (repárese en cómo no llegan a tener contacto sexual con el hombre —Mortal— al que persiguen, aunque sí, al parecer, con otros: pp. 92 y 97). Cobra aparenta ser una mujer, insatisfecha con su apariencia y deseosa de *espiritualizar* aquélla, mas de lo que trata el «Teatro lírico de muñecas» con que comienza *Cobra* es de los preparativos por medio de los cuales la protagonista, rodeada de las demás «muñecas» que también se maquillan y adornan incesantemente, se transforma en «reina del Teatro», sin duda por alusión a la expresión *queen,* con la que el argot norteamericano designa al homosexual excesivamente amanerado.

Fracasados los esfuerzos por reducir de tamaño sus pies masculinos (aquí juega un papel cierta asociación cultural típicamente mediterránea entre la belleza y la pequeñez de los pies), Cobra reaparece en Tánger, la ciudad donde comenzaron a popularizarse las operaciones de cambio de sexo; su conversión en la perfecta «reina» no resulta, sin embargo, totalmente exitosa, e incluso ocurre que al final de I, Cobra es reconocida como hombre: «Me siguieron. / Me hostigaron. / Me acosaron contra un muro ... del grupo surgió una octogenaria pintarrajeada. Se acercó contoneándose, cantando, gangosa, en falsete: —¿Qué tal [el título de esta sección de la novela]? —me preguntó, imitándome. / El índice huesudo muy cerca de mis labios, gritó: / —Es él» (página 130). La dolorosa cirugía no sólo ha sido un fracaso en cuanto a su propósito, sino que anula del todo los esfuerzos de la «Señora» por hacer de Cobra una «muñeca»; con lo cual, excluida la posibilidad de una transformación física, aquélla, convertida, quizá (pues el texto, en su juego constante, nunca nos permite una certeza absoluta en cuanto a los significados), otra vez en hombre, intentará la trascendencia total del cuerpo y, finalmente, el nirvana búdico.

En la segunda parte de la novela, el protagonista se une a una banda de motociclistas, traficantes de drogas y/o seudobudistas, y es muerto por la policía durante un *raid* (o quizá en el curso de su iniciación en la banda) en Amsterdam, ciudad famosa, entre otras cosas, por el tráfico de drogas, sus travestís, y *gay bars*; de lo cual resulta un funeral según el «Libro tibetano de los muertos», y una búsqueda mística por la India. «Cobra II» consiste en un permanente vaivén, empleando los mismos personajes y ciertos elementos y escenas clave (una arenga, una amenaza, un sueño inducido por drogas, los consejos de un gurú, la muerte de Cobra, la irrupción de la policía) entre un bar y un retiro budista, escenarios que dan lugar a su vez a otros: un bosque, un sótano, paisajes hindúes. Cada imagen, por más sintética o incompleta que parezca, o incluso palabras aisladas, se desdoblan en nuevas imágenes y vocablos que nos arrastran momentáneamente en su curso, desembocando en seguida en otros, vertiginosa, incesantemente (véanse especialmente las secciones «Eat flowers!» y «Blanco»), sugiriendo una polisemia infinita a partir de la palabra clave, el ábrete-Sésamo, cobra. La última sección, «Diario indio» (pp. 227-63), la más larga de la novela, es el vehículo de estupendas descripciones, de líricas recreaciones de extraños paisajes y ceremonias, de experiencias sexuales y espirituales extraordinarias; la realidad se entreteje allí constantemente con la digresión onírica, recordando, más que ningún otro texto novelístico de Sarduy, que quien escribe es al cabo un poeta. Preceden al «Diario» poemas en prosa a los cuatro compañeros —o quizá seguidores— de Cobra, Escorpión, Totem, Tigre, Tundra, los cuales habían sido ya objeto de otro grupo de poemas (pp. 168-73). (Parte de ese mismo texto del principio de II reaparece en «Relato», texto quizá para ser representado de *Para la voz*, Madrid: Fundamentos, 1978.)

Esa India no es, sin embargo, la patria tradicional del éxtasis místico, sino un rico, abigarrado decorado, cuyo exotismo se halla constantemente interrumpido por descripciones de gestos vulgares y por la intrusión del mundo exterior, como demostración de que el misticismo es también *gesto*: «Un monacillo golpea el tambor circular suspendido a la entrada, otro infla los pómulos, se pone colorado, logra soplar una corneta y luego una concha marina; un tercero, bajo su manto, destapa una lata de Ovomaltina. Cuchichean, se tiran bolas de papel y pajaritas, se hacen señales y musarañas repitiendo el Mani sin fallos ... En el plafón que centra un globo de vidrio con un avioncito de la Royal Nepal, el Gran Mandala de las Deidades Irritadas y Detentoras del Saber» (p. 256); «Aspas rápidas los brazos, *shaking the world*, un dios displicente baila» (p. 234). La participación del grupo de motociclistas abunda en irrupciones del ridículo: «A la diosa que arponea un búfalo ofrecemos platanitos» (p. 254); «—Heme aquí, oh bilús, como quien dice, Gran Lama, y por ende, jefe de la estupa *world famous* que veis allí enfrente» (p. 257). En una ocasión, un lema publicitario sólo inteligible para el lector que conozca el medio original del escritor, nos devuelve de golpe a la realidad contemporánea: «Un dios-elefantito juguetea entre flores. Campanillas de cobre. La muerte —la pausa que refresca [anuncio de la "Coca-cola" en el mundo hispánico]— forma parte de la vida» (p. 230) (90).

Al final, Cobra aparece lista(o) para reencarnar en un dios, el joven Buda, o quizá sólo el Gran Lama: «Junto al mar, en la cámara baja duermes, en tu lecho de cobras» (página 242); «Al alba empezaremos de nuevo, hasta que en el horizonte las deidades apacibles y detentoras del crepúsculo muestren sus dedillos anaranjados ... En el eco que deja un címbalo la más grave de las cuatro voces pronunciará las sílabas: Que a la flor de loto / el Diamante advenga» (páginas 262-63).

Cobra es una novela sobre la escritura, una antinovela en continuo movimiento, abierta, infinita, constante, como el sistema solar, al mismo tiempo que una obra muy personal, especie de *roman à clef* que unos amigos de Sarduy entenderán mejor que otros, o que el mero lector (91); además de un anagrama del nombre de un grupo de pintores, formado a su vez sobre el de las palabras Copenhague, Bruselas, Amsterdam; una memoria de los viajes del autor por el norte de Africa, la India y Nepal, y un homenaje a un famoso travestí muerto en un accidente aéreo (92). Pero *Cobra* es también una nueva versión de las dos novelas anteriores de su autor, y un texto muy cubano en sus alusiones culturales y en su lengua, bien que cubano desde otra perspectiva que lo eran *Gestos* y *De donde son,* ya que aquí Cuba no hace falta como escenario, pues la pregunta que Sarduy se planteaba desde antes de escribir *Gestos,* «¿Qué es Cuba?» (93), ha sido respondida entretanto.

La protagonista de *Gestos* parece una nueva versión del sujeto de uno de los textos mejor conocidos de la poesía afroantillana, la «Elegía a María Belén Chacón», de Emilio Ballagas (94), lavandera, cantante y rumbera de la que hallamos otra versión en Estrella, de *TTT*, criada de día y cantante de boleros por la noche. Esa María Belén, probablemente basada en un personaje histórico, combina el ser una mujer del pueblo, mestiza o negra, y el ser obrera, con una vocación artística definida; de ahí su atractivo, el cual llega hasta *Gestos* —quizá a través del conocido poema de Ballagas, aunque es también posible que la protagonista de esa novela se inspire en un personaje real (lo mismo vale para el de *TTT*), y el poema tenga sólo un papel mediador en su transformación artística. En *De donde son,* el personaje se ha desdoblado en dos para expresar el nuevo concepto de su autor de la literatura como una diseminación arbitraria (inconsciente) de signos, y ha dejado de ser cantante, actriz, o criada, para ser todas esas cosas y muchas otras sucesivamente —o al mismo tiempo—: doncella(s) de Dolores Rondón, corista(s) del falso teatro chino, organista(s) de la catedral de Santiago de Cuba, mística(s), etc.; es decir, que Auxilio-Socorro es(son) más artista(s) que su previa encarnación, en cuanto el arte equivale a capacidad para las permutaciones, a la versatilidad como energía espiritual —todo ello, claro está, en broma, en choteo. Ese proceso concluye en Cobra, cuya capacidad de metamorfosis afecta su cuerpo mismo (sus pies disminuyen de tamaño temporalmente; sus defectos originan una enana igualmente elástica), hasta que cambia, en fin, de sexo, con la intención de afirmarse de ese modo en su vocación de «reina del teatro de muñecas»; propósito que tiene que fracasar, o Cobra se *fijaría,* perdiendo la ambigüedad que la define. Esto ya ha tenido lugar, sin embargo, respecto a la potencialidad artística del personaje original, la cual resulta en *Cobra* en el estatismo propio de las muñecas, el tipo de actuación (como los *tableaux vivantes* decimonónicos) probablemente más apropiado para un travestí.

Existía ya en *Gestos* un interés indirecto en esta figura, en la medida en que de los varios papeles que desempeña la protagonista, el más importante para la acción de la novela, cuyo curso depende de él, es característicamente masculino, el de terrorista. Para el momento en que escribe *Cobra,* Sarduy ha definido su interés en el travestí, identificándolo como la figura más adecuada para expresar su teoría narrativa, la cual persigue, en lugar de la revelación de un significado, la de la intertextualidad de los planos que constituyen el objeto literario (95); lo mismo que en el travestí (Sarduy trata en ese artículo del personaje Manuela, de *El lugar sin límites,* de Donoso, hombre disfrazado de mujer que atrae, quizá, por su masculinidad, pero resulta pasivo durante el acto sexual —verdadera cadena de inversiones [art. cit., p. 45]) no interesa su realidad, sino el disfraz, la capacidad de enmascarar hasta transformarla, alejándola y finalmente negándola, cierta realidad.

Esta interpretación de la escritura se apoya explícitamente en la teoría astronómica de un universo en constante expansión, la cual interesa tanto a Sarduy que ha titulado un libro de poemas *Big Bang,* como la explosión que, quizá, dio origen al universo (96). De la violenta dispersión de un centro inicial que provocaría las expansiones subsiguientes, se deduce que el universo carece de centro, al igual que el pensamiento, la consciencia y la creación literaria y artística, según postula la teoría postestructuralista. El texto novelístico, como cualquier otro de los elementos constituyentes del universo, no es, por tanto, una estructura fija y capaz de ser desmontada o analizada por la crítica, sino la interacción entre un centro ausente, plural, en constante desplazamiento (el *geno-texto*), y una superficie visible donde las partículas a que la explosión ha reducido el centro original transitan radialmente (los *paragramas*) (97). Una vez que la novela deja de proponerse cualquier tipo de reconstrucción de la realidad, incluidas las características de la literatura de la primera postguerra (Joyce, Woolf, Musil, Proust), y que rechaza cualquier objeto (filosófico, político, social) exterior a la escritura, la consecuencia es *Cobra,* o una interacción de discursos, una proliferación de estructuras lingüísticas, la intertextualidad absoluta; que es como decir el travestí: disfraces que interesan por sí mismos, realidad en constante fuga, una superficie de gestos (las tres novelas de Sarduy, hasta *Cobra*, en orden inverso). Resulta, pues, harto justificado que nuestro autor titule un libro de ensayos *Escrito sobre un cuerpo*, sosteniendo que la escritura es «una especie de inscripción corporal», una actividad que no se trasciende a sí misma, como las del cuerpo, pues incluso la procreación —por más que ausente de textos cuyos protagonistas son travestís— se dirige a crear cuerpos similares al original (98).

La concepción de la escritura como una intertextualidad no sólo consciente de sí misma, sino deliberada, se encamina a ignorar que la actividad cerebral de la que surge la literatura aspira espontáneamente a cierta trascendencia incluso cuando niega, siguiendo la teoría postestructuralista, la existencia de un *centro* —principio que le permite a esta teoría, en característico análisis dialéctico, demostrar (*deconstruir, des-truir*) la falsedad de las interpretaciones constructivistas más o menos tradicionales. Según ha demostrado Jean Franco en un artículo memorable sobre la proyección ideológica de la distinción entre literatura, entendida como un sistema mimético, y la *escritura*, deliberadamente antimimética, el texto experimental de *Cobra* no constituye, como quiere Sarduy, sin duda alguna el de mejor formación teórica entre los nuevos novelistas hispanoamericanos, un modelo revolucionario en el que la escritura representa efectivamente una transgresión de las nociones tradicionales del libro como entidad casi sagrada y del autor como todopoderosa fuente de significados, partes esenciales a su vez del engranaje burgués que sostiene el orden socioeconómico capitalista (99). En realidad, esa estructura burguesa a la que alude Sarduy ha dejado hace ya mucho tiempo de existir en la realidad de las relaciones económicas y políticas, por más que muchos escritores y críticos persistan en creerla vigente —con el beneplácito de agencias de información estatales y otros medios publicitarios del capitalismo internacional, empeñados en convencernos de que vivimos todavía bajo el glorioso sistema de la libre empresa.

Cobra, sugiere Franco, expresa algo semejante al voluntario alejamiento del mundo característico de los monjes medievales, el cual manifestaba su descontento social junto con su sublimación de ciertas necesidades físicas a través de los ideales cristianos. Sarduy pretende que *Cobra* se halla no sólo libre de «compromiso», sino también de contenido (*value free*), trama de significantes que sacude el signo hasta vaciarlo de significado, restituyendo el mundo a su esencia original como mero espectáculo y catálogo infinito de significantes. Mas ese texto no resulta al cabo tan libre e inmotivado como podría parecer a primera vista e insiste su autor que lo es, ni se halla tampoco completamente desprovisto de argumento (como se desprende de mi sinopsis de la trama de *Cobra*): «The important East/West dichotomy suggests motivation; and there are, in fact, a number of situations which support this view ... the preparation of Cobra for the transvestite festival in which she is to become queen of the dolls; the 'reduction' of Cobra who is also Pup, the dwarf, whose name, in turn, suggests poupée (doll) and the puppae of insect metamorphosis. In another 'situation', Pup is castrated by Dr. Katzbob (to bob means to cut). There are also allusions to a journey through Spain (Córdoba-Cobra) and to Tangier ... a place that pioneered sex-change operations, and one of the 'transgressions' committed by the text is that against the institutionalization of sex roles in Western society» (p. 21).

Aun aceptando que ésta es una lectura parcialmente *reductiva* de la primera parte de la novela, la cual no elimina otras, hechas desde diferentes ángulos (la segunda mitad resulta mucho más difícil de encajar dentro de un sistema de significados, expresando de ese modo cómo corresponde a un momento posterior en el proceso de la escritura de la obra de Sarduy, situada a mayor distancia aún que la primera parte de *Cobra*, de *De donde son* y *Gestos*), resulta que sus conclusiones no contradicen el entendimiento de la novela propuesto por su autor: «the central metaphor of Cobra is the body as sign but a body that can be converted into spectacle ... the movement of the text is, in reality, a dance of signs, the constant metamorphoses which allow no fixed point of reference and which invite enjoyment and not use» (p. 21); lo que sí consigue esa lectura es desentrañar el significado sociocultural de la novela: el despojar la palabra de realidad de modo que sólo se signifique a sí misma, aun y cuando fuese verdaderamente posible, no es, naturalmente, *revolucionario*: «the promotion of gratuitousness in opposition to the instrumentality of bourgeois society ... is perhaps utopian but, as is evident, private utopias are permissible within the world system» (Ibídem).

Permitidas e incluso fomentadas, para alejar así a la mente de la posibilidad de acción social. La destrucción del valor del libro como expresión de una verdad universal, para revelar en cambio el carácter autónomo y autorreferencial de la escritura, hubiese sido revolucionario en el siglo XIX, tan revolucionario, de hecho, que no sucedió —por más que algunos románticos y decadentes intentasen algo parecido (Lautréamont, Huysmans)—; en nuestros días, el texto de *Cobra* reproduce con maravillosa eficacia la etapa actual del capitalismo: al igual que en un *shopping mall* de los suburbios norteamericanos, o en una galería de boutiques de Londres, París o Düsseldorf, la variedad de zapatos, o incluso de zapaterías, sugiere que las posibilidades de selección son infinitas, lo que en realidad representa esa abundancia es una gran variedad de marcas y precios (signos, títulos) para un mismo producto o para productos apenas distinguibles entre sí y a menudo creados por la misma corporación transnacional. También el estupendo texto de *Cobra*, con sus distensiones y cambios de color, aparenta una riqueza que no es sino ingeniosísimas variaciones sobre el mismo objeto de absorbente interés, el travestí como vehículo del choteo (o viceversa).

El método de Sarduy —caso ejemplar de una práctica literaria que ilustra su propia explicación teórica— se dirige desde un principio a trascender el país, y más específicamente aún la problemática sociopolítica de la cual había surgido la cantante-revolucionaria de *Gestos*. La pintura de aquélla a través de los *gestos* (movimientos corporales, palabras sueltas), rechazando la caracterización biográfica y psicológica, proyectaba ya en 1963 los logros de una década después: la realidad cubana es el motor —y el texto de las novelas la reproduce no por indirecta menos fiel o certeramente (estructura racial del país, secreto de la actividad de la lavandera)—, pero la vocación novelística de Sarduy se propone desde el instante mismo de su concreción un camino que la aparta de aquella realidad, pues la absorbe como intención la experimentación formal pura: de ahí que *Gestos*, en vez del realismo social, del existencialismo o de otros procedimientos dirigidos a reproducir la realidad todavía en boga al momento de su composición (como el absurdo, tan estupendamente utilizado por Virgilio Piñera), adopte el más avanzado de la literatura de ficción por aquellos días, el del *nouveau roman* francés, y que pocos años después, comprobada la incapacidad de ese estilo para expresar su concepción de la literatura, el autor avance, estimulado aún por la crítica francesa, pero menos ahora por el ejemplo de la novela francesa misma que por el de la norteamericana e incluso la latinoamericana, hacia la realización de una literatura-pura intertextualidad, guiada todavía en *De donde son* por una interpretación de Cuba que resulte expresiva de ese juego de paragramas que es el choteo (100). Después de esa novela, la función del medio cubano en la obra de Sarduy disminuye en importancia, afirmándose en cambio como el objeto privilegiado de su interés el travestí, cuya representación, desarrollada y expandida paralelamente a y con el auxilio de una teoría literaria, resulta la conclusión natural de los gestos que ya en la primera novela funcionaban como sustituto de la acción convencional a la que se aludía allí.

Mas la lectura de la cuarta novela de Sarduy, *Maitreya* (1978), revela que el alejamiento definitivo de Cuba proyectado en *Cobra* no ha tenido lugar. La acción comienza con la muerte de un santón (¿Cobra, a quien vimos al final de su novela listo para renacer?) en un monasterio tibetano, entre discípulos que bien podrían ser ex miembros de aquellas pandillas de motociclistas que sugería el texto de la novela precedente, y los cuales se dispersan alegremente cuando se anuncia, a la invasión china del Tibet, que «se acerca el tiempo de Maitreya» (101). Unas páginas más adelante y varios miles de millas más al sur, en la India, Birmania o Indochina, hallamos al reencarnado atendido por dos afanosas santeras chinas, las hermanas Leng, quienes, para evitar que una vez reconocido sea llevado de vuelta a sus discípulos, se trasladan con él a una isla, Ceylán, donde abren, en un «hotel vegetariano», una academia de prosélitos. El tercer capítulo tiene como centro un paseo del místico adolescente, en el curso del cual llega a un monasterio donde era esperado, y entre cuyos monjes alcanza el perfecto estado de contemplación.

Entretanto, una sobrina de las promotoras de Maitreya, Iluminada (nombre de definido sabor cubano) Leng —quien ha tenido, al aparecérsele el santón, una poderosa visión sexual cuyo origen es la escultura hindú, en tanto que las frases que la acompañan, en «sánscrito oral o en tibetano antiguo» *en el original,* aparecen en el texto en *puro cubano*: «ay, qué rico, métemela más» (p. 46)— se ha erigido en directora del hotel, el cual va transformando en una especie de teatro místico, hasta que termina marchándose con «el Dulce» santón en un bergantín con destino al puerto cubano de Matanzas. Resulta, sin embargo, que este relato de lo acontecido es tan sólo la versión de Iluminada; el capítulo siguiente cuenta cómo, desaparecida aquélla, el místico alcanza el nirvana, muere, y sus restos son repartidos como reliquias. Mucho tiempo después, cuando el santón, las viejas Leng y los mausoleos que guardaban relicarios no son sino leyenda, los restos de aquél regresan mágicamente al Tibet, reconstituyen por un instante el cuerpo original sobre el vacío y descienden al abismo, la cabeza convertida en una concha marina por la que sopla el aire sordamente (página 81). (Hay aquí posiblemente una reminiscencia de un cuento de Kipling, *The Man who would Be King,* en su versión cinematográfica (102), donde también la cabeza del falso rey de un país del Himalaya cae al abismo dramáticamente.)

Las versiones *recogidas* por el texto de la novela de la conducta del adolescente místico en la isla y de su final concuerdan con lo que ya había declarado el «Instructor» (así se llamó a sí mismo el «Maestro» al anunciar su próxima reencarnación; p. 21) a las Leng —cuyos manejos en la escena en que «desentierran» a aquél del envoltorio que lo contenía, recuerdan, por cierto, descripciones similares respecto al «imbunche» en *El obsceno pájaro* (p. 30)—: «Ni preguntas ni respuestas daré, ni ejercicio alguno, sólo indicaciones», y en seguida: «Esta es la última vez que nazco. No volveré más, but all pure, I shall go, from here, to Nirvana» (p. 32). Independientemente, pues, de que haya alcanzado el nirvana y la muerte, o tan sólo desaparecido en persecución de efímeros nirvanas sexuales, sabemos, por boca del personaje, que ésta será su última aparición.

Lo que tiene lugar en la segunda parte de la novela es el epílogo de la carrera del místico; epílogo quizá apócrifo, en caso de que la versión de Iluminada Leng respecto a su fuga con el «Instructor» fuese falsa, y cuyo absoluto tono caricaturesco contrasta con el más bien irónico de la primera parte respecto al mismo tema místico, recordando poderosamente el tono que también operaba, en *De donde son,* sobre el misticismo, es decir, el choteo cubano (las breves escenas que en I recuerdan la técnica de *Cobra* II, desaparecen en II, por estáticas, siendo sustituidas por una suerte de movimiento continuo, mucho más afín con la técnica de la caricatura). La segunda mitad (aproximadamente) de la novela se divide en capítulos alternos titulados «El doble» y «El puño». Unas gemelas nacen agarrada la segunda del tobillo de la primera, en tanto que «la otra mano, con el puño cerrado, le quedaba entre las piernas» (p. 87); se descubre que poseen poderes curativos, los cuales ejercitan con gran éxito hasta que los pierden súbitamente con la pubertad; convertidas en cantantes de una ópera china revolucionaria en Sagua la Grande, en Cuba, se amancebaп con un tal Luis Leng, según él hijo de Iluminada y el «Dulce Entrenador» («las engatusaba ... con el anecdotario ceilanés de sus padres»; p. 94).

Mas al igual que la novela contiene dos versiones del final del Buda, también existen dos del origen de su hijo, la segunda de las cuales subraya su carácter de *personaje*, de creación de la escritura en lugar de representación de una biografía que precede a aquélla como historia a relatar. «Luis Leng» proviene de un nombre mencionado por un personaje secundario del principio de *Paradiso*, el cocinero de los padres de Cemí, «el mulato Juan Izquierdo» (también personaje accidental de *Maitreya*, como cocinero de la fonda de Leng: pp. 93 y ss.), alrededor de cuyas fanfarronadas (*Paradiso*, ed. cit., pp. 15-20) tienen lugar las primeras evocaciones gastronómicas de la novela. Leng aparece allí en un monólogo de Izquierdo, quien se queja primero de cómo la abuela del protagonista ha invadido su cocina para hacer dulces, y luego de su mala suerte: «Que rodeado de un carbón húmedo y pajizo, con mi chaleco manchado de manteca ... habiendo aprendido mi arte con el altivo chino Luis Leng, que al conocimiento de la cocina milenaria y refinada unía el señorío de la *confiture*, donde se refugiaba su pereza en la Embajada de Cuba en París, y después había servido en North Caroline, mucho pastel y pechuga de pavipollo, y a esa tradición añado yo», etc. (p. 17); párrafo del que Sarduy nos da una versión por el narrador, en un paréntesis, y seguida por una nota que menciona su origen (*Maitreya*, p. 114), agregando que al triunfo de la Revolución, el chino y su alumno emigraron a Nueva York y más tarde a París. La referencia que apoya el discurso del personaje Izquierdo, de *Paradiso*, respecto a su habilidad culinaria, se convierte en *Maitreya* no sólo en un personaje importante, sino en el nombre que enmarca toda la carrera del santón, el cual recogieron al reencarnar por (última) vez las viejas Leng, y se fuga después a Cuba con una sobrina de éstas.

Luis Leng, un nombre dentro de *Paradiso*, centro referencial en *Maitreya*, es la clave de esta novela, la cual hay que entender como una suerte de «búsqueda de Almotásim» (103) en choteo —lo cual era ya, respecto a Cristo-Mortal, *De donde son*—: el nombre insertado por Lezama como sostén de su primera lucubración gastronómica, proveniente muy probablemente de los propios recuerdos biográficos, va a relacionarse directamente con el Ser Místico Original en el que ha venido a parar el objeto de la búsqueda de Auxilio-Socorro, Maitreya, «el Buda futuro» ante quien ansían renacer los devotos (según la cita que encabeza como lema la novela). El espejo almotásico seleccionado por Sarduy del mundo de *Paradiso* es, en lugar de otro personaje de la misma novela relacionado a un contexto filosófico o lírico, Luis Leng-dios culinario, cuya caracterización la completan las extraordinarias proporciones de su falo y sus acrobacias sexuales —es decir, como si hubiese pasado del capítulo I al VIII de *Paradiso*. Porque Sarduy parece estar interpretando la lección, el «mensaje») de *Paradiso* —lo que ésta permite vislumbrar del ente divino durante y a la conclusión, sobre todo, de su ideal ascenso— en términos puramente sensuales: placer de la comida —también mencionada constantemente en *Maitreya*— igual al placer sexual, según lo representa la obesa y doblemente insaciable «Tremenda». Iluminada tiene del «Instructor» la visión definitiva —nirvana aparte—, que es la de su poder sexual, y ésta se transmite al presunto hijo de ambos, el contacto —además de la visión— con cuyo falo marca para siempre a esas gemelas hijas de nadie.

Las hermanas Leng primero y «la Tremenda» y «la Divina» después, recuerdan la pareja Auxilio-Socorro, también gemelas en su nombre, en tanto que las curas reductivas de Cobra y los desdoblamientos Cobra-Pup reaparecen en el nuevo texto en el modo en que la Tremenda, para librarse de sus enemigos, se hace construir un robot idéntico a ella. La monstruosa gordura de los personajes (en la que podría haber un recuerdo para la Estrella de *TTT*, también obesa) hace hincapié en la intención caricaturesca de esta novela, aceleración y magnificación de un proceso ya presente, en definitiva, en *Gestos*, a través de su abstracción-exageración de la realidad.

La segunda gemela desaparece del texto cuando deja de tener una función para la imaginación del escritor que las ha inventado para divertirse con ellas (de ahí que no parezca necesario inventarles una parentela, una biografía): «Y con la misma [la Tremenda] la desinfló para siempre de un pinchazo, pretextando en ella, para sacarla del relato, erotismo oral, *penis need*, revisionismo» (p. 114). La conversión de las mellizas en una en el curso de la narración en lugar de como parte de la *historia*, sin explicación argumental, casi como una necesidad del texto y ante nuestros ojos, confirma cómo tampoco la pareja de la segunda novela de Sarduy constituye una necesidad temática, sino que es sólo el vehículo apropiado para complicar cierto juego y extraerle más posibilidades. La pareja constituida por las Leng persiste, en cambio, hasta el final mismo: ellas persiguen a la Tremenda en Nueva York (¿para vengarse de sus amores con el hijo de la prófuga Iluminada?; ¿para retardar el que se cumpla el destino místico de la Tremenda?; ¿simplemente para unir las dos maneras del texto, la seudomística de I y la plenamente caricaturesca de II?), y ellas la reciben en Colombo y la asisten en su impregnación y alumbramiento anales, y todavía en la antepenúltima página aparecen, tejiendo, «entre perros tristes» (p. 185), Parcas, inmortales, listas para reaparecer en la próxima novela de Sarduy, cifra de su visión del mundo como unidad (la palabra) en perenne proceso de desdoblamiento, de transformación —y quizá también de búsqueda (Mortal, nirvana, Maitreya), claro que en choteo.

Si «el Doble» —título de una mitad de II— es el falso «Instructor», la parte suya que se escapó con Iluminada y procreó a Luis Leng en Cuba (entendida como la patria del relajo) —en tanto que el verdadero Maitreya alcanzó el nirvana, etc.—, «el Puño» con el que alterna en II resulta el desdoblamiento de la potencia sexual que identificaba al Instructor/Maestro —para Iluminada, por obra, sin duda, de su nombre—, transformado por aquéllas que han experimentado su contacto, en un acto teatral: la Divina patina detrás de su hermana agarrada a ella, como al instante del nacimiento, pero esta vez por el ano. El en(ano) que sirve de empresario a la Tremenda —nuevo Pup— hace más tarde de ese acto un lucrativo negocio durante una estancia de ambos en un país árabe. Y, por fin, el también superdotado chófer iranio en cuya potencia encarna nuevamente la del Instructor (pp. 170 y ss.), penetra analmente a la Tremenda con el puño a la conclusión de una especie de elaboradísimo coito en el que el dedo del hombre ha comenzado por recorrer la línea dorada pintada a todo lo largo de la mitad del cuerpo de su protegida por el enano (como en *Cobra* y en *De donde son,* tenemos aquí también una pareja compuesta por un empresario o empresaria activo y una actriz, seudoactriz o santón pasivo).

El monstruoso bebé de la Tremenda, especie de hijo de Satanás al estilo de las creaciones emblemáticas de la literatura barroca —protuberancia en el cráneo, pelo azulado, un círculo entre las cejas, cuarenta dientes, dedos unidos por una membrana; a su nacimiento tiembla la tierra y nace un cordero con cara humana (pp. 181-82)— (104), representa el final de la carrera del Doble, o de la caricatura, empleando a Leng y sus amantes «las Colosales», de la última reencarnación del Maestro. El enano, cuya monstruosidad prefiguraba la del engendro, es enterrado junto con él.

La imagen del puño de las mellizas = falo del Buda (?) que concluye, con la escena descrita antes, el tema erótico dentro de la novela, funciona como una grotesca parodia del poder sexual que unía entre sí, como constante temática, las diferentes secciones de *Maitreya.* A su vez, tal equivalencia alude, subrayando su importancia para el entendimiento de la novela, a su contexto homosexual masculino. Los encuentros eróticos, aunque en apariencia heterosexuales, de *Maitreya,* dependen de la visión de un portentoso miembro, y se traducen en la acción en roce y sodomización manual —con una excepción: el coito del dios hindú que observa, como en una visión, Iluminada. (También en *Paradiso* las fantasías eróticas consisten, con las excepciones ya notadas, en succión, penetración anal, *voyeurismo.*) Ese contexto homosexual, presente desde *De donde son,* se hacía explícito en *Cobra* (travestís, *gay bars*); su elaboración en *Maitreya* por medio de los motivos que se acaban de señalar entraña una brutalización deliberadamente repulsiva (véase, especialmente, la escena ya mencionada: páginas 177-79) del tema sexual dentro de la novela, con el propósito de que sirva de paradigma a su contexto homosexual, el cual constituye a su vez una constante dentro de la producción de Sarduy.

El texto de *Maitreya* ilustra una historia de modo mucho más definido que lo hacía el de *Cobra,* o incluso el de *De donde son,* en el cual la división en cuatro secciones (incluyendo el prólogo), contribuía efectivamente a dispersar el sentido del argumento como la búsqueda mística de Mortal, en tanto que la secuencia cronológica de la acción resulta siempre reconocible en *Maitreya.*

En las novelas de Sarduy, el procedimiento que lleva a cabo la dispersión del argumento de acuerdo con la teoría narrativa de su autor es su organización en escenas cuyo objetivo no es la prosecusión de cierta historia, el análisis psicológico, el comentario social, el desarrollo de una alegoría, etc., sino precisamente la desintegración o destrucción de esos mismos procedimientos narrativos por medio de la parodia (el choteo) lingüística y visual, de un argumento apenas perceptible. Ya en *Gestos* esa historia poseía las características generales de una búsqueda espiritual (dolores de cabeza y ansiedad de una protagonista que es artista y se halla, además, comprometida integralmente, con riesgo de su vida, con una causa política), la cual es sometida en cada una de las novelas siguientes a un choteo cada vez más totalizador en su propósito destructivo. Ese proceso alcanza en *Cobra* su culminación: la acción se deshace, se desdobla, se descompone, se pierde, y de nuevo se reintegra, mas sólo momentáneamente, por medio de procedimientos principalmente lingüísticos, y por ello infinitos; la única función de la célula argumental es servir de sostén a un juego con el travestí, primero en su deseo de ser una bella actriz, y, en la segunda parte, en su igualmente imposible ascenso hacia una comunión con el espíritu universal, representado, de acuerdo con la moda cultural entonces predominante, por el budismo. En la novela siguiente, *Maitreya,* esa aspiración resulta finalmente *desinflada*: de lo que se trata, en definitiva, es de un poder sexual o meramente fálico, representado más efectivamente que en ninguna otra plástica en la escultura hindú; de ahí la repetición inicial del escenario del final de *Cobra.* Su transformación en II en un escenario cubano, y más adelante en un burlesco popurrí de *sets* internacionales, incluidos varios orientales, representa la anulación definitiva de aquella búsqueda —artística, ética, mística, sexual— que sostenía, bien que siempre con un guiño de ojo, la armazón de las novelas de Sarduy.

La creciente y cada vez más exhaustiva y caricaturesca destrucción de sentidos característica de esas novelas negaba ya en *De donde son* cualquier identificación de las peripecias de su protagonista con *ängst* o con peregrinajes estéticos del estilo de los de José Cemí. El traslado del escenario a Europa (en *Cobra*) afirma y enriquece el choteo como procedimiento *destructivo,* al ampliar el sujeto de su atención a la sociedad consumista del capitalismo avanzado (de la cual la India de *hippies* y falsos monjes no es sino una provincia), pero también empieza a agotar, al extenderla tan lejos de su medio original, sus posibilidades. De ahí la vuelta a Cuba de *Maitreya* —aunque no sea permanente en cuanto a la novelística de Sarduy—: en la tierra natal del choteo, el Buda inventado por un mundo en busca de nirvanas, carga sus baterías de modo de continuar desinflando fetiches, burlándose, disfrazándose.

Consecuentemente, *Maitreya* emplea más que *Cobra*, y por lo menos tanto como *De donde son* (véase sobre ello el art. de Alzola cit. en la n. 87), la lengua coloquial y el universo cultural cubanos que, provenientes de su pasado, atesora todavía la memoria del escritor residente en París. Los ejemplos nos saltan al encuentro constantemente desde el principio: «la orquesta Aragón» (de música popular: página 30), «las páginas sonoras de la novela del aire» (la introducción a un radioteatro: p. 131), «tremendo paquetón» (expresión de encomio: p. 176), «tirar al abandono» (frase de una canción: p. 55); imitaciones de deformaciones y construcciones sintácticas típicamente cubanas («Pero seguro no era ella»: p. 185); cubanismos, en fin (palangana, vacilón, jacarandosa, coqueta [por tocador], parejería, refistolera, paripé, trusa, fajarse, jaba, pingón, bollo). Parte de un verso de Lezama, «noche insular» (p. 68), reaparece varias veces, y hay también imitaciones deliberadas del estilo de aquél (páginas 172, 177); se cita explícitamente, aunque sin mencionar el nombre del poeta, otro verso de un vate popular («Pasarás por mi vida sin saber que pasaste»: p. 115); describiendo la fuga del Dulce hacia Cuba, se incluye parte de un verso («chusma diligente»: p. 60) de un soneto famoso —en Cuba— de Gertrudis Gómez de Avellaneda, «Al partir», donde la poetisa describe su partida de Cuba.

La Tremenda sobrevive la muerte de su *manager* y de su hijo, lo mismo que las Leng. Cada vez más disminuidos —«Se fueron extinguiendo todos» (p. 183), escribe el autor, anunciando su próxima desaparición del texto y el cierre (o interrupción) de éste—, los personajes concluyen, en el último párrafo, por adoptar «otros dioses, águilas. Mimaron ritos hasta la idiotez o el hastío. Para demostrar la impermanencia y vacuidad de todo». Frase con la cual Sarduy parece poner punto final a cualquier búsqueda, fuera momentáneamente del choteo que le ha servido primero para entender a Cuba (*De donde son*) y lo ha conducido después por el mundo del superdesarrollo, donde Cobra —es decir, Auxilio-Socorro— se revela como un travestí dedicado de lleno al goce sexual allí donde la rica turbamulta de la civilización occidental se vive más de lleno. Pero es claro que, si de lo que al fin y al cabo trata el juego de la escritura es de sexo, éste es el mismo en París que en La Habana, y hasta quizá resulte más sabroso en ésta (Habananirvana), o al menos en una Cuba fabricada por el recuerdo del escritor que, al envejecer, regresa a su punto de partida.

Es importante notar, finalmente, en relación a Sarduy y Cabrera Infante, que el primero no cae jamás en la trampa a donde el juego con la palabra conduce tan a menudo al segundo. En las novelas de Sarduy no se trata de *puns* ni de codas culturales privadas, sino, como ha explicado Jill Levine, de un rico *bricolage* en el que la cultura natal juega

—con más frescura que las otras, más retozonamente, y con una posición prominente o principal en *Maitreya*— el mismo papel que la adquirida después, que sus lecturas, que la referencia al mundo cosmopolita y supersofisticado en el que vive ahora el escritor (105). De lo que en definitiva se trata es de vocabulario y referencias culturales en vez de una coda totalmente dependiente, para su entendimiento y goce, según sucede en *TTT*, del conocimiento del mundo del subdesarrollo cubano; respecto al cual Sarduy, como más artista, más rico en imaginación, más hábil con los procedimientos estilísticos que Cabrera Infante, ha mantenido siempre la distancia que permite la producción literaria totalmente efectiva.

Frente a las imitaciones de Joyce, las piruetas verbales dependientes de un contexto local y los personajes realistas de *TTT*, los textos de Sarduy a partir de *Gestos* operan en un plano más sofisticado y al cabo universal, en tanto que *Paradiso*, cuya intención y composición expresan tan exhaustivamente el subdesarrollo que caracteriza el marco cultural y social donde cristaliza la vocación de Cemí, se nos aparece como un *bildungsroman* creado para explicar en detalle la vocación literaria de cierto poeta, Cemí-Lezama, especie de encarnación, según él mismo, de la esencia del Caribe, sobre la base de un paralelo de la experiencia total del protagonista con la última sección de la *Divina Comedia*. En lugar de *puns*, duelos de ingenio, reproducciones del habla coloquial, pastiches estilísticos, o de discusiones intelectuales, rebuscadas descripciones de la realidad social y psicológica del protagonista, de imaginados contactos eróticos, etc., las novelas de Sarduy tratan del alegre retozo de los travestís, empleándolos como el vehículo para expresar su negación de la literatura = significado. Con lo cual aluden con estupenda efectividad al mundo del superdesarrollo, donde, por la distancia enorme que separa a éste de las relaciones gobernadas por el valor de uso, y contrariamente a lo que sucede en el subdesarrollo tropical, todavía más cerca históricamente de ese pasado anterior al reemplazo del valor de uso por el de cambio, todo está al alcance si no de la mano, sí al menos de la vista; todo es, por cierto precio, no sólo obtenible, sino inmediatamente asequible, de suerte que es el signo en vez de su significado (los obsesivos deseos de Cemí, la cultura de este personaje, o la del frustrado intelectual Cué), el que se sitúa en primer plano: la aparente accesibilidad del universo físico y cultural por obra de la prosperidad, el desarrollo de los medios de comunicación, la movilidad social, la multiplicación de las posibilidades para el desarrollo de las vocaciones lo mismo que para el de la consciencia, borra distinciones culturales, acerca los objetos, confunde las personalidades. En *Maitreya*, según acabamos de ver, el contexto cubano, la búsqueda de Dios, el placer, son intercambiables entre sí y con objetos similares o meramente parecidos, no importa de qué cultura procedan originalmente.

Sarduy admira enormemente a Lezama, cuya obra emplea como punto de referencia constante en sus ensayos sobre el barroco y el «neobarroco» (106), elogiando la técnica de *Paradiso* como imagen de una pura proliferación verbal, de un juego de formas semejante al desorden vegetal de la naturaleza americana (en tanto que Alejo Carpentier trabaja por acumulación, como el estilo neogótico, perfecto, pero inútil por anacrónico) (107). El barroco es el exceso —lo que sugiere que se lo identifique con la actividad sexual— que rechaza toda «instauración» (recuérdese, no obstante, la importancia que tiene para Lezama el concepto de «fijeza», paralelo de este otro); instituye como principio la ambigüedad y la constante difusión (semántica en el caso de la literatura), rompe el orden rutinario de los significantes, cambia de sitio los significados, los oculta, los elimina; por todo lo cual se revela como el verdadero arte revolucionario. Esto sucede en la etapa neobarroca, naturalmente, la cual, como contemporánea, coincide con los movimientos revolucionarios de varios tipos que caracterizan nuestro tiempo: sociales, artísticos, filosóficos, políticos. En tanto que el barroco de Borromini y de Góngora reflejaba todavía, y no obstante la quiebra de concepciones tradicionales que se produce en el siglo XVII, una aspiración a la armonía, el neobarroco reproduce precisamente el reconocimiento de que nuestro universo carece de dirección, de centro, de orden.

El interés de la crítica literaria y artística en el barroco ha crecido de tal manera en las últimas décadas, que el término, merced a la extensión de su empleo, amenaza perder su utilidad incluso como definidor de cierto estilo. Si el precisar en lugar de extender eufóricamente su aplicación a la literatura postrenacentista es, por tanto, importante, cuánto más no lo será el hacerlo respecto a la contemporánea, y en particular la hispanoamericana, a la que toca tan de lejos la *explosión* barroca.

Originalmente empleada en portugués para nombrar las perlas irregulares, relacionada en castellano con la palabra que nombra las formaciones rocosas particularmente irregulares (berrueco), la palabra *baroque* es para principios del XVIII sinónimo de algo anormal (*bizarre*) (108). La *Encyclopédie* extiende su uso a la música de confusa armonía en el Suplemento de 1776. Unos años más tarde se le aplica, más rigurosamente, a la arquitectura, como el exceso de lo *bizarre* (*Encyclopédie méthodique,* 1788); es a partir de ahí cuando el término se institucionaliza, entrando a formar parte del vocabulario de las artes. Burckhardt, en 1860, emplea la palabra para caracterizar el estilo que reemplaza en Italia al renacentista, y Wölfflin, en 1888, la acuña definitivamente como el nombre del estilo de la arquitectura romana que sigue a la renacentista, el cual estudia minuciosamente, proponiendo que puede aplicarse también a la literatura y a la música (109). En un libro posterior, *Principios de la historia del arte* (1915), Wölfflin contrasta renacimiento y barroco como los dos tipos esenciales de arte, tesis que continúa con más rigor las de Burckhardt y otros sobre cómo cada estilo tiene su período «barroco» (110), y abre la puerta a las extravagantes de Eugenio d'Ors sobre una especie de barroco eterno, sinónimo para ese crítico de una serie de cualidades afirmativas o revolucionadoras: pasión, fantasía, cuanto se opone al equilibrio ordinario (111); en tanto que Henri Focillon arguye que todos los estilos evolucionan hacia un período «barroco» que renueva las formas gracias a su exuberancia y fantasía (112). El significado original del término se ha ampliado de ese modo en la dirección, primero, de un estilo con límites temporales definidos y, más adelante, de una constante estética, identificable con, pero no restringida a cierto período de la historia del arte, lo que facilita la subsiguiente extensión del sentido de inarmónico o *bizarre*, a renovador. Es de ese modo como la aplicación del término se sale definitivamente de los límites de la arquitectura y de las artes plásticas, y que, al mismo tiempo que se le aplica a otras artes y al pensamiento, se le identifica con el conjunto de cualidades opuestas a las que constituyen la definición tradicional del clasicismo, y que resultan atemporales, por universales.

No parece caber duda a primera vista sobre lo apropiado de la aplicación del adjetivo «barroco» a obras literarias pertenecientes al período correspondiente, aproximadamente, al del estilo arquitectónico barroco, e incluso también a otras que, aunque producidas en otros períodos históricos, poseen algunas al menos de las características del barroco, siempre y cuando sean éstas identificables con alguna precisión y rigor. Como concepto cuya primera aplicación sistemática tiene lugar en relación a las artes plásticas, y primeramente a la arquitectura (Wölfflin, aunque trata más o menos extensamente de la pintura, la escultura, la música, la literatura, se concentra en la arquitectura, a su ver, el arte cuyo estudio encierra la clave del estilo, por ser el más capaz de expresar la grandeza a que aspira aquél), convendría revisar el complejo de sentidos estéticos, pero también históricos, del doble significante (sustantivo y adjetivo) barroco, en cuanto movimiento artístico y específicamente arquitectónico, atendiendo principalmente a la evolución de la arquitectura barroca entre el renacimiento y el neoclasicismo, y teniendo además presente, a modo de hito, la diferencia entre la arquitectura barroca europea y la hispánica e hispanoamericana, y en general lo que separa el barroco original de sus imitaciones. Sólo después de comprendidas las características originales del barroco será posible deslindar fructíferamente entre el barroco del siglo XVII y el barroco como constante aplicable a la producción literaria en general, y plantearse, finalmente, la posibilidad de aplicar el concepto de barroco a la literatura contemporánea, aclarando así el uso del término «neobarroco».

Como sabe no sólo cualquier historiador del arte, sino cualquier viajero culto, el apogeo de la arquitectura barroca no alcanzó a España, y tampoco, por tanto, a sus colonias. Cuando hacia 1670 (Da Cortona y Borromini murieron en 1667, Bernini el 80) el barroco deja Roma en su camino hacia el centro de Europa vía Turín, apenas ha tocado a España —aunque sí, curiosamente, a Portugal— (113) en cuanto movimiento arquitectónico que implica nuevas concepciones del espacio exterior lo mismo que del interior, entendidos ambos como elementos de cuya interacción debe resultar una unidad creadora, de la cual la iglesia romana de San Carlo alle Quattro Fontane, por Borromini (el interior fue concluido en 1641, la fachada en 1667), es probablemente el paradigma, según reconoce, naturalmente, Sarduy. El barroco, aunque modificado por el neoclasicismo, triunfa en el Piamonte, la Alemania del sur y la Europa central durante el siglo XVIII: la Karlskirche y la Biblioteca Imperial, en Viena; los monasterios e iglesias austríacos, bávaros, etc., de Melk, Ottobeuren, Weingarten, Vierzehnheiligen, Osterhoven, Zwiefalten; Superga, en Turín; San Nicolás, en Praga; Theatinerkirche y San Juan Nepomuceno, en Munich; Frauenkirche, y el pabellón del palacio real de Dresde, llamado el Zwinger, constituyen, junto con otros edificios, estupenda continuación de las innovaciones —de la *revolución*— representada por los templos más celebrados de los arquitectos mencionados antes, de Guarini, de Longhena, etc. (Santa María della Pace, Santa María en Campitelli, San Andrea al Quirinale, San Ivo della Sapienza, San Agnese, en Roma; la Salute de Venecia, etc.).

En España, en cambio, el edificio público más importante levantado después de 1700, el Palacio Real o de Oriente (diseñado inicialmente por Juvarra, inaugurado en 1764), apenas sugiere el barroco en alguna sección (¿las columnas del Patio de Armas?) y no, de cualquier modo, en la escalinata de honor, cuyo plan recuerda sobre todo el modelo renacentista, cuando la escalera (como en el Palacio Farnesio) era un elemento básicamente funcional, en lugar de consustancial a la grandilocuencia que el palacio quiere expresar, según sucede en las *residenzen* de Würzburg, Pommersfelden, el Belvedere superior en Viena, los castillos de Bruchsal y de Schleissheim, o el palacio real de Caserta, comisionado por Carlos III de España cuando era rey de Nápoles; palacios también, como el de Madrid, de principios del siglo XVIII, pero donde el modelo versallesco no ha eliminado todavía del todo la inspiración barroca (114).

El impresionante hospicio de la calle de Fuencarral, en Madrid, incluye una fantasía de ornamentación en el estilo que suele llamarse «churrigueresco», concentrada en el pórtico principal de una estructura rectangular harto sencilla por el arquitecto Pedro Ribera; la capilla llamada del Nuncio, en la calle de San Justo, parece también barroca, gracias a su fachada convexa y a los techos torneados de sus torres, pero es en realidad de planta casi tan neoclásica como las iglesias de Ventura Rodríguez, y lo mismo puede decirse de la iglesia de la calle de Embajadores y de la de San Bernardo próxima a la plaza de Santa Bárbara. Con contadísimas excepciones (San Jorge, en La Coruña; San Luis y San Salvador, en Sevilla; la Cartuja de Granada, la Clerecía de Salamanca, el Obradoiro de Santiago de Compostela, el convento de Santa Clara en la misma ciudad;

el palacio de Peñaflor, en Ecija; la fachada de la catedral de Murcia; la portada del palacio de Dos Aguas, en Valencia), aplicables, además, no a la totalidad del edificio, sino a determinadas zonas de su estructura y decoración, los monumentos que en España suelen caracterizarse como barrocos son renacentistas o clasicistas, excepto por una abundancia de ornamentación que ya en el estilo plateresco, del siglo XVI, prefiguraba el rococó en su acepción etimológica de *rocaille*, adornos al relieve sugestivos de superficies rocosas en imitación de plantas, conchas, etc.; estilo —el rococó— que Dámaso Alonso, en una confusión tan común que es ya tradicional, identifica con el barroco (115).

En Italia, en Alemania, en la Europa central, las iglesias inclusive de la segunda mitad del siglo XVIII, aunque mucho más neoclásicas que barrocas, presentan, en la disposición de los elementos de la fachada, en la construcción del crucero, en las estatuas principales, un movimiento característicamente barroco, el cual se encuentra ausente de la gran mayoría de los monumentos del llamado barroco hispánico. Porque es menester distinguir entre la decoración, entendida como elemento por definición accesorio, que puede ser desprendido de la estructura —aunque, como es obvio, ello afectará la impresión que nos produce—, y la estructura propiamente dicha del edificio, cuyos elementos, por necesidad interna, exigen el desarrollo o disposición que, a causa del efecto que produce, llamamos «barroco». Ese efecto puede en puridad limitarse a un conjunto decorativo, según sucede en algunas portadas de palacios e iglesias del mundo hispánico, donde el movimiento de las volutas, arcos truncados, columnas salomónicas, etc., responde *como aspiración* al barroco; las más de las veces, sin embargo, de lo que se trata es de una abigarrada superposición de elementos decorativos independientes entre sí.

La situación en Hispanoamérica es aún más compleja que en España, por obra de la variedad de arquitectos, desde curas holandeses que quizá no habían visto jamás una iglesia barroca romana (116), hasta maestros de obra mestizos sin educación arquitectónica. Sobre la base de tratados italianos, franceses, etc., o de planos enviados desde Europa y modificados por los recuerdos y por las exigencias del medio donde se levantaría el nuevo edificio, estos hombres erigen sus iglesias, palacios y fortalezas. La repugnancia del indio por el espacio interior como escenario del culto resultó en la construcción de capillas abiertas o «de indios», lo cual ha sugerido a algunos un nexo entre éstas y la preferencia en México por edificios en cuya apariencia exterior predomina la concepción del espacio como escultórico (117). En Santa Prisca, en Santa María Tonantzintla, en Tepotzotlán, en Ocotlán, el aspecto exterior de las iglesias, incluidas las torres, es esencialmente obra escultórica de bajorrelieve, y la fachada reproduce el retablo que había salido ya al exterior para beneficio de la catequización indígena.

Obra de espléndida y hasta exquisita «repostería» (es decir, churrigueresca) que encierra muy a menudo espacios primitivos o insignificantes, y, casi sin excepción, arquitectónicamente regulares —es decir, no barrocos—, el barroco hispanoamericano (pues en el Brasil, como ya sucedía en Portugal, se encuentran verdaderas iglesias barrocas), una vez corregida la impresión inicial que identifica arquitectura barroca con abundancia de decoración, suele reducirse a un pórtico, a porciones de una fachada, a una torre, cuando más a un crucero, una capilla, una escalinata: una metáfora, una cadena de imágenes en *Paradiso*, quizá incluso en *El siglo de las luces*, las cuales nos recuerdan en una primera impresión a Góngora.

Tratando del barroco, Sarduy equipara el epistema o estructura histórica barroca con la elipsis, partiendo seguramente de una identificación entre un concepto geométrico, el de elipse (curva u óvalo cerrado, simétrico respecto a dos ejes perpendiculares entre sí), con el de elipsis, que define para la preceptiva la omisión de palabras que, aunque necesarias en principio en la construcción gramatical, no altera el sentido de la frase (es curioso que el ejemplo de la elipsis que da el Diccionario de la Academia, «¿Qué tal?», por «¿Qué tal te parece?», coincide con el título de uno de los capítulos de *Cobra*), y el cual Sarduy utiliza para caracterizar la técnica más típica de Góngora —cima del barroco literario— como un movimiento entre dos ejes/centros, uno de los cuales será siempre suprimido sin perjuicio del significado, constante lo mismo que en la elipsis geométrica lo es la suma de las distancias a los focos o puntos dados (118).

Brillante, pero además lúcida, convincentemente, Sarduy explica la importancia del descubrimiento de Kepler en cuanto al movimiento elíptico de los planetas como la superación definitiva no ya del geocentrismo abolido por las observaciones de Copérnico, sino del heliocentrismo que, con Galileo, continúa la creencia aristotélica en un centro *natural* alrededor del cual gira ordenadamente el sistema solar; centro simbólico de un orden que desaparece definitivamente cuando Kepler establece la existencia de otro foco para nuestro —en la medida en que giramos junto con la Tierra— movimiento además del solar. Las consecuencias del descubrimiento para la totalidad del sistema cultural o *epistema* de aquel momento histórico son trastornadoras (por más que su efecto no haya sido comprendido sino recientemente, con la *revolución* postestructuralista): paso de la unidad a la pluralidad, del predominio de la naturalidad como modelo a la artificialidad, la repetición, la saturación, el delirio donde el yo se encuentra en fuga constante, como el universo todo, en fin, según la teoría del *Big Bang*, o en un proceso constante de creación/destrucción, según la del *Steady State* —todo lo cual sustenta el crítico estupendamente con ejemplos extraídos de la pintura, la literatura, la arquitectura.

Pierre Francastel se opone vigorosamente a la noción de una alternancia clasicismo-barroco, a la de un barroco eterno-etapa final de las civilizaciones, a la del barroco como el arte verdaderamente creativo e innovador —interpretación sustentada en una identificación del clasicismo como el arte académico—, y también, finalmente, a la tesis que hace preceder el barroco al clasicismo —lo cual, en cuanto a Francia, convierte al estilo barroco en un arte «preclásico», y al clasicismo en continuación del barroco—; insistiendo, en cambio, en la necesidad de estudiar la significación histórica y social de cada cultura, investigación que revela de qué íntimo modo se hallan ligadas las culturas a niveles técnicos y mentales cuya evolución e interacción —también respecto a las formas artísticas— no permite que separemos los períodos unos de otros tan drásticamente como querrían muchos, fascinados por ciertas oposiciones estilísticas cuya obviedad es más aparente que real. En lugar de dos eras, barroca y clásica, sucediéndose la una a la otra, lo que ha habido es una interpenetración, dentro de cada nación, dentro de cada clase social, de dos niveles o tipos de vida y de cultura donde las varias estructuras de una civilización determinada coexisten activamente (119).

Dentro de los límites que las premisas anteriores imponen a las grandes generalizaciones, es posible identificar el barroco como el arte del catolicismo militante de la Contrarreforma, un estilo de combate, de propaganda, que responde a y trata de llenar necesidades espirituales tanto para el hombre educado como para el campesino ignorante víctima de pestes y hambrunas; arte estrechamente vinculado a ciertas manifestaciones del sentimiento religioso que pasan a Italia desde España (120); arte de las monarquías absolutas cuya aristocracia es todavía eminentemente feudal y su campesinado sigue fiel a la liturgia (121). De ese modo describe Tapié la era barroca, señalando también, lo mismo que Francastel, un paralelo entre el desarrollo de la economía urbana que reemplaza paulatinamente a la feudal, y el clasicismo. Francastel, sin embargo, va más allá de la distinción entre las fuentes del poder económico de la clase dominante y el carácter (absoluto y católico tanto en España como en Francia) de las monarquías, para distinguir entre el artesanado barroco —más estrictamente piadoso, menos innovador, más conservador y, por tanto, más fácil de transportar íntegramente de una parte a otra, de Varsovia al Brasil— y el arte clasicista, igualmente artesanal en su origen, pero más moderno y abierto a la influencia de la moda, vinculado al auge de la manufactura, y transmitido, finalmente, por medio de modelos o planos (arts. cit., páginas 219, 148); arte de la ciudad, como lo es el del barroco también, pero de una ciudad donde empieza a dominar la burguesía de los grandes financieros sobre la aristocracia de la sangre, la razón sobre la fe, la eficiencia sobre la pompa. (Francastel sostiene su argumento excesivamente, me parece, sobre el papel de las artes decorativas y la plástica de *atelier* o imitativa, en tanto que respecto a la arquitectura, la neoclásica será más fácil de imitar con menos talento, merced a la regularidad de su espacio, que la barroca.)

En definitiva, el clasicismo representa para Francastel el espíritu moderno, de modo que su triunfo, el cual transforma el espíritu y la dirección de la monarquía de Luis XIV, es el de la certidumbre de la materia, el valor de la experiencia, la posibilidad de establecer, mediante la razón, las leyes del universo. Kepler y Harvey, cuyas conclusiones —elipses— respecto a las órbitas de los planetas y la circulación de la sangre, respectivamente, expresan para Sarduy la afirmación de la era barroca (122), son para el historiador del arte la manifestación de una revolución ideológica de opuesto sentido —pues resulta en el clasicismo—, aunque realizada por medios semejantes: se pone en duda la identidad entre los órdenes natural, humano y divino; el hombre y la naturaleza adquieren un carácter hipotético; el estudio de la contingencia reemplaza la fe en lo absoluto.

Para José Antonio Maravall, quien ha estudiado exhaustivamente las características de la cultura de la época barroca —entendida como, esencialmente, la primera mitad del siglo XVII— a partir de España, el barroco expresa el súbito aumento del control del estado sobre el individuo y sobre el orden social, como reacción a las posibilidades de una transformación de este último puestas en marcha por la desaparición del sistema feudal. Se trata de «socializar» a las masas consolidando en ellas la imagen de una monarquía todopoderosa, cuyos agentes convocan para ello, deliberada o inconscientemente, todos los recursos que parecen efectivos (atracción de lo nuevo, pesimismo, desengaño, desconfianza); se trata de adecuar la conducta a una nueva circunstancia de la que va faltando la certeza o la fe absoluta de épocas anteriores, así que resulta muy importante que el hombre no se anime a pensar por su propia cuenta: de ello lo distraerán, junto con los consejos de los moralistas, el espectáculo público, el teatro, la excitación y la sorpresa, el artificio, la pompa, cuanto mueve a la admiración que ciega la razón y paraliza el ánimo. El barroco no es, por tanto, la exuberancia espontánea o libremente cultivada, sino la exageración destinada a impresionar; a la larga, un proceso de «modernización» montado para conservar un sistema social cerrado para beneficio de sus amos (123).

En estas interpretaciones, el barroco no se reduce al arte arquitectónico estudiado por Burckhardt y por Wölfflin, sino que identifica un poder que se defiende arrogantemente contra las fuerzas que amenazan su permanencia, y frente a las cuales, para impresionarlas con señales que sugieran la inmutabilidad de su grandeza, a la vez que para ignorarlas, alza «fachadas» de diversa índole, cuya expresión más efectiva tendrá lugar, naturalmente, en la arquitectura.

El incompleto palacio Madama, de Turín, por Juvarra (1721), no es más que una fachada y un soberbio acceso de magníficas escalinatas y galerías que esconden un edificio feudal de segunda importancia no modificado por el arquitecto; la escalera de honor del palacio arzobispal de Würzburg, al igual que las de otras *residenzen* del sur de Alemania, es, con sus múltiples planos, sus estatuas, su techo pintado por Tiépolo, mucho más grandiosa, no obstante —es decir, precisamente por— pertenecer al palacio del príncipe de un pequeño estado, que la de Versalles, el palacio de Oriente, o la del Real de Berlín, todos ellos mayores y levantados para soberanos de inmenso poder. Urge tener muy presente, sin embargo, cómo se diferencia este barroco de escalinatas triples o la decoración de tipo churrigueresco que tanto éxito tuvo en los países pobres como España y sus colonias, puesto que costando poco aparentaba grandeza (algo semejante ocurre con el barroco de Praga, donde, a juzgar por su abundancia, debió existir una fábrica de cariátides, con un par de las cuales, más un angelote o dos, cualquier fachada parece barroca), del barroco original, entendiendo por éste una nueva concepción del espacio que se expresa primeramente en la arquitectura, la escultura y la pintura (Bernini, Rubens, la escuela veneciana, quizá Rembrandt y hasta Velázquez). Que ese arte corresponde en su desarrollo al de un período histórico estrechamente vinculado con el esfuerzo por detener el avance del pensamiento laico y la toma del poder por las burguesías, resulta al mismo tiempo indudable; a medida que aquel empeño parece menos capaz del éxito, el movimiento pierde fuerza, degenerando para mediados del siglo en meras escalinatas (magníficas, por otra parte) y en fachadas del estilo de la del Sagrario de la catedral de México.

Wölfflin fue el primero en proponer un paralelo entre la arquitectura barroca y la literatura (a propósito del Tasso, en cuya *Gerusalemme liberata* halla una grandiosidad y colorido ausente del Ariosto). A partir de 1914, docenas de críticos y eruditos se han afanado por determinar la existencia de una literatura barroca, aproximadamente paralela con el desarrollo del arte barroco desde la segunda mitad del siglo XVI hasta el último cuarto del XVII, y la de un barroco literario como una cualidad o esencia independiente de límites cronológicos (124). El más importante, quizá, de esos críticos es el hispanista y comparatista alemán Helmut Hatzfeld, quien, en varios ensayos, estudia el origen y evolución del concepto y lo aplica, como un «estilo de época», a una serie de producciones artísticas, principalmente literarias, en España, Francia, Italia, Portugal, distinguiendo entre manierismo (Góngora), barroco (Cervantes) y barroquismo (Gracián y Lope de Vega) (125). El problema con los estudios de Hatzfeld es que, aunque utilísimos como explicación de ciertos textos (lo mismo que los de Joaquín Casalduero, quien también se ha ocupado largamente del barroco literario) (126), no llegan a constituir una teoría capaz de precisar qué hace barroca a una obra literaria.

Aunque Hatzfeld plantea (capítulo II) la necesidad de seguir el método elaborado por los historiadores del arte para estudiar el barroco, no define o explica su propia terminología, sino que presumiendo un acuerdo universal sobre el sentido del término «barroco», se lo aplica a un grupo de obras —con las distinciones de matices pertinentes a los subtérminos «manierismo», «barroquismo amplificador» y «reductor», etc.— del siglo XVII, las cuales tienen en común el representar un nuevo estilo respecto al renacentista, y el haber sido compuestas en un siglo donde predominan la Contrarreforma y el absolutismo, factores históricos que Hatzfeld identifica con el barroco como «una unidad de concepto inseparable» (p. 427), el cual declara inmanente a España, donde existe, sin duda desde los tiempos de Séneca, «un gusto barroco permanente y eterno, que daba preferencia a lo raro, a lo complicado y a lo divino sobre lo terrestre, bello y mundano» (p. 29), de lo cual se sigue no sólo el posible origen español del gusto barroco que sugiere Francastel, sino una misión para España, que resiste el clasicismo renacentista y propaga el barroco por el mundo (lo mismo que la fe, con la ayuda, principalmente, de los jesuitas).

Las implicaciones nacionalistas, imperialistas, y a la larga fascistas (énfasis en cierta unidad religiosa y cultural), de los estudios de Hatzfeld constituyen una muestra extrema de la confusión a donde puede conducir el presumir que es barroca toda obra literaria de la primera mitad del siglo XVII —o poco menos—, y que posee las características de ese estilo artístico traducidas a sus efectos literarios, cualesquiera que sean éstos, llamando a continuación «barrocas» a las características estilísticas y estructurales de esas mismas obras. Así, resulta evidente para Hatzfeld lo apropiado de llamar «barroco» en literatura «todos aquellos casos en que los motivos, recursos y símbolos en cuestión son apellidados barrocos, sin disputa, en la historia y en la iconografía artísticas» (p. 425); excepto que ni existe unanimidad entre los historiadores de arte sobre qué es el barroco, ni explica el crítico cómo hacer la transposición de un medio a otro, o qué justifica ésta. A continuación, Hatzfeld enumera una serie de «temas que pudieran llamarse barrocos por analogía, especialmente si se presentan en contraposición con sus opuestos»: vanidad, muerte, inestabilidad, movimiento, mudanza, máscara, disfraz, melancolía, soledad, ilusión, disimulo, ostentación, escrúpulos, honor, generosidad, apartamiento, castidad, santidad, gracia, dilemas pasión-deber, virtud-razón de estado, sufrimiento, amor como señuelo y peligro, seducción, pecado, expiación —es decir, que prácticamente todos los temas imaginables en una obra literaria «combinados según un particular esquema moral o moralizador [condición que tampoco nos ayuda mucho como precisión, pues no se define la característica de tal esquema] ... pueden justamente calificarse de barrocos» (Ibíd.), a lo que sigue una lista igual de larga que la anterior de recursos, símbolos y procedimientos estilísticos *típicamente* barrocos.

Wellek señala, a propósito de una obra que define la literatura barroca inglesa como un conflicto de tendencias antitéticas, que podría imponerse al mismo período para su estudio, y sobre la base de las mismísimas citas seleccionadas por el estudio en cuestión, un esquema desarrollado sobre los criterios exactamente opuestos, pero hay más, y es que la misma noción resulta aplicable a cualquier era, pues las tensiones y conflictos que muchos críticos identifican como característicamente barrocas, no lo son en realidad (127). Mejor vía, aunque llena de obstáculos y de tentaciones para el incauto, para alcanzar una descripción válida del barroco, es, cree Wellek, el análisis que establece relaciones entre criterios estilísticos e ideológicos («The ideological conflicts ... find expression in stylistic antitheses, in paradoxes, in syntatic contorsions, in a heaving up of the heavy burden of language»: p. 108), o el estudio de la historia de las teorías poéticas (p. 123). La conclusión del crítico es que la expresión «barroco», aunque ambigua y de incierto límite y contenido, ha llenado y continúa llenando una función importante en cuanto sirve para llamar nuestra atención sobre el problema de la periodización literaria respecto a un estilo ubicuo, y descubre las analogías entre las literaturas de varias naciones europeas, y entre las artes, además de que es todavía el término más cómodo para calificar el período que sigue al Renacimiento y precede al neoclasicismo (p. 113), sugiere la unidad de cierta época artística y literaria, y ha contribuido enormemente a nuestra comprensión de un arte y una época largamente ignoradas [en cuanto a las literaturas alemana y francesa principalmente]: «This alone is sufficient justification for its continued use» (página 127).

Las interpretaciones de la literatura barroca francesa por Gérard Genette, y de la tragedia barroca alemana por Walter Benjamin, subrayan la relación entre estilo e ideología por donde se encaminaban los análisis de Francastel y de Maravall, y alcanzan también, dentro de la línea sugerida por las observaciones de Wellek, definiciones más modernas, pero sobre todo más útiles, que las de Hatzfeld.

Genette concluye su estudio de una novela «barroca» de Saint-Amant afirmando que ninguna de las características que por sí solas o reunidas podrían llamarse barrocas (amplificación, proliferación de episodios y de la ornamentación descriptiva, multiplicación de niveles narrativos, etc.) es lo que en definitiva define ese estilo. El barroco, de existir verdaderamente, no es una isla, sino un *carrefour*, una plaza pública: «Son génie est syncrétisme, son ordre est ouverture, son propre est de n'avoir rien en propre et de pousser a leur extrême des caractères qui sont, erratiquement, de tout les lieux et de tous les temps» (128).

Otro ensayo del mismo crítico contiene definiciones que caben perfectamente dentro de la teoría de Maravall respecto a la cultura barroca. Genette comienza por señalar cómo la poesía francesa de la época barroca no ilustra el concepto tradicional del barroco como el arte del movimiento, la fluidez, la liberación del espacio en expansión, sino, por el contrario, una geometría poética donde abunda el color y la referencia al espacio sensible, pero no de un modo evocador de la naturaleza y su espontáneo fluir, sino de acuerdo con un sistema de contrastes, antítesis y otras figuras retóricas cuya preferencia dentro del mundo natural al que alude la metáfora es por metales y piedras preciosas, por más aparatosos e impresionantes (según sucede en Góngora). «La escritura barroca introduce un orden ficticio ... la sensibilidad barroca se halla toda en la figura: qué importa que la espiga no sea de oro ni la lámina de hierro; de lo que se trata es de salvar las apariencias, comenzando por las más preciosas, que son las del discurso ... la predilección del poeta barroco por los términos de la orfebrería o de la joyería no expresan un aprecio profundo de estas materias [sino] por su función más superficial y abstracta: una suerte de valencia definida por un sistema de oposiciones discontinuas que evoca mejor las combinaciones de nuestra química atómica que las transmutaciones de la vieja alquimia ... oponiendo en figuras paralelas las palabras a las palabras y a su través las cosas a las cosas ... por homología, de figura a figura: la palabra zafiro no responde al objeto zafiro más que la palabra rosa al objeto rosa, pero la oposición de las palabras restituye el contraste de las cosas, y la antítesis verbal sugiere una síntesis material» (129). Poética fundada sobre la retórica, la barroca es una *vía seca* hacia la *gran obra*: «si persigue a su manera la unidad del mundo, no es a través de la continuidad de la sustancia ... *poética estructural* muy distante del vitalismo tradicionalmente atribuido a la plástica barroca, y poco conforme, de hecho, con las tendencias más obvias de una sensibilidad vuelta hacia lo fugaz y lo fluido, pero que responde en cambio perfectamente a ese designio latente del pensamiento barroco: dominar un universo que se ha expandido desmesuradamente, decentrado y literalmente *desorientado* [gracias a Galileo y a Kepler, lo mismo que a Lutero y a Descartes], recurriendo a los espejismos de una simetría tranquilizadora que haga de lo desconocido el reflejo inverso de lo conocido».

No hay que reducir las distancias o atenuar los contrastes, sino subrayarlos; la antítesis dispone las cosas para una reconciliación ficticia y la paradoja introduce en el espacio un juego de espejos capaz, a cada movimiento, de reorganizarlo. El mundo resulta de ese modo «al mismo tiempo vertiginoso y manejable, pues el hombre halla en el vértigo mismo un principio de coherencia. *Dividir (repartir) para unir* es la fórmula del orden barroco» (pp. 37-38). Conclusiones que pueden aplicarse a la arquitectura barroca si no nos dejamos confundir por la *apariencia* de un movimiento libre.

En la interpretación de la tragedia barroca alemana por Benjamín (130), el barroco es la voluntad artística típica de los períodos de decadencia, que, al resultarle inalcanzable la obra perfectamente acabada de otras épocas, se concentra en la forma, la cual violenta. (La definición del barroco por Borges concuerda, por cierto, con la de Benjamin: «barroco es aquel estilo que deliberadamente agota [o quiere agotar] sus posibilidades y que linda con su propia caricatura ... yo diría que es barroca la etapa final de todo arte, cuando éste exhibe y dilapida sus medios») (131). Esa violencia, paralela a la de los acontecimientos históricos contemporáneos (la guerra de los Treinta Años y sus consecuencias), concluye descubriendo posibilidades originales e intocadas hasta entonces, en su aspiración a una síntesis de lo dispar que permita la imposible trascendencia, el éxtasis.

La sensibilidad barroca se manifiesta, pues, artísticamente, para las interpretaciones a las que hemos pasado revista, a través de una retórica dirigida a magnificar la realidad, a ocultar lo cotidiano y reorganizar las apariencias de modo de controlar el espacio físico tanto como el mental, actitudes que expresan cierta ausencia, la de la grandeza y la trascendencia, la de la confianza y la fe de las que el artista comienza a dudar en un mundo en rápida transformación. Esa es la función de la buena metáfora gongorina, del claroscuro en la pintura, de las convulsiones de la Santa Teresa de Bernini poseída por Dios, del espacio convexo/cóncavo de San Carlo alla Quattro Fontane o San Carlino, basílica en el espacio de una capilla; obras que corresponden, aproximadamente, al análisis de Wölffin del barroco como un arte arquitectónico de ruptura, que aspira a causar los efectos hasta entonces característicos de la pintura; arte que rechaza el equilibrio tradicional por uno antiestático basado en el dinamismo y tensión de las superficies, el empleo original de la luz, la interpenetración y superposición de las masas, la grandeza inusitada, el culto de lo atmosférico; arte que rechaza la calma por la excitación y el éxtasis momentáneos; arte unitario por excelencia, en el cual el goce del conjunto es mucho más efectivo que el de las partes examinadas separadamente (132).

Lo que distingue ese barroco inicial de su secuela, de su imitación por los epígonos, de su adopción más o menos adocenada y siempre parcial en los países hispánicos, es la desaparición de la tensión original: el vacío ha sido aceptado; se trata todavía de salvar las apariencias, como explica Genette, de impresionar, pero para entonces el artista se halla demasiado lejos mentalmente del choque inicial que debió sobrecoger a los contemporáneos de Galileo; el racionalismo, vestido a la moda clásica, triunfa; los medios a la disposición del arquitecto, o bien no permiten hacer demasiadas piruetas con el espacio básico, o son tan copiosos que no generan suficiente tensión. Será, pues, mejor limitar el gesto grandilocuente a una fachada, a una escalinata, a la decoración que deberá sugerir el mismo efecto conseguido por Borromini. El barroco se convierte finalmente en rococó, y como tal continúa existiendo bajo la protección del clasicismo triunfante, primero de puertas afuera, en la decoración exterior de los edificios, y finalmente en el mobiliario, que continuará recordando el barroco cuando ya el neoclasicismo se haya impuesto totalmente (133).

Ya sea el estilo de Góngora manierista, como quiere Hatzfeld, barroquizante o barroco (134), lo cierto es que la sistemática sustitución u ocultamiento de la realidad no resulta en el mejor Góngora, según ha demostrado Dámaso Alonso, sino a menudo en el peor, el Góngora confuso, exagerado, desmesurado en sus comparaciones, aquél que necesita para ser comprendido de un vocabulario especial en lugar de la intuición poética del lector; un Góngora incluso pedestre, lo mismo que casi todo *Paradiso*: una vez descifrado por el aplicado hermeneuta el enigma que esconde la prosa, lo que queda es una mancha de salsa de tomate sobre el mantel, o un pene magnificado. Lo cual no puede decirse de *De donde son*, de *Cobra* o de *Maitreya*, porque en ellas la escritura no *oculta* una realidad codiciada como objeto cultural o erótico, sino que se propone jugar con aquélla y nada más, como si fuese sólo escritura: según ha dicho

Sarduy del travestí, lo que nos interesa de él es el disfraz mismo. *Cobra,* su tercera novela y la más importante de las cuatro estudiadas desde el punto de vista de las formulaciones teóricas del autor, expresa, a través de ese interés en la palabra independiente de su significado, la voluntad de crear un «nuevo barroco», según denomina Sarduy la red de tendencias artísticas contemporáneas paralelas al postestructuralismo de las cuales ha desaparecido del todo la aspiración a un universo armónico que, pese a todo, reflejaba aún el barroco histórico, gobernado por los ejes epistémicos correspondientes a Dios y el rey; de suerte que la premisa filosófica que niega la presencia de un núcleo significativo —es decir, de un orden, como aquél con cuya búsqueda Francastel identifica el clasicismo, movimiento o ideología también emanada del Renacimiento, como el barroco, pero posterior a éste— contribuye eficazmente, absorbida por la literatura y por el arte en general como sustrato teórico, a la proliferación de significados, al vértigo: el objeto de la comunicación (por llamarla de algún modo) no es ya el significado, sino los significantes en constante juego; de su choque resulta la parodia que, como ocurre en las novelas de Sarduy, reemplaza al contenido tradicional.

Obviamente, este «neobarroco» debería ser capaz de reproducir, por obra de su capacidad de renovar los espacios artísticos conocidos, y más en particular los literarios, de acuerdo con la ideología filosófica dominante, lo que representó el barroco romano de la primera mitad del siglo XVII, luego desarrollado y sabiamente imitado en el Piamonte, Alemania, etc. El vertiginoso texto de las tres novelas *neobarrocas* de Sarduy constituye, en la interpretación de su autor en papel de crítico, una escritura *revolucionaria* capaz de trastornar el orden burgués: «ser barroco hoy significa amenazar, juzgar y parodiar la economía burguesa, basada en la administración tacaña de los bienes, en su centro y fundamento mismo: el espacio de los signos, el lenguaje, soporte simbólico de la sociedad, garantía de su funcionamiento, de su comunicación. Malgastar, dilapidar, derrochar lenguaje únicamente en función de placer —y no, como en el uso doméstico, en función de información— es un atentado al buen sentido, moralista y "natural" —como en el círculo de Galileo—, en que se basa toda la ideología del consumo y la acumulación. El barroco subvierte el orden supuestamente normal de las cosas, como la elipse» (135). Despliegue cegador de los medios artísticos, desperdicio, el juego en vez del trabajo como determinante, ruptura de la homogeneidad del logos, inarmonía, impugnación de la entidad logocéntrica, «barroco que recusa toda instauración, que metaforiza al orden discutido, al dios juzgado, a la ley transgredida. Barroco de la Revolución» (p. 104).

Es menester, apartándola momentáneamente o cubriéndonos la vista de modo que cese de encandilarnos su brillo, distinguir en esta definición entre los componentes «barroco» y «revolución». Lo mismo que hacía en *Gestos* y en *De donde son,* Sarduy vuelve aquí a aludir al compromiso político sólo para rechazarlo finalmente. La revolución de la cual el neobarroco se presenta como metáfora en cuanto la escritura tradicional lo es del orden capitalista o burgués, no va a *avanzar* hacia su meta gracias a ese desperdicio y continuo juego, pues aun y cuando pudiera identificarse a éstos positivamente como pertenecientes al período posterior al triunfo universal del socialismo y el establecimiento del verdadero comunismo, es claro que el ejercicio literario del que Sarduy es vocero no alcanza a los agentes naturales de ningún cambio revolucionario, sino que más bien los excluye sistemáticamente, confirmando en cambio metafóricamente y contribuyendo a la aceptación, en cuanto producto de la misma ideología, del capitalismo contemporáneo o transnacional, el cual también aparenta una variedad basada en un derroche enceguecedor de posibilidades.

La lectura de esas brillantes, mas no por ello menos imposibles de explicar —de *fijar*, a la postre—, novelas de Sarduy, no puede resultar en el rechazo de los valores del capitalismo avanzado; lo mismo que tampoco pretendía la *chiesa* de Quattro Fontane [sobre cuya importancia para el barroco se explaya Sarduy, demostrando, de acuerdo con las explicaciones de Paolo Portoghesi (136), cómo su plano representa una transformación del círculo miguelangesco, deformado longitudinalmente por un proceso de anamórfosis en una elipse central (137)] abominar del papa, quien residía un par de manzanas más abajo, en el severo, austero Quirinale. Todo lo contrario: la ilusión de riqueza con la que Borromini nos confunde, obliterando, gracias a su maestría, la pequeñez del espacio donde se levanta la iglesia, contribuiría a la larga a fortalecer el poder del habitante del espacio renacentista del Quirinale, equilibrando en el orden de la ciudad la austeridad de éste con la gracia del nuevo monumento. El poder que tradicionalmente se había expresado sólo a través de formas severas e imponentes, parecerá, merced a la nueva diversidad y ligereza de los medios artísticos que lo difunden, menos omnipresente y obvio, menos temible, menos fuerte. Urbano VIII, el papa que auspicia en 1633 la abjuración pública por Galileo, bajo amenaza de tortura, en nombre del dogma y para beneficio de las masas, de lo que toda persona educada, incluyendo al pontífice, sabía ya (la publicación del descubrimiento de Copérnico respecto al movimiento de los planetas en torno al Sol data de 1543), es el mismo ilustrado cardenal Barberini, amigo de las artes y antiguo protector del sabio, cuyo palacio de la vía Quattro Fontane, a unos pasos también, como el Quirinale, de la iglesia de Borromini que corona esa colina, es una de las primeras residencias barrocas de Roma, comenzada por Maderno y concluida por Bernini (138). En lugar de las viejas basílicas, San Pedro con su magnífica columnata, Santa Agnese, la Salute, Melk; en lugar del castillo feudal (a veces tan sólo ocultándolo parcialmente), el Palazzo Madama, Pommersfelden, Schleissheim, Zwinger; en lugar del Louvre o el viejo Alcázar de los Austria, Versalles y el Palacio de Oriente. Para la época en que este último se concluye, en 1764, nos hallamos a las puertas de la Revolución de 1789; el poder no se encuentra ya en las manos de las antiguas clases feudales, y el neoclasicismo triunfante en Francia e Inglaterra, los países de la vanguardia intelectual, expresaba ya esa victoria —la de la razón frente al oscurantismo y el éxtasis que pretende sublimar aquél— desde hacía un siglo.

El triunfo de la burguesía, la cual se apropia el poder de la clase que reemplaza, ha pospuesto —muchos esperan que indefinidamente— la toma del poder por el proletariado de los instrumentos de producción. En las dos últimas décadas, sin embargo, la crisis universal del capitalismo presagia la desaparición de la estructura social característica de los países avanzados del mundo occidental. A lo cual el «neobarroco» opone la proliferación de los significantes, la gratuita ocultación de los significados, la prolongación cada vez más audaz del juego, hasta que la realidad y la aprehensión, resultante de percibir ésta plenamente, de la necesidad del fin del sistema que no sólo hace posible, sino anima tanta vana pirueta, desaparezca de vista en el vértigo. También el barroco favorecía un ofuscamiento parecido, especialmente en su segunda etapa, la que parece buscar el gesto grandioso como un fin en sí mismo, en el instante en que a la crisis de las creencias tradicionales y el inevitable desmantelamiento del orden estamental y absolutista, el poder que depende para su mantenimiento de todo ello, conjura a toda prisa una espléndida fachada que lo presenta como renovado, permitiéndole de ese modo ganar tiempo para combatir eficazmente las nuevas ideas.

Pero por más que el poder de papas y príncipes lo utilizase de ese modo, es muy probable que el barroco representase originalmente una respuesta auténtica —en lugar de una mistificación y una deliberada tergiversación del tipo de la favorecida por el «neobarroco»— a la percepción de un universo del cual desaparecía el orden conocido, al mismo tiempo que constituía una búsqueda natural de nuevas posibilidades o fronteras para los estilos tradicionales. Es ése el barroco que describe Wölfflin, y cuyos logros expresan *plásticamente,* con la solidez y permanencia propias de los monumentos arquitectónicos que embellecen las ciudades europeas entre 1620 y 1780, aproximadamente, lo que otros críticos explican a partir de la literatura, la pintura o la música, donde su presencia es mucho más efímera, precaria y, al cabo, conjetural, sirviendo a menudo de etiqueta general para identificar todo el arte, y especialmente la literatura, que tiene lugar entre el clasicismo renacentista y el que se impone en Francia primero que en otras naciones ya en la segunda mitad del siglo XVII.

Con su brillante interpretación del significado del mundo del superdesarrollo según los paradigmas de la vanguardia intelectual de la burguesía francesa, Sarduy se propone renovar el impulso original del barroco de modo de olvidar las crisis contemporáneas. Que muchísimos comparten el mismo propósito lo demuestra cómo las teorías de Sarduy han animado la reciente *proliferación* de interpretaciones de los más variados textos de la literatura latinoamericana como «barrocos» (139) y «neobarrocos». El concepto y hasta el mero término «barroco» amenazan de esa suerte perder incluso la relativa utilidad que todavía les atribuía Wellek en 1962.

Jean Rousset, el crítico cuyos estudios han contribuido más efectivamente a la aceptación de un período barroco para la literatura francesa (140), se preguntaba en 1967 (141) si sería necesario decirle adiós a ese barroco a la vanguardia de cuyos colonizadores había estado él mismo, pero que en este otro libro no nombra en aquellos ensayos que tratan de temas típicamente «barrocos»: la preeminencia de la palabra sobre la cosa en la poesía marinista, ostentación y simulación, muerte e inconstancia en el tema de don Juan. El interés de Rousset en el barroco se apoya en el reconocimiento de la importancia de la arquitectura barroca, y tras ella de todo un arte pictórico y plástico, como audazmente renovadores no obstante tener lugar dentro de sociedades estancadas y hostiles al movimiento de la historia (en la interpretación de Francastel, Tapié, Maravall, etc.). Aunque el planteo de equivalencias entre las artes visuales y las literarias sea peligroso, y puede conducir a errores lamentables, al crítico le sigue pareciendo que vale la pena: en 1967 lo mismo que en 1953 supone como hipótesis inicial un sistema unitario, un fondo común para la imaginación de todos los espíritus creadores de la era barroca, cualesquiera que sea el medio en que trabajan. El resultado entonces del análisis crítico serán iluminaciones, «un capítulo de una historia de la imaginación» (op. cit., p. 240); una aventura que comunica las artes entre sí, traduciendo el lenguaje de una en el de otra; la apertura de la crítica literaria francesa a ideas provenientes de otras literaturas donde el barroco fue reconocido desde temprano como un período de su desarrollo; la posibilidad de examinar desde nuevos ángulos el siglo XVII francés, aun y cuando ello entrañe la aplicación de criterios anacrónicos. Se trata, en definitiva, de una tentativa, de una exploración preliminar a la que deberían haber seguido la investigación erudita y el examen filológico. Creado el instrumento, Rousset no habla ya más de barroco, pero insiste en que los trabajos que contiene ese segundo libro no hubiesen podido ver la luz sin aquellos estudios «líricos» de quince años antes; es más, no es ahora posible acercarse ya al siglo XVII sin tener muy en cuenta el barroco.

No podemos, por tanto, concluye el crítico, despedirnos del barroco, pues resulta evidente la importancia del arte que *legítimamente* así se llama, factor que a su ver continúa sustentando la posibilidad, pese a las evidentes diferencias entre los artistas y las tendencias del «barroco», de colocarlos bajo un denominador común: «el éxtasis y el cálculo, la imaginación y la construcción, la sensualidad de los materiales y el rigor de sus encadenamientos ... el estilo más coherente, pero que disimula su coherencia bajo los velos de la gracia y del vuelo [afirmando] que el juego es una actividad grave, que la fugacidad y la muerte se ocultan en nuestra vida, mas toda metamorfosis designa una permanencia» (pp. 244-45).

El ensayo siguiente («esguisse d'un bilan») insiste en la necesidad de desechar la concepción de ese arte como exceso, capricho, gratuidad. Apoyándose en las definiciones positivas del barroco, que son generalmente las propuestas por los historiadores de arte, y en la realidad de las obras mismas, Rousset formula su propia definición: «interpenetración de las formas en el interior de conjuntos unidos dinámicamente y animados por un movimiento de dilatación, de modo que el efecto sobre el espectador une la inestabilidad de los equilibrios a la ilusión teatral» (p. 250). Los criterios formalistas, debidamente constatados y analizados, deberían facilitar el estudio de una estructura de la imaginación, una intuición del mundo común a artistas y escritores, la cual ha sido, sin embargo, definida de este y el otro modo por diferentes críticos (engaño y desengaño, oposición de contrarios, dualidad o complejidad de la experiencia humana, teatralidad, sorpresa). Será mejor, por tanto, olvidar la cambiante realidad de la obra literaria sometida al análisis crítico, para concentrarse en «lo único real» (p. 256); por ejemplo, la iglesia de San Ivo, también por Borromini a la cual está dedicado el último ensayo del libro, insistiendo en cómo en ella el movimiento liga los elementos divergentes. Aun y cuando en otras obras barrocas reinan la dispersión y la multiplicidad, y ello podría explicar la atracción que ejercen para nosotros, acostumbrados a la discontinuidad de la vida contemporánea, existe siempre en el barroco una intención de unidad; domina, aunque disimulada y hasta parcialmente negada, la referencia a un centro soberano; la magnificación y tergiversación de las apariencias se propone devolvernos, mediante el desengaño, a la realidad (p. 266); la inconstancia y la multiplicidad son recreadas en función del sentimiento de la permanencia y unidad de la naturaleza (p. 261). Como es de esperar, naturalmente, de un arte anterior al positivismo, entre otras cosas.

(Resulta útil comparar esta definición del barroco por Rousset a la distinción que establece Jacques Scherer, a partir de la preceptiva dramática, entre los principios organizadores de la obra literaria de ficción según el barroco —la acción principal debe ejercer una influencia sobre cada una de las accesorias, según sucede en *L'Astrée,* donde los innumerables episodios comparten una unidad temática, pero son separables y hasta continuables— y el clasicismo —cada acción accesoria debe ejercer una influencia sobre la principal, según sucede en *Phèdre,* en el teatro, y en la novela, en *La princesse de Clèves,* cuyas «digresiones» sirven para ilustrar el caso central (142). Es claro que tanto una como otra estética caben dentro de la definición de Rousset del barroco como un arte unitario.)

Este, sin duda, excesivo repaso del empleo del concepto de barroco como instrumento crítico indica unanimidad en cuanto a aceptar su utilidad; una vez que se pasa al análisis de sus componentes y, sobre todo, a la «traducción» de éstos a la producción literaria, unanimidad y utilidad disminuyen rápidamente, y la única posición razonable y a la larga útil parece ser la de llamar barroco en literatura, al igual que en la pintura, la escultura y las artes decorativas, al período que coincide con el surgimiento y florecimiento de la arquitectura barroca, cuya vitalidad, sin embargo, sobrevive a la de la literatura barroca incluso sin tener en cuenta la medida en que esa arquitectura se integra con la neoclásica. Porque es sólo en cuanto al arte arquitectónico como el crítico se halla en terreno más o menos seguro, que su descripción del estilo barroco se apoya en cierta realidad que le sirve de firme punto de referencia, la sostiene, ayuda a su elaboración y hace posible su extensión a otras áreas culturales. El barroco es un concepto cuya definición inicial como categoría arquitectónica (de la perla irregular a lo grotesco al estilo que reemplaza al clasicismo renacentista) ha sido tan eficaz que, tal y como si hubiese adquirido la misma solidez de los edificios del barroco romano y germánico, no facilita verdaderamente, tal como sucede con otras nociones también provenientes o relacionadas con la historia del arte (renacimiento, neoclasicismo), su aplicación a las demás artes sino con el papel de un criterio histórico, una ideología, una serie de características muy generales estrechamente relacionadas con el curso de la historia europea durante el siglo XVII, las cuales *parecen* manifestarse en la arquitectura de ese período del modo que ya vimos en detalle. Y también en la literatura, pero aquí como un *complejo* de cualidades —de suerte que no resulta suficiente decir, según se ha afirmado tan a menudo, que el barroco en literatura expresa el desengaño del mundo, y basta—, cuya esencia común debe poder ser explicada por la ideología de ese período, primero de crisis intelectual y luego —tan inmediatamente, de hecho, que resulta difícil deslindar entre ambos movimientos— de afirmación reaccionaria.

¿Por qué, pues, llamar neobarroca a la literatura de Sarduy o a la de sus modelos (el *nouveau roman*, el *nouveau nouveau roman*, el postmodernismo de autores como Barth), lo mismo que a la de los seguidores de éstos, en Latinoamérica y en Europa? Sobre todo cuando el examen de la arquitectura barroca demuestra que, pese a la importancia del descubrimiento de Kepler, no existe en esos edificios ni desperdicio ni rechazo de un centro significativo.

Si la existencia de un barroco literario resulta difícil de precisar para que la definición teórica correspondiente ayude al análisis individual de las obras incluso en los casos de las literaturas italiana y alemana, alrededor de las cuales floreció la arquitectura barroca, la ausencia de ésta, como no sea de refilón, en España y sus colonias [pese a las lucubraciones más o menos ingeniosas de D'Ors, y a las afirmaciones de Sitwell (143)] no contribuye, desde luego, a la clarificación del barroquismo hispánico, el cual se nos queda en un *espíritu* que quizá corresponda, en efecto, a ciertas corrientes artísticas contemporáneas, o —lo que parece menos precario como base interpretativa— a la manifestación de una ideología fomentada por la clase dirigente, según lo explica Maravall. De modo que antes de afirmar que

Velázquez, Lope, Gracián, o incluso Góngora (¿por qué no?), son indudablemente barrocos, habría que plantearse seriamente la posibilidad —a la larga más bien de carácter «metafísico»— de que haya florecido en el mundo hispánico una mentalidad o una cultura cuyo modelo, el arquitectónico en el que se concentra la noción de barroco desde finales del siglo XVIII, apenas toca a España e Hispanoamérica. Lo cual se explica, es cierto, por razones principalmente económicas [faltaban allí la paz, contrariamente a lo que sucedía en el caso de Roma, sobre todo, pero también en cuanto a la Europa Central una vez concluida la Guerra de los Treinta Años (144), y además el capital necesario], pero aun así no deja de sorprender qué poco se intentó en nuestras naciones, con los medios al alcance de arquitectos y constructores, el crear espacios verdaderamente barrocos en vez de adornar —barrocamente— otros más simples; especialmente cuando tenemos en cuenta la relativa abundancia de arquitectura barroca en Portugal y en el Brasil.

El impacto en su tiempo del Góngora barroco, olvidado por trescientos años, fue más bien reducido, y en cuanto a sus imitadores y espontáneos epígonos en el Nuevo Mundo, su influencia fue, por necesidad, aún más limitada, por tener lugar dentro de pequeñas sociedades coloniales aisladas entre sí. También a Calderón, Quevedo, Lope, y el resto de los poetas y autores de comedias y de novelas del Siglo de Oro, además de a Gracián, se les llama ahora «barrocos», pero en su caso se trata, en cuanto al barroco —lo cual no es lo mismo que decir la totalidad de su obra—, de reflejos más o menos auténticos de cierta estética que sólo Góngora expresa cabalmente en algunos de sus poemas mayores. Y no podía ser de otro modo, habida cuenta de la marginalidad de nuestros países, empezando por la metrópoli, respecto a los descubrimientos científicos, las teorías filosóficas y las convulsiones sociales a las que el barroco romano, piamontés y alemán responden.

Lo que sí floreció en el mundo hispánico fue el desmedido adorno, impresionante, cegador, a menudo excesivo, a menudo prescindible. ¿Será eso el neobarroco, una suerte de «horror al vacío» y semejante, por tanto, al barroco hispánico —con contadísimas excepciones? De ser así, se confirmaría que la función de ambos es la de dispersadores/ocultadores de sentido, a la vez que su deliberado reaccionarismo frente a las posibilidades de una transformación radical de la estructura social.

Pero nuestro interés en el barroco revela, sobre todo, una curiosa —por más que previsible— voluntad de dependencia por parte de quienes estudian tanto el barroco como el neobarroco hispánicos (que en el análisis de Sarduy funcionan como una teoría de su propia escritura) respecto a un arte básicamente no hispánico, pero del cual España trata también ahora de hacer depender su literatura del período que hasta hace poco se llamaba del Siglo de Oro (de 1580, fecha de *La Galatea*, a la muerte de Calderón, en 1680).

Wellek sugiere que la aplicación del concepto de barroco a la literatura ha sido particularmente exitosa en Alemania gracias a la creencia de que existe una semejanza entre la poesía «barroca» alemana de mediados del siglo XVII y el movimiento expresionista de los años veinte (art. cit., páginas 75-76). Quizá aún más importante como explicación de la sistemática y brillante revalorización de esa literatura (145) sea cierto interés básicamente nacionalista en revitalizar, aprovechando la existencia de una sólida tradición artística barroca, sobre todo arquitectónica, en Alemania, un período hasta entonces mal conocido de la literatura germánica, situándolo al mismo nivel respecto a la recepción crítica, del clasicismo francés, la época isabelina de la literatura inglesa y el Siglo de Oro de la española.

En el curso de una discusión sobre *Paradiso*, Angel Rama anota, a propósito de llamar a esa novela «barroca», que la confusión que se origina de ello proviene del hábito latinoamericano de siempre definir conceptos artísticos según normas europeas, sin cuestionar jamás la validez de la aplicación de éstas a los productos de nuestra cultura, movidos por el prestigio ancestral de esas etiquetas (146).

No cabe duda de que el barroco europeo pasó en medidas variables al Nuevo Mundo, y también de que halló en él suelo tan fértil como lo hallaron, en diferentes grados que dependen tanto del atractivo, dificultad técnica, etc., del objeto en cuestión, como de las condiciones materiales de la cultura donde sentaba raíz, casi todas las manifestaciones de la civilización europea. En la arquitectura y en las artes plásticas, el barroco hispanoamericano, como el español (bien que, según se explicó ya, no siempre nos llegó a través de éste), es poco original, poco *barroco*, en definitiva: más adorno que otra cosa, imprescindible en cuanto al conjunto, pero adorno en fin, más ventana del convento de Thamar o fachada del hospicio de Ribera, fáciles de imitar, por definición, que San Carlino. Las obras de Sor Juana y de Sigüenza y Góngora, por otra parte, sugieren que nuestro barroco literario extrema ciertas características del español: como explica Jean Franco, en un medio nuevo, donde la cultura libresca del país conquistador tiene que expandirse para cubrir un enorme espacio, de suerte que no quede sitio donde puedan ser oídas la cultura popular y la cultura nativa, ese barroco resulta un ejercicio en el vacío, significantes sin significado, «argumentos» cuya resolución está predeterminada (147). Lo cual, naturalmente, identifica a ese barroco también como la espléndida fachada de un poder en realidad vacilante; barroco que —en la interpretación de John Beverly— quisiera cooperar en la labor ideológica del mercantilismo absolutista, pero cuyo producto final es la soledad, la alienación (148).

Una vez entendidas la necesidad histórica lo mismo que las características y los límites del barroco como movimiento artístico y como «cultura», en Europa y en el mundo hispánico, llamar «neobarroco» a las consecuencias filosóficas derivadas de los planteamientos postestructuralistas representa una posición retrógrada y antihistórica, en cuanto significa implícitamente asimilar un movimiento contemporáneo cuyas premisas podrían ser desarrolladas —bien que no haya sucedido así hasta ahora— en una dirección progresista, a una cultura por definición reaccionaria. En el caso específico de Latinoamérica, apellidar a las producciones de nuestros novelistas barrocas o neobarrocas significa adosarles una etiqueta europea cargada de significados históricos que no les corresponden, y nos apartan de la necesaria tarea de explorar desde su propio contexto sus propósitos, sus logros, sus limitaciones.

Es natural que el deterioro del régimen capitalista y sus efectos para Latinoamérica urja indirectamente a muchos críticos a promover el neobarroco como doctrina literaria. Mas el rapidísimo curso de los acontecimientos históricos hace todavía más difícil ahora que lo fue en 1650 el triunfo perdurable de un arte —de una literatura, en el caso que nos ocupa ahora— cuyo destinatario por derecho propio son los públicos burgueses de aquellas naciones donde el régimen del capitalismo transnacional, como antaño el absolutismo respecto a la burguesía y las capas superiores de los gremios, se defiende de la creciente concienciación de las masas proletarias, incluidos los obreros intelectuales, situación que afecta esta vez a Francia e Inglaterra, donde la razón había impuesto su dominio en el siglo XVII mucho antes que en el resto de Europa. En Latinoamérica, en cambio, se trata de regímenes autoritarios sin base popular, los cuales luchan por sobrevivir frente a las masas en abierta rebeldía. Las burguesías y las oligarquías que los apoyan no tienen ni tiempo ni cultura suficiente para jugar al neobarroco, pese a la insistencia en ello de algunos de los miembros intelectuales de esos mismos grupos.

La literatura puertorriqueña no ha empezado a ser conocida fuera de Puerto Rico, excepto por especialistas, hasta hace aproximadamente una década, pero aun así en dosis muy reducidas. Probablemente la producción literaria de Puerto Rico no es, ni en calidad ni en volumen, inferior a la de muchos países hispanoamericanos mayores en área, pero con menos densidad de población [Puerto Rico es aún más pequeño que El Salvador, pero con una población de tres millones y medio de habitantes, resulta uno de los países más densamente poblados del mundo (149)] e índices de analfabetismo mucho más altos [el de Puerto Rico era sólo el 10 por 100 en 1960 (150)]. Mas no ha tenido lugar allí todavía un fenómeno del tipo Darío, Cardenal o Asturias (en Nicaragua y Guatemala, respectivamente), es decir, la aparición de un escritor cuyo impacto, aunque no sea suficiente por sí solo para extraer del anonimato la totalidad de la literatura de esos países periféricos (en relación a México, los del Plata, Chile, Colombia, Perú, Cuba), fomenta el interés crítico en la literatura nacional donde se asientan. La continuación del *status* colonial de Puerto Rico afecta también la recepción crítica de su literatura respecto al resto de Hispanoamérica y en relación al hispanismo norteamericano y europeo, además de haber influido muy negativamente en la difusión del libro puertorriqueño, primeramente en cuanto a su costo, cuando se produce en la Isla, dentro de la zona del dólar, pero aún más a causa del aislamiento de las editoriales y los distribuidores nacionales respecto al comercio del libro en castellano; hasta que en los últimos años los escritores puertorriqueños mejor conocidos han comenzado a publicar directamente en editoriales españolas, mexicanas y argentinas.

El primer novelista puertorriqueño en alcanzar contemporáneamente gran fama dentro del país, y hasta alguna fuera de él (151), fue René Marqués, cuyo pensamiento pertenece al existencialismo, en tanto que su estilo tiende a cierto lirismo de difícil asimilación para el lector actual. La preocupación que domina la obra de Marqués, expresa o implícitamente, y siempre desde esa perspectiva lírico-existencialista, es la situación colonial de su patria, lo cual concluye lastrando irremediablemente su obra, pues le prohíbe al escritor la exploración de cuanto pueda dificultar, al revelar su complejidad, el entendimiento de la problemática sociopolítica, la cual prefiere ver en términos de una oposición estricta entre un pasado hispánico en descomposición, por efecto de las nuevas circunstancias coloniales, y un crecimiento de la influencia yanqui, identificada con la incorporación de Puerto Rico al mundo del capitalismo moderno en su versión latinoamericana (152). La visión de Marqués de Puerto Rico y del carácter nacional manifiesta en sus cuentos, novelas, ensayos y piezas de teatro un sentimiento de alienación cuyo pesimismo es esencialmente conservador (el país donde quisiera haber nacido es imposible, por tanto...), y ha sido incluso interpretado como la última expresión del pensamiento característico de la clase latifundista (153).

Escritor situado entre dos generaciones de intelectuales puertorriqueños (nació en 1919; Laguerre, en 1906; José Luis González, Soto y Díaz Valcárcel, en 1926, 1928 y 1929, respectivamente) y cuyo desarrollo intelectual es parte también del de ambos grupos, el caso de Marqués resulta paradigmático de la situación del intelectual puertorriqueño de los cincuenta, ansioso de y muy frecuentemente también con la preparación intelectual necesaria para navegar felizmente por las corrientes intelectuales dominantes en la literatura occidental, pero temeroso al mismo tiempo de que esa participación pueda afectar negativamente la expresión de la convicción política con la que identifica el núcleo significativo de su intención artística. Sólo excepcionalmente no será el escritor puertorriqueño partidario de la independencia, y en ese caso será por serlo del sistema presente de «asociación libre» (154); a partir de Marqués, sin embargo, ese intelectual va a afinar sus ambiciones estilísticas y su deseo de experimentar con la naturaleza de la creación literaria independientemente de la ideología política; de experimentar, en fin, con la posibilidad de una distancia entre ambas que permita su libre interacción. Este es el caso de los novelistas de quienes se ocupan las páginas que siguen (155).

Al menos a partir de los cincuenta, con el apogeo del

partido político dirigido por Muñoz Marín, antiguo independentista convertido en líder de un partido moderado que ha estructurado la convivencia colonial con Estados Unidos, el escritor puertorriqueño ha solido recibir el apoyo económico del Estado a través de empleos en el Departamento de Educación, la universidad estatal, programas culturales para las masas, etc. (156); fenómeno éste paralelo en buena medida a la dependencia del intelectual mexicano del Estado auspiciada por la Revolución Mexicana una vez institucionalizada (y aun desde los comienzos de esa institucionalización), y harto rara al mismo tiempo en Latinoamérica, donde a lo sumo se premia a ciertos artistas poseedores del prestigio, el *pedigree,* o las conexiones indispensables, con un cargo diplomático, mientras que el acceso a las cátedras universitarias está regulado por mecanismos cuasi medievales, y los niveles superiores de la burocracia se hallan controlados por un obtuso nepotismo, o, en los mejores casos, reservados a técnicos. Esa situación cambió en Puerto Rico con la subida al poder, en 1968, después de veintiocho años de hegemonía de los «populares», del partido conservador o Estadista (el que propugna la conversión de la isla en un Estado de la Unión), mas la transición no ha sido tan drástica que haya desprovisto a muchos intelectuales de su sustento, además de que el Partido Popular recobró el poder entre 1972 y 1976.

El efecto de la situación descrita agrava las contradicciones del subdesarrollo puertorriqueño. En los países socialistas, categoría que incluye varios del Tercer Mundo, el escritor suele ser un funcionario (en Francia, España, Italia, etc., puede ocurrir lo mismo en relación a la radio y la televisión estatales y ocasionalmente respecto a la docencia universitaria y en escuelas secundarias), el cual ha alcanzado su seguridad económica como retribución a una manifestación política de carácter revolucionario o radical; semejante a la que caracteriza la conducta cívica del escritor puertorriqueño, excepto que éste se expresa de ese modo dentro de un sistema al cual debe a menudo su sustento material, pero cuya mera existencia acusa y va incluso a interferir, más o menos abiertamente, con (en el caso, sobre todo, de los gobiernos estadistas) la expresión de la ideología política del escritor. Consecuentemente, éste se convierte en otro «objeto de uso» más, desprovisto de un valor en sí mismo, al igual que el artista contemporáneo de Estados Unidos o de la Europa occidental, pero de modo todavía más total y angustioso, pues la contradicción implícita en su condición resulta agravada por el *status* colonial de la patria. A la alienación resultante hay que sumar el que la apariencia exterior del país, merced a la proximidad a Estados Unidos y el depender casi del todo de éste económicamente, no corresponde en absoluto a la del diminuto país de escasísimos recursos económicos, superpoblado y socialmente caótico, subdesarrollado, en fin, que es en realidad Puerto Rico. Una fachada de prosperidad dependiente del turismo, de una industrialización ficticia o temporal, de una burguesía que vive a crédito, de instituciones sociales mantenidas por el gobierno federal estadounidense, oculta para el ojo no avisado las condiciones descritas antes (157).

Existe otro Puerto Rico que, aunque dentro geográficamente del mundo del superdesarrollo, participa tan poco, tan falsamente, o aun menos que el isleño, por efecto de la diferencia entre su situación social y económica y la de las burguesías metropolitanas, del bienestar material del capitalismo de los países industrializados. La dialéctica subdesarrollo/desarrollo adquiere allí, en el mundo del puertorriqueño emigrado en Nueva York y otras grandes ciudades norteamericanas (158), una expresión aún más dramática que en el marco de la Isla, y más rica, por tanto, en sugerencias críticas. Es por ello, porque intuyen que el «nuyorrican» les proporcionará la clave para entender la problemática identidad que los angustia, por lo que varios escritores puertorriqueños más jóvenes que Marqués buscarán en aquél el punto de partida o el eje de sus ficciones.

Es José Luis González quien abre el camino con sus cuentos y novelas cortas de escenario neoyorquino. Dueño de estupenda maestría en esa narración cuya complejidad no está desarrollada, sino que se le regala al lector para que piense en ella con más calma, González comienza a trabajar en el tema del emigrante desde por lo menos «La carta», de *El hombre en la calle* (1948), brevísimo relato consistente en la carta que dirige a su madre un «jíbaro» recientemente llegado a San Juan, pintándole una próspera situación que niega súbitamente el epílogo, donde el narrador interviene para describir cómo el personaje mendiga para comprar el sello de cinco centavos que necesita. En *Paisa,* de 1950, González evoca en varios cuadros la situación del emigrante puertorriqueño en Nueva York: desempleo y miseria, inadaptación a la gran ciudad extranjera, proclividad al crimen (159). En «La noche que volvimos a ser gente» (incluido en *Mambrú se fue a la guerra,* de 1972), esa misma experiencia boricua en Nueva York está expresada en tonos mucho menos sombríos —aunque no menos realistas—, en la medida en que no es uniformemente negativa, y culmina en una escena de alegría, por más que pasajera (160).

La novela corta *Mambrú se fue a la guerra* (1972) deja atrás Nueva York para conseguir, en un escenario europeo, una nueva visión de Puerto Rico, más universal, según lo expresa ya el título de la obra, el primer verso de la versión castellana de una canción burlesca tradicional inspirada por las campañas del duque de Marlborough durante la Guerra de Sucesión de España, e inmensamente popular como acompañamiento de rondas entre los niños del mundo hispánico. El protagonista de *Mambrú,* un puertorriqueño cuya participación como soldado en el ejército norteamericano en la segunda guerra mundial continúa la parodia por la canción de las hazañas del primer Churchill, luego duque de Marlborough, llamándolo «Mambrú», atraviesa por una serie de momentos de progresiva alienación respecto a quienes lo rodean. La campaña de Francia se ha detenido para que el general Léclerc entre triunfante en París, maniobra política que sirve para distanciar aún más de lo que ya lo está a nuestro héroe del ejército en el cual ha sido reclutado (161), al revelársele cómo aquél pretende ahora, obedeciendo la estrategia política de los Aliados, subordinar su existencia a un ejército inexistente en aquellos momentos, el francés. De cualquier modo, para él, latinoamericano y culto, París, a cuyas puertas se encuentra, representa algo muy diferente que para la mayoría de sus camaradas. En el Museo del Louvre conoce a una muchacha a la que ofrece chocolate norteamericano (es decir, un producto extranjero para ambos); esa tarde, mientras hacen el amor, descubre que Marie había tenido relaciones con un soldado alemán muerto durante la liberación; lo cual, según ha señalado el propio autor, la distancia a ella respecto a su propia patria tanto como lo está el soldado de Estados Unidos (162). Al final del altercado entre los posibles amantes que resulta de la revelación, «Mambrú» empieza a comprender lo injusto de su actitud: ¿por qué no podría Marie, después de todo, amar a un alemán, incluso si éste se aprovechaba de ella, lo mismo que ha hecho él? De modo que cuando, ya en la calle, descubre que ni siquiera le dio el chocolate prometido, se llama «mercenario», como lo llamó la muchacha, injustamente, al percatarse de que su lengua era el castellano. Este alejamiento espiritual del protagonista del universo que lo ha *transportado* a Europa (la primera sección o «jornada» de la novela se titula «Liberación», con una doble alusión a la de París y a la que se gesta dentro del protagonista y narrador) se intensifica en el episodio siguiente, «Los héroes», donde aquél expone su vida durante la batalla de las Ardennes para salvar a su regimiento, es herido mientras defeca, y se entera por fin de que su heroicidad era del todo inútil respecto a afectar el curso de los acontecimientos. En esta sección el castellano coloquial, representando la lengua con la que se expresa mentalmente el personaje, desempeña un papel prominente.

De regreso a París seis años más tarde, el personaje se ha asociado con un grupo de estudiantes y artistas hispánicos. Nuevamente su ciudadanía norteamericana, al salvarlo de un atropello policial, es motivo de frustración, a la vez que le revela su verdadera comunidad con el argelino golpeado por los policías, obvio representante del Tercer Mundo en situación colonial. Resulta muy importante el que el protagonista haya venido esta vez a Europa desde Puerto Rico, a donde regresó al concluir la guerra, abandonando Nueva York, donde estudiaba, con el propósito de «hacer algo por el país» en lugar de abandonarlo (p. 106). Después de un imprevisto encuentro sexual con una muchacha española (su habitación, observa el narrador, no se parecía en nada a la de Marie, lo cual subraya la diferencia entre ambas mujeres y la de las dos relaciones respecto a él mismo), el protagonista sueña «que vagaba por tierras desconocidas (y sin embargo no precisamente ajenas), surcadas por ríos de aguas espesas y rojas como sangre, y pobladas de árboles de follaje plateado sobre los breves troncos retorcidos. Maruja, que marchaba a mi lado, me dijo sin que le preguntara: "Son olivos, querido. He regresado"» (página 114), palabras con las que concluye la novela.

Este final expresa una nueva iluminación de sí mismo para el narrador-protagonista, estrechamente ligada a la definición del camino de su vocación artística, conclusión a su vez del proceso que recogen las escenas relativas a la guerra más su epílogo, la tercera «jornada», las cuales hay que interpretar como la crónica de una liberación que culmina en el hallazgo de la raíz propia en una tierra de olivos y de ríos de sangre, gracias a la muchacha española; en tanto que la francesa lo había tomado primero por norteamericano y más tarde por soldado a sueldo, y la heroica acción de la segunda jornada, expresiva de un violento esfuerzo por ingresar de lleno en el mundo norteamericano —secuela a su vez de la realización que tiene lugar al final del primer capitulillo—, concluye también en un fracaso. Rechazado en dos ocasiones, «Mambrú» sueña entonces con su raíz, mas no de modo ingenuo, imaginando, según lo han hecho tantos hispanoamericanos (y en particular muchos independentistas puertorriqueños), una especie de hispanidad *cósmica*, sino sabiendo ya quién es, percepción que precede al sueño cuyo sentido le aclara, dentro de él mismo, Maruja: el protagonista-narrador es, según le explica a aquélla, un escritor hispanoamericano que quiere terminar una novela sobre «un hombre que quiso vivir en un sumidero [como llamó a Puerto Rico su amigo el barbero cubano que trataba de disuadirlo de regresar allá: pp. 104-106]», es decir, una novela autobiográfica, como confirma en seguida: «El hombre soy yo y el sumidero es mi pobre país» (p. 106); un hombre que ha viajado del subdesarrollo al superdesarrollo, ha tratado momentáneamente de integrarse con éste (lo cual no corresponde seguramente a la experiencia biográfica del autor), se sumerge de lleno en el medio natal, y al salir de nuevo de él lleva consigo el conocimiento necesario de sí mismo para reconocer las raíces y los horizontes de su propio universo cultural (de ahí la fácil afinidad con Maruja y la revelación que recibe a través suyo) y con ello desarrollar las fuerzas necesarias para concluir la obra comenzada (163).

La novela siguiente de González, *Balada de otro tiempo* (1978), comenzada hacia 1963, según el autor, no podía haber sido concluida antes de la toma de consciencia respecto a sí mismo en relación a la propia nacionalidad que culmina en el último capítulo o jornada de *Mambrú*, pues, como explica aquél, no se trataba verdaderamente en *Balada* ni de narrar la historia de un «adulterio entre campesinos puertorriqueños en los años treinta», ni de una «recuperación literaria [a su través] de ... los elementos físicos de la patria perdida ... el paisaje y el paisanaje puertorriqueños» (164), sino de describir «la coexistencia en Puerto Rico [para aquellas fechas] de dos mundos distintos e incluso contrapuestos, el de la montaña y el de la costa» (un joven cortador de caña busca refugio de su propia inseguridad trabajando en un pequeño cafetal; la mujer del dueño, frustrada por el carácter agrio y resentido de éste, reflejo a su vez de las duras condiciones en que trabaja y del incierto futuro de la finquita, se enamora del empleado, un tanto maternalmente, y huye con él hacia la costa, perseguidos por el marido), de los cuales triunfa el segundo, naturalmente, pues «el Puerto Rico más real en nuestro tiempo ... más vigente en un sentido histórico, no era el Puerto Rico campesino de la montaña [a donde huye el protagonista de *La llamarada* con su esposa extranjera], sino el Puerto Rico urbano y semiurbano de la costa. Allí era donde se estaba haciendo la historia presente del país, y allí era donde se haría, inevitamente, la historia futura» (165). El jíbaro traicionado decide, al escuchar la conversación de los incipientes adúlteros, perdonarlos y marcharse, no de vuelta al cafetal, sino a un ranchito donde le parece que lo necesitan y sería feliz; así que clava frente a la puerta el machete que ya no va a vengar su afrenta; pero instantes después la policía, confundiéndolo con un forajido, lo mata.

En el último capitulillo, los amantes continúan su camino juntos, no obstante haber reconocido la noche anterior lo diferentes que son, cómo Dominga, quien continúa amando a su marido, no es ni será nunca de este otro mundo por donde ahora deambula con su amante (166). Alianza de opuestos, unidos a pesar de sí mismos por su dependencia mutua y la imposibilidad del regreso, la de esos jóvenes representa, en una novela con un aparato teórico casi explícito, y cuyo realismo no intenta reproducir, sino reflejar la realidad, la de las dos culturas isleñas del café y el azúcar, o la montaña y la costa, a las que circunstancias de las cuales son inocentes (el adulterio de la esposa, la ocupación de Puerto Rico por Estados Unidos) precipita irremediablemente del campo a la ciudad (167).

Ningún otro escritor puertorriqueño manifiesta respecto a la realidad nacional la misma capacidad de entender la trama de relaciones sociales y de procesos históricos que constituyen la nacionalidad, que despliega José Luis González, gracias a su formación marxista, su estudio de la historia y de la literatura puertorriqueña en su devenir histórico, y, sobre todo, su largo exilio de la Isla —casi veinte años transcurrieron antes de que pudiese visitarla de nuevo (168). De esa distancia crítica es de donde han nacido *Mambrú* y *Balada*, novelas menos interesantes como estructuras narrativas que algunas de las otras de que tratarán las páginas siguientes, pero imprescindibles para entenderlas, pues instauran la posibilidad misma de la literatura puertorriqueña contemporánea (169).

La carrera de Emilio Díaz Valcárcel resulta menos fácil de precisar que la de González en cuanto a su curso hacia el tipo de *liberación* que tiene lugar en *Mambrú*; la cual alcanza, sin embargo, de modo más drástico, en la medida en que resulta en una alteración radical de las leyes de la escritura en la obra donde se recoge precisamente ese proceso.

Cuentista prolífico, el primer libro de Díaz Valcárcel, *La sangre inútil* (170), describe experiencias de la guerra de Corea, en la que el escritor participó como soldado conscrito del ejército norteamericano, y la cual reaparece en otros de sus relatos (los cuentos con escenario coreano han sido coleccionados en *Proceso en diciembre,* de 1963, recogido a su vez en *Panorama,* que contiene narraciones escritas entre 1955 y 1967) (171). Díaz Valcárcel sigue la huella de René Marqués, según explica éste en su edición *Cuentos puertorriqueños de hoy* (p. 236), pero también la de Hemingway, en narraciones que aportan poco nuevo —con algunas excepciones, especialmente los cuentos incluidos en la antología de Marqués, «Sol negro» y «El sapo en el espejo», el primero de 1958, el otro del libro *El asedio,* publicado el mismo año; notables por la sorpresa del final y por el giro surrealista, aún más marcado en el segundo, que es, no obstante, el menos logrado técnicamente de ambos cuentos. *Inventario* (1975, pero seguramente escrita mucho antes) es una novela realista convencional donde un hombre pasa revista al fracaso de sus ambiciones por obra de las presiones sociales.

Nada, pues, en la obra de Díaz Valcárcel permitía anticipar *Figuraciones en el mes de marzo* (1972), novela que constituye la primera ruptura de la literatura puertorriqueña con su pasado inmediato (Marqués, Laguerre, Díaz Alfaro, etcétera); ruptura tan drástica, por efecto de la estructura de la obra, que también la temática parece diferente, aunque no lo es en realidad, pues se trata también en *Figuraciones,* como en tanta otra novela y cuento puertorriqueño contemporáneo, de una autobúsqueda de intención cultural y política, sólo que ello sucede aquí fuera de Puerto Rico (como ya pasaba en *Mambrú*), y, lo que resulta más notable aún, el proceso en vez de la finalidad de la búsqueda, constituye el objeto de la escritura, a través del manuscrito que escribe Eddy, el protagonista.

Lo que comienza aparentando ser la narración de la estancia de un puertorriqueño en Madrid (el paso siguiente a la estancia de «Mambrú» en París entre hispanoamericanos y españoles), se convierte a las cinco páginas en un texto mucho más complejo, el cual incluye diálogos sin intervención del narrador, versiones de los mismos acontecimientos, a veces contradictorias, por aquél y por otros personajes, la interpolación de cartas y de textos externos al objeto de la narración (fragmentos de diccionarios, de crónicas históricas y de la guía de teléfonos, recibos, ordenanzas). Al igual que *Cobra,* o que las novelas leyendo las cuales hizo Sarduy su aprendizaje (los *nouveau romanciers,* Barth, Blanchot), *Figuraciones* es, primero que nada, escritura, la escritura de un texto cuya materia son los pensamientos, acciones, y el medio —reproducido tanto a través de diálogos como por el menos convencional de copiar disposiciones administrativas, por ejemplo— en el que vive Eddy, todo ello tratado en un mismo plano, como material u objeto igualmente válido para la escritura. Novela riquísima, inmensamente divertida, difícil a ratos, llena de sorpresas, experimental, en fin, *Figuraciones* no deja por ello de ser novela; es decir, posee un centro referencial semejante al argumento tradicional: Eddy se cree tuberculoso; un marco psicológico: los altibajos de la relación matrimonial entre Eddy y Yolanda, y un fondo ideológico centrado alrededor de la experiencia de España en relación a la de Nueva York y a la original puertorriqueña del narrador.

Díaz Valcárcel responde de este modo al monotema que, como bien dice, asfixiaba la literatura puertorriqueña (172): la definición de la identidad nacional; la cual constituye también el tema central o motor de *Figuraciones,* pero no desde una perspectiva exclusivamente política, sino como literatura, en un texto cuya sugerencia del *collage* corresponde, reproduciéndola, a la realidad de un país fragmentado, mezcla de Estados Unidos e Hispanoamérica, donde coexisten tradiciones interrumpidas con otras no del todo asimiladas (situación que, aunque más aguda en Puerto Rico por su *status* de colonia estadounidense, es característica de los países en estado de desarrollo), y a la personal de Eddy Leiseca, cuyas aspiraciones intelectuales y políticas, frustraciones y contradicciones ideológicas reflejan las de su patria.

Para entender al personaje que se había propuesto, explica el autor en la entrevista citada, tenía que situarlo fuera de Puerto Rico y en España; ello permite además desarrollar un estupendo contrapunto lingüístico entre las cartas que recibe Eddy (algunas de ellas reales, al parecer), lo que él mismo escribe, la prosa «municipal» de las circulares que trae el correo, y el amaneramiento madrileño de Yolanda. De regreso de la cultura yanqui, del conflicto con la cual depende tanto de la obra anterior de Díaz Valcárcel; residente en España, pero tampoco integrado —ni siquiera en el plano superficial de su mujer— con ese mundo, sino añorando, frente al provincianismo madrileño, la vida de Nueva York (y en particular las buenas películas), para en seguida rechazar la cultura del país colonizador y recordar la propia, Eddy va tejiendo en sus «figuraciones» del final del invierno una nueva pintura de la búsqueda por el puertorriqueño de su identidad, en la primera novela puertorriqueña que ríe, antes que nada, de sí misma y de su protagonista narrador (véase *Zona,* art. cit., p. 19).

En lugar de tratar de la inadaptación del personaje desde fuera de él mismo, haciéndola sinónimo de la del puertorriqueño en general, a la manera oblicua, lírica y seudofilosófica de René Marqués, Díaz Valcárcel se concentra en un personaje que describe sin reticencias muchas de sus preocupaciones y experiencias, intelectuales y biográficas. Inadaptado por puertorriqueño, pero también por escritor, con una esperanza revolucionaria que le parece al mismo tiempo irrealizable, enfermo de hipocondria o de un mal tan difícil de precisar —tan invisible— como el de su patria, ansioso de escapar siempre (al final lo tenemos pensando en Helsinki y en Nepal), Eddy continúa mientras tanto, al parecer sin proponérselo deliberadamente, el consejo de su amigo el escritor Mancio, al que desearía anular como modelo, y quien le ha dicho que lo importante es escribir, como en efecto hace Leiseca, en una suerte de batalla consigo mismo donde la alienación no es sólo el objeto de la obra, sino también la forma de la escritura, caos que exige nuestra constante colaboración como lectores para descifrarlo. Por medio de ese procedimiento logra el autor, mucho mejor que si hubiese pintado como observador omnisciente la alienación de Eddy —lo cual nos habría dado sólo la apariencia de ésta y la versión por el autor de los pensamientos de su personaje—, revelar cómo, lo mismo que para su patria, tampoco existen para Eddy, intelectual puertorriqueño típico, tan angustiado y tan desajustado, por tanto, en San Juan como en Nueva York o en Madrid, soluciones fáciles. Con lo cual *Figuraciones* gana también en significado político.

Harlem todos los días (1978), la novela siguiente de Díaz Valcárcel, no hubiese sido posible antes de la experiencia tanto autobiográfica como estética representada por *Figuraciones*, cuyo autor («Zaíd Lécraclav», o sea, el apellido de aquél al revés) (173), de vuelta de España —sus amigos intelectuales españoles (José Caballero Bonald, Alfonso Sastre, Aurora de Albornoz) lo acompañan, lo mismo que los puertorriqueños, en su pesquisa y su interés por el protagonista de la nueva novela—, se instala en Nueva York para narrar, de acuerdo con los datos que le proporciona un reciente inmigrante puertorriqueño a Nueva York, «Geraldo Sáncheh» (pues el texto tiende a transcribir el idioma puertorriqueño y el «nuyorrican» o «spanglish» según suenan), su adaptación a la nueva vida, la cual resulta exitosa, como lo prueba ese libro, del que es protagonista gracias a la atención que despiertan en nuestro autor sus peripecias en el medio neoyorquino: el del «Barrio» o *ghetto* puertorriqueño en Nueva York, pero también el más extenso de la colonia hispánica de la urbe, incluidos ciertos seudointelectuales «nuyorrican», y en particular su relación, del todo inocente, con un grupo de revolucionarios.

El resultado es irónico. Lécraclav-Valcárcel escribe «un libro de la vida de Nueva York» (p. 228), cuyo foco es Gerardo-Gerry, boricua atípico (aunque no extraordinario), alto, de aspecto «escandinavo» (p. 127), el cual se encariña pronto con la ciudad y termina siendo el objeto de un libro, por un puertorriqueño de «la isla», ayudado —espiritualmente— por amigos puertorriqueños y españoles, por su cultura, y por el propio pasado que *Figuraciones* le ha permitido entender tan bien, sobre la experiencia de un compatriota en esa otra isla epítome de la cultura del capitalismo avanzado. La experiencia en ella de Gerardo es al mismo tiempo corriente y extraordinaria, y su supervivencia no un símbolo de la de sus coetáneos en su conjunto (es para indicar esto por lo que no se les parece físicamente), sino simplemente de que, como él mismo comenta en la última página, hay «que seguir tirando», no obstante ser Nueva York «una jodienda», en la convicción de que «no hay mal que dure cien añoh ni cuelpo que lo resihta» (p. 229), con lo cual concuerda plenamente el autor que ha comenzado ya a escribir su novela, que la tiene entera en su mente, que «ya la ha terminado». *Harlem todos los días* es una exploración del *otro Puerto Rico* desde el bien ganado reposo de quien ha sobrevivido a sus propias *figuraciones*: de ahí el tono de juego, nuevo en el novelista —si consideramos que el humor de *Figuraciones* es principalmente irónico—, de documento burlesco, el alegre alzarse de hombros, en fin, con el que el autor, que ha aprovechado tan astutamente la historia de Gerardo, se marcha de vuelta a su propia asediada y caótica isla, seguro del éxito —es decir, de la integración en la nueva cultura, no importa cuán penosa e imperfectamente— de su personaje. Quizá la próxima novela de Díaz Valcárcel ofrezca una expresión del proceso evolutivo de la consciencia del escritor capaz de abrir una nueva vía a su voluntad artística que se beneficie de las dos necesarias *liberaciones* respecto a las obsesiones puertorriqueñas más características que representan estas dos novelas, liberación que no implica en este caso desinterés, sino, por lo contrario, una nueva vía de acceso a la misma problemática.

El caso de Pedro Juan Soto resulta el más paradigmático de los que venimos observando, en cuanto la carrera del escritor expresa directamente la búsqueda por el intelectual puertorriqueño de una perspectiva iluminadora sobre el problema de identidad que lo acosa. Asentado en Nueva York a los dieciocho años, soldado en Corea, estudiante en Nueva York, Soto publica en 1957 su primer libro de relatos, dos de los cuales habían ganado ya premios en los certámenes del Ateneo de Puerto Rico (174), *Spiks* (así se llama despectivamente a los puertorriqueños en el argot neoyorquino). El primer cuento de la colección, «La cautiva», pinta a una fogosa adolescente camino de Nueva York, donde su madre espera que olvide su pasión por su cuñado, obtenga una carrera, etc., y el último, «Dios en Harlem», podría ser otra imagen del mismo personaje años después, prostituta encinta que cree que va a dar a luz el niño-dios, y añora el ya imposible regreso a la Isla. Entre ambos ejes significativos hay cuentos memorables, como «Garabatos», «Bayamíniña», «Campeones», precedidos de viñetas que amplían la temática del mismo relato, introducen temas paralelos o presentan indirectamente el cuento que sigue. Sorprende entonces, dada la maestría de este primer libro, y especialmente su economía de medios, el siguiente, *Usmail* (1959) (175), aunque el ser la primera novela de Soto seguramente basta como explicación de sus defectos. Usmail, a quien llama así su madre, una negra de la isla de Vieques que enloquece aguardando frente a la oficina de correos («U.S. Mail») noticias del padre de su hijo, un norteamericano que había estado a cargo de la oficina de asistencia social en la isla durante los últimos años de la década del treinta, crece bajo circunstancias muy peculiares: mulato casi rubio, criado por una negra anciana, odia primero a los norteamericanos, se relaciona más tarde estrechamente con los veteranos que regresan de la recién concluida guerra mundial, toma el oficio de pescador, se hace amante y al cabo chulo de una costurera, y decide finalmente probar fortuna en San Juan, donde su contradictoria apariencia física provoca una pelea en el curso de la cual mata a un *marine,* instante en el que lo abandona la novela, pues es ya claro cuál será su destino en vista de ese crimen. Aunque la narración de *Usmail* resulta suelta y el diálogo certero en su empleo de formas populares, como ya sucedía en *Spiks,* la novela sugería que también Soto había caído bajo la influencia del existencialismo lírico-político de Marqués, o la justificación de toda clase de melodramas vagamente verosímiles a cuenta de su mensaje político.

La novela siguiente, *Ardiente suelo, fría estación* (1961), representa un puente entre Nueva York, donde vive el protagonista, y San Juan, a donde va de vacaciones y quisiera regresar permanentemente con sus padres, miembros ya, sin embargo, de la clase media, y residentes fuera del *ghetto.* Después de una serie de experiencias frustradoras relacionadas con su imperfecto dominio del castellano, la influencia de la cultura norteamericana en la isla, la dificultad de relacionarse con quienes creía sus compatriotas (los amigos de su hermano, quien vive permanentemente en Puerto Rico, son casi todos «ex-newyorkers» o «nuyorricans»), los cambios sufridos por el pueblo natal, etc., el personaje decide regresar a Nueva York. Parecería, por tanto, como si Soto hubiese deseado entrar a Puerto Rico, tras su larga ausencia en la zona de los «spiks», por una puerta lateral, Vieques, colonia dentro de la colonia (a causa de la base naval que mantiene allí la Marina norteamericana, la isla depende aún más directamente que Puerto Rico de la metrópoli), y reconociendo el fracaso artístico de esa novela, hubiese decidido regresar a la escena original de su obra para recobrar en ella energías (176). (En realidad, Soto había regresado con carácter permanente a Puerto Rico desde 1954 y trabajaba entonces para la editorial de la División de Educación de la Comunidad: *Cuentos puertorriqueños,* páginas 150, 195.)

Es con *El francotirador* (1969), su tercera novela, con la que Soto logra por fin esa perspectiva liberadora que tanto necesitaba la literatura puertorriqueña —y de la cual examinamos el primer y fallido intento en el final de *La llamarada*—. El protagonista-narrador de esta novela es un escritor cubano de un tipo ya no en boga, autor de libros como «La psicología del cubano», y de novelas también, especie de mezcla de Jorge Mañach con Lino Novás Calvo; revolucionario, en los treinta, de una variedad nacionalista-liberal muy latinoamericana, exiliado varias veces, y con sentido permanente a partir de 1959, profesor visitante en universidades españolas (dato éste tan improbable como el que fuese profesor en la de La Habana, dadas sus credenciales) y norteamericanas, y ahora en la central de Puerto Rico, en Río Piedras.

Estamos hacia 1962, y la acción pinta admirablemente los medios académico y político de la Isla, la pugna entre el gobernador Muñoz Marín y el rector de la Universidad, Jaime Benítez; el esfuerzo por hacer de Puerto Rico un ejemplo de democracia que sirviese de modelo a los «observadores» latinoamericanos cuyas visitas patrocinaban el Departamento de Estado isleño y el de Washington. En capítulos que alternan con los que tratan de la vida de Saldivia en Puerto Rico, éste llega a Cuba, donde va comisionado por los exiliados cubanos también para «observar» la situación, visita antiguos amigos, discute con ellos, se mezcla con la gente. El punto de vista del protagonista, francotirador neto que goza en imitar acentos y adoptar otras personalidades, le permite a Soto criticar lúcidamente, al desvelarlos de modo radical, el provincianismo de su patria, su caos político y social, su ilusoria dependencia cultural de España postulada por los sectores más influyentes del medio universitario (el partido del Rector, pero también los cabecillas intelectuales del Partido Independentista, como reacción contra la metrópoli política) y la mucho más real de Estados Unidos.

En los capítulos cubanos, Saldivia se dedica a sabotear con su crítica el incipiente dogmatismo y otros males de la Revolución Cubana, pero a la postre esos aspectos pierden importancia frente a la cáustica crítica de la sociedad puertorriqueña que tiene lugar en la serie paralela de capítulos, donde el Gobernador le propone al novelista que escriba su biografía, la administración universitaria protesta de que incluya en su curso a escritores «comunistas», y los estudiantes de un programa que les parece que contiene demasiadas lecturas. Saldivia concluye proponiéndoles a los emisarios del Gobernador que encarguen su biografía novelada a un escritor local (177); al mismo tiempo que en Cuba lo arrestan por espía, intenta escapar, y finalmente se suicida. Instante en el cual se le revela lo que tiene que hacer para evitar la claudicación ideológica que conduce al suicidio artístico. Así que mientras prepara a la carrera su regreso a Cuba, se le aparece en la pared de la habitación el comienzo de la novela que hemos estado leyendo, o la afirmación de que no está agotado, según le había dicho rencorosamente el Rector.

Porque, en efecto, haciendo hablar a otros para entretenerse, asumiendo disfraces constantemente, Saldivia había llegado a una suerte de impotencia artística (deja de hecho de escribir) que se extiende al plano sexual, y equivale al cómodo subdesarrollo/semidesarrollo falso tan vívidamente descrito en esos mismos capítulos; al dejar el cual cuando abandona drásticamente Gobernador y Rector al mismo tiempo para regresar al medio original, suponemos que concluirá también aquella parálisis. Es importante tener en cuenta que nada en la actitud del personaje respecto a lo observado en Cuba indica que se haya transformado en un revolucionario convencido: de lo que se trata es de un regreso que le permita entender, en cuanto escritor, el mundo de donde procede, paralelo al regreso, después de un distanciamiento semejante, que ha hecho posible para el escritor Soto esta estupenda percepción del mundo del escritor ficticio que tanto admira, Lugo (véase n. 177). En lugar de la biografía del líder político que le proponían al protagonista-narrador los acólitos de aquél, o un estudio semierudito de la literatura hispanoamericana engendrado de sus lecciones universitarias, lo que escribirá será una novela que es al mismo tiempo aguda disección de la patria del autor y renovación de sí mismo.

La cual ha sido obtenida a través de asumir, para llevar a cabo aquélla, el papel de un extranjero, cuyo origen nacional lo hace, sin embargo, más afín al puertorriqueño que ningún otro latinoamericano; es decir, que la imprescindible adopción de un distanciamiento intelectual respecto a la isla que le urge explicarse, tiene lugar para Soto a través de Nueva York y de otra («la otra», en lo que hace a Puerto Rico) Antilla, en lugar de suceder vía Nueva York y Europa, o Nueva York y Madrid, como en los casos de González y Díaz Valcárcel, los cuales iluminan la realidad de Puerto Rico en las novelas estudiadas desde fuera, en vez de como lo hace aquí Soto.

El resultado de este nuevo punto de vista es el examen hasta entonces más lúcido y exhaustivo de la situación puertorriqueña por una novela, que es también la mejor hasta ahora entre las de Soto, compleja, rica en excelencias técnicas, pero libre —porque no tiene tiempo para ello— de pedantería experimental (el uso del futuro para los capítulos cubanos, por ejemplo, no posee el carácter forzado que presenta en *La muerte de Artemio Cruz*).

La cuarta novela de Soto, *Temporada de duendes* (1970), tiene lugar enteramente en Puerto Rico y se propone poner en práctica, de hecho, la lección aprendida en esa deliberada salida al exterior que culmina en *El francotirador*. El vehículo inmediato es una lengua de tono a veces casi gongorino, entretejida con un diálogo coloquial reproducido según debía sonar («na», «pa»). La técnica (cortes abruptos, vertiginoso barajar de situaciones) imita *deliberadamente* la del cine; es decir, no al modo que lo hacían las narraciones de Hemingway, Dos Passos, Malraux o, entre nosotros, las de Novás Calvo, donde se trata de la influencia de un medio sobre otro, en lugar de un intento de reproducción de las características del visual por la escritura, según sucede en *Temporada*, cuyo propósito último es alegórico, también respecto al cine.

Un viajante de comercio compensa el aburrimiento de tener que viajar durante la semana por el interior de Puerto Rico con su pasión por el cine, de modo que se halla siempre pendiente de los programas cinematográficos de los pueblos donde le tocará pernoctar cada día. El cine sirve de ese modo para ocultar, reemplazándola por otra, principalmente extranjera, la realidad rural del país (el fin de semana en San Juan tiene el mismo propósito compensador, con el protagonista yendo de un hotel a otro para seducir turistas norteamericanas personificando al *latin lover* creado por Hollywood). Una serie de circunstancias extraordinarias colocan a Baldo en contacto con y le proporcionan la oportunidad de ayudar a una compañía que filma una película sobre los soldados puertorriqueños en la primera guerra mundial, tema cuya ficcionalidad (178) sirve, por el supuesto propósito de hacer de él una película, para subrayar el carácter irónico y autorreferencial de *Temporada*, y más específicamente cómo se trata allí, en vez de realismo, de revelar el proceso mediante el cual, gracias al cine principalmente, cierta realidad es alterada y a la larga evitada. Su contacto con los «peliculeros» le permite a Baldo ofrecerle un papel en la película —de campesina italiana— a la maestra con quien aspira acostarse, principalmente porque la ve como un tipo perfecto de italiana de película.

Cuando la compañía se va de Barrizales, forzada por sus deudas y la oposición de parte de los habitantes a su presencia allí, Matilde se marcha también a la capital con Baldo, convertida en su amante, y una vez allí se adapta rápidamente a la vida ciudadana. Regresan los «peliculeros», esta vez para usar los terrenos del condominio donde vive Baldo para filmar, y hasta el apartamento de éste como hotel. Con lo cual el protagonista empieza a hartarse, y aún más cuando los campesinos que usaba la compañía como comparsas, y a quienes se les ha prometido trabajo, llegan también al «colmenar». Cansado y deprimido, Baldo se lanza a una verdadera orgía de películas durante sus viajes de esa semana por la isla, soñando con llegar a hacer sus propios filmes; sueño que queda destruido de golpe cuando al regresar a su casa halla a Matilde en brazos del director Yeibí («J. B.»), a quien Baldo ataca y mata finalmente con un garfio, lanzándose después desde la terraza con el gato de Mati.

El aprendizaje literario de Soto consigue en *Temporada* la elaboración de una alegoría con una complejidad desusada. El medio rural, con su provincianismo apenas enmascarado por el falso desarrollo del resto del país, es el que mejor expresa la visión de Puerto Rico que el autor ha venido desarrollando a partir de *Spiks*; de ahí que Baldo, típico puertorriqueño moderno, lo evite desesperadamente: en llegando a cada pueblo donde lo lleva su oficio, se mete en el cine, y es sólo gracias a los «peliculeros» como entra en contacto con el medio donde trabaja. La película en proceso de filmación, la cual absorbe todas las energías del protagonista, lo fuerza a volver la mirada hacia el medio campesino que provee el espacio *real* de aquélla: una vez que ese chato ambiente cesa de ser evitado, para ocupar íntegramente la actividad de Baldo, el cine deja también de sustituir artificialmente la realidad del subdesarrollo en la mente de aquél y permite, por tanto, que se ponga en marcha —o incluso genera— una transformación que hace al protagonista adoptar, en progresión ascendente, la posición respecto a los «peliculeros» del médico del pueblo, quien se opone a su presencia por motivos sociopolíticos (179), y defender más tarde a los barrizaleños que acuden a la ciudad en demanda de que se les cumpla la promesa de darles trabajo hecha por la compañía de películas. La perspectiva vital del protagonista, sin embargo, continúa originándose en el cine, cuyos estilos imita y le impone a la escritura: cuando el texto-película, por ejemplo, le echa un vistazo a las relaciones laborales de Baldo, ello resulta en una imitación del film «Death of a Salesman» (un comisionista en decadencia, un jefe cruel); el suicidio del protagonista, en fin, no podría ser más cinematográfico o superdramático.

El que Baldo no rompa nunca con el cine, sino que continúa interpretando hasta el mismísimo final la propia vida en términos cinematográficos, representa dentro de *Temporada* la sujeción de Puerto Rico a los valores norteamericanos —difundidos hasta la saciedad por la industria fílmica—, los cuales no transforman, sino meramente ocultan un ubicuo subdesarrollo; de ahí la incapacidad de Baldo para oponerse victoriosamente al atractivo de un mundo que a la postre e irremediablemente lo rechaza. En cuanto a Mati, su transformación de maestra rural en actriz y amante de director de cine, sucede tan rápidadamente como en una película, indicando así la superficialidad de los cambios junto con la de su sujeto. La relación sentimental de Baldo, habitante de condominio, seductor de turistas, fanático del cine en sus semanas por la provincia, con Mati, la maestra que desprecia por «subdesarrollada», pero quiere tanto al mismo tiempo que termina matando por ella a un hombre —de modo, nótese, característicamente bárbaro—, y suicidándose, para vengar de esa suerte en sí mismo el haber facilitado su entrega a los «peliculeros», define la construcción alegórica de la novela respecto al Puerto Rico contemporáneo. Alegoría desesperada en la que Mati-Puerto Rico parece perdida para siempre, así que la única puerta abierta es la del suicidio, y el universo del capitalismo avanzado resulta violenta, pero también inútilmente rechazado. (Repárese en cómo el cine aparece siempre en *Temporada* con un valor negativo: ya en su primera entrevista con Yeibí, Mati ridiculiza su incultura, aunque más adelante sucumba a las tentaciones que aquél representa. En las novelas de Manuel Puig, en cambio, el cine es un instrumento de observación social y psicológica, en vez de vehículo de una composición alegórica, permitiendo de ese modo que se le aprecie como objeto cultural, por más que no *serio.*)

Contrariamente a lo que sucedía en los cuentos, novelas y piezas teatrales de René Marqués (180), la alegoría no agota en este caso la obra, pues está presentada con una estupenda riqueza que le sirve a su vez de apoyo, ramificándola, oponiendo entre sí sus varias voces, además de que el empleo, para transmitir el contexto que se nos quiere comunicar, de una imitación, con intención principalmente caricaturesca, del cine, pone en duda la mismísima alegoría que se venía sugiriendo hasta entonces y obliga, por tanto, al lector a revisar su interpretación de ella (181). La relación de Baldo con Mati es, como la de cualquier puertorriqueño educado con la patria, fuente de amor y de vergüenza al mismo tiempo. Antes de que pueda rechazar, aun cuando infructuosamente, el cine = civilización norteamericana, el protagonista de la novela, lo mismo que el de la historia contemporánea de Puerto Rico, tendrá que meterse a fondo dentro del medio local (lo cual le sucedería a Baldo cuando se hartase del todo de tanta pasión por el cine, y sugiere que tendrá lugar el que se marche de dos películas antes de que concluyan). Es la entrega (perversión) de Mati, después de haberlo resistido largamente, la que facilita, como la de Puerto Rico respecto al Partido Popular, y más tarde al Estadista, que Baldo pueda convertirla a su fanatismo peliculero, y la conduce —doble perversión— a entregarse al agente de la superindustria fílmica, Yeibí —aunque sólo momentáneamente, pues éste es eliminado durante el drástico abandono por parte de la novela del cine por el drama de sangre rural (del estilo del propuesto, pero jamás cumplido, de *Balada de otro tiempo*).

Para Baldo es ya demasiado tarde para reconstituir una vida pervertida por el cine: de ahí su suicidio; pero quizá no lo sea todavía para Mati, aun cuando parezca corrompida por el sistema de valores que destruyó a su primer amante. ¿Será posible para Puerto Rico absorber la nueva situación industrial integrándola con su pasado, fundir San Juan con Barrizales, unir eficientemente el cine a la literatura? (182).

La peculiar situación histórica de Puerto Rico sugiere que el enérgico acercamiento por parte de sus escritores a las corrientes dominantes del postmodernismo que ejemplifican las carreras de González, Díaz Valcárcel y Soto no resultará en separar al escritor puertorriqueño del compromiso social, no obstante haber logrado esos novelistas romper para siempre la sujeción a un monotema político y la deliberada simplificación que caracterizaban la literatura puertorriqueña hasta los sesenta. En las novelas y cuentos de Edgardo Rodríguez Juliá, Carmelo Rodríguez Torres, Ana Lidia Vega, Manuel Ramos Otero, Tomás López Ramírez, Anagilda Garrastegui, Rosario Ferré, Olga Noya, la sofisticación técnica y el abandono (o el rechazo) del realismo tradicional no resultan necesariamente en el de la preocupación política, social e histórica típica (¡y cómo no!) de la literatura puertorriqueña, sino que, por el contrario, son capaces de absorber ésta y revitalizar su expresión (183). Tratamiento aparte merece la novela *La guaracha del Macho Camacho*, de Luis Rafael Sánchez, probablemente la más efectiva hasta ahora en cuanto a demostrar cómo la literatura puertorriqueña pertenece por derecho propio al núcleo de la latinoamericana contemporánea, realidad que la crítica española, hispanista y nacional (de cada república hispanoamericana) tiende a continuar ignorando (184).

Al igual que sucede en *TTT* y en *Cobra*, también en *La guaracha* el marco de la escritura son las artes del espectáculo; en su caso, a través de una *vedette* real, Iris Chacón, la cual constituye el ideal al que aspira la protagonista de la novela, y de una guaracha creada ex profeso para que sea parte integral del texto: después de citársela parcialmente una y otra vez, y de anunciarse repetidamente su recitación íntegra, aparece por fin del todo en la última página, colofón del texto lo mismo que de la acción e historia de la novela. La guaracha y la *vedette* se compenetran, aspiran la una a la otra, constituyen un solo signo: «El día que Iris Chacón baile y cante la guaracha del Macho Camacho, será el día del despelote —dijo La Madre. —Dios nos ampare ese día —dijo Doña Chon, lívida en la profecía del siniestro» (185). Contrariamente a lo que ocurre en las novelas de Sarduy y en *TTT*, donde los objetos de las referencias al mundo artístico son reales, como corresponde a su papel de objetos intercambiables dentro de la escritura —que no es tampoco el caso de Iris Chacón respecto a *La guaracha*—, la guaracha de Sánchez es una invención literaria porque no se podía dejar al azar la elaboración de un texto que debe funcionar como marco alegórico de signo expresamente negativo además. Porque la vida no «es una cosa fenomenal», según insiste la canción desde su título, y creen a pie juntillas los personajes, gracias al aparato publicitario, prueba de cuya eficacia es el que la guaracha de marras constituya un centro referencial común a varios personajes provenientes de niveles sociales opuestos. La vida —quizá también en general, pero específicamente en el Puerto Rico contemporáneo, que es el objeto del interés de Sánchez— dista mucho, según lo demuestran las vidas de esos personajes a través de la novela llamada como la guaracha, de ser pura fiesta; aun cuando algunos —los de «alante» más bien que los de «atrás» (de acuerdo con la guaracha tanto para unos como para otros la vida es «una cosa fenomenal»)— no tengan que convencerse constantemente a sí mismos, como hace la protagonista, seudoprostituta habitante de una «barriada» y madre de un niño subnormal, de la veracidad del lema que se impone a la realidad.

Lo extraordinario de esta novela es que expresa su intención política con plena efectividad no por medio de una supraestructura significativa que represente, en una dirección inversa, el sentido de la canción titular —a la manera acostumbrada hasta hace poco en la literatura puertorriqueña respecto a la intención política—, sino con medios aún más sutiles y ricos en imaginación que los de novelas como *Balada de otro tiempo, Temporada, La renuncia del héroe Baltasar* (186); con una técnica que se confunde con la «neobarroca» de Sarduy, por ejemplo. Porque *La guaracha* es un texto ante todo consciente de sí mismo, al modo de los más representativos de la literatura postmodernista; infinito juego de escenas, variantes y repeticiones de las mismas escenas, comentarios y recuerdos motivados por la guaracha inventada, todo ello apoyado en la apropiación, probablemente hasta ahora más cabal, de la lengua y la cultura populares por la literatura puertorriqueña, la cual recuerda la de Sarduy, naturalmente, pero tiene lugar desde una perspectiva diferente, pues no la dirige el choteo, sino la necesidad de presentar a personajes verídicos, y en particular a «la madre», tal y como son. La autoconsciencia del texto va aquí más allá del empleo de alusiones culturales y literarias tan frecuente en la literatura contemporánea, y parodiando la «intertextualidad» que preocupa a la teoría literaria, manifiesta a cada paso la memoria del escritor autor de la guaracha «La vida es una cosa fenomenal» y de la *contraguaracha La guaracha del Macho Camacho*, en forma de alusiones, referencias, pero aún más de citas de títulos, versos, frases provenientes de innúmeros textos literarios de diferentes niveles y medios artísticos. Cualquier selección de ejemplos de esa trama de referencias resultaría excesiva, pues el procedimiento es verdaderamente intrínseco a la redacción de la novela, de principio a fin. Se trata para Sánchez de apoyar su propia guaracha en la memoria colectiva del lector a quien se dirige, mas disponiendo al mismo tiempo esas citas en un plano inmediato o deliberadamente superficial —por explícito— que no compromete la escritura de la novela —entendida aquí como la intención que la gobierna. En la mayoría de las páginas hay por lo menos un título o parte de él, un verso, una referencia textual (en la 44 se cita el romance del caballero de Olmedo; en la 46 hay una referencia a *Alice in Wonderland*; en la 47, al cuento de Blancanieves).

Existe al mismo tiempo en la novela otro plano referencial menos obvio —aunque también explícito— que la mera cita de títulos, y más próximo al de la intertextualidad en cuanto se trata aquí de textos cuya reaparición en el curso de la trama parece esencial a la arquitectura de la novela: el cuento de José Luis González «En el fondo del caño hay un negrito» (de *En este lado*, 1954, donde un niño, atraído por su propio reflejo en el agua del caño junto al que está la choza de sus padres, le sonríe, y termina yendo en su busca, pues le parece feliz, con lo que pone fin a la propia miseria), a propósito de la fuga del hijo de la protagonista al verse reflejado en un espejo (*La guaracha*, p. 244); «La autopista del sur», de Cortázar, respecto al «tapón» de tránsito (que paraliza por varios meses a un grupo humano a la entrada de París en el cuento de *De todos los fuegos el fuego*), el cual sucede a las cinco de la tarde (p. 35), como la muerte de Ignacio Sánchez Mejía en el *Llanto*, de Federico García Lorca, probablemente el más dramático y cercano a la *violencia* de la inspiración directa entre todos sus poemas.

Subraya el carácter lúdico de la técnica intertextual con que está construida *La guaracha* el modo en que el autor interviene en la trama sin anunciarse, pasando de los pensamientos de la protagonista o de los de Benny, por ejemplo, a observaciones omniscientes que expresan la distancia que desea establecer respecto a su personaje, la cual opera por vía del lector, quien resulta incluido en este enfoque (típico de Sarduy): «Si se vuelven ahora, recatadas la vuelta y la mirada, la verán esperar sentada» (p. 13); frase que da comienzo a la acción y se repite por lo menos otra vez (página 207, hacia el final), pero cuya intención distanciadora se manifiesta en muchas otras ocasiones, pues resulta intrínseco con el enfoque del autor; por ejemplo: «Lo que bien se sabe es que a ella todo plin, bien se sabe por boca de ella misma, óiganla: a mí todo plin. Oigan esto otro: a mí todo me resbala. Oído a esto, oído presto: a mí todo me las menea: y, en seguida, arquea los hombros ... No la miren ahora que ahora mira» (p. 79) —texto que podría pertenecer a *Cobra* o a *Maitreya*.

Esos comentarios animan al lector a participar activamente en la lectura de un texto cuyas claves referenciales y soportes miméticos cambian de posición de acuerdo con el punto de vista adoptado por un narrador que, en lugar de alejarse de su historia y de sus personajes en busca de objetividad, a la manera típica del realismo, se distancia de aquéllos para integrarse mejor con un texto que quiere que leamos como, ante todo, *su* escritura —lo mismo que Cabrera Infante o que Sarduy—, pero, en el caso de Luis Rafael Sánchez, por razones exactamente opuestas. A éste le importa demostrar su propia participación en la escritura de *La guaracha* y obligar al lector a colaborar activamente en la lectura que sutilmente le propone porque la novela expresa la profunda preocupación de Sánchez por el destino de un país, el propio, emblemáticamente dominado, como por un dogma en el que se cree sin cuestionar, por el título de la guaracha. No deben quedar dudas, por tanto, respecto a su propio papel como organizador del proyecto que permitan interpretar erróneamente el propósito de éste (Sánchez es particularmente explícito en cuanto a Benny, a quien se dirige acusatoriamente varias veces) (187): es menester impedir que el lector halle modo de escapar al impacto de la realización que se va articulando con su propia ayuda. Es decir, que en lugar del puro juego sugerido como modelo por la sociedad de consumo moderna a la novelística de Sarduy, y el cual se convierte en la base ideológica de su obra al igual que de su teorizar sobre ésta —en gran medida inconscientemente—, lo que *La guaracha* se propone es revelar cómo esa misma estructura socioeconómica afecta, destruyéndolo, a un país del Tercer Mundo; de ahí las constantes referencias a textos literarios, lemas publicitarios, tiras cómicas, clichés de toda clase. Esa especie de catarata de textos dispersos expresa, por medio de inundar al que aparemente los contiene, de qué modo ve el autor la sociedad que describe: receptáculo vacío (la mejor imagen de lo cual es a su vez el senador Vicente, cada mención de cuyo nombre va acompañada de una retahíla de cualidades incongruentes y falsas) (188), donde la alta cultura (*Sobre héroes y tumbas, Zona sagrada*) sirve la misma función que lemas políticos y publicitarios y que la guaracha de estúpido título: facilitar el olvido del presente.

La representación más efectiva de Puerto Rico es el «tapón» de tránsito donde se hallan atrapados el senador, ansioso de llegar a la cita con su amante, y su hijo, preso también porque conduce un auto demasiado poderoso y veloz para la pequeñez de Puerto Rico, el cual pasa el día recorriendo de un extremo al otro. El constante repetir de un mismo disco, el de la guaracha, recrudece la sensación de estar atrapados: el disco gira y gira, pero nada avanza, pues tan pronto concluye vuelve a empezar. Y también está atrapado «el nene» dentro de su imbecilidad, sólo que su esfuerzo por huir de ella o de sí mismo cuando la/se reconoce en el espejo, sugiere una acción positiva en cuanto el personaje intenta salir del cerco que lo atrapa. Mas ese escape coincide con el de Benny, el hijo del senador, del «tapón», resultando el que atropelle fatalmente al desgraciado hijo de «la madre», la concubina de turno de su padre. La parálisis mental del «nene» y la estupidez de Benny, excitado en su carrera por la guaracha que todos escuchan y por el auto que ama como a un ser vivo, expresan la indoctrinación de la isla entera por la guaracha del Macho Camacho.

Del choque del «Ferrari» con el «nene» subnormal debería resultar para la protagonista (aunque seguramente no sucederá así) la ruptura de la ilusión expresada por el título de la canción. Que sea el hijo del amante de «la madre»/«la mujer» quien cause, en su frívola inconsciencia, el despachurramiento de su propio hijo, subraya la íntima conexión entre los mundos sociales cobijados, no obstante las diferencias que los separan, por la ilusión enunciada en la letra de la guaracha; expresión de una campaña ideológica que causa indirectamente la muerte que pone fin a la acción y permite que por fin escuchemos la guaracha en toda su plenitud («la madre» abandona a su hijo idiota por unas horas para ganar unos dólares que quizá le permitan convertirse en *vedette*).

Ese final demuestra al mismo tiempo la existencia de una historia o argumento como sostén del juego intelectual y lingüístico que precede a la conclusión y a través del cual se iba articulando un claro pensamiento histórico y social, el cual necesita para su expresión de un marco argumental definido. La intención política de la novela se afirma en la conclusión, la única posible de acuerdo con la tesis que, en plan de choteo, pero en el fondo con gran seriedad (a veces la amargura del autor estalla en ráfagas de sarcasmo y hasta de odio: véase n. 187), venía desarrollándose desde la primera página.

De este modo, Luis Rafael Sánchez consigue un texto artísticamente extraordinario a la vez que paradigmático, en cuanto demuestra cómo es posible expresar una concepción revolucionaria de la estrutura social dentro de un texto abierto y autorreferencial, donde autor y personajes se relacionan entre sí y con el lector en el devenir de la escritura para, de esa suerte, contribuir más efectivamente a la realización a la que aspira la obra.

La estructura ideológica de un texto, cuando se propone, en lugar de ocultar la realidad histórica, revelarla, no tiene por qué entrar en conflicto con la libertad que en cinco décadas de «modernismo» se ha impuesto a la escritura de novelas, o, viceversa, esa libertad gana en efectividad literaria cuando expresa, en vez de enmascarar su falta, o de rechazarlo, un pensamiento progresista (189). Las perspectivas que del estudio de la literatura puertorriqueña, y en especial del examen de *La guaracha del Macho Camacho*, se derivan para el de la latinoamericana, y en general para la del Tercer Mundo, son extraordinarias, pues se oponen al rechazo por la innovación técnica de acuerdo con modelos europeos y norteamericanos, auxiliada de un impresionante aparato teórico, y como opuesto a su naturaleza, y por ende a la de la literatura, del compromiso político y la expresión de males sociales cuya gravedad resulta al mismo tiempo creciente.

La preocupación con el subdesarrollo, común a toda Latinoamérica en cuanto parte de la periferia del capitalismo avanzado, pero agudizada en Cuba y Puerto Rico a causa de su proximidad y dependencia, cuando menos centenaria, de Estados Unidos, el país modelo del superdesarrollo, además del abanderado y la cabeza de choque del capitalismo transnacional, suele reproducirse en las literaturas de ambas naciones como la dinámica que sostiene el sentido de la obra y explica tanto la selección del argumento como su desarrollo y hasta la manera de narrarlo; célula matriz de significados que expresa a través del sistema de signos que es la obra las aspiraciones de cierta clase en determinado momento histórico, o la biografía personal del autor en interacción con su medio, que viene a ser lo mismo; lo expresa, sin embargo —de ahí la necesidad de una crítica dialéctica—, ocultando la preocupación generatriz, tratando de suplantarla con una supraestructura lírica, satírica, filosófica, autorreferencial, de modo de enmascarar como valor de uso una escritura que es, dentro de nuestra cultura, tan sólo valor de cambio (190).

La situación de Cuba y Puerto Rico corresponde, aun de modo más dramático que la del resto de Latinoamérica, a un estado de subdesarrollo/semidesarrollo dependiente acosado por enormes contradicciones políticas y económicas en el caso puertorriqueño, pero también en el cubano, merced a los problemas inherentes a un país bloqueado y a una revolución todavía en proceso de afirmarse en interacción con el mundo capitalista enemigo que la rodea. El escritor puertorriqueño y el cubano, lo mismo el anterior a la Revolución que el revolucionario formado con anterioridad a 1959, tienden, consecuentemente, no a dedicar su obra a la lucha política, como lo suele hacer el del Tercer Mundo colonial (191), sino a reproducir la tensión entre una situación cultural y social todavía cercana al subdesarrollo neto, y un ideal que, sea París o Nueva York, o incluso Praga o Berlín Este es su modelo, continúa pareciendo demasiado lejano. La dependencia, espontánea o forzada, del escritor de ambas islas con los regímenes políticos dominantes en ellas, aparte ahora de que éstos resulten tan opuestos entre sí, debe resultar en agravar, me parece, esa tensión.

Como ya se dijo, la percepción del subdesarrollo en la novela puede incluir la pintura de una sociedad «subdesarrollada», pero no es la reproducción mimética de aquél la que nos interesa en las novelas estudiadas —aun y cuando la contenga—, sino el modo como domina estructuralmente esos textos, reproduciéndose en la manera de caracterizar los personajes, el desarrollo de la acción, el empleo de los medios estilísticos, el proyecto artístico o filosófico que guía la creación. El curso de la vida de Baldo (*Temporada de duendes*), por ejemplo, resulta típico de la «circunstancia intermedia» del semidesarrollo, caracterizado por cierta inestabilidad (cambia constantemente de casa, siempre en busca de otra un poquitín mejor), consecuencia del modo cómo tradición e innovación conviven allí en vecindad conflictiva. Eddy Leiseca (*Figuraciones*) no es sólo inestable, sino una contradicción viva: es independentista, pero reside en una urbanización típica de la clase media americanizante; rechaza el falso folklore boricua inventado por los funcionarios del Partido Popular, pero critica violentamente el que su mujer adopte —espontáneamente— usos madrileños; teme que se le pueda haber escapado un «vosotros» en una carta a Mancio, pero trata de parecer español durante la conversación telefónica con la oficina de los autocares a Vigo —en una demostración lingüística de la frecuente inseguridad del puertorriqueño frente a los mundos hispanoamericano e hispánico, y en general frente a todo extranjero. Todo lo cual expresa perfectamente la mucha mayor distancia que respecto a Baldo —él mismo, sin embargo, mucho más «subdesarrollado» intelectualmente— todavía separa a Eddy de una realización que permita la salida de —es decir, el abandono de la preocupación por— el subdesarrollo.

Precisamente por lo lejos que se halla de su isla, el protagonista de *Figuraciones* resulta una imagen privilegiada de Puerto Rico, a la vez que del camino a seguir por su novela, en cuanto la obra, poniendo en juego estupendamente los más eficaces recursos técnicos, sale ella misma como escritura de ficción del subdesarrollo (donde se encierra la obra de Marqués) en el curso de exponer la búsqueda de una superación vital de éste. Que es lo que la diferencia de *TTT*, por ejemplo, donde el aparato estilístico —tan parecido al de *Figuraciones*— se revela a la postre como malabarismo de circo de barrio cuando resulta incapaz de sobreponerse a la conciencia del subdesarrollo que domina y aplasta a su narrador; precisamente porque lo entiende exclusivamente en términos de datos culturales y habilidad estilística —o más bien humorística—: si el modelo es Joyce (o incluso Petronio), resulta obvio que nunca se lo podrá superar.

Algo parecido podría decirse de *Paradiso*, excepto que Lezama no se cree incapaz de alcanzar a sus modelos; así que no se burla ni de sus esfuerzos por ello, ni de los modelos —según hace también Cabrera Infante—, sino que los invoca, los superpone, los confunde, y al cabo termina revelando que se trata de Hesse en lugar de Dante. Lo cual es, claro, mucho más apropiado al subdesarrollo latinoamericano según se lo concibe por los europeos al igual que por los propios latinoamericanos que piensan como sus colonizadores europeos.

Imagen aún más ideal de un subdesarrollo que se alimenta de sí mismo, resulta *La situación*, donde aquél es a la vez materia novelística, objeto de reflexión y enfoque del novelista. En *Memorias*, en cambio, el autor va a emplear la reflexión sobre el subdesarrollo para salir de él definivamente por medio del punto de vista utilizado. Su narrador se encuentra también alejado psicológicamente (como Leiseca, como Cué y Silvestre) de esa patria que le parece irremediablemente subdesarrollada, pero su distancia crítica en cuanto a Cuba es ya casi la misma de Montaigne frente a su objeto: comprende y rechaza el «teatro que tenían montado» hasta la partida de su esposa con el propósito de ignorar el subdesarrollo que lo rodea, y como se critica a sí mismo implacablemente, su reflexión resulta más cercana a la larga a una verdadera respuesta, también gracias a que vive dentro de una sociedad revolucionaria cuya drástica ruptura con el pasado no permite el indeciso ir y venir entre sueños estéticos y revolucionarios que consume a Leiseca, por ejemplo. El protagonista de la novela de Desnoes podrá autoanalizarse hasta el cansancio, podrá incluso volverle la espalda a la Revolución (según parece que lo ha hecho Desnoes últimamente) (192), pero, en gran parte, porque aquélla constituye una presencia firme respecto a la cual se facilita, por tanto, el juzgarse a sí mismo como ser social, el «superdesarrollo» desaparece en cuanto aspiración al mismo tiempo que el subdesarrollo como preocupación, y la obra deja de reproducirlo para sólo comentarlo.

Algo semejante sucede en *El francotirador*, la cual comienza con el establecimiento del protagonista en una situación de aparente (falso) semidesarrollo donde dependerá indefinidamente del Estado, sea a través del Gobernador o del Rector, y en la cual percibe en seguida, porque es un «francotirador» siempre dispuesto a desenmascarar a los demás, de qué modo la presencia del cercano «superdesarrollo» norteamericano pesa, destruyéndola, sobre la sociedad puertorriqueña. Hasta que escoge regresar a la Cuba de hoy (donde seguramente dependerá del Estado también, pero en circunstancias diferentes) en lugar de permanecer en el Puerto Rico presente añorando la Cuba de ayer. Cuando Saldivia, en el curso de escribir (todavía mentalmente, en el orden cronológico de la novela) el episodio concerniente a su intento de fuga al ser revelada su identidad, su estancia con el guajiro y su suicidio (imagen de una catarsis absoluta), comprende cuál es la causa del malestar que lo paraliza como escritor, supera también la autocrítica característica del hombre del subdesarrollo, la cual (como en el caso de Cabrera Infante; como le venía sucediendo a Saldivia, imagen de Soto hasta ese instante de su carrera artística: las novelas que siguen al estupendo *Spiks*) puede resultar en parálisis intelectual.

En *Temporada de duentes* abundan la pasión política y el experimento literario en la elaboración de un paradigma del subdesarrollo y del esfuerzo por salir de él. La novela concluye, sin embargo, asumiendo, aunque a través de procedimientos muchísimo más satisfactorios, por ricos en alusiones e imaginación, el tipo de resolución/culminación alegórica característico de tanta novela puertorriqueña anterior. Es decir, que apunta hacia el pasado en vez de abrir nuevas vías.

La victoria más espléndida sobre aquél le corresponde hasta ahora en la literatura puertorriqueña a *La guaracha*.

También se trata aquí de alegoría, naturalmente (tapón, infantilismo, etc.), pues no puede llamarse de otro modo —ni podría articularse de manera distinta, dada su urgencia; de ahí que tenga que recurrir a ese procedimiento como el más efectivo por directo y abarcador— la expresión artística del pensamiento político del autor respecto a Puerto Rico. Excepto que el propósito de la alegoría en cuanto a revelar cierta verdad histórica y hasta alentar a la acción política se consigue en esta novela por los medios en apariencia más lejanos a los comúnmente alegóricos; incluso más complejos que los empleados en *Temporada*, con la consecuencia también de que aquélla resulta aún más abierta y libre —y hasta menos pesimista, no sólo porque lo sea el autor, sino porque no ha guiado su ideología por el camino más bien estrecho de la alegoría al uso. La gozosa, desenfadada apropiación del idioma popular puertorriqueño como vehículo literario, junto con la igualmente inteligente de las posibilidades que la apertura postmodernista trajo consigo, le permite a Sánchez expresar su mensaje sin mengua alguna de nuestro placer como lectores, acrecentando éste al mismo tiempo que nuestro compromiso. Lo cual es el resultado de haber seguido, llevándolo a su última conclusión, el camino abierto por *Mambrú*, donde el narrador se sobreponía en la tercera jornada al subdesarrollo que lo avergonzaba en las dos anteriores —frente a la francesa, frente al Ejército Americano—, cuando de regreso en París, esta vez como puertorriqueño, se apropia gracias a la muchacha española de cierta realidad que resulta en iluminar su vocación de escritor definitivamente. Esa realidad, según vimos, hay que definirla como esencialmente lingüística: la patria a donde Maruja «regresa» en el sueño de su amante es la de la lengua compartida que hará posible para aquél la propia escritura desde una nueva perspectiva; antes de que fuese posible lo cual hacían falta la separación y el regreso de que dan cuenta las primeras jornadas de *Mambrú* y las novelas estudiadas de Díaz Valcárcel y de Soto. Pero no la de Sánchez, quien habiendo asimilado de lleno la lección de sus predecesores, puede acercarse a Puerto Rico directamente *desde dentro* (después de un largo aprendizaje como cuentista y dramaturgo, también un poco *à la* René Marqués), pero con la misma eficacia, pues sabiendo ya, sin lugar a dudas, quién es, habla la lengua que mejor se adapta a su propósito.

Que la apertura a ese camino, que lleva ya sin vacilaciones fuera del subdesarrollo que se imponía de otro modo a la escritura, tenga lugar por vía de una realización dependiente de la lengua, se explica ampliamente por la peculiar situación de Puerto Rico respecto al castellano, acosado allí más que en ninguna otra nación hispanoamericana, prisionero de una metrópoli angloparlante, pero en condiciones peores, más sofocantes y contradictorias que en otras colonias lo está la lengua de éstas. Sólo después de apropiarse como cosa absolutamente personal el propio idioma será posible lo que hace Sánchez, que es darle la espalda a los purismos/timideces de sus colegas hispanizantes/independentistas (los cuales, desde otra perspectiva, más libre, pero también representativa de cierto sentimiento de inferioridad respecto al propio idioma, preocupan todavía a Soto), y meterse de lleno en la cultura popular para emplearla como objeto y como herramienta crítica, en gran parte por medio de utilizar la lengua que mejor le sirve de vehículo. Es la cultura popular la que sostiene el juego y la pirueta de *La guaracha*, haciendo que la novela no dependa sólo del *pun* o de codas estrictamente locales y personales, como *TTT*, a la vez que facilita la reproducción efectiva del subdesarrollo —ya desde fuera de él mismo— de modo de revelar su naturaleza política (193).

Si a las novelas de Sarduy les importase *sólo* la escritura misma, habría razón para temer que también reprodujesen el subdesarrollo, en su caso a través de la persecución del experimento a toda costa, del rechazo absoluto de la realidad como objeto. Es decir, que si esas novelas aplicasen verdaderamente la teoría del «neobarroco» a la escritura, serían, aunque por una vía más sofisticada que *TTT*, por ejemplo, otra versión del subdesarrollo que —según sugerimos en su lugar— expresa el vano, casi pueril intento de encasillar toda una cultura dentro de los límites de cierta fórmula atractiva por su prestigio, pero cuya utilidad no se extiende más allá de la que posee una herramiento de trabajo en el análisis crítico. Mas a Sarduy-novelista no le importan en realidad ni el neobarroco ni la escritura, sino el choteo que le permite precisamente evocar una y otra vez, para divertirse con él, el subdesarrollo. Lo que más drásticamente separa la obra novelística de Sarduy de la de sus contemporáneos cubanos —y con ello de la sujeción al subdesarrollo como preocupación— es su apropiación, a partir de *De donde son*, del choteo como instrumento estilístico, algo muy semejante a la apertura de Sánchez al lenguaje popular. La lectura de *Cobra* sugiere que el procedimiento pierde fuerza, como era al cabo de esperarse de una tarea cuyo objeto quisiera ser sólo ella misma, la propia contemplación dentro del juego sin fin. La lengua de los personajes que escuchan embelesados la guaracha expresa sin paliativos nuestro subdesarrollo; el choteo, que ha sido creado para burlarse de aquél, no puede continuar generando choteo indefinidamente sin la presencia del objeto original: de ahí la vuelta a Cuba de *Maitreya*. En ese vaivén de París a La Habana, la obra de Sarduy resulta paradigmática de cómo la falta de una conciencia crítica respecto a la historia impide las soluciones de largo alcance —al menos dentro de la literatura del subdesarrollo.

NOTAS

(1) Véanse, por ejemplo, Fernando Morán, *Novela y semidesarrollo (Una interpretación de la novela hispanoamericana y española)* (Madrid: Taurus, 1971); Adolfo Prieto, *Literatura y subdesarrollo; notas para un análisis de la literatura argentina* (Buenos Aires: Biblioteca, 1968); Roberto Fernández Retamar, «Modernismo, noventiocho, subdesarrollo», *Actas del Tercer Congreso de la Asoc. Intern. de Hispanistas* (México: El Colegio de México, 1970); también en *Ensayo de otro mundo* (Santiago de Chile: Editorial Universitaria, 1969); Leon Rozitchner, «Persona, cultura y subdesarrollo», *Revista de la Universidad de Buenos Aires*, 5.ª época, VI, 1 (1961); Françoise Perús, *Literatura y sociedad en América Latina: el modernismo* (México: Siglo XXI, 1976); Hernán Vidal, *Literatura hispanoamericana e ideología liberal: surgimiento y crisis (Una problemática sobre la dependencia en torno a la narrativa del «boom»)* (Buenos Aires: Hispamérica, 1976); Antonio Cándido, «Literatura y subdesarrollo en América Latina», en Alfredo Chacón, ed., *Cultura y dependencia* (Caracas: Monte Avila, 1975), pp. 171-84.

(2) Para el concepto de semidesarrollo en su manifestación literaria, véase la obra de Morán recientemente citada.

(3) En 1895 las inversiones de capital norteamericano en las industrias azucarera y tabacalera de Puerto Rico eran prácticamente inexistentes (Angel Quintero Rivera, «Background to the Emergence of Imperialist Capitalism in Puerto Rico», *The Puerto Ricans, op. cit.*, p. 113).

(4) En vísperas de la Revolución, Cuba tenía más teléfonos por persona que ningún otro país latinoamericano, excepto la Argentina y el Uruguay, sólo menos radios que el Uruguay, más televisores que ninguno (la décima parte del total existente entonces en Latinoamérica; incluso más que Italia), y más automóviles que cualquier otro, excepto Venezuela (en 1954 se vendieron más «Cadillacs» en La Habana que en ninguna otra ciudad del mundo); todo ello gracias a la baratura del transporte desde Estados Unidos, la paridad del peso cubano con el dólar y la ausencia de aranceles de aduana para los productos norteamericanos. En cuanto a la distribución de la renta *per cápita*, Cuba seguía a la Argentina y Venezuela (Hugh Thomas, *Cuba, op. cit.*, pp. 1103 y 1106-07).

(5) Por ejemplo: «¿Es posible que esa mujer haya sido alguna vez tan atractiva como su hija? Si lo fue, ¿por qué ha dejado de serlo? Es nuestro clima: quince años supremos y luego la flojera, la grasa subcutánea, la pesadez de movimientos. ¡Abajo el calor! ¡Vivan Elizabeth Arden y Helena Rubinstein!» Durante la cena en casa de los Sarría, Dascal se explaya sobre el carácter cubano en relación al clima, que acrecienta la sensualidad, aunque no impide la acción política. Mas, probablemente porque nada positivo había salido de ésta, la conclusión es pesimista: Cuba puede ser poderosa por su espíritu si descubre cómo «enva-

sar» «los tranvías, el sombrero de jipi, el embrujo de la ceiba, el poder de Changó ... el danzón, el zapato de puntera estrecha, los baños de mar, el arroz con pollo» (*La situación*, La Habana: Casa de las Américas, 1963, pp. 6 y 149).

(6) Sobre la postura existencialista de Dascal en relación al proceso histórico que contempla, véase, por Ivan A. Schulman, «*La situación* y *Gestos:* dos visiones de la experiencia histórica cubana», *Nueva narrativa hispánica,* IV (1974), 345-52.

(7) Comparando a Cristina Sarría con su clase social, ignorante y abotagada por pesadas digestiones en el calor tropical, Dascal repara en que aquélla «es diferente. Conoce bien los tres tomos de la Historia del Arte y siempre tiene en su mesa de noche el último ejemplar de *Realité.* También conoce de memoria el Emili Post's que pone en práctica en este caserón de piedra gris» (p. 34). María del Carmen Cendrón, con quien Dascal sostiene una larga conversación en el mismo capítulo, no se siente a gusto con la gente de su clase, y se interesa en la alegoría que le cuenta Dascal. En la novela que continúa *La situación* (la cual es parte de una trilogía), *En ciudad semejante* (Buenos Aires: Crisis, 1974), María del Carmen y Dascal aparecen unidos por los mismos ideales revolucionarios.

(8) *Sister Carrier* (1900) en particular.

(9) Por el modo como la madre de Cristina se lo presenta a su esposo, como «el hijo de Encarnación Seguí» (p. 167), la madre de Dascal debe proceder de alguna familia conocida, lo cual se confirma en *En ciudad semejante,* pp. 63-66.

(10) Es inverosímil que el padre de Alejandro Sarría, inmigrante gallego llegado a Cuba antes de 1895, asesino de su tío, amancebado con una costurera con quien se casa después de nacido Alejandro, y que ha amasado su fortuna a costa de grandes trabajos y mucho ahorro, sea para 1933 una especie de financiero internacional con una clara visión de la política internacional, que pasa temporadas en la Riviera, etc. (pp. 158-60).

(11) Brujo negro.

(12) *Memorias del subdesarrollo* (México: Joaquín Mortiz, 1975), pp. 66-67. El oportunismo de «Eddy», quien regresa a Cuba desde Nueva York en 1960, y escribe un artículo contra la revista norteamericana para la que trabajó cuatro años (páginas 68-69), se aplica al narrador y al protagonista de *No hay problema.*

(13) El título proviene de un discurso de Fidel Castro citado como lema: «Una Revolución tiene unas fuerzas muy superiores a los fenómenos y a los cataclismos naturales que hay. Una Revolución es un cataclismo social» (La Habana: Ediciones Revolución, 1965).

(14) Entre 1933 y el final de la segunda guerra mundial llegaron a Cuba unos 15.000 judíos (aproximadamente la mitad de los cuales eran alemanes), huyendo de la persecución nazi. Como su destino era en realidad Estados Unidos, más del 80 por 100 de ellos abandonó Cuba al concluir la guerra (Leví Marrero, *Geografía de Cuba,* La Habana: Alfa, 1950, p. 163). Había en Cuba al triunfo de la Revolución unos 12.000 judíos, muchos de ellos llegados en los años veinte; la mayoría provenientes de la Europa central y Polonia.

(15) La novela lleva como lema una cita del ensayo sobre los caníbales, del Primer Libro: «Esas naciones me parecen, pues, solamente bárbaras, en el sentido de que en ellas ha dominado escasamente la huella del espíritu humano, y porque permanecen todavía en los confines de su ingenuidad primitiva». El narrador menciona también su lectura de Montaigne a propósito de los despertares musicales de aquél (pp. 72 y 74).

(16) «De l'expérience», Montaigne, *Essais,* ed. Maurice Rat

(Paris: Garnier, 1958), III, pp. 321, 348, 328 (la traducción es mía).

(17) «De Nueva York me fui a Europa; en Alemania las ruinas y los hornos crematorios de Buchenwald me hicieron sentir aún más destrozado» (p. 85); «Estuve sólo un mes en Alemania después de la guerra ... Fui huyendo de Hanna y me sentí jodido, judío para un horno crematorio» (p. 122).

(18) La edición original (La Habana: Ediciones Unión, 1965) pasa, después del párrafo que comienza «Todo lo que se me ocurre son tonterías frente a los hechos», al que se inicia «Me metí en la cama», siete páginas después en la edición de Joaquín Mortiz. También es un añadido para esta edición lo que sigue a la frase «Subdesarrollo y civilización. No aprendo», con la descripción del final de la crisis y su efecto en el protagonista. El episodio de la visita a la casa-museo de Hemingway es también un añadido proveniente de la versión cinematográfica, por el mismo Desnoes, de la novela (véase *Narrativa cubana de la Revolución,* ed. José Manuel Caballero Bonald, Madrid: Alianza Editorial, 1969, p. 147).

(19) Emir Rodríguez Monegal examina la función de las referencias a *No hay problema,* y, en general, a la de Desnoes como autor (cuyos cuentos, publicados como apéndice a *Memorias,* cita el narrador de ésta) en el plan de la novela, y los cambios respecto al texto original introducidos en su versión cinematográfica, concluyendo que ni la novela ni el film ejemplifican «el tipo de obra polémica, compleja y ambivalente» que muchos pretenden: la ficcionalización del autor en la novela es un «alarde periodístico» que intenta disfrazar «de complejidad ... un largo monólogo narcisista»; el film carece de toda ambigüedad política, pues su propósito es acusar el individualismo burgués o democrático, con lo que «simplifica la tesis de la novela: la alienación mental y cultural de los intelectuales subdesarrollados». La conclusión del crítico difiere, por tanto, de la propuesta en estas páginas: novela v película se inscriben en una fórmula caduca, la del neorrealismo marxista, en vez de promover, como debieran, un arte revolucionario («Literatura: cine: revolución», *RI,* XLI, 92-93, *Letras Cubanas,* 1975, 579-91, esp. 590-91).

(20) Desnoes hace un examen muy objetivo y de conclusiones optimistas de la cultura cubana desde la Revolución en el epílogo a su estupenda antología de textos literarios y políticos, *Los dispositivos en la flor. Cuba: literatura desde la revolución* (Hannover, New Hampshire: Ediciones del Norte, 1981).

(21) En un artículo sobre la política cultural de la Revolución Cubana y temas afines, Rodríguez Monegal llama la atención sobre la influencia del triunfo de aquélla en la definición del «*boom*» al proyectar «hacia el centro del ruedo político internacional a la pequeña nación ... y con ella, a un continente olvidado» («La nueva novela vista desde Cuba», *RI,* vol. cit., p. 649).

(22) Cabrera Infante señala (en una entrevista de *Mundo Nuevo,* 25, jul.-ag. 1968, 41-58) un paralelo entre los cuentos de tema revolucionario de *Así en la paz como en la guerra,* y una sección de *Vista* donde se criticaba la vida noctámbula de la capital enfrentándola a la actividad de los guerrilleros. Lo mismo hace Gustavo Sainz. Véase Josefina Ludmer, «*Tres tristes tigres.* Ordenes literarios y jerarquías sociales», *RI,* XLV, 108-9 (1979), 493-512. Véase también sobre la primera versión de *TTT,* David Patrick Gallagher, *Modern Latin American Literature* (Oxford University Press, 1973), pp. 167-8, y el art. de Schraibman citado más adelante.

(23) *Tres tristes tigres* (Barcelona: Seix Barral, 1968), p. 436.

(24) Véase la autobiografía parcial de Cabrera Infante, *La Habana para un infante difunto* (Barcelona: Seix Barral, 1979).

(25) Una valla anunciadora menciona el año 1957 (p. 312),

pero un poco antes se menciona como «abierto» el túnel de la bahía, el cual se completó en 1958. Para esas fechas la explosión de bombas y otros actos de sabotaje por parte de los grupos revolucionarios hacían la vida noctámbula de la capital menos segura o despreocupada de lo que aparece en la novela.

(26) «Orden y visión de»..., *RI*, XL, 86 (1974), 87-104.

(27) Así parece por el tono que adopta Cué aconsejando a su amigo que no se case, el modo en que primero se despide de él («Muchas gracias por el culo») y la reflexión de Silvestre sobre el conservar los amigos. No obstante, las últimas palabras de Cué son: «Hasta mañana» (p. 443).

(28) En la producción tradicional o de estudio, incluyendo la de los directores más experimentales, pues es necesario evitar el ruido del instrumental de filmación, además de que la grabación del diálogo por separado permite la sobreimposición y otros procedimientos artísticos. Sólo el *cinema verité*, el audiovisual y otras formas decididamente experimentales graban las voces junto con la acción.

(29) En otro libro titulado *Vista del amanecer en el trópico* (1974), Cabrera Infante incluye de nuevo las viñetas revolucionarias de *Así en la paz*... (1960), mezcladas con versiones de sucesos históricos y comentarios políticos. *O* (1975) es un libro de crónicas, y *Exorcismos de esti(l)o* (1974) tampoco cabe dentro de la categoría de ficción, al igual que la autobiografía *La Habana*...

(30) No sé si «Bustrófedon» esconde también, como otros personajes de *TTT*, una alusión a un personaje local. La palabra *(bouestrophédon)*, que significa la lectura alternada de los renglones de un texto, uno de derecha a izquierda y el siguiente de izquierda a derecha, aparece mencionada en un ensayo de Borges en *Discusión*: «Una vindicación de la cábala».

(31) «Ordenes literarios y jerarquías sociales», art. cit., p. 508.

(32) Quien menciona en broma que se va a unir «a Fiel, a Fidel» (p. 347).

(33) *Así en la paz*... (Barcelona: Seix Barral, 1971), p. 189.

(34) El cual, muy significativamente, pues es *obertura* y modelo, no vuelve a aparecer en la novela, cuyos personajes visitan constantemente *boites y night-clubs* de mucho menos aparato.

(35) La cual se remonta a 1961 y tiene como raíz la prohibición de un film de corto metraje, «P. M.», hecho por su hermano, y donde se celebraba la vida nocturna de la capital. Al perecer el suplemento literario del diario *Revolución, Lunes*, dirigido por Cabrera Infante, éste queda sin empleo hasta que es enviado a Bélgica en 1962 como agregado cultural, quizá para facilitarle el exilio, el cual, sin embargo, no tuvo lugar hasta tres años más tarde, ya publicada *Vista*, que ganó el Premio Biblioteca Breve en 1964, pero fue prohibida por la censura española (véase Gallagher, p. 167, y el art. de Schraibman). Véase también *O* (Barcelona: Seix Barral, 1975), pp. 191 y ss. *Vista* (1974) contiene una apasionada censura de la Revolución. En la entrevista de *Mundo Nuevo* dice el novelista que su primera novela, la cual caracteriza como realismo socialista, era un libro «partidista» que enfocaba la realidad en términos políticos falsos, en tanto que al releerla «no tenía ya un pensamiento político respecto a la literatura ... mi posición ... se había convertido en ... total y absolutamente estética» (p. 50).

(36) Véase Eliana Rivero, «Hacia un análisis feminista de»..., Gabriela Mora and Karen S. van Hooft, eds., *Theory and Practice of Feminist Literary Criticism* (Ypsilanti, Michigan: Bilingual Press/Editorial Bilingüe, 1982), pp. 279-91, para un análisis del modo como la novela presenta sus mujeres, seres unidimensionales, objeto sexual o de burla, mero vehículo del juego entre

Cué y Silvestre; estereotipos, en fin, o personajes sólo parcialmente caracterizados.

(37) Proust comenta una causa criminal de 1909 imitando los estilos de Balzac, Flaubert, Michelet, los Goncourt, Renan, Saint Simon, etc.: «L'affaire Lemoine», *Pastiches et melanges*, OC, VIII (Paris: NRF, 1933).

(38) Véase, por Juan E. Mestas, «Realidad, lenguaje, literatura: *TTT*», *Sin Nombre*, V, 1 (1974), 62-70, para un examen del modo como la novela intenta recuperar la realidad (así que es *realista*) por medio de la palabra hablada, mas sin confiar ya en aquélla, ni tampoco en el lenguaje literario. Gallagher (*op. cit.*, páginas 175 y ss.) trata de la transformación de la voz en escritura en *TTT*, su pintura de la amistad como comunicación verbal, y su irónico comentario sobre las pretensiones del intelectual latinoamericano. Para José Schraibman («Cabrera Infante tras la búsqueda del lenguaje», *Insula*, XXV, 286, Set., 1970, 1, 15-16), la novela trata de crear un nuevo lenguaje fijando el habla coloquial de cierta época, pero la constante intromisión de la voz del autor, las citas literarias, la imitación de diversas técnicas, la repetición ramplona, los juegos verbales que no llegan a ser tan humorísticos como quisieran, la aparta de ese propósito para acercarla en cambio al realismo que su autor rechaza explícitamente: la pintura de cierta sociedad cuya habla rescata.

(39) «Infante Terrible», *The New Yorker* (enero 29, 1972), páginas 91-4.

(40) Para una valoración opuesta a la de Updike, véase el excelente art. de Alfred J. Mac Adam, «*TTT:* el vasto fragmento», *RI*, XLI, 92-93 (1975), 549-56. Señala el crítico cómo *TTT* no se propone hacer por La Habana lo que hizo por Dublin Joyce en el *Ulysses*, ni tampoco es su texto enciclopédico de la misma manera, sino que debe leerse como un «fragmento que sugiere (o es) una totalidad perdida», en lugar de «una meditación irónica sobre una trama heroica» (p. 552). (Cabrera Infante, por su parte, ha dicho que el modelo de su novela es el *Satiricón*.) El énfasis de la crítica de Updike recae sobre los procedimientos estilísticos de Cabrera Infante, que le parece que no alcanzan los de su modelo, sino que resultan tediosos, estáticos, pagados de sí mismos.

(41) «Dispersión. Falsas notas/Homenaje a Lezama», *Escrito sobre un cuerpo* (Buenos Aires: Sudamericana, 1969), y la emocionada evocación del poeta, lejano y próximo como la patria, en «Página sobre Lezama», *RI*, *Letras cubanas*, p. 467.

(42) Por ejemplo, Julio Cortázar, «Para llegar a Lezama Lima», *La vuelta al día en ochenta mundos*, II (México: Siglo XXI, 1967), pp. 41-81, o Juan Carlos Ghiano, «Introducción a *Paradiso*»..., *Sur*, 314 (1968), 62-78.

(43) Lezama Lima fundó y dirigió, con la colaboración de otros intelectuales, cuatro revistas literarias: *Verbum* (1937), *Espuela de plata* (1939-41), *Nadie parecía* (1942-44) y *Orígenes* (1944-56), «en que culminaron las anteriores» (*Diccionario de literatura cubana*, La Habana: Letras Cubanas, 1980, p. 493).

(44) Esperanza Figueroa-Amaral, «Forma y estilo de *Paradiso*», *RI*, XXXVI, 72 (1970), 425-35, p. 425. Trata también el artículo de los procedimientos estilísticos característicos de Lezama y de su poética.

(45) Véanse, como ejemplo de análisis muy iluminadores, los artículos de Roberto González Echevarría, «Apetitos de Góngora y Lezama» (sobre la lengua como un código autónomo que busca la plenitud en sí misma, «apetito» infinito y circular en Góngora, trascendentalista en Lezama); de Emir Rodríguez Monegal, «*Paradiso:* una silogística del sobresalto» (de lo que se trata en *Paradi-*

so es de buscar la sorpresa, el sobresalto, la *inversión* de lo cotidiano y lo tradicional propia del carnaval, a través de la «silogística poética» que lleva a sus últimas consecuencias la fuerza conectiva de la metáfora), *RI*, No. cit., pp. 479-91 y 523-33. Para otros tipos de interpretación de la novela, véanse los artículos, en el mismo volumen, de Guillermo Sucre («El logos de la imaginación»), Julio Ortega («La biblioteca de José Cemí») y Enrico Mario Santí («Lezama, Vitier, y la crítica de la razón reminiscente»). Walter Mignolo, en «*Paradiso:* derivación y red» (*Texto crítico*, Universidad Veracruzana, V, 13, 1979, 90-111), hace un análisos semiológico de varios textos de la novela, concluyendo que se trata de una «cadena verbal» tejida a partir del círculo como figura o signo que postula el enigma y trata también de iluminarlo por medio del exceso.

(46) *La poesía cubana de 1936*, preparado con la colaboración de Camila Henríquez Ureña y otros. Véase a propósito Cintio Vitier, *Juan Ramón Jiménez en Cuba* (La Habana: Arte y Literatura, 1981). La antología incluía 63 poetas, y aunque Lezama estaba entre los treinta poetas escogidos para la lectura pública con la que se presentó el libro, Juan Ramón no lo menciona en su «nota» apéndice o en la introducción «Estado poético cubano) (*op. cit.*, pp. 20, 71-81). El libro de Vitier incluye un «coloquio» de Lezama con Juan Ramón publicado por aquél en 1938 (páginas 155-68).

(47) Según Rodríguez Monegal, cuando Lezama entrega el manuscrito a la editorial de la Unión de Escritores de Cuba, ésta, temiendo las repercusiones de la publicación en un momento en que se perseguía a los homosexuales y se evitaba el tratar de la sexualidad, decidió consultar a Castro, pues tampoco quería afrontar sola las repercusiones de censurar un libro de un autor tan conocido. El resultado es una edición de UNEAC de 4.000 ejemplares en lugar de las normalmente mucho mayores de esa editorial («La nueva novela vista desde Cuba», *RI*, No. cit., página 653). Dos capítulos de la novela habían aparecido en *Orígenes* en 1949, y se dice que el poeta demoró la publicación de la novela hasta que murió su madre (art. cit., p. 652).

(48) Durante una visita a Jamaica (donde estuvo Lezama en 1950) del padre de José Cemí, un médico danés que lo acompaña es *agredido* por el olor que despide la axila de un policía negro de tránsito de modo tal que el olor —«avinagrado, de orine gatuno, oxidado y flechero» (?)— ofende a los huéspedes del hotel en que se aloja, y se resiste a abandonarlo pese al jabón y los restriegos, hasta que el buen negro, llamado por los sirvientes del hotel, viene a recobrar su olor como una nube o «carretel que se desovilla», pasando de un brazo alzado «como en una alegoría del siglo XVIII» (?) a otro. Era corriente en Cuba creer que los negros despedían un olor peculiar que se transmitía a los blancos aproximadamente del modo que elabora Lezama. La larga demostración estudiantil del principio del capítulo IX —la cual es histórica— está descrita como una ceremonia o una representación teatral: aunque los estudiantes son objeto de mayor simpatía que los policías, se dice que preparaban aquella mañana una «francachela de protestas» (*Paradiso*, México: Era, 1970, páginas 36-39, 238).

(49) Después de trabajar en pequeños empleos burocráticos por muchos años, Lezama pasa, con el triunfo de la Revolución, a dirigir el Departamento de Literatura y Publicaciones del Consejo Nacional de Cultura, y más tarde es nombrado asesor del Instituto de Literatura y Lingüística de la Academia de Ciencias y de la Casa de las Américas (*Diccionario de Literatura Cubana, op. cit.*, p. 493).

(50) En el Congreso de literatura hispanoamericana patroci-

nado por la Universidad Interamericana de Puerto Rico en septiembre de 1980, Arenas, recién salido de Cuba, defendió (frente al uruguayo Eduardo Galeano) la «inocencia» del arte y «la belleza pura desprendida de los contextos sociales». Aunque en el mismo Congreso Arenas afirmase que salió de Cuba «porque soy un escritor y quiero mantener la posibilidad de seguir siendo un escritor» (Folleto informativo publicado por la Universidad Interamericana, p. 6), de hecho dejó el país en calidad de criminal común, durante el éxodo masivo de la primavera de 1980.

(51) Luis de Góngora, *Las soledades*, ed. Dámaso Alonso (Madrid: Sociedad de Estudios y Publicaciones, 1956), p. 18.

(52) Salcedo Coronel, Pellicer, Pedro Díaz de Rivas, etc.

(53) Rodríguez Monegal señala el parentesco de *Paradiso* con *A la recherche du temps perdu*, de Proust, y con *A Portrait of the Artist as a Young Man*, de Joyce, en cuanto las tres concluyen «en el momento en que sus protagonistas descubrían el mundo inagotable de su vocación y la forma de la obra futura» (artículo cit., p. 524).

(54) Una primera excepción es el *ejercicio* primero del «leptosomático macrogenitosoma» Farraluque con la «mestiza mamey», a la cual va a penetrar por el ano cuando aquélla se da vuelta súbitamente (pp. 216-7). Fronesis sólo puede penetrar a Lucía después de que le cubre la vulva, que lo repugna («Tápate eso, cochina», p. 307), con una circunferencia cortada en su camiseta, y en la que hace otro círculo «del tamaño del canal penetrante» (página 308). La unión entre Juliano Foción y su cuñada, la cual causa la muerte de aquél, está, al contrario de las demás escenas eróticas de la novela, sólo aludida, y en tono explícitamente *poético* (p. 338).

(55) Véase a propósito Raymond S. Willis, *The Phantom Chapters of the Quijote* (New York: Hispanic Institute, 1953).

(56) Repara en la frase Klaus Müller-Bergh, «Lezama Lima y *Paradiso*», *Revista de Occidente*, XXVIII, 84 (1970), 357-64. Para el crítico, la novela quiere presentar un hombre entero que es al mismo tiempo el cubano autóctono o completo y la encarnación de la concepción de la poesía por el autor.

(57) Véase Claudia Joan Walker, «José Lezama Lima's *Paradiso:* The Theme of Light and Resurrection», *Hispania*, 56 (1973), 275-81, para un estudio de la búsqueda de Cemí como ilustración de la cosmología budista.

(58) Véase a propósito el art. introductorio de Vargas Llosa, «*Paradiso*, de José Lezama Lima», *Nueva novela latinoamericana*, ed. Jorge Raúl Lafforgue (Buenos Aires: Paidós, 1969), páginas 131-41, esp. 139-40. Para Vargas Llosa, *Paradiso* representa «una tentativa imposible ... de describir íntegramente, en sus vastos lineamientos y también en sus más recónditos detalles, un universo fraguado de pies a cabeza por un creador de una imaginación ardiente y alucinada y una sensibilidad especial» (página 135). «*Paradiso* no consigue en modo alguno lo que tal vez se proponía Lezama Lima: construir una alta, definitiva "Summa" que mostrara ... su concepción del arte y de la vida humana, y es probable que, al terminar la lectura del libro, el lector siga teniendo, respecto de su sistema poético, el mismo desconcierto y desasosiego confuso que extraía de sus ensayos» (página 137). Lo que sí crea la novela es un «universo sensorial, privado de actos y de psicología, cuyos seres se nos aparecen como monstruos sin conciencia, inmóviles, consagrados a la voluptuosa tarea de *sentir* ... Seres, sensaciones, objetos, son siempre aquí meros pretextos, referencias que sirven para poner al lector en contacto con otros seres, otras sensaciones ... hasta que de este modo surge la extraña sustancia huidiza, inapresable

y fascinante que es el elemento en el que vive José Cemí, su horrible y maravilloso "paraíso"» (p. 139).

(59) Deidad de las aguas, la maternidad, los huracanes, la yuca; es decir, de todo el universo indígena (Müller-Bergh, artículo cit.). José Juan Arrom, en «Lo tradicional cubano en el mundo novelístico de José Lezama Lima», *RI*, No. cir., 469-77, explica el significado de la palabra «cemí», concluyendo de ello que el *paraíso* de la novela es Cuba, y su fuente principal de inspiración son las crónicas de Indias y la Relación de Colón, en las cuales aprendió Lezama «a concebir un paisaje subjetivo, visto desde la raíz de la poesía, y a inventar nuevas fabulaciones y sentidos», todo desde una perspectiva hondamente cubana (p. 476).

(60) Es notable, por ejemplo, el humor con el que Lezama introduce y adorna palabras locales, según nota Esperanza Figueroa, art. cit.

(61) *Le texte du roman. Approche semiologique d'une structure discursive transformationnelle* (Paris: Mouton, 1976).

(62) Por ejemplo, Rodríguez Monegal, en «*Paradiso:* una silogística del sobresalto», art. cit., esp. pp. 532-3.

(63) Julio Ortega, «Lezama Lima», *Relato de la utopía. Notas sobre narrativa cubana de la Revolución* (Barcelona: La Gaya Ciencia, 1973).

(64) Según sugiere un artículo de Juan Goytisolo, «La metáfora erótica: Góngora, Joaquín Belda y Lezama Lima», *RI*, XLII, 95 (1976), 157-75.

(65) «*Paradiso:* novela y homosexualidad», *Hispamérica,* VIII, 22 (1974), 3-21.

(66) En la novela póstuma de Lezama, *Oppiano Licario* (México: Era, 1977), Cemí ha tenido relaciones sexuales con una mujer y va a ser padre. Ciertas descripciones de la unión sexual como experiencia mística o totalizante parecen apuntar a un triunfo de la heterosexualidad.

(67) Respecto a su propia intervención sobre *Paradiso* en el Coloquio de Cerissy de 1980 (*Littérature latino-américaine d'aujourd'hui. Colloque de Cerissy,* París: Unión Générale d'Editions, 1980), dice Noe Jitrik, hablando de la ponencia de Irlemar Ciampi, la cual había mencionado que no se trata en *Paradiso* de simbolismo fálico en el sentido tradicional, sino en el *lacaniano,* semejante al logocentrismo (el falo como un centro de sentidos), que, de cualquier modo, la novela desarrolla, «como obra de ruptura», un discurso erótico, homosexual en particular, muy renovador, tanto para el hombre como la mujer, discurso que incluye imágenes de androginia (Jorge Enrique Adoum, «Entrevistas sobre el Coloquio de Cerissy», *Eco,* XXXIV, 205, Nov. 1978, 92-3).

(68) Jorge Edwards, *Persona non grata* (Barcelona: Seix Barral, 1973), p. 114.

(69) Para Jean Franco, el empleo de la poesía como vía cognoscitiva esotérica dentro de un género —el de la novela— que se adapta mejor a «la prosa del mundo», produce una disparidad entre imaginación y realidad, lo histórico y lo intemporal, que pone en conflicto esos dos niveles de la novela. Entretanto, el empleo de referencias culturales extraídas de la filosofía, la mitología, la literatura clásica, etc., para describir una realidad cotidiana y hasta «bárbara», constituye una consagración de la alta cultura y una burla de la misma al mismo tiempo, expresivas del característico sentimiento de marginalización latinoamericano frente a los elementos de la cultura occidental («La parodie, le grotesque et le carnavalesque», *Ideologies, littérature et société en Amérique Latine,* Université de Bruxelles, 1975, pp. 57-75). Jitrik, en un largo ensayo —«Paradiso entre desborde y ruptura», *Texto crítico,* No. cit., 71-89— que toca varios puntos esenciales

de la novela (totalidad o continuidad, mosaico, carácter proliferante —a partir del falo—, barroquismo), concluye también que lo que mejor la define es su parodia de los códigos adquiridos por medio del peculiarísimo lenguaje poético del autor.

(70) En el plan original la novela iba a consistir de varias vidas o biografías paralelas, desde la prehistoria hasta el futuro, de un mismo personaje que vive a través de tiempos diferentes. Hesse publicó tres de esas vidas, incluidas en el *Magister* en un apéndice como ejercicios escolares de Knecht (cuya biografía, que debería haber sido la última de la serie, ocupa el grueso de la obra). Una cuarta *vida* quedó incompleta y sólo se publicó póstumamente (*Magister Ludi*, trad. Richard and Clara Winston, prólogo Theodore Ziolkowski, New York: Bantam, 1978, páginas xii-xiii).

(71) Gustavo Pellón, «*Paradiso:* un fibroma de diecisiete libras», *Hispamérica*, IX, 25-26 (1980), 147-51. También Jitrik se fija en el mismo pasaje, observando que no se trata en él de una ilustración deliberada de la teoría estética de Lezama, sino de una «tematización textual» por la que aquello que sostiene la escritura expresa su autorreconocimiento. Ese principio es la proliferación, de origen barroco, naturalmente («A propos de *Paradiso*», Coloquio de Cerissy, ed. cit., pp. 256-80).

(72) Sarduy nota la *afinidad* (art. cit., p. 74) del tema barroco de los bodegones con la naturaleza americana, a propósito de las descripciones culinarias de Lezama, quien era extremadamente goloso, y hasta glotón.

(73) El cual, gracias principalmente a su humor, trastorna o destruye la forma original del objeto y lo eleva de su cotidiana vulgaridad a la dignidad de obra de arte, haciendo que lo juzguemos como si poseyese las mismas características de objetos artísticos aceptados convencionalmente como tales.

(74) Por ejemplo, Jean Michel Fossey, «Severo Sarduy. Del "boom" al "bing [sic] bang"», *Indice*, 333 (1973), 55-59; Emir Rodríguez Monegal, «Severo Sarduy. Las estructuras de la narración», *Mundo Nuevo*, 2 (agosto 1966), 15-26; Roberto González Echevarría, «Interview/Severo Sarduy», *Diacritics*, II, 2 (1972). Para una bibliografía de las entrevistas, véase la de González Echevarría en el libro colectivo, *Severo Sarduy* (Madrid: Fundamentos, 1976).

(75) En el período inmediato al triunfo de la Revolución, Sarduy publica —en la página literaria del diario *Revolución*— algunos textos comprometidos («Dos décimas revolucionarias», «Pintura y revolución», el cuento «El torturador»). Sus colaboraciones en *Lunes de Revolución* durante el resto de 1959 y 1960 son, sin embargo, reportajes y críticas de arte. Véase González Echevarría, «Son de La Habana: La ruta de»..., *RI*, XXXVII (1971), 725-40, y la bibliografía citada en la n. precedente.

(76) Ivan Schulman (art. cit., p. 351) repara en la participación de la protagonista en el papel titular en una representación de *Antígona*, equiparando la rebeldía de la heroína mítica con «la cubana del sabotaje». Para el crítico, lo que define *Gestos* es su expresión de un sentimiento de futilidad que hay que caracterizar como existencial.

(77) *Gestos* (Barcelona: Seix Barral, 1963), pp. 104 y ss.

(78) Sobre los varios modos en que el narrador dialoga con sus personajes interviene en la acción en cuanto tal, se dirige explícitamente al lector, deja a éste que lo interpele, alterna su papel de emisor a receptor, en fin, revelándose como alguien que escribe y «lee» al mismo tiempo su texto junto con el lector, de modo de poder indicarnos esto o lo otro, comentar fuentes, etc.; narrador que es la escritura, una «realidad del discur-

so», véase Dagoberto Orrantia, «De donde son los cantantes: la carnavalización del relato», *Texto/Contexto en la literatura iberoamericana*, Memoria del XIX Congreso del Inst. Intern. de Lit. Iberoam. (Madrid, 1980), 283-90.

(79) *De donde son los cantantes* (México: Joaquín Mortiz, 1970), p. 153.

(80) Véase Ana María Barrenechea, «Severo Sarduy o la aventura textual», *Textos hispanoamericanos. De Sarmiento a Sarduy* (Caracas: Monte Avila, 1978), pp. 221-34, para un excelente análisis del modo como el autor exagera ingeniosamente la distancia entre el plano de la escritura y el de la «pseudo-realidad», y hace que texto y «pseudo-referente» se entrecrucen, sustituyan e invaliden mutuamente (todo acontecimiento es gratuito; todo ha perdido su identidad; se mezclan los niveles culto y popular, lengua escrita y oral, etc.; los narradores dialogan entre sí; no sabemos cuándo una expresión es metafórica o cuándo postula una realidad; a veces la alegoría es deliberadamente evidente; los procedimientos literarios se imponen a la realidad).

(81) Véase González Echevarría, art. cit., pp. 731-3, sobre la relación de la novela con las teorías —cuyo vocero más efectivo ha sido la revista *Tel Quel*— de la autonomía de la escritura y la organización del subconsciente como discurso.

(82) En 1847, poco después de abolirse oficialmente la trata de esclavos, comenzaron a llegar a Cuba «colonos» chinos, teóricamente bajo contrato (de ocho años), pero en la práctica como esclavos. En 1862 pasaban de 34.000; en 1873 habían entrado al país más de 135.000; el censo de 1899 arroja, sin embargo, un total de 15.000, y aunque otros debieron llegar entre 1902 y 1930, cuando Cuba recibió más de un millón de inmigrantes (más del 60 por 100 de los cuales eran españoles), según el censo de 1953 había sólo 16.000 chinos en Cuba, casi todos hombres, y más de la mitad de ellos en La Habana y sus inmediaciones. A ese número hay que agregar, desde luego, los varios millares de mestizos de chino y blanco y —más frecuentemente— chino y negro o mulato provenientes de los inmigrantes que permanecieron en el país (véase Thomas, p. 1101, y Leví Marrero, cap. 9). Según Mac Gaffey y Barnett, *Cuba, its people, its society, its culture* (Greenwood Press, 1962), había en 1960 35.000 chinos en Cuba (página 34). En la entrevista con Rodríguez Monegal de 1966, Sarduy le explica al crítico, sorprendido de que la cultura china pueda tener tanta influencia en Cuba, que los chinos «están en el centro de la concepción del mundo cubano ... la orquesta cubana ... síntesis total de las tres culturas, está centrada por una flauta de origen chino ... y por la otra, el sentido del azar cubano ... había entre ocho y diez loterías diarias» (p. 18).

(83) Ana María Barrenechea estima que la explicación del autor en las entrevistas mencionadas sobre sus intenciones respecto a expresar el ser nacional confieren peso y seriedad a la nota final de la novela, que no podemos, pues, considerar como otro juego más del texto: esas «tres culturas» representan las tres razas principales: Cuba es una metáfora del mundo, «mundo vacío e inane a fuerza de abarrotado, en el que los dioses (yorubas o cristianos) se han ido, dejándonos dos realidades: el lenguaje y la muerte, el lenguaje para que nos entretengamos en hacerlo, deshacerlo y rehacerlo [de ahí, o de la imaginación verbal del escritor, que la visión no pueda ser, en definitiva, tan «árida y desoladora» como cabría esperar] mientras esperamos la muerte» («Severo Sarduy»..., *op. cit.*, pp. 233-34). Alfred J. Mac Adam, en «Severo Sarduy's Vital Signs» (*Modern Latin American Narratives. The Dreams of Reason*, University of Chicago Press, 1977, pp. 44-50), estudia *DDS* como una alegoría del habla cubana donde los *caracteres* (letras *o* personajes) persiguen una unión

mística con el significado (el cual —*mortal*— significa la muerte de la palabra, de acuerdo con el modo como entiende Sarduy la escritura; pero también Auxilio y Socorro son ellas mismas imágenes de la muerte). Concluye Mac Adam que aunque la novela alude constantemente a un contexto cultural muy determinado, es también inteligible fuera de éste.

(84) Eso sugiere el modo en que Socorro se queja a la criada, que le dice que el personaje que trata de ver no está en casa: «—¿Cómo? Después de tanto tiempo. De tanta espera. De tanta coba [halago] y palanca [presiones políticas]» (p. 13).

(85) Antes del ataque a Santa Clara, los guerrilleros habían capturado varios pueblos, algunos bastante importantes, la ciudad de Sancti-Spiritus, y aislado Santiago de Cuba por tierra. El tren blindado (mencionado en *De donde son*) enviado por el gobierno para detener el avance rebelde a través de la provincia de Las Villas, fue capturado por los hombres de Guevara durante el ataque a Santa Clara, la cual fue bombardeada el 31 de diciembre (Thomas, pp. 1018-26).

(86) Véase Jorge Mañach, *Indagación del choteo* (1940; existe una reedición de 1969 por Mnemosyne, Miami).

(87) Después de resistir un tiempo «los embates del calor almibarado», aquéllas engordan, pierden la compostura, y aburridas de todo contestan: «"lo que sea, socio", "lo que no hay es que morirse". Resumen: la siesta les royó los huesos, las amarilló, anemia perniciosa; nada, que les dio el soponcio caribeño —¡tan sabroso!— por su lado más flojo, que es el del ajiaco, el del danzonete cotidiano y el del colchón» (p. 114). En esa tercera sección de la novela Sarduy incorpora —en choteo— datos históricos sobre la primera orquesta cubana y el primer organista de la catedral santiaguera (Adriana Méndez, «Erotismo, cultura y sujeto en»... *RI*, XLIV, 102-103, 1978, 45-63). Véase, por Concha Alzola, «Verba cubanorum», en *Cinco aproximaciones a la narrativa hispanoamericana contemporánea,* ed. Gladys Zaldívar (Madrid: Playor, 1977), pp. 11-81, sobre la absoluta cubanía de *DDS*, obra sin paralelo en la literatura contemporánea en cuanto a incorporar, casi como una enciclopedia, el saber y la cultura popular cubanas. La crítica estudia *DDS* rigurosamente en busca de cubanismos (más de 170), regionalismos, extranjerismos, y se fija en la atención de Sarduy al aspecto oral de la lengua (más de una tercera parte de los cubanismos provienen del habla oral).

(88) *Portrait d'un inconnu,* de Natalie Sarraute, es de 1949; *Les gommes,* de Robbe-Grillet, de 1953; *L'emploi du temps,* de Michel Butor, de 1956; *La modification,* de Butor, y *La jalousie,* de Robbe-Grillet, de 1957.

(89) *Cobra* (Buenos Aires: Sudamericana, 1972), pp. 15-25.

(90) En una segunda entrevista con Rodríguez Monegal («Conversación con»..., *RO*, 93, Dic. 1970, 315-43), Sarduy dice que la India de *Cobra,* de acuerdo con el propósito de la novela de exaltar lo superficial, no es trascendental, sino de pacotilla. Lo mismo, agrego yo, que la *cultura* china que adorna *De donde son.*

(91) Explicando la necesidad de leer *Cobra* distinguiendo entre varios niveles de significado, Sarduy agrega que la novela «is full of such traps, some of which are for my friends» («Interview», p. 43).

(92) En la entrevista con Fossey, éste explica que «Cobra» fue un travestí de un cabaret de París, quien de regreso de una «tournée» por el Japón murió al estrellarse su avión contra el Fujiyama, y Sarduy agrega que empezó la novela «cuando escuché por azar la frase que acabas de decir. Ese amante de Cobra [a quien conoció gracias a la publicación de la novela], un actor francés, me confirmó algunos de los rasgos que yo atribuí al

personaje, del cual nunca vi una foto ... por ejemplo, la obsesión de Cobra por parecerse a Greta Garbo, a quien en efecto llegó a parecerse mucho. La pasión de Cobra por llegar al absoluto, a la perfección física, la llevó a modelarse poco a poco una cara a la Garbo. Y no por azar empleo la palabra *pasión*, pues la vida de los travestís es una pasión en los dos sentidos de la palabra. Por otra parte, la cara de Greta Garbo, ¿no recuerda en algo a la de Cristo? En Cobra, en la vida de Cobra, ¿no habría algo de los dos?» («Del "boom" al»..., p. 59).

(93) «Al distanciarme de Cuba comprendí qué era Cuba, o al menos me planteé con toda claridad la pregunta: ¿Qué es Cuba?» (entrevista con Rodríguez Monegal, *Mundo Nuevo*, p. 16).

(94) En *Cuaderno de poesía negra* (Santa Clara, 1934), y *Antología de la poesía negra hispano-americana* (Madrid: Aguilar, 1935).

(95) «Escritura/Travestismo», *Escrito sobre un cuerpo*, páginas 43-8.

(96) Véase a propósito las entrevistas con Fossey y con González Echevarría, pero sobre todo el capítulo correspondiente de *Barroco* (Buenos Aires: Sudamericana, 1974). El poemario, en edición bilingüe, sugiere una relación entre ciertas descripciones astronómicas (copiadas de informaciones periodísticas o parafraseadas por el poeta) y las del amor en escenarios principalmente orientales. Incluye además grabados de Ramón Alejandro (Montpellier: Fata Morgana, 1973).

(97) Véase esp. la entrevista con González Echevarría.

(98) «digo que el *objeto* de *Cobra* es el cuerpo y también que el *sujeto* de *Cobra* es el cuerpo, elemento capital de la escritura [...] el cuerpo es el "generador" de la escritura, pero también el objeto a que esa escritura se dirige es el cuerpo» (entrevista con Fossey, p. 58). *Escrito sobre un cuerpo* «trata del "tatuaje" ... se trata ahí de afichar el soporte erótico que implica toda actividad plástica o literaria. La escritura aquí está asimilada a una especie de cifraje, a una especie de inscripción corporal» (*ibid.*, página 56).

(99) «Lo único que la burguesía no soporta, lo que la "saca de quicio", es la idea de que el pensamiento pueda pensar sobre el pensamiento, de que *el lenguaje pueda hablar del lenguaje*, de que *un autor no escriba sobre algo, sino escriba algo*» (citado por Jean Franco, «The Crisis of the Liberal Imagination and the Utopia of Writing», *Ideologies & Literature*, I, 1, 1976-77, 5-24, página 11).

(100) De acuerdo con el *Oxford Dictionary*, el sentido de «paragram», el cual se remonta a Aristóteles, es el de una broma verbal o *pun* basado en la alteración de una letra o grupo de ellas en una palabra; según algunos, de la inicial. Sarduy identifica el paragrama con el centro ausente de la filosofía de Derrida: es la palabra que se ha eliminado y que ya no volverá a existir, pero «its pulverizations at various levels will be legible in the textual surface, in that which Julia Kristeva calls the "phenotext", as opposed to the "genotext". The genotext is movable, plural, empty; the phenotexts —that is, the visible, legible surface of the text— will, by means of a radial reading, make room for this word, this paragram which has been censured, eliminated», y explica a continuación que en la segunda parte de *Cobra*, «morfina» es el *paragram* suprimido, el cual sugieren una serie de signos (Morfeo, morfología, nieve, etc.) («Interview», p. 43).

(101) *Maitreya* (Barcelona: Seix Barral, 1978), p. 25. Una cita al principio del libro explica que «Renacer en presencia de Maitreya, el Buda futuro, es el mayor deseo de muchos tibetanos

y mogoles; la inscripción "¡Ven Maitreya, ven!" en las rocas de numerosas montañas da testimonio de ello.»

(102) «The Man who would be King» (1975), por John Huston.

(103) El célebre cuento de Borges —incluido en *Ficciones*— evoca la búsqueda de Dios a través de su reflejo en varios seres que han estado en contacto, más o menos cercano, con la divinidad.

(104) Véase, por ejemplo, el monstruo descrito al final del primer capítulo del libro I del *Guzmán de Alfarache:* cabeza y rostro humanos, con un cuerno en la frente, alas de murciélago, hermafrodito, etc. O el «fénix», mezcla de ave, pez, caballo, hombre, que adorna la portada de la edición de 1669 del *Simplicissimus,* de Grimmelshausen. El engendro parido por la Tremenda podría contener otra alusión cinematográfica a la película «Rosemarie's Baby» (1968), de Roman Polanski, donde un personaje representado por una actriz cuyo tipo físico es exactamente el opuesto al de la protagonista de Sarduy, Mia Farrow, da a luz un hijo de Satanás.

(105) «Writing as Translation»..., *MLN,* 90, 2 (1975), 265-77, y «*Cobra:* el discurso como *bricolage*», *Severo Sarduy, op. cit.*

(106) Además del libro *Barroco* y de las entrevistas con González Echevarría y con Fossey, véase el ensayo «El barroco y el neobarroco», en *América Latina en su literatura,* ed. César Fernández Moreno (México: Siglo XXI, 1972), pp. 167-84. El ensayo-entrevista de Fossey en el libro colectivo *Barroco* vuelve sobre los mismos conceptos.

(107) Véase la primera entrevista con Rodríguez Monegal, donde también dice Sarduy de la obra de Carpentier que merece un Nobel, «que es lo peor que se puede decir de un escritor» (página 23), y que semeja una construcción, «un andamiaje enorme ... una acumulación, un desgaste» (p. 24). Seis años después, en la entrevista de 1972 con González Echevarría, critica la analogía por Carpentier entre la naturaleza americana y el barroco, sinónimo para Sarduy de desperdicio semántico, pero reconoce la posibilidad de que Carpentier sea también barroco en otro sentido, y afirma que intenta revisar su tesis sobre él (p. 45). En el ensayo «El barroco y el neobarroco» menciona *El siglo de las luces* (p. 171).

(108) Según Eberhard Hempel (*Baroque Art and Architecture in Central Europe,* Baltimore: Penguin, 1965, p. 19), ya en 1570 se empleaba el término en el género burlesco y satírico italiano para nombrar lo extraño y ridículo. Mucho después, Croce y otros trataron de explicar el origen de la palabra en relación al silogismo llamado «baroco» y su abuso por los doctores de la Sorbona durante el XVI. Sin embargo, esa estructura lógica no expresa ningún tipo de irregularidad en el pensamiento (véase Victor-Lucien Tapie, *Le baroque,* Paris: PUF, 1968, Col. «Que sais-je?», p. 5). Wellek, que aceptaba la explicación de Croce y Borinski sobre la relación barroco-baroco, en «The Concept of Baroque in Literary Scholarship» (*Concepts of Criticism,* Yale University Press, 1973, pp. 69-114), se retracta de ello en el «Postcript» de 1962 (*ibid.,* pp. 115-27), y suscribe el origen portugués de la palabra.

(109) *Renaissance und Barock* (Munich, 1888). Un año anterior es el estudio del estilo barroco en Italia por Cornelius Gurlitt. La obra de Wölfflin trata verdaderamente del estilo en el cual se resuelve —o degenera, para muchos— el renacentista, es decir, lo que hoy tendemos a llamar manierismo.

(110) Burckhardt fue el primero en sugerir que cada estilo tiene su rococó o etapa decadente y ornamental, sugerencia que adoptan filólogos e historiadores del arte, calificando, por ejemplo, el estilo helenístico de barroco (Wellek, p. 70). En 1896, Nen-

cioni, en Florencia, lanza la idea de una era barroca y de un desarrollo cíclico de las formas estilísticas sometido a la regularidad de un «eterno retorno» (Pierre Francastel, «Baroque et Classique: Une Civilisation», *Annales,* XII, 2, 1957, 207-22).

(111) Eugenio d'Ors, *Du Baroque* (Paris: Gallimard, 1935, 1968; trad. del castellano).

(112) *La vie des formes* (París, 1936). Véase Tapie, *op. cit.*, páginas 13-4.

(113) Ejemplo de ello son el convento de Braga, el palacio-monasterio de Mafra (diseñado por un arquitecto alemán), varias iglesias de Oporto, Coimbra, etc., y, en menor medida, San Benito, en Río de Janeiro. Más totalmente barroca es San Francisco, en Ouro Petro, por Aleijandinho (véase Yves Bottineau, *Baroque ibérique,* Friburg: Office du Livre, 1969). La famosa ventana del convento de Thomar (incluida entre las ilustraciones de los libros de D'Ors y de Tapie —*Baroque et Classicisme,* Paris: Plon, 1957—, así como en la portada —con Sarduy junto a ella— del libro *Severo Sarduy*) es un ejemplo aislado de ornamentación —en lugar de arquitectura— barroca, del cual se hallan también muestras, aunque casi siempre menos ricas, en el mundo hispánico.

(114) El primer rey español de la casa de Borbón, Felipe V, comisionó en 1735 la construcción de dos palacios a Juvarra, el de Madrid, que éste no llegó más que a diseñar, y el de verano de San Ildefonso o de La Granja, cerca de Segovia, el cual sí completó, y donde puede apreciarse cierto barroquismo, cercano al del palacio Madama, de Turín (1721), lo mismo que en su modelo para el palacio de Oriente, de Madrid (véase Salvatore Boscarino, *Juvarra architteto,* Roma: Officina Edizioni, 1973, páginas 380 y ss.).

(115) «en el barroco las superficies libres del clasicismo se cubren de decoración, de flores, de hojas, de frutos», etc. (*Las Soledades, op. cit.*, «Barroquismo», p. 29). El excelente libro de Fernando Lázaro Carreter, *Estilo barroco y personalidad creadora* (Salamanca: Anaya, 1966), lleva como portada la fachada del hospicio de la calle de Fuencarral.

(116) Fue un cura flamenco el responsable del diseño de la fachada de San Francisco, en Quito, la cual tiene un inconfundible aire nórdico (véase Damián Bayón, *Sociedad y arquitectura colonial sudamericana,* Barcelona: Gustavo Gili, 1974, pp. 40 y ss.).

(117) Max Cetto, «Influencias externas y significado de la tradición», *América Latina en su arquitectura* (México: Siglo XXI, 1975), p. 179.

(118) *Barroco, op. cit.*, esp. pp. 67 y ss. («Elipsis: Góngora»), donde Sarduy explica, citando a Dámaso Alonso, el característico ocultamiento de lo vulgar por Góngora.

(119) Francastel, art. cit., esp. p. 218.

(120) Francastel insiste en el origen español del barroco explicándolo como nacido seguramente de ciertas formas de la religión o de un estilo conectado con lo hispánico (art. cit., p. 220, y «Baroque et Classicisme: histoire ou typologie des civilisations?», *Annales,* XIV, 1, 1959, 142-51, 146).

(121) En Alemania el liberalismo con el que se identificaba buena parte del movimiento romántico, al rechazar lo que significaba aún, al igual que desde antes de la Guerra de los Treinta años, el Imperio, dominado por la casa de Austria, exaltará el gótico, el estilo de una etapa anterior que los patriotas van a identificar con el florecimiento de una Alemania independiente.

(122) «El barroco y el neobarroco», p. 168.

(123) *La cultura del barroco* (Barcelona: Ariel, 1975). El libro contiene, además de su documentadísima tesis central, sugerencias e iluminaciones que podrían constituir otros tantos ensayos (el arte barroco como *kitsch* y como el arte de lo inacaba-

do, la psicología del barroco, El Escorial como monumento barroco, etc.).

(124) Véase el ensayo bibliográfico de Wellek. Entre las obras más recientes sobre el barroco se destacan las de Frank J. Warnke, *Versions of Baroque; European Literature in the Seventeenth Century* (Yale University Press, 1972), y Peter N. Skrine, *The Baroque: Literature and Culture in XVII-century Europe* (London: Methuen, 1978).

(125) Helmut Hatzfeld, *Estudios sobre el barroco* (Madrid: Gredos, 1966). El crítico explica que aunque ciertas obras de Gracián pueden calificarse de «pre-rococó», la gracia típicamente femenina de este estilo (*«nonchalance de boudoir»*) no podía darse en un arte que él identifica con la fe viril de la Contrarreforma.

(126) Véanse sus *Estudios sobre el teatro español* (Madrid: Gredos, 1962), *Sentido y forma del «Quijote»* (Madrid: Insula, 1949), *Sentido y forma de las «Novelas ejemplares»* (Buenos Aires, 1943); *de «Los trabajos de Persiles y Sigismunda»* (1975).

(127) Art. cit., esp. p. 107.

(128) Gérard Genette, «D'un récit baroque», *Figures*, II (Paris: Seuil, 1969), p. 222.

(129) *Figures* (Paris: Seuil, 1966), «L'or tombe sous le fer», páginas 33 y ss.

(130) Walter Benjamin, *The Origin of German Tragic Drama* (London: NLB, 1977), «Epistemo-Critical Prologue», esp. pp. 51 y ss., 80 y ss., 200 y ss.

(131) En el prólogo a la edición de 1954 de *Historia universal de la infamia* (Buenos Aires: Emecé).

(132) Heinrich Wölfflin, *Renaissance and Baroque* (Cornell University Press, 1964), esp. Part I, «The Nature of the Change in Style».

(133) Bayón sugiere, como explicación del arte hispánico en general, una dicotomía entre las corrientes «arquitectónica-culta-clásica y su inseparable "media naranja", la corriente escultórica-artesanal-barroca ... en la archicivilizada Francia, a partir del siglo XVII también hubo, contemporáneamente, una vena culta clásica que servía sobre todo para la ordenación de las fachadas y los jardines, y otra complementaria que era utilizada para "vestir" los interiores, para diseñar los muebles, y que, a su manera, puede primero llamarse barroca y más tarde, evidentemente, rococó». En el caso de Sudamérica las querellas entre especialistas respecto al estilo de los exteriores de los edificios olvidan «el argumento número uno: la decoración. Sí, en la arquitectura sudamericana, entre el exterior volumétrico y el interior espacial, creo firmemente que la mayor carga afectiva, los signos más reveladores de una mentalidad se encuentran siempre de puertas adentro» (*Sociedad y arquitectura*..., pp. 12-3).

(134) Véase, por John Beverly, «The Production of Solitude: Gongora and the State», *I & L*, III, 13 (1980), 23-41, para un renovador análisis de la situación de la poesía gongorina respecto a los valores culturales y sociales en pugna en el instante en que se produce.

(135) *Barroco*, p. 99.

(136) Paolo Portoghesi, *Borromini nella cultura europea*, página 40, n. 27.

(137) *Barroco*, pp. 65-6. Véase también, sobre el diseño de San Carlino y la fama que atrajo a su autor, Portoghesi, *Roma Barroca. The History of an Architectonic Culture* (MIT Press, 1970).

(138) El mismo papa encargó también el baldaquín de San Pedro, y Santa Bibiana, a Bernini (Pierre Charpentrat, *Baroque Architecture*, New York: Grosset & Dunlap, 1967, p. 48).

(139) Véanse a propósito las actas del XVII Congreso del Ins. Intern. de Lit. Iberoamericana, I, *El barroco en América* (Madrid: Cultura Hispánica, 1978), I, Barroco Clásico; II, Neobarroco.

(140) Véase *La littérature de l'âge baroque en France* (Paris: José Corti, 1953).

(141) «Adieu au baroque?», *L'intérieur et l'extérieur. Essais sur la poesie et sur le théâtre au XVIIe siècle* (Paris: José Corti, 1968), IV, «Le Baroque en Question». La fecha del ensayo en página 243.

(142) Jacques Scherer, *La dramaturgie classique en France* (Paris: Nizet, 1950).

(143) Sacheverell Sitwell, *Spanish Baroque Art* (New York: Benjamin Blom, 1971; publ. 1931).

(144) Fernand Braudel explica cómo Roma, después del saqueo de 1527, no tendrá más gastos militares de envergadura, lo cual deja libre el capital necesario en un estado ya muy rico, para que el deseo de las diferentes órdenes religiosas de demostrar su pujanza, y la intención propagandística característica del catolicismo militante de la Contrarreforma resulten en un estupendo esplendor arquitectónico (*The Mediterranean and the Mediterranean World in the Age of Philip II*, New York: Harper, 1973, vol. II, VI, «The Spread of Civilization», pp. 828 y ss.).

(145) Véase Gerald Gillispie, *German Baroque Poetry* (New York: Twayne, 1971).

(146) «Utiliser le terme "baroque" est un comportement typique des cultures latino-américaines dans leur rapport aux cultures européennes: besoin d'une dénomination prestigieuse et aussi difficulté, réelle, de trouver comment definir par des mots nos propres réalités» (*Littérature latino-américaine d'aujourd'hui*, *op. cit.*, discusión sobre *Paradiso*, p. 277). Rama continúa diciendo que en el caso de Lezama se trata de una nueva situación en el diálogo entre la cultura latinoamericana y la europea, de modo que si aquél utiliza la palabra «barroco», «c'est finalment pour démonstrer sa marginalité par rapport au fonds de la culture universelle. S'il manie l'analogie et opère d'énormes reconstructions, c'est pour se placer en marge de la culture universelle mais également en marge de la nature. Dès lors tout est possible, y compris la normalité de la anormalité comme dans le cas de l'homosexualité» (*ibíd.*).

(147) Franco, «Dependency Theory and Literary History: The Case of Latin America», *The Minnesota Review*, 55 (Fall, 1975), 65-80, esp. 71-2.

(148) Beverly, «Góngora and the State», art. cit.

(149) 401 habitantes por kilómetro cuadrado, lo cual lo hace el país latinoamericano más densamente poblado, por encima de El Salvador (211 habitantes) y Haití (178).

(150) Bien que un alto porcentaje de la población escolar asiste a la escuela irregularmente o la abandona antes del cuarto grado (Gordon K. Lewis, *Puerto Rico. Freedom and Power in the Caribbean*, New York: Harper, 1963, «The Growth of Education».

(151) De los poetas, Luis Palés Matos es el mejor conocido fuera de la isla, ya desde los treinta, por su poesía negra.

(152) Para un riguroso análisis del significado cultural y político de la obra de Marqués, véase Arcadio Díaz Quiñones, «Los desastres de la guerra: para leer a René Marqués», *Sin Nombre*, X, 3 (1979), 15-44.

(153) Véase el violento ataque a Marqués por Juan Angel Silén, *Hacia una visión positiva del puertorriqueño* (Río Piedras: Edil, 1972), «La literatura de la docilidad», y Apéndice I (sobre el célebre ensayo de Marqués, «El puertorriqueño dócil», de 1962). Véase Juan Flores, *Insularismo e ideología burguesa en Antonio Pedreira* (La Habana: Casa de las Américas, 1979), para

un examen del pensamiento de la llamada «generación del treinta».

(154) El régimen respecto a la metrópoli vigente desde 1952.

(155) La última novela de Marqués, *La mirada* (Río Piedras: Editorial Antillana, 1976), aunque recuerda la novelística más reciente en su técnica, escenario, variedad de temas e insistencia en lo sexual y homoerótico, sigue siendo una novela existencialista y moralizante.

(156) Un repaso a los empleos de los novelistas y cuentistas contemporáneos más conocidos revela que por lo menos diez son o fueron empleados del gobierno, ya sea a través de la Universidad de Puerto Rico (Laguerre, Pedro Juan Soto, Edwin Figueroa, Luis Rafael Sánchez, Edgardo Rodríguez Juliá), o de dependencias administrativas relacionadas con el Departamento de Educación (Díaz Valcárcel, José Luis Vivas, Salvador M. de Jesús, Marqués, Díaz Alfaro).

(157) Véase a propósito Diana Christopulus, «The Politics of Colonialism: Puerto Rico», y Morris Morley, «Dependence and Development in Puerto Rico», *The Puerto Ricans,* II.

(158) En 1970 había un total de casi millón y medio de puertorriqueños nacidos en la isla y sus hijos viviendo en el continente, cantidad que se aproxima a los dos millones si se incluye a los de tercera generación (Adalberto López, «The Puerto Rican Diaspora: A Survey», *The Puerto Ricans, op. cit.*). La población de la isla es de tres millones y medio de habitantes.

(159) «El pasaje», de *En este lado* (1954), concluye con la mención de la muerte de un puertorriqueño cuando asalta un «delicatessen» en Nueva York para obtener el dinero con el que regresar a Puerto Rico. El cuento está incluido en *Cuentos puertorriqueños de hoy*, ed. René Marqués (Río Piedras: Editorial Cultural, 1968). Véase el cuento «En Nueva York» (1948), también sobre un inmigrante reciente, e igualmente trágico, en *En Nueva York y otras desgracias* (México: Siglo XXI, 1973), que incluye cuentos escritos entre 1942 y 1954.

(160) El autor compara ese cuento con los mejores suyos, los escritos «como escritor con una convicción política, pero como escritor antes que nada». De todos ellos («La carta», «En el fondo del caño hay un negrito», «Una caja de plomo que no se podía abrir»), «La noche» le parece el mejor, «porque, en efecto, ahí hay afirmación, esperanza y alegría ... ahí hay humor ... proletario, el humor que conjura el peligro de hacer revoluciones tristes» (Arcadio Díaz Quiñones, *Conversación con José Luis González,* Río Piedras: Ediciones Huracán, 1977, p. 40).

(161) A un compatriota que le pregunta por su procedencia, el protagonista le explica que era estudiante (de Columbia University, al parecer), pero que aun así lo reclutaron, «después de dos diferimientos». Más tarde aclara que no es «voluntario», sino que fue reclutado junto «con otros sesenta mil puertorriqueños» (*Mambrú se fue a la guerra,* México: Joaquín Mortiz, 1972, páginas 28 y 93).

(162) «El verdadero protagonista de ese relato, desde el punto de vista temático ... [es] la muchacha francesa ... El resentimiento que ella descarga, injustificadamente desde el punto de vista personal, sobre el inocente soldado puertorriqueño que nunca se propuso ofenderla [González se olvida aquí que «Mambrú» le da una bofetada a Marie cuando ésta trata de apartarlo de sí después que él le pregunta quién es el «Helmut» al que nombraba durante el orgasmo, y la llama después «puta»], encierra en realidad una protesta contra sus propios compatriotas ... ¿quién era más extranjero en ese instante en Francia, el puertorriqueño o la francesa?» (*Conversación,* p. 38). González habla aquí de la «extranjería interior» que él mismo, como todo ser humano, experimenta al «sentirse extranjero dentro de su propia piel»

(página 37). Pero es claro que el tema de «Liberación», no obstante lo que afirma inmediatamente el novelista, tiene un significado político además de estrictamente individualista.

(163) El protagonista de la novela se llama «José», más otro nombre o «mitad» que Maruja decide olvidar (*Mambrú*, p. 109).

(164) *Conversación*, p. 55.

(165) «el ruralismo sigue siendo un principio derrotista, y en principio los temas capitales de la literatura puertorriqueña deben ser los temas urbanos, *no por desprecio al mundo real, sino porque ese mundo es cada vez menos rural y más urbano*. Lo que yo propongo, ahora como entonces [se refiere a la dedicatoria del libro *El hombre en la calle*], no es desatender al campesino, sino atestiguar su transformación social ... la realidad urbana del Puerto Rico de hoy no es sólo ... la realidad del campesino urbanizado ... Es una realidad urbana por derecho propio» (*Conversación*, p. 18).

(166) «Tú no *quieres* seguir conmigo. Tú no eres de aquí, tú nunca vas a ser de aquí, aunque estés conmigo. Este es otro mundo, éste no es tu...» (*Balada de otro tiempo,* Río Piedras: Huracán, 1978, p. 147).

(167) Dos personajes que dialogan en un café donde entran los protagonistas masculinos de la novela sirven para darnos una noción precisa de la época y los problemas del país. En una ocasión discuten la agitación independentista (pp. 86-8), y durante su segunda conversación (pp. 127 y ss.) la desruralización del país y el mestizaje. Albizu Campos aparece mencionado en otra ocasión, junto con el socialismo (p. 100), y el anfitrión de Rosendo le explica cómo ha perdido la mayor parte de su finca: «Una hipoteca, usted sabe, y la central que paga lo que quiere por la caña» (p. 66). Otra obra reciente de González, *La llegada* (México: Joaquín Mortiz, 1980), narra las reacciones a la ocupación estadounidense de Puerto Rico de un grupo de testigos de ella (autonomistas, independentistas, españoles, antiguos esclavos) en el pueblo de «Llano Verde».

(168) González, ya desde varios años antes miembro del Partido Comunista, salió de la isla en 1948, regresó brevemente en dos ocasiones y a partir de 1953 estuvo dieciocho años sin poder entrar en su patria (*Conversación*, p. 149).

(169) Es menester relacionar el desinterés de las novelas de González en la experimentación característica del postmodernismo, con su convicción de que el género ha muerto con la crisis histórica de la burguesía; se apoya en otros para sobrevivir; persiste sólo en los países de la periferia, como los latinoamericanos (*Conversación*, pp. 58-63). En otra entrevista el autor afirma de nuevo que la novela, al faltarle el sostén de una ideología burguesa, expresa la visión de grupos reducidos o —en el caso de Latinoamérica— su «retraso histórico» también (Nora G. Othmann y Caridad L. Silva de Velázquez, «José Luis González: Observaciones sobre su obra y su generación», *Sin Nombre,* X, 2, 1979, p. 30).

(170) Nunca publicado, aunque algunos de los cuentos de la colección aparecieron en revistas y periódicos (*Cuentos puertorriqueños de hoy*, pp. 235-6).

(171) Otros libros suyos son *El hombre que trabajó el lunes* (1966), *Napalm* (1971) —ambas colecciones de cuentos y novelas cortas— y la novela inédita *Muere Salcedo* (en la entrevista de *Hispamérica* citada más adelante dice Díaz Valcárcel que la versión final se perdió, pero por ser de otra época —antes de 1968— no le interesó reconstruirla).

(172) En una entrevista («Conversación con»..., *Zona de carga y descarga,* I, 2, 1972, 18-9) el novelista explica que a la literatura puertorriqueña la define la búsqueda de la identidad nacional, lo cual puede convertirse en un monotema empobrecedor si el

escritor no hace un esfuerzo por ver su país desde otra perspectiva. Véase también la entrevista por Nora G. Orthmann y Caridad L. Silva de Velázquez en *Hispamérica*, IX, 25-26 (1980), 61-8 (también en *Educación* [Departamento de Instrucción Pública de Puerto Rico], 47, mayo 1980), donde el escritor reafirma la necesidad de superar el empobrecimiento del lenguaje puertorriqueño utilizándolo como eje o «personaje» de la creación literaria.

(173) *Harlem todos los días* (San Juan: Huracán, 1978), p. 226.

(174) *Cuentos puertorriqueños*, pp. 150-1.

(175) Otra novela, *Los perros anónimos*, de 1950, sobre «el tema del puertorriqueño en Nueva York» y su participación en la guerra de Corea, «permaneció inédita debido al riguroso juicio autocrítico del autor» (René Marqués, *Cuentos puertorriqueños*, p. 151).

(176) Véase Loreina Santos Silva, «*Ardiente suelo*...: el desarraigo», *Narradores latinoamericanos* 1929-1979, XIX Congreso del IILI (Caracas: Centro de Estudios Rómulo Gallegos, 1980), páginas 171-8.

(177) Este, llamado «Lugo» —apellido con el mismo número de sílabas que Soto— podría constituir una referencia al autor de la novela. Saldivia, quien lo ha conocido después de leer algo suyo, dice además que siente no haberlo incluido en su curso (*El francotirador*, Río Piedras: Puerto, 1972, pp. 185, 288). Opina Díaz Valcárcel que *El francotirador* es la primera novela de «nuestra generación» que tiene el empaque de una gran novela, además de que es difícil de leer, como muchas de las mejores novelas latinoamericanas contemporáneas (entrevista con Orthmann y Silva).

(178) La ley «Jones» de marzo de 1917, que, junto con la reorganización del parlamento insular, otorgaba la ciudadanía estadounidense a todos los puertorriqueños, permitía también su conscripción. Más de 15.000 fueron reclutados, y se establecieron en la isla varios campos de entrenamiento, pero las tropas puertorriqueñas fueron usadas solamente para proteger el canal de Panamá, de modo que sólo aquellos puertorriqueños que se unieron al ejército en Estados Unidos, o que vivían allí y fueron reclutados, pudieron participar en las campañas de la guerra europea (Truman R. Clark, *Puerto Rico and the U.S.* 1917-1933, University of Pittsburg Press, 1975, pp. 36-7).

(179) Don Toño teme por las consecuencias para el pueblo de la marcha del equipo de filmación después de haberse acostumbrado a su derroche; en un plano más personal le parece malo «andar de la mano con un yanqui». A todo lo cual responde Baldo que el gobierno, del cual afirma que es partidario don Toño, «trae fábricas ... y algunas se quedan. Pero ... algunas se van antes de lo acordado, ¿eh? Y dejan también a gente con la boca abierta, ¿no? Pero eso también es progreso ... según me han dicho» (*Temporada de duendes*, México: Diógenes, 1970, página 127). Baldo se refiere a la ley de 1947 que ofrecía una exención tributaria por diez años a las corporaciones que se estableciesen en la isla, extendida luego en el caso de muchas industrias a diecisiete años. «Operation Bootstrap», una rama del Ministerio de Fomento, trataba de atraer inversionistas ofreciéndoles encargarse de la contrata y entrenamiento de los obreros, el alquiler, construcción o venta de fábricas, etc. Entretanto, lo que atraía verdaderamente a los industriales era la facilidad para exportar la mayor parte de sus ganancias, lo precario de la organización sindical, controlada por el gobierno, y el desempleo crónico (véase Christopulos, «The Politics of Colonialism», art. cit., *The Puerto Ricans*, pp. 153-4). El paralelo entre ese sistema y la práctica de los «peliculeros» en Barrizales es evidente.

(180) Y todavía en la última novela de Enrique Laguerre, *Los amos benévolos* (1976), donde un industrial y político del Puerto Rico contemporáneo paga el haber rechazado su origen campesino con la soledad existencial y al cabo con la muerte a manos del hijo de su concubina.

(181) María Inés Lagos de Pope, «Una alegoría del neocolonialismo (*Temporada de duendes*)» *Revista bilingüe*, I, 2 (1974), 208-11, llama la atención sobre la pintura de la americanización de Puerto Rico en la novela.

(182) El libro siguiente de Soto, *Un decir de la violencia* (Río Piedras: Huracán, 1976), compuesto de la novela corta de ese título y varios cuentos, aporta poco nuevo a su producción. Edición de un texto que se supone publicado por primera vez en 1980, ésta, de 1990, aparece cuando Puerto Rico es ya una república independiente. Los cuentos son psicológicos o políticos; entre ellos se intercalan documentos que revelan varios aspectos sociales del Puerto Rico contemporáneo, con especial atención a la corrupción de la lengua. La novela titular, a menudo muy divertida, es alegórica, pero de modo mucho menos complejo que *Temporada.* Soto, cuyo hijo de dieciocho años, independentista, fue asesinado por la policía en julio de 1978, explica en un artículo que quisiera novelar esos hechos, pero su voluntad choca con dificultades tan insuperables —verosimilitud frente a estereotipos, realismo contra falta de informaciones precisas— que deberá aprender a escribir de nuevo si quiere concluir «la novela que estoy obligado a terminar» («Aprender a escribir», *Claridad,* 17 a 23 de octubre 1980, pp. 2-3). Soto acaba de ganar el Premio Casa de las Américas con una novela al parecer anterior a *Temporada,* «Un oscuro pueblo sonriente».

(183) Véase, para un examen de la nueva narrativa puertorriqueña, Asela Rodríguez de Laguna, «Balance novelístico del trienio 1976-1978: conjunción de signos tradicionales y rebeldes en Puerto Rico», *Hispamérica,* VIII, 23-24 (1979), 133-42. Menciona o trata la crítica de otros escritores además o en lugar de los mencionados por mí (Rafael A. González Torres, Héctor Marrero, Roberto Cruz Barreto, Ismael Reyes García, Edgerto Figueroa, Angel Encarnación, Juan José Hernández Delgado, José Pepe Pérez, Edgardo Jusino Campos). Su conclusión es que a todos o a casi todos les «duele Puerto Rico», bien que su protesta sea a veces superficial, por utilizar la novela sólo como «medio de denuncia».

(184) Véase, por ejemplo, el por otra parte utilísimo libro de John S. Brushwood, *The Spanish American Novel* (University of Texas Press, 1975), donde la literatura puertorriqueña brilla por su ausencia.

(185) *La guaracha del Macho Camacho* (Buenos Aires: Ediciones de la Flor, 1976), p. 64.

(186) Edgardo Rodríguez Juliá, *La renuncia...* (San Juan: Antillana, 1974).

(187) Véanse pp. 127 (donde se explica que no ha participado en ninguna de una serie de experiencias jubilosas características de la adolescencia, de modo que está «costrado por la indiferencia y la antipatía») y 189 (su familia lo consiente y «auspicia» su indolencia y sus actos de violencia).

(188) Por ejemplo: «Vicente es decente y buena gente ... y su conciencia transparente ... bondad paciente ... con el pobre es condoliente ... su talento es eminente», etc. (p. 218).

(189) En «Reencuentro con un texto propio», *Sin Nombre,* XII, 1 (1981), 21-6, Sánchez, comentando una relectura reciente de su novela cinco años después de aparecida, la cual compara

con la lectura de los críticos, explica que el motor de *La guaracha* fue expresar «la violencia que un día cercó nuestra cotidianidad, la violencia que patrocinó una estética fatídica de rejas y candados y pestillos de soldadura doble y alarmas, la violencia que extrañó para siempre nuestra idílica seguridad e hizo desaparecer nuestra confianza, la violencia que se hizo discurso metódico de ruindad ... que instituyó sus propios recursos de descongestión en el humor histórico y la emoción sórdida y la frase burdelizada, violencia que ensayaba la agresión en el ruido ostentoso, la irresponsabilidad moral, el frenesí consumidor» (páginas 23-4), a la cual corresponden el ritmo de guaracha de la novela, y su visión de una sociedad mulata y machista, junto con la de la congestión que todos están obligados a aceptar. En una entrevista con Arcadio Díaz Quiñones («El oficio y la memoria: Luis Rafael Sánchez», *Sin Nombre, ibíd.*, 27-38), Sánchez es aún más explícito: «Y en el 1976, cuando los "food stamps", los "cupones de alimentos", se han convertido en la economía paralela, en otro partido, cuando el país se ha convertido en un tapón colosal, cuando hemos acudido a las rejas para guardar nuestras vidas y nuestros temores rayanos en la histeria, la realidad misma pide a gritos un texto que recoja los elementos chabacanos de nuestra deformación angustiosa; capaz incluso de organizar todo ese mundo lingüístico supuestamente incoherente de nuestros días. Es decir, yo creo que la novela sintonizó en el cuadrante exacto en el momento en que apareció» (p. 28). Comentando la afirmación del crítico de que se trata de un texto «que se presta para ser oído», dice que representó para él un intento de «rescatar unas formas maravillosas de expresión de nuestro país que estaban abandonadas, pero que estaban vivas», y en lo personal «una especie de nueva libertad en mi persona como artista y como hombre. No es la realidad la nueva, pero sí la relación mía con ella» (p. 29). En otra entrevista (con Helen Galaf de Agüera, *Hispamérica,* VIII, 23-24, 1979, 71-80), dice que quiso caracterizar a los personajes por su lengua, tanto la de la calle como la de la burguesía, y acusa la situación merced a la cual en la literatura puertorriqueña todo texto que expresara una preocupación independentista tenía que ser bueno. La bibliografía sobre *La guaracha* es ya copiosa. Véanse esp. los artículos por Luis M. Arrigoitia («Una novela escrita en puertorriqueño»), José Juan Beauchamp («*La guaracha*... Lectura política y visión del mundo») y Lorraine Elena Ben-Ur («Hacia la novela del Caribe: Guillermo Cabrera Infante y Luis Rafael Sánchez»), en el número homenaje a Sánchez de la *Revista de Estudios Hispánicos* de la Universidad de Puerto Rico, V (1978).

(190) Véase, por Lucien Goldmann, «Introducción a los problemas de una sociología de la novela» (1963), *Para una sociología de la novela* (Madrid: Ayuso, 1975).

(191) Véase Morán, *Novela y semidesarrollo, op. cit.*

(192) Así lo sugieren estas afirmaciones: «Pero acepté la subordinación [a la Revolución por encima de todo, exigiendo incluso el sacrificio de la propia vocación artística] y durante cerca de diez años decidió mi silencio. Admiro a los que así lo siguen creyendo y practicando, pero ya no puedo callarme y antes de morirme quiero echar mis prosaicas experiencias del alma [aquí se imita un "verso sencillo" de Martí: "Y antes de morirme quiero /echar mis versos del alma"]. Traicionar el dogma sin, espero, traicionar la fe» (*Los dispositivos en la flor, op. cit.*, «Epílogo para intelectuales. Recuerdos y observaciones: la cultura en Cuba, 1959-1980», p. 540.

(193) José Luis González llama la atención sobre el desarrollo de la cultura popular en Puerto Rico bajo la dominación norteamericana, e independientemente de la hispanizante de los

independentistas, que representaba los valores de la clase desposeída en 1898. Ese fenómeno, resultado de la ausencia «de una clase dirigente capaz de ofrecerle [al pueblo] modelos válidos de creación artística como los que le ofreció en el pasado», es el que asume *La guaracha* al apropiarse la realidad «plebeya» desde «dentro», con lo cual rompe «con una manera de enfrentarse a la realidad ... exteriorista, vale decir desde arriba o desde afuera», que nos da «la visión del mundo de la plebe puertorriqueña» («Plebeyismo y arte en el Puerto Rico de hoy», *El país de cuatro pisos*, Río Piedras: Huracán, 1981, pp. 99, 103, 104; véase también «El país de cuatro pisos», p. 30).

GARCIA MARQUEZ: COMPROMISO Y ALIENACION

El propósito de las páginas que siguen es, básicamente, estudiar *Cien años de soledad* en relación a la ideología de su autor, para lo cual hay que partir de cuestionar las interpretaciones tanto formalistas como pseudohistóricas que ocultan aquélla o que la explican, mecánicamente, a través de la ecuación América Latina = Macondo. El vaivén de García Márquez de la intención política a la alienación paralela el de la literatura hispanoamericana entre experimento y compromiso.

Ninguna otra novela hispánica ha obtenido un éxito editorial semejante al de *Cien años*: varios millones de ejemplares vendidos (1), traducciones a menudo en ediciones de bolsillo que van ya por la tercera tirada; una fama dentro y fuera del mundo hispánico sólo comparable a la del *Quijote*, pues incluye capas de lectores con una educación media. La explicación de esa peculiar situación de *Cien años*, cuya popularidad desborda con creces, mas sin perjudicarla en lo más mínimo, su reputación entre los críticos, reside, naturalmente, en el modo como su modernidad no resulta, según sucede en los casos de, por ejemplo, *TTT* y *Cambio de piel*, de Carlos Fuentes, también publicadas en 1967, como *Cien años*, en hacerla menos accesible al lector. Aunque García Márquez ha creado en *Cien años* un texto nada convencional como estructura narrativa y de extraordinaria riqueza metafórica, imaginativa, etc., sus procedimientos estilísticos son sencillos y la riqueza de la novela se transmite al lector inicialmente a través de un argumento apasionante que fluye sin obstáculos, nos hace reír, nos excita, nos absorbe, y el cual el estupendo uso de la fantasía por el autor hace aún más placentero y más *legible* —como un cuento infantil, de hecho.

La narración comienza con una determinación de la secuencia temporal desusada en la novela tradicional, apuntando hacia un futuro («Muchos años después, frente al pelotón de fusilamiento, el coronel Aureliano Buendía habría de recordar») (2) que *sólo* sirve, no obstante, para situarnos en el pasado de la fundación del pueblo natal («Macondo era entonces»), que resulta el verdadero sujeto de ese primer capítulo, a través del recuerdo por el personaje en cuestión de su primera visión del hielo, a la que llegamos en todo su espléndido detalle al final del capítulo, después de descritos los comienzos de Macondo; hecho lo cual, la narración prosigue un curso lineal, aunque volviendo a emplear a menudo, ahora como una cita interna o de sí misma, el exitoso procedimiento que inaugura el relato, saltando por un breve instante del presente de la narración hasta un futuro apenas evocado, donde un personaje recordará lo que entonces —en el presente de la narración— le sucedió (3).

El recurso añade interés a la manera de contar, sugiriendo un enfoque perspectivista (técnica de las cajas chinas, *mise en abîme*, organización cíclica) más moderna que la mera secuencia cronológica propia del modelo biográfico (4). Para Noé Jitrik, el procedimiento y su repetición ejemplifican la organización de la novela a partir de un manuscrito que predice aquello que los personajes hacen y leemos con tanto placer, hasta que el último de ellos descifra el libro mientras concluye la historia que éste narraba; es decir, que cuando el autor nos proyecta hacia el tiempo en que el coronel recordará cierta experiencia, está imitando al autor del manuscrito, para de ese modo recuperar más efectivamente un pasado donde todo está ya escrito (5).

A reserva de volver más adelante sobre las implicaciones para el relato de ese manuscrito que se supone que lo precede, hay que subrayar que la mención de cierto futuro en que, primero Aureliano y otros personajes después de él recordarán algo, no consigue —porque tampoco se lo propone verdaderamente— apartarnos de la secuencia temporal normal en la novela-crónica, la cual consiste, naturalmente, en un contar el pasado desde el presente (en propiedad, esa crónica comienza en el segundo capítulo, con la historia de los Buendía y los Iguarán, en tanto que lo que sigue al recuerdo mencionado en las frases iniciales es una descripción del Macondo primitivo centrada en su fundador y sus intereses y ambiciones, promovidas a su vez por Melquíades y los gitanos); o sea, que el brevísimo asomarse al futuro conectado siempre con la muerte del personaje, al que se recurre cada cierto tiempo, afianza, en efecto, la importancia para los Buendía del pasado, historia o biografía familiar que *está contando* el narrador, y que no necesita, por tanto, *recuperar*, pues constituye la perspectiva al mismo tiempo que la materia del relato. Éste, en conclusión, procede con entera independencia de que el pasado de los Buendía se encontrase ya escrito, descubrimiento que pertenece al final de la novela, prácticamente al epílogo de un relato cuyo proceso parece para entonces concluido e incapaz de nuevas variaciones.

A mi ver, el procedimiento no alude al manuscrito, como tampoco a una concepción cíclica, perspectivista, etc.: la acción quisiera comenzar, planea de hecho iniciarse con el presente de Aureliano Buendía frente al pelotón que va a fusilarlo, instante superdramático durante el cual, ante la realidad de una muerte inminente, y con ella la de sus sueños, ilusiones, empeños —los políticos en particular—, el coronel recuerda, rememora su vida, y se detiene en su primer contacto con el hielo, recuerdo muy apropiado para caracterizar a Aureliano, pues se trata de un misterio reproducible por medios mecánicos, con una clave científica que el niño intuye que es aprehensible (nótese cómo su hermano, personaje simple e instintivo, se niega a tocar el hielo), sentimiento que explica su personalidad de buscador, innovador, inconforme, y subraya además lo que lo asemeja y lo diferencia del fundador, su padre, cuya curiosidad pone en movimiento a una imaginación descabellada. El fusilamiento no puede servir, sin embargo, para iniciar la novela, pese a su dramatismo y su significado como destructor de los ideales del coronel, porque lo que le interesa al narrador es contar, en una sucesión temporal que imita deliberadamente el orden de la crónica, la biografía de los Buendía, a cuya narración se lanza inmediatamente por la vía de ese instante privilegiado en la infancia del coronel, el cual sirve como puerta a un pretérito que estará a su vez concebido como fantástico precisamente para facilitar de ese modo que escapemos a su través del ominoso presente que nos aguardaba en el fusilamiento.

Cuando por fin llegamos a éste —incluida la visión del hielo (p. 115)— en el curso del desarrollo normal de la acción, es para saltarlo alegremente (no tiene lugar) y poner al coronel de nuevo en acción, aunque a sabiendas de que ésta no resultará en nada positivo («tenía conciencia de estar ... metido en una situación política tan confusa» [p. 119]; «Yo, por mi parte, apenas ahora me doy cuenta que estoy peleando por orgullo» [p. 121]). El movimiento hacia el futuro a partir de un incidente del pasado de los personajes —como lo es la visión del hielo, parte de los materiales del relato con los que se describen los primeros años de Macondo— se detiene siempre en el momento de la muerte del personaje en cuestión, cualquiera que sea, y desde allí rebotamos de vuelta hacia la fascinante historia de los Buendía y de Macondo, la cual prosigue su curso en presente, aunque, como toda historia —es decir, aparte de que estuviese ya escrita como profecía antes de suceder, según se revela súbitamente al final— haya tenido ya lugar. Ese pasado Buendía-Macondo posee, después de cien páginas de narración (cuando el coronel llega finalmente frente al pelotón de fusilamiento), un valor principalmente mítico, maravilloso, de modo que tampoco es capaz, puesto que parece suceder, al menos parcialmente, fuera del tiempo real, de agobiarnos o aun entristecernos, no obstante la melancolía, por ejemplo, del coronel reducido a hacer y deshacer un mismo pescadito de oro: la *soledad* de la cual esa labor es paradigmática y que debería expresar el sentido último de la novela, resulta igualmente pretérita, igualmente mítica.

Probablemente por lo mismo que *Cien años* se dirige hacia el pasado, que narra lo ya sucedido, es que se ha tendido a interpretarla como una visión totalizadora de la historia de Latinoamérica. Macondo vendría a constituir una representación de cualquier ciudad de provincias latinoamericana, y el país que la rodea o que se extiende detrás de Macondo representaría nuestro continente. El que Macondo aparezca en otras narraciones de su autor anteriores y posteriores a *Cien años* apoya esa interpretación: se trata de un modelo consciente que el autor ha ido desarrollando en el curso de los años (6).

La interpretación de *Cien años* como «la novela de Latinoamérica» es, sin duda, la que más éxito ha tenido entre todas y la que, de hecho, soporta la fama de la obra en el mundo académico y crítico no hispánico. En éste, *Cien años* ha sido estudiada desde otros varios ángulos, además de aquél, entre los cuales el que se concentra en la composición novelística ha sido, hasta hace poco, el menos importante, pues otras novelas hispanoamericanas contemporáneas resultan mucho más interesantes para el crítico desde el punto de vista técnico. En esas interpretaciones domina el interés en el empleo de la fantasía como vehículo hacia la novela total, microcosmos que alude o expresa, a su vez, a Latinoamérica. Carlos Fuentes ha elogiado *Cien años* como la novela mítica donde, al mismo tiempo que nos reconocemos todos los latinoamericanos, la utopía libera de los empobrecedores límites del realismo todos los espacios de lo real por la vía de la imaginación (7). Otro novelista, Vargas Llosa, elogia *Cien años* como la obra de un demiurgo, mundo total, autosuficiente y de ilimitada accesibilidad (en vez de hermético), pues escritura y estructura novelísticas se complementan en él perfectamente gracias a la imaginación (8).

En gran parte, el énfasis crítico en el papel de la imaginación en la novela proviene de la necesidad de explicarse el hecho de que no sea, pese a su localización en un espacio semirrural, una obra regionalista del tipo que abundaba en la literatura hispanoamericana hasta los cuarenta, sino que universaliza ese espacio por medio de la imaginación. Tampoco se trata, sin embargo, de una novela fantástica, pues los episodios *verdaderamente* fantásticos en ella, aquellos que no pueden explicarse racionalmente de ningún modo (la enfermedad del insomnio, la inmortalidad y los poderes sobrenaturales de Melquíades y de los gitanos, la invisibilidad de José Arcadio Segundo, las mariposas amarillas que siguen a Mauricio Babilonia y las flores del mismo color que caen del cielo a la muerte del fundador, la indeleble cruz de ceniza que el cura traza en la frente de los diecisiete hijos del coronel, la subida al cielo de Remedios la Bella, la sangre del hijo mayor de José Arcadio y de Ursula que va a avisar a ésta de su muerte, el Judío Errante y los efectos de su venida), los que no son meras exageraciones de hechos reales, o interpretaciones controversiales de sucesos *posibles* por más que *improbables* (9), no están elaborados con el propósito de que sustituyan a la realidad, de apartarnos de ella incluso momentáneamente, sino que conviven con ella dentro de secuencias cuyo objeto principal son caracterizaciones psicológicas, relaciones sociales, el paso de la historia; secuencias cuya intención parece de hecho la reproducción mimética de la realidad. Es ahí precisamente, en esa capacidad para reunir, unificándolos mediante una habilidad única en el manejo de la metáfora y del humor, realidad y fantasía como el producto del *mismo* tipo de imaginación, donde reside la mayor originalidad al igual que la explicación del extraordinario éxito editorial de *Cien años.*

De hecho, ésta parece una ilustración de manual del tan llevado y traído «realismo mágico», con su estupendo tejido de lo extraordinario, lo sobrenatural, lo inexplicado, en una trama que aparenta ser la biografía de una familia hispanoamericana, todo ello narrado como la cosa más natural del mundo por una voz narrativa que parece también la típica del realismo. El «realismo mágico», y más específicamente «lo real maravilloso», término acuñado por Alejo Carpentier, dependen para su justificación crítica de la interpretación de Latinoamérica como el continente en el que la mezcla de razas, el aislamiento cultural y la pujante naturaleza contribuyen al efecto de una realidad aún increada y donde, por tanto, parece posible lo fantástico (10). La interpretación de América —y en particular de la latina— como el escenario natural del realismo mágico, se corresponde con la interpretación de ese movimiento como característico de las sociedades en estado de semidesarrollo, en cuyo presente histórico coexisten dos mundos, el del subdesarrollo y, como una fachada construida por la sociedad de consumo, el del superdesarrollo —al modo que en las ciudades del Tercer Mundo, las calles transversales a una avenida festoneada de rascacielos de cristal pueden ser calles mal asfaltadas por donde transitan burros y niños semidesnudos.

Ese estado de cosas da lugar en un escritor como García Márquez —sugiere Francisco Ayala— a una actitud libre, que en lugar de responder sólo al subdesarrollo, en ese caso con una literatura de protesta, se sitúa a la altura de los tiempos (o de las circunstancias, como en el verso de Jorge Guillén, otro crítico liberal [11]) para expresar la experiencia de una sociedad que incluye diferentes grados de desarrollo (12). Cabe dudar, no obstante, de la cabal integración del artista del semidesarrollo en éste postulada por ese juicio, y en consecuencia de la de su testimonio, habida cuenta de que ese escritor recibe de lleno los efectos gracias a su situación privilegiada como intelectual —aun y cuando permanezca, lo que no es corriente, en su medio original— de las producciones del superdesarrollo, incluida la interpretación por éste de su opuesto (13).

Por su parte, García Márquez, frente a su asignación por algunos críticos al realismo mágico, insiste en que es un escritor realista, sólo que en el mundo americano que expresa *Cien años* nos rodea constantemente lo extraordinario (como creía Carpentier), de modo que, por ejemplo, Neerlandia no es un nombre tomado del *Amadís,* como parece, sino tan real como los decretos que ordenaban la matanza de los obreros bananeros y luego la negaban como no ocurrida (pp. 258 y 262) (14). La realidad americana es real, naturalmente, pero parece fantástica, lo cual justifica que *Cien años* mezcle realidad y fantasía; si esa realidad americana es, además, «mágica» —o sub/semidesarrollada—, ¿no será el mito el mejor medio de dar cuenta de ella? De ahí la *apariencia* mítica que se apropia la trama de *Cien años*: a su conclusión nos enteramos de que la fascinante historia que hemos estado leyendo había sido escrita en su totalidad por un mago o demiurgo y representaba un mito —relativo a la soledad o al incesto— centrado en cierta familia —como los mitos griegos, después de todo.

Pero veamos si es posible explicarse satisfactoriamente ese mito, cuyo signo más aparente es la soledad, como una teoría de Latinoamérica, según quiere la interpretación más extendida de *Cien años*. El viaje sin propósito fijo, excepto el de alejarse radicalmente del pueblo natal, que emprenden José Arcadio y Ursula con un grupo de amigos también jóvenes, «embullados por la aventura» (p. 27), representaría la búsqueda de una utopía, en su sentido original de isla edénica, identificable a su vez con el Nuevo Mundo en la visión de ciertos pensadores renacentistas. Pero es claro que aunque el patriarca Buendía crea en efecto por un tiempo que Macondo es una isla, la mera fundación de una comunidad sostenida por relaciones económicas de producción, intercambio, consumo, conlleva el final de cualquier utopía. Durante esos primeros decenios de la historia del pueblo, su desarrollo sugiere —paródicamente, por el ambiente, la caracterización de los personajes y el empleo constante de la sorpresa y la exageración— una especie de epopeya o novela de caballería, género que participa de la voluntad mítica: reemplazo de la ciencia por la superstición, épicos intentos del fundador por establecer contacto con el exterior, labores de su mujer, epidemias que los combaten, fuga, aventuras y regreso del primogénito, tormentosas relaciones amorosas y, finalmente, las guerras del coronel, las cuales sirven para situar a Macondo dentro de la historia del país donde se halla, y por extensión de la del continente, con la disputa, desde mediados del siglo XIX por lo menos, entre liberales y conservadores por el botín de la independencia. Hasta que, concluidas las guerras civiles, la fundación de los Buendía se enfrenta con el presente a través de la llegada de la compañía bananera, la cual acarreará, con la ruina y desaparición de la familia fundadora que había profetizado Melquíades, la del pueblo mismo.

Los personajes de la novela mantienen, independientemente de la aproximación del presente histórico que se inicia con la irrupción en Macondo de las guerras civiles (finales del siglo XIX en la realidad), la apariencia de ahistoricidad necesaria para la elaboración mítica. Según sucede en la mitología, cuyos personajes son eternos, de modo que sus nombres expresan también características atemporales, los de los Buendía se supone también que representan cualidades de ese tipo. La energía y la imaginación desmedidas que aparecían unidas en el fundador se separan aparentemente en sus hijos, de los cuales el que lleva su nombre hereda sólo la potencia física, y el segundo, la imaginación, que, aunque no exenta de energía, sino todo lo contrario, se desarrolla en él en la dirección de una melancolía —léase sentimiento de soledad— obsesiva. El hijo de José Arcadio Segundo, aunque de hombre su conducta semeje a la de su padre, ha sido un niño reconcentrado y tímido (p. 100), como lo fue su tío, cuyo propio hijo, Aureliano José, una vez superada la pasión por su tía Amaranta, termina identificándose por su concupiscencia y desidia (p. 134) con su primo y con su tío. En los bisnietos del fundador parecen volver a darse, después de unos primeros tiempos en que un hermano es tímido (p. 164) y el otro inventivo (p. 169), las características de aquél tan perfectamente separadas como las describe Ursula y las querría, quizá, el narrador («En la larga historia de la familia [la cual se remonta otro par de siglos antes del que describe la novela en detalle, al tatarabuelo del fundador de Macondo, llamado como él: página 24], la tenaz repetición de los nombres le había permitido [a Ursula] sacar conclusiones que le parecían terminantes. Mientras los Aureliano eran retraídos, pero de mentalidad lúcida, los José Arcadio eran impulsivos y emprendedores, pero estaban marcados por un signo trágico»: página 159); en apariencia invertidas —Aureliano Segundo es el expansivo en vez del retraído—, a no ser que los mismos gemelos no se hubiesen confundido sus nombres «en algún momento de su intrincado juego de confusiones» (ibídem). Pero en verdad, Aureliano Segundo da muestras respecto a su hermano, su concubina, su esposa, o la mala suerte que lo persigue al final, de una ternura y un sentimiento de soledad —la cual tiene la suerte de «compartir» con Petra en tanto tratan a Fernanda como a «la hija que hubieran querido tener» (p. 287)—, que lo separan diametralmente del primogénito del fundador, a quien se nos decía que repetía, sin igualarlo con el coronel cuyo nombre es, quizá, verdaderamente el suyo. El último José Arcadio, de niño «lánguido y serio» (p. 216), mezcla a un carácter libidinoso (hacia su propio sexo en su caso), terrores infantiles (páginas 311-12) y crisis de conciencia (p. 315), todo ello bajo la apariencia de «un niño otoñal, terriblemente triste y solitario» (p. 309). El penúltimo Buendía (incluyendo en la cuenta a su hijo el niño con cola de cerdo) viene a ser, en su docilidad, distracción, retraimiento (p. 289) y dedicación a los papeles de Melquíades, una magnificación del segundo hijo del fundador, cuyo nombre lleva; es decir, un Aureliano desprovisto de energía y sensualidad, todo soledad; hasta que con la llegada de su tía Amaranta Ursula su vida cambia radicalmente, cuando, tratando de librarse de la pasión que siente por ella, va en busca de una prostituta de quien era amigo, mas sin haber dormido con ella (ni con ninguna otra mujer), y Nigromanta, que se preparaba «para despacharlo como si fuera un niño asustado, se encontró de pronto con un hombre cuyo poder tremendo exigió a sus entrañas un movimiento de reacomodación sísmica» (p. 326) —lo mismo que a las amantes del segundo José Arcadio, al cual imitará ahora por un tiempo este Aureliano con actos de exhibicionismo, borracheras en prostíbulos, etc. Nótese, sin embargo, que al cambiar su carácter, Aureliano Babilonia hace amistad con jóvenes de su misma edad y aficiones intelectuales, las que descuida temporalmente, pero no abandona.

Los varones de la familia Buendía resultan, pues, mucho

más diferentes entre sí, merced a características perfectamente individualizadas, de lo que cree la fundadora —y con ella algunos críticos, encandilados por la sugerencia mítica central de *Cien años*. Lo mismo puede decirse de las mujeres, pues aunque las Amarantas parezcan voluntariosas y las Remedios dulces, Renata Remedios o Meme recuerda, al menos hasta que es separada de su amante y llevada a un convento, más que a su tía Remedios la Bella, a la tía de ésta, Amaranta; en tanto que la última Buendía, Amaranta Ursula, no combina verdaderamente cualidades que no son, por tanto, inherentes a esos nombres. Presumir, como hace Josefina Ludmer (15), que el último Aureliano reúne las características de los primeros hermanos Buendía, de modo que reconstituye en su ser la unidad presente en el padre, es darle, me parece, demasiada importancia a la verga que ya sorprende en el niño de tres años que se escapa un día de su encierro (p. 249), y que Nigromanta (como antes Petra respecto a la del primogénito de José Arcadio y Ursula) pone a funcionar —verga que caracteriza al segundo José Arcadio, pero cuyo exagerado tamaño no existe indicación textual alguna de que sea herencia del fundador de Macondo (cuando Ursula repara casualmente un día en el sexo de su hijo mayor, no lo relaciona con el del esposo, sino que le parece «anormal»: p. 29)—, restándosela, en cambio, a la caracterización individualizadora con que se había ido elaborando al último varón de los Buendía —lo mismo que a casi todos los demás personajes—, cuya personalidad recuerda la del coronel más que la de ningún otro Buendía, pero no como una copia al carbón.

No se trata de negar que la potencia sexual del segundo José Arcadio y de sus descendientes (sin olvidar que no se halla desarrollada en cuanto a éstos hasta llegar al último Buendía) carezca de importancia temática. Todo lo contrario: su significado, el cual se organiza en torno a la mujer, arroja mucha luz sobre las intenciones de la novela. Los encuentros sexuales de José Arcadio con la gitanilla y con Rebeca y los de Aureliano Babilonia con Nigromanta y con Amaranta Ursula (nótese el paralelo que organiza a las cuatro mujeres en series opuestas de pertenecientes al clan y ajenas a él y prostibularias) están descritos respecto a la mujer como una experiencia en la que placer y dolor resultan insoportables (pp. 36 y 86), y que exige un reajuste físico total (p. 326), hasta que, al describírsela respecto a Amaranta Ursula, se aclara su sentido: «Una conmoción descomunal la inmovilizó en su centro de gravedad, la sembró en su sitio, y su voluntad defensiva fue demolida por la ansiedad irresistible de descubrir qué eran los silbos anaranjados y los globos invisibles que la esperaban al otro lado de la muerte» (p. 335) —la cual sobreviene, como era de esperarse, cuando da a luz. Se trata de fijar, detener, y a la larga destruir el cuerpo (o quizá la esencia) de la mujer, para lo cual hace falta ese miembro sobrenatural, cuya potencia, al emplearse *contra* una mujer de la familia (como ya quiso hacerlo el hijo del coronel respecto a su tía) desencadena el desastre/cataclismo que pone fin a Macondo y a los Buendía.

Ese ansiar detener para siempre una mujer que se escapa podría representar, de parte de los Buendía, el deseo del incesto, entendido a su vez como venganza de, o inmolación o sacrificio de una mujer que quisiera poder huir de la suerte que la espera con ese sexo (la fascinación con el cual como arma casi homicida sugiere una preocupación homoerótica). Los efectos de la endogamia en la descendencia asustaban ya a Ursula al casarse con su primo, y por ello es por lo que hay que distinguir entre el temor tradicional a los matrimonios con primos (en *La familia de Alvareda*, de Fernán Caballero, novela de costumbres campesinas andaluzas de 1830, Ana dice que «la sangre propia no se goza», y cuando su nuera y sobrina resulta adúltera, cree que se ha cumplido así la reprobación que cae sobre matrimonios entre gente de la misma sangre), los cuales, no obstante, permite la Iglesia mediante una «dispensa» rutinaria, y la unión entre sobrino y tía que desea Aureliano José y lleva a cabo Aureliano Babilonia creyendo, de hecho, que su tía es su hermana; unión que, aunque también «dispensable», implica una relación endogámica mucho más perturbadora, por cuanto una tía se halla mucho más cerca de una madre o de un padre que un primo. La esposa del fundador recuerda, sin embargo, a un «primo con cola de cerdo» (página 289), como si se tratase de otra característica familiar más, semejante a los altos pómulos de Aureliano o «su mirada de asombro y su aire solitario» (p. 269), y de hecho, ese curioso aditamento no representa en sí mismo degeneración o anormalidad alguna (véase la descripción del hermoso y saludable vástago de Aureliano Babilonia y Amaranta Ursula: p. 346), sino una *señal* de su concepción endogámica, la cual, además, no tiene por qué ocurrir siempre (los hijos de Ursula y José Arcadio nacen todos sin cola). Lo que importa, pues, es que los amantes han satisfecho su pasión creyendo ser hermanos; es la idea de un incesto que no es tal en realidad, o el deseo del incesto, el cual no afecta a Ursula y su marido, la que mata a la madre del último Buendía y sirve de antesala al cataclismo por tanto tiempo previsto. [En este sentido es importante notar que Aureliano Buendía se enamora de una niña de nueve años, «que por su edad hubiera podido ser hija suya» (57), y la cual muere envenenada por su propia sangre con un par de gemelos atravesados en el vientre» (p. 80): la edad de la pequeña Remedios Moscote evoca la idea del incesto más corriente —entre padres e hijas—; su muerte, desangrada como Amaranta Ursula (p. 347), sugiere una potencia sexual de resultados funestos.]

En tanto tiene lugar lo que estaba previsto y escrito por Melquíades, los Buendía se reproducen no del modo que seguramente quisieran, con sus hermanas, tías, madres (José Arcadio, por ejemplo, ve el rostro de Ursula cuando trata de recordar el de Pilar Ternera mientras la está poseyendo: p. 31), sobrinos, padres, sino que, si lo hacen, es a través de Pilar, de las concubinas ocasionales del coronel que le dan diecisiete hijos, de Santa Sofía de la Piedad, de Fernanda, de Mauricio Babilonia (en el caso de Meme, la única

Buendía que tiene progenie antes de Amaranta Ursula), es decir, de personajes exteriores al círculo familiar, presentados todos ellos con el mismo leitmotiv, «se llamaba», que afirma su carácter mítico o ahistórico (16), y cuya función es la de mentor sexual y/o receptáculo reproductivo, además de la de irnos acercando al desastre o dispersión de la familia, especialmente en el caso de Fernanda, que proviene del sitio más alejado geográfica y culturalmente de Macondo (el páramo, la altura, Bogotá). Pilar Ternera mantiene esa función de iniciadora hasta el mismísimo final, cuando aconseja al último Aureliano qué hacer respecto a Amaranta Ursula; papel que se relaciona con la primera letra de su nombre, repetida en los de la concubina de Arcadio, Santa Sofía de la Piedad (en su caso la intervención del otro nombre representa su bondad casi santa), y en la de Aureliano Segundo, Petra, quien se reproduce indirectamente en los animales que paren desenfrenadamente inspirados por sus amores con Buendía. *P* de puta, claro, a la cual se opone el *verdadero* objeto del deseo, la hermana, la tía, la madre —«hermanita» (p. 85) llama José Arcadio a Rebeca (la letra inicial de cuyo nombre semeja tanto como grafía la p), y quizá cree, en efecto, que lo es hasta que el cura revela que ni siquiera pertenece al clan (pp. 85-86), y Aureliano Babilonia, en tanto no se entera de su origen en el libro de Melquíades, da por sentado que Amaranta Ursula es su hermana (p. 350)—, con la cual la descendencia será anormal.

¿Podrá ser el deseo del incesto, como se ha sugerido, la expresión del rechazo de un orden represivo, simbolizado por la ley que prohíbe la endogamia, representada a su vez en este texto por los matrimonios entre primos y tías y sobrinos? (17). Es desde luego posible que García Márquez, como artista de ideas progresistas, haya querido expresar en su novela una voluntad de liberación cuyo objetivo final sea la política, pero cuyo vehículo expresivo resulte en efecto —a través de una selección inconsciente de motivos por parte del escritor— el rechazo del tabú endogámico, o, más bien, la voluntad del incesto. Choca, sin embargo, la violencia —si se trata aquí de representar la aspiración a una etapa superior en el proceso de liberación del hombre— con que se manifiesta la actividad sexual (la cual hay que entender siempre en *Cien años* como expresión de un deseo que en realidad se dirige hacia la madre o la hermana) dentro de la novela, y sorprende aún más lo poco que en realidad tiene que ver con el incesto —excepto porque ambos amantes se creen hermanos— la relación entre Aureliano y Amaranta Ursula, pues parece como si lo mismo se atraerían de no serlo, y de hecho sus amores no parecen perturbados —como los incestuosos— por ningún sentimiento de culpa, sino que apuntan a una relación ideal.

Aureliano Babilonia asombra a todos desde niño por su madurez (p. 291), en tanto que el «buen juicio» y consagración al estudio (Ibíd.) de Amaranta Ursula alegran a su padre; de modo que se podía esperar un desenlace feliz de la pasión entre esa mujer «tan espontánea, tan emancipada, con un espíritu tan moderno y libre» (p. 319), y el compañero de juegos junto al que creció. De hecho, el que los amores de esa pareja sean descritos en mayor detalle que lo habían sido los violentísimos y súbitos de los demás personajes, sugiere que la pasión «ensimismada y calcinante» de Aureliano (p. 341) y la alegre e inventiva de su tía tendrá al cabo buen fin, posibilidad que el hijo que tienen confirma inicialmente: reúne las mejores características de los varones Buendía, «macizo y voluntarioso como los José Arcadio, con los ojos abiertos y clarividentes de los Aureliano, y predispuesto para empezar la estirpe otra vez desde el principio y purificarla de sus vicios perniciosos y su vocación solitaria, porque era el único en un siglo que había sido engendrado con amor» (p. 346). Incluso la colilla de cerdo del recién nacido no asusta a sus padres, que «no conocían el precedente familiar ni recordaban [así que también se hallan libres del peso de la superstición] las pavorosas admoniciones de Ursula» (p. 347). Cuando Aureliano descubre que Amaranta no es su hermana es ya demasiado tarde, sin embargo: la madre está muerta y el niño, abandonado en la casa, ha sido devorado por las hormigas.

¿Liberación de tabúes y fuerzas represivas? Quizá, pero el fracaso de esa relación, con el desastre final (como de tragedia jacobina: no queda vivo ni el gato) que acarrea para Macondo también, creo que niega la posibilidad de considerar el deseo incestuoso como representativo de una voluntad de liberación. (Podría argüirse que como Aureliano y Amaranta no son hermanos, su relación no representa en realidad la teoría del incesto como liberación, excepto que por creer Aureliano que el objeto de su deseo era su hermana, éste cae dentro de la voluntad incestuosa.) Me parece al cabo más razonable interpretar esa atracción incestuosa de funestos resultados como emblemática de la sexualidad simplemente, la que, dentro del esquema de valores del autor que esconde y revela la novela, aparece como violenta, brutal y, por tanto, rechazable. De cualquier modo, el castigo de la relación o falso incesto entre los últimos Buendía, con la destrucción de Macondo que sigue, confirmaría la postura revolucionaria del autor sólo por vía negativa, expresando en realidad un pesimismo radical respecto a la solución del problema americano entendido como la necesidad de liberarse de un pasado estrangulador; fracaso que afirma nuestra soledad, quizá equivalente, a su vez, según propone Dessau, a la barbarie que una fachada de civilización no puede aún erradicar (18).

Mas ¿soledad de todos los Buendía? Ursula, no obstante llevar sangre de ellos (p. 25), permanece activa y optimista hasta la muerte, al igual que su marido hasta sus últimos tiempos, cuando parece poseerlo la desolación que sí manifestaba desde un principio el fantasma del hombre que había matado, mas no por razones existenciales, sino porque Prudencio Aguilar añora con «honda nostalgia a los vivos» (p. 27). El primer hijo de ambos siente una «soledad espantosa» (p. 31) abrazado a Pilar Ternera, pero a su regreso a Macondo es un ser totalmente extrovertido, y más tarde, el carácter firme y la ambición de su mujer absorben su extraordinaria energía, y «de holgazán y mujeriego se convirtió en un enorme animal de trabajo» (p. 102). Tampoco la primera Remedios, Remedios la Bella, o incluso Amaranta Ursula, parecen tocadas por «el gusano de la soledad», el cual es en realidad distintivo, en cuanto condición permanente, sólo del coronel, de suerte que sus diecisiete hijos, aunque muy diferentes físicamente unos de otros, poseen «un aire de soledad que no permitía poner en duda el parentesco» (p. 133). Es natural que ese sentimiento, cuyos efectos aminoran en el primer Aureliano, compensando la introversión a la que resulta equivalente, su interés en la política (repárese en cómo vuelve a interesarse en ella todavía una vez más, ya viejo y recluido en su taller: pp. 208-10) y su actividad guerrera, se recrudezca en el último Buendía, quien ha pasado la infancia y la adolescencia sin salir apenas de la biblioteca de Melquíades. (También Pilar Ternera escapa al sentimiento de soledad no obstante hallarse tan ligada a la familia, y alcanzar la centuria —como Ursula, el único otro personaje de la novela que vive tanto: pp. 294 y 297— que durará la condena a la soledad según las palabras finales del texto.) ¿Será entonces la soledad sinónimo de la condición del intelectual y del líder, del intelectual y del político frustrados en sus ambiciones, del político-intelectual latinoamericano en particular?

La aplicación a una novela de varios cientos de páginas, docenas de personajes ricamente caracterizados y populosa acción de un tipo de enfoque crítico, el alegórico, nacido del mito y de la fábula, y propio de épicas, *romans* medievales, «novelas» filosóficas y, en tiempos modernos, dramas y obras cortas, o al menos unitarias, o con una bien definida intención política si no, resulta prácticamente imposibe, pues aquí la alegoría no se desarrolla ni siquiera con la continuidad en cuanto al apego al modelo mítico que posee en el *Ulysses* de Joyce, donde, es claro, se trata, además, de muchas otras cosas. Al igual que las narraciones de Kafka, las de García Márquez —no sólo *Cien años*— sugieren a trechos la alegoría, en su caso principalmente a través de paralelos con ciertos mitos (19), pero tampoco a ellas es posible aplicarles, según lo exige la construcción alegórica, una interpretación *sistemática* de ese tipo —lo cual redunda, naturalmente, en su mayor riqueza de sugerencias. Pero, además, la interpretación alegórica como clave hermenéutica se complica en el caso de *Cien años* por el empleo de la fantasía en hábil mezcla con el realismo, y por el obvio placer del narrador en la elaboración de un texto cuya escritura semeja una metáfora proliferante de la cual se generan en apariencia espontáneamente, a cada vuelta de frase, nuevos personajes, nuevos acontecimientos (20) —flujo al que ponen fin, como era previsible, la soledad y los peligros de la endogamia evocados desde el comienzo (e invocados como constante, sobre todo la primera, a lo largo de muchos capítulos) (21), pero sólo sucede así al cabo de 350 páginas de vertigiosa acción y riquísima invención.

Pero es hora de empezar a cuestionar seriamente que *Cien años* pueda ser la representación mítica de América como utopía, como un sueño cuyo fracaso estaba preescrito, mundo condenado a la soledad o al aislamiento. Para Hernán Vidal, el fracaso del sueño de José Arcadio y la destrucción de Macondo sirven para criticar la clase empresarial latinoamericana. El debilitamiento del inicialmente vigoroso y armónico orden social del pueblo y la creciente marginalidad de la familia fundadora revelan el vacío último de la ideología burguesa con la que identificaba el destino americano la clase que hizo las guerras de independencia de la primera parte del siglo XIX, y sentó las estructuras políticas y económicas latinoamericanas. *Cien años* acusa a esa clase y le revela cómo su aspiración a integrarse con el capitalismo internacional está destinada al fracaso, cómo el horizonte está en realidad cerrado para ella (22). Sólo que, de acuerdo con la novela, lo está también para el resto del mundo representado allí, para los soldados del coronel, para los trabajadores de las plantaciones, para Pilar Ternera, eterna recipiente del estallido sexual de los jóvenes Buendía. El mundo de Macondo es un mundo totalmente cerrado, aislado, sin futuro; es más, muerto antes de nacer, por predicción divina; sugerencia no sólo pesimista, sino que choca sobremanera en un escritor de izquierdas, tan profunda y sinceramente identificado con la causa revolucionaria en Latinoamérica como se halla García Márquez (23).

La biografía de García Márzquez está estrechamente ligada con la inspiración y la composición de *Cien años*. El escritor nació en la villa de Aracataca, en la provincia de Magdalena, y según el propio testimonio, durante los ocho años de su infancia transcurridos allí le sucedió tanto, que le parece como si nada hubiese ocurrido en su vida después. Sus abuelos, de apellidos Márquez e Iguarán (como Ursula), eran primos, y se habían establecido en Aracataca cuando éste era apenas un villorrio recién fundado, habiendo tenido que emigrar de su pueblo a causa de haber matado allí su abuelo a un hombre, cuyo recuerdo no lo abandonó nunca. Aquél había sido coronel durante la Guerra de los Mil Días (1899-1903), donde conoció al coronel Uribe, modelo de Aureliano Buendía, y cuyas historias le narraba a su nieto cuando no le estaba leyendo las de *Las mil y una noches*. Algunos de los episodios más fantásticos y que mejor recordará el lector de *Cien años* son parte del anecdotario familiar o local: una tía que tejió su propia mortaja (como Amaranta); una muchacha cuya familia dijo que había volado al cielo mientras doblaba sábanas (como Remedios la Bella), para ocultar así su fuga con un hombre (que es lo que creen los forasteros que hizo en realidad Remedios: p. 205); un electricista al que seguía siempre una mariposa amarilla (como a Mauricio Babilonia). Situada en la región del «oro «verde» del apogeo del cultivo bananero, Aracataca vivió las huelgas obreras, y, en 1928, la masacre oficialmente negada que tiene lugar en la novela. A los quince años, el joven García Márquez regresa al pueblo, observa su alteración, junto con la de sus propias memorias de Aracataca y de la casa de sus abuelos, por obra de transformaciones históricas y sociales, y se propone recrear aquel mundo bajo el nombre de Macondo, que era el de una plantación bananera cercana; así que comienza una novela, «La casa», que abandona por el periodismo y la cuentística hasta 1965, cuando, residiendo en México, puede volver a ella de lleno (24).

Cien años es, pues, desde ese punto de vista, la *primera* obra de su autor, como ha afirmado él mismo (25). No sólo recuerdos y anécdotas, sino frases enteras de sus abuelos, o escuchadas durante la infancia, perviven en *Cien años* mezcladas con bromas familiares o privadas y alusiones a sí mismo y a las obras de otros escritores (Fuentes, Cortázar) (26). Esa peculiar «intertextualidad» de la novela explica su técnica narrativa (que es lo mismo que decir su éxito), que consiste en mezclar, en apariencia espontáneamente —como en la memoria, como en el sueño— al relato de una saga familiar, recuerdos infantiles en los que no se deslinda la fantasía de la realidad, sino todo lo contrario, permitiendo que tanto a la memoria como a la historia local y nacional que sustenta el relato de la historia de una familia, la modifiquen, como si fuese el paso del tiempo, una imaginación enamorada de la historia fantástica. Es por eso por lo que García Márquez puede narrar los hechos más inverosímiles imperturbablemente, como historia; es decir, como le fueron de hecho narrados y los asimiló cuando niño, tal y como los creyó entonces y los preserva —artificialmente, por un acto de voluntad— su memoria, la cual se transforma en Melquíades, conocedor del pasado y del futuro, lo mismo que lo es el autor respecto a la propia biografía. De la identificación del autor de *Cien años* con el espíritu del niño que no distingue aún entre lo real y lo fantástico resultan la extraordinaria unidad y coherencia de la obra y la perfección de su realismo mágico, o como quiera llamárselo (27).

Pero, como ha demostrado Blanco Aguinaga, existe otra dimensión biográfica no menos importante en *Cien años*. En una serie de novelas cortas y cuentos, comenzando con *La hojarasca* (1955), seguida por *El coronel no tiene quien le escriba* (1958), *La mala hora* (1961) y los cuentos contenidos en *Los funerales de la Mamá Grande* (1962), en las cuales García Márquez iba creando el mundo de Macondo (28), aquél expresa la característica inmovilidad histórica de su patria, simbolizada por la lluvia que no termina nunca o por el calor abrasante de los que no pueden escapar los personajes, lo mismo que de la serie de dictaduras y gobiernos militares que caracterizan su historia, Colombia y el resto de Latinoamérica. En *El coronel no tiene quien le escriba* (también el abuelo del novelista esperaba inútilmente, como el protagonista de esa novela, una pensión militar), se describe, sin embargo, cierta agitación política, el coronel insiste en creer que «todo será distinto cuando acabe de llover» (29), y se rebela al fin contra la opresión política decidiendo que no venderá su gallo de pelea, con el que se identifica el pueblo entero como único medio de expresar su militancia reprimida, al comerciante que se ha enriquecido traicionando a su copartidiarios políticos, aun y cuando no le llegue jamás la pensión a que tiene derecho, y tengan, como le dice a su mujer, que «comer mierda». Al final de *La mala hora* la propaganda subversiva ha sustituido a los pasquines sobre las posibles aventuras sexuales de éste y el otro ricacho del pueblo con que entretenían sus habitantes su ansia de expresarse políticamente; los hombres se han echado al monte, y el cura ha roto tanto con los terratenientes como con el alcalde militar. En el cuento «Los funerales de la Mamá Grande», una vez enterrada, tras larguísima espera, la mítica matriarca dueña de todo el país, las muchedumbres exhalan un tremendo suspiro de descanso, y «algunos de los presentes dispusieron de la suficiente clarividencia para comprender que estaban asistiendo al nacimiento de una nueva época. Ahora ... podían las muchedumbres colgar sus toldos según su leal modo de saber y entender en los desmesurados dominios de la Mamá Grande, porque la única que podía oponerse a ello y tenía suficiente poder para hacerlo había empezado a pudrirse» (30).

Esta apertura a un futuro optimista expresa la esperanza derivada del triunfo de la Revolución Cubana y de la actividad guerrillera en Colombia y otros países hispanoamericanos entre 1957 y 1961, esperanza que ha concluido para 1962 y los años siguientes, con las muertes de Camilo Torres y del «Che» Guevara, la invasión norteamericana de Santo Domingo y el desastre de las guerrillas en el Perú. De ahí que en *Cien años* las generaciones de los Buendía se repitan reflejándose las unas a las otras, que Ursula crea el presente variante de lo ya vivido, y que la novela le dé la razón al final cerrando para la eternidad el ciclo de Macondo o de la soledad, según el destino —en cuya formulación, por tanto, los Buendía no han participado— que decretaba su muerte, y con ella la de la esperanza representada en las novelas anteriores por la espera del coronel y la renovación que se vislumbraba en *La mala hora,* o en la que creen al menos sus personajes, y se anuncia al final de *Los funerales* como presente.

Pese al esfuerzo del novelista formulado en la frase inicial convertida en procedimiento estilístico sugestivo de una técnica narrativa que en realidad no se materializa («Muchos años después había de recordar»), por proyectarnos hacia el pasado desde un futuro previsto, en lugar de subrayar la importancia del trágico presente (la inminente ejecución del heroico coronel en las primeras líneas del texto), la narración lineal de *Cien años* avanza desde un instante histórico que debe corresponder al primer cuarto del siglo XIX, aproximadamente, hasta el momento en que comienza a percibirse la posibilidad de un cambio radical en la estructura sociopolítica (el mismo con el que concluyen los relatos mencionados antes), específicamente a través de la rebelión y masacre de los obreros bananeros (31). Esta se halla narrada realistamente —pues tuvo lugar, y García Márquez emplea al recrearla datos históricos, según se dijo ya—, y tiene además un efecto devastador sobre su único sobreviviente, nuestro testigo, José Arcadio Segundo, quien no cesa de repetir hasta la muerte que fueron más de tres mil los asesinados y que los arrojaron al mar, y muere diciéndoselo al último Aureliano, que ha crecido junto al tío abuelo, y pidiéndole que recuerde siempre ese hecho, como en efecto hace el niño, que repite la historia de la matanza y arguye «con una madurez y una versación de persona mayor» que la ruina de Macondo no se debe a su abandono por la compañía bananera, según se afirmaba, sino que el pueblo «fue un lugar próspero y bien encaminado hasta que lo desordenó y lo corrompió y lo exprimió la compañía bananera, cuyos ingenieros provocaron el diluvio como un pretexto para eludir compromisos con los trabajadores» (p. 295).

Pero la huelga bananera no sólo afecta a José Arcadio Segundo y a su sobrino-nieto, sino a la acción misma de la novela, la cual, como señala Blanco Aguinaga (art. cit., páginas 46 y ss.), pierde a partir de allí vitalidad —tal y como si el choque con la trágica historia contemporánea de Latinoamérica hubiese averiado para siempre su eje—, y se va deteniendo. La catástrofe final resulta ya inevitable, y para conducirnos a ella sin perder demasiado tiempo, la fantasía toma de lleno —en lugar de entretejida imaginativamente, como hasta entonces, con la realidad— las riendas del relato. A la huelga sigue un diluvio de casi cinco años, que destruye el pueblo, y concluido aquél, la muerte masiva de los pájaros causada por el paso del Judío Errante, un monstruo híbrido de macho cabrío y hombre (pp. 291-92), y en seguida un calor abrasante acompañado de polvaredas. Incluso regresan los gitanos del principio, quienes hallan a la gente tan crédula e ignorante como los primeros habitantes. Así se nos prepara para el advenimiento del mágico huracán previsto por Melquíades, el cual arrasará Macondo, desterrándolo «de la memoria de los hombres en el instante en que Aureliano Babilonia acabara de descifrar los pergaminos, y que todo lo escrito en ellos era irrepetible desde siempre y para siempre, porque las estirpes condenadas a cien años de soledad no tenían una segunda oportunidad sobre la tierra» (p. 351).

La historia de los Buendía y de Macondo, o manuscrito de Melquíades, no es, por tanto, ni cíclica ni simultánea con su propia lectura o con su redacción, como quieren algunos, sino anterior a ambas, compuesta por un mago que posee el conocimiento del futuro. Sólo él sabrá por qué están condenados a la soledad los Buendía, pese a ser tan gregarios, emprendedores, sinceros, inteligentes, idealistas y poseedores de un fuerte espíritu comunitario (todos ellos despliegan algunas ya que no todas estas cualidades), y por cien años, al final de cuyo plazo serán borrados, por mandato divino, de la faz de la historia, tanto ellos como su fundación, en castigo de la soledad y del deseo del incesto al que ese mismo dios los había condenado.

Pero si el futuro está cerrado para la clase representada por los últimos Buendía (aunque no por Aureliano Babilonia) y su poder está basado en un espejismo, no debiera estarlo para los oprimidos, y no lo está ciertamente para los revolucionarios que están haciendo la historia y con quienes ha identificado García Márquez el propio destino. La harto justificable desilusión del escritor con los fracasos revolucionarios de los sesenta, termina absorbiendo, según la interpretación de Blanco Aguinaga, la visión totalizadora que agrupa el relato en *Cien años*, de modo de ofrecernos una representación del mundo latinoamericano —pues no cabe duda que tras Macondo se proyecta toda Latinoamérica, como lo percibieron sus críticos desde un principio— doblemente falsa, pues ni todos los latinoamericanos vemos nuestra historia como concluida ni, desgraciadamente, la oligarquía ha muerto consumida por una soledad existencial, o por la revelación de que se hallaba, desde siempre, condenada a ella. Todo lo contrario, sus gestiones por mantener el poder resultan hasta ahora bien efectivas, amén de que las ayudan visiones como la de *Cien años*, las cuales recrudecen el pesimismo de los lectores (casi podría decirse que de las masas en el caso de este libro), más confortándolos con la creencia de que el pesimismo (la soledad) es común a todos, oprimidos y opresores.

Hay que preguntarse, sin embargo, si los Buendía constituyen cabalmente una representación de la oligarquía hispanoamericana. Su posición respecto a Macondo a partir de la fundación misma del pueblo, dirigida por José Arcadio, y más tarde la riqueza acumulada por el hijo mayor de éste, quien se apodera por la fuerza de todas las tierras desde su casa hasta el horizonte, sobre la base de que «habían sido distribuidas por José Arcadio Buendía en los tiempos de la fundación» (p. 103), de modo que pertenecían a la familia (su hijo, encargado del gobierno del pueblo, legaliza los títulos de propiedad de José Arcadio, los cuales reconoce el gobierno conservador [p. 117], pero el coronel Buendía restituye a sus dueños legítimos [p. 139]), y por su nieto Aureliano Segundo, dueño de ganados y tierras infinitos, así lo indica. Al mismo tiempo, el carácter del fundador, capaz una y otra vez de arriesgar o de deshacerse incluso de dineros y propiedades para adquirir el saber de los gitanos portadores de la civilización, o emprender aventuras y búsquedas, niega la caracterización típica del latifundista fundador de una dinastía, en tanto que la caracterización de Aureliano Segundo, dispendioso y generosísimo, no corresponde tampoco a la del vástago de la clase terrateniente que, hacia los años veinte, se ha asociado firmemente con el capital extranjero como clase empresarial o administradora. Repárese también en que la sucesión de los Buendía tiene lugar por vía bastarda, pues no proviene de José Arcadio y Rebeca, que no tienen hijos, o de Aureliano y Remedios, cuyos gemelos nacen muertos, sino del hijo del primogénito con Pilar Ternera, factor que funciona también contra la concepción de una oligarquía tradicional. De cualquier modo, y puesto que las tierras usurpadas no pasan a los nietos de José Arcadio, resulta que la fortuna de los Buendía, aun cuando llega a proporciones gigantescas, es de origen mágico (o mágico-realista): los animalitos de caramelo y la panadería de Ursula, la fecundidad inverosímil de los ganados de Petra Cotes y Aureliano Segundo, el saco de monedas de oro que un desconocido abandonó un día en la casa y Ursula entierra donde nadie puede hallarlo, hasta que él mismo decide hacerse visible (p. 314).

Hay aquí varios problemas que considerar. Por una parte, García Márquez elabora una expresión harto convincente del poder de nuestras oligarquías, pero escamoteando al mismo tiempo la base real del origen de ese poder, de modo de coordinarlo con la mitificación en que se halla enfrascado y con la simpatía —a través de la cual se expresa ese impulso mitificador— que, con firme base en el patriarca José Arcadio, desea despertar en el lector por los Buendía y la devastadora soledad a que están condenados y con la que, en efecto, la habilidad del narrador logra que nos compenetremos. Pero sucede también que, como se dijo ya tratando de la caracterización del terrateniente, al hacer que la fortuna de los Buendía no provenga de la tierra, según era de esperarse, nuestro novelista está contribuyendo a demistificar a la misma clase que encandilaba a Donoso o a Fuentes, al desposeerla de su aura feudal y hacer la fuente de su poder, en lugar de permanente, «mágica», lo que equivale a decir transitoria, y la desposee, por tanto, de «legitimidad».

Mas desafortunadamente, y al igual que respecto a la interpretación de la muerte del dictador «patriarca» como una posibilidad revolucionaria, según veremos en seguida, se trata de interpretaciones que sólo la exégesis revela como posibles, en tanto que al nivel de la lectura inmediata, o del efecto que la obra produce en su lector, el cual alcanza también a la interpretación crítica que no se propone buscar en el texto lo que *no* quiere expresar, la mágica riqueza de los Buendía (o el poder y la longevidad igualmente mágicos del dictador) contribuyen sólo a mitificarlos por obra de una misma imaginación simpática. Unos años antes, en «Los funerales de la Mamá Grande», el mismo autor nos había dado una imagen de la misma clase, no menos elocuente y rica en poder imaginativo, pero real en cuanto a la representación de su origen y la extensión y opresivo carácter de su poder.

Todo lo cual nos lleva de vuelta a la relación entre la biografía del escritor y su gran novela. El recuerdo del pueblo donde pasó la infancia, las personalidades y las narraciones de sus abuelos y parientes constituyen el origen de *Cien años*. Aunque la biografía de los Buendía no es la de los abuelos de García Márquez, ni tampoco Macondo es Aracataca, la relación de la novela que aquél escribe con la historia de la propia familia y con su pueblo, le facilita, como ya se explicó, afirmar la fantasía en la cotidianeidad, eliminando el sentido de causalidad lógica y de sucesión cronológica, según acontece en los cuentos infantiles (cuya percepción del tiempo es, a lo sumo, muy tenue, pues no se halla todavía perfectamente definida en la mente de sus destinatarios); en tanto que la conjunción en el recuerdo del escritor entre la biografía familiar y la fantasía conectada con ésta por medio de las historias, tradiciones deliberadamente imaginarias, e invenciones de todas clases que eran parte del patrimonio cultural de aquella familia, se resuelve en el estilo único, inimitable, de *Cien años*, en el acto de imaginación que compone una novela basada en la recreación, por vía de la fantasía, de cierto mundo personal: la fantasía se remonta desde la realidad constantemente, pero vuelve siempre a ella, en un fluir que convierte la lectura en una genuina experiencia de lo maravilloso.

Mas la genial intuición que mueve a García Márquez a tejer, a partir de los recuerdos conectados con la biografía familiar, el universo de la novela, entra en conflicto, por obra de circunstancias personales e ideológicas (su afecto por el mundo de sus mayores y su pesimismo político) con el interés del escritor en la historia, y en particular en las luchas de su pueblo, que había resultado en las novelas y cuentos anteriores, y hubiese podido hacer, quizá, del antiguo proyecto («La casa») una novela que representase *también* la historia de Latinoamérica. Los Buendía resultan en consecuencia la expresión de las oligarquías que han oprimido y continúan oprimiendo el continente, pero la «soledad» (léase: desesperada miseria de las clases más pobres, pesimismo de la pequeña burguesía y clases aledañas, alienación en el intelectual) que han causado, los afecta en este caso a ellos también, pues la «soledad» representa en la novela el propio pasado, primero burgués y más tarde radical-burgués del novelista, su propia alienación, provocada en gran parte por el fracaso de los sueños de revolución que compartía con sus correligionarios políticos, e interviene entonces como aislador y dispersador de sentidos para mitificar el propósito original —que no es lo mismo que enriquecerlo, pues esto, el resultado de la formidable imaginación y el estupendo uso de la lengua y de la metáfora en particular que el mismo escritor había ya demostrado en otras narraciones, no requiere el escamoteo en el que se nos embarca y se nos mantiene luego gracias a esos mismos poderes. Es claro que la modificación del pasado por la fantasía que caracteriza el método narrativo de *Cien años* resulta del deseo de alejar de sí una historia insoportable.

García Márquez no da nunca el paso decisivo desde sus recuerdos y su propia biografía a lo que Macondo debiera ser, pero sólo es parcialmente, sino que infunde en los Buendía demasiado de la propia biografía familiar y de su misma persona. El nexo entre la biografía —tanto familiar como personal e ideológica— del escritor, y la intencionalidad sociopolítica consustancial al proyecto original, y todavía activísima en su producto, es absorbido por la magia que absuelve al escritor de la necesidad de, o bien reproducir en la novela el propio pasado, o, por el contrario, distanciarse y separar aquél del que elabora en el texto como biografía ficticia. El origen de la fortuna de los Buendía es un comercio de caramelos, una amante superlujuriosa que continúa alimentando a la familia hasta la muerte de Fernanda, y cuando ya ni pescaditos de oro del coronel quedan para vender, el último José Arcadio descubre casualmente los sacos de oro que alguien, no se sabe por qué, había dejado en la casa dentro de una estatua. Pero aún más grave resulta la imposición de la melancolía y el pesimismo del autor, burgués con hondas simpatías revolucionarias, exiliado en México, donde trata de recuperar su pasado, a los Buendía bajo la forma de una soledad que depende también de causas externas a ella misma, o mágicas: la familia estaba destinada a la soledad y a la incomunicación (no obstante cuanto sugiere en su conducta lo contrario) desde un pasado mítico representado —a última hora, me parece— por un manuscrito mágico. Esa «soledad», entretanto, tampoco puede causar demasiada angustia, y desde luego ningún sufrimiento, pese a las apocalípticas palabras finales del manuscrito, pues se trata de un sentimiento bajo control, modificado y aminorado en sus efectos por muchas circunstancias. Todo lo cual no sería objetable como representación de una condición personal (al modo que sucede en las novelas de Onetti, por ejemplo), o hasta, quién sabe, familiar, pero como mientras tanto la extraordinaria habilidad narrativa de García Márquez, y, sobre todo, la capacidad que ha desarrollado para tejer la propia biografía infantil dentro de esa trama semiépica, ha hecho posible que se interprete el mundo de los Buendía como una imagen de la sociedad latinoamericana extraordinariamente válida y rica, el lector tiende a identificar esa soledad igual historia cerrada, futuro condenado, con la historia de Latinoamérica. No sorprende, pues, el éxito absoluto de la novela: su rica acción mantiene la atención de cualquier lector; su manera narrativa es, más aún que moderna, originalísima; su conclusión no cuestiona nada, no problematiza el relato precedente, sino que nos hunde, con unos cuantos golpes finales de magia, en un dulce pesimismo cuyo sentido es precisamente la negación de cualquier problema, puesto que todo se halla decidido de antemano.

El propósito de *Cien años* de recuperar la propia biografía recuerda el que conduce de *Du côte de chez Swan* a *Le temps retrouvé,* la culminación de la novela autobiográfica de Proust que constituye también para muchos la culminación de la novela como género épico-realista. Proust, cuyo interés en la historia resulta tan central a su inspiración como lo es a la de *Cien años,* establece desde el principio diferencias fundamentales entre sí mismo y el narrador-protagonista de *A la recherche du temps perdu,* quien es hijo único de un diplomático y una dama de la alta burguesía, heterosexual y dilettante; todo lo cual necesita el escritor para separar drásticamente su propia persona respecto a lo narrado, separación que expresa, precisamente, la definición de la vocación que lo distingue de su personaje y le permite al novelista que nunca será aquél llevar a cabo esa obra. Esa distancia gracias a la cual Proust se separa del texto donde se ha insertado facilita la universalización de los materiales con los que trabaja; el escritor comprende el significado histórico del mundo que describe, y en lugar de hundirse en él al modo que lo hacía el ingenuo cronista de *Les plaisirs et les jours,* idealizándolo, identificándose con él de modo que exprese sus propias ilusiones y desengaños (según sucede con *Cien años* respecto a su autor, merced al acto de transformación del material realista y del recuerdo en escritura fantástica), Proust puede entender y expresar qué está sucediendo verdaderamente en la sociedad donde se halla inmerso, cómo la aristocracia no desaparece, según creen algunos, sino que renueva su poder sin mejorar sus costumbres, sus prejuicios, su estupidez o su maldad. Lo que conduce a esa comprensión es el *affaire* Dreyfus, y más específicamente el papel de Swan en él, su toma de conciencia a favor del perseguido, la cual es parcial, claro, porque no rompe del todo con su clase, que ha evolucionado en tanto también, más o menos frívolamente, respecto a la condena del oficial judío y hasta el antisemitismo.

Durante la secuencia de la novela que abarca desde la tarde de la recepción de los Guermantes, con el descubrimiento por el protagonista del mundo de «sodoma» a través de las maniobras de Charlus y Jupien, hasta el final de esa noche y la primera visita de Albertine a casa de aquél (final de *Le côte de Guermantes,* primera parte de *Sodome et Gomorrhe*), el narrador, testigo sucesivo de la ingratitud de los duques respecto a Swan, del modo como éste es recibido más tarde en casa del príncipe, del comportamiento de la gente del gran mundo en su propio medio, comprende por fin a la clase que tanto lo fascina, *iluminación* imprescindible para que se afirmase la voluntad de escribir con la que hasta entonces ha estado sólo jugando ese protagonista, y pueda, por tanto, conducirnos el narrador hasta allí y, ya sin vacilación alguna, a través de las atormentadas novelas que siguen, hasta la realización final de *Le temps retrouvé,* y de ahí al momento inicial, el sabor de la magdalena, la toma de posesión por el artista de su propia memoria. Al descender la escalinata del palacio de los Guermantes esa noche, el narrador sabe —aunque todavía, en el tiempo del relato, continúe posponiéndolo un rato— que tiene que ponerse a escribir seriamente, porque no es, como nos ha querido hacer creer y juega él mismo a imaginarse, un aristócrata ocioso, sino un artista con una vocación absorbente. Lo que hace posible esa autodefinición y, en definitiva, la novela misma, es la separación inicial del escritor respecto a la biografía ficticia de otro «Marcel» que no es medio judío, como él, y cuyo acceso al gran mundo es mucho más fácil, y su posición allí más firme; hasta que a cierta altura del relato, el narrador utilizará su consciencia de que aquellas circunstancias no corresponden a las propias, como un instrumento que, de arma defensiva que lo protegía de la fácil identificación con la voz narrativa protagónica a la que tendía de hecho la novela hasta esos momentos mencionados antes, se convierte en herramienta de trabajo: él es otro que su personaje, y es por eso por lo que puede entenderse a sí mismo, a su mundo, lo que se propone (32).

No obstante el rechazo de la historia en *Cien años* como un proceso vivo por su definición como una secuencia cronológica determinada de antemano por las fuerzas de la soledad, el vivísimo interés de García Márquez en aquélla lo lleva a escribir, con *El otoño del patriarca* (1975), una novela que resulta, aún más deliberadamente que la anterior, una interpretación de la realidad hispanoamericana. Su protagonista, el dictador centenario que continúa rigiendo después de muerto un país que es toda Hispanoamérica o incluso Latinoamérica, resulta un personaje cruel y bárbaro, pero también inocente y capaz de amor y de simpatía; arbitrario, como los Buendía, como ellos enfermo de soledad, como ellos capaz, gracias a la imaginación de su autor, de entrar en contacto con la fantasía y ser el vehículo de la magia que ordena los acontecimientos. Y muy diferente, por tanto —pero cuanto más simpático— de nuestros verdaderos tiranos, los cuales se han mantenido en el poder no gracias a su fantasía y a la de sus súbditos, a aceptar la mentira por la duda, «ser obedecido[s] sin autoridad», convencidos de que «nunca había[n] de ser dueño de todo su poder» (33), la improvisación casera, una imaginación de tipo literario y despliegues de una crueldad truculenta que podían paliar más tarde actos de clemencia, sino al empleo sistemático, y tan científico como se lo han permitido los medios a su alcance, de la represión violenta (34).

La acción de la novela comienza con el descubrimiento por un narrador plural, después de muchos años, del cadáver del dictador-patriarca dentro de su palacio; ciento setenta páginas más allá, quienes han hallado el muerto han restaurado también su apariencia y discuten con liberales y conservadores, generales y ministros, vueltos «para repartirse por partes iguales el botín de su poder», cómo «divulgar la noticia de aquella muerte enorme para impedir la explosión prematura de las muchedumbres en la calle» (páginas 169-70). Otras cien páginas, y el dictador ya ha muerto del todo, sin haber llegado nunca a saber, por miedo, «lo que nosotros sabíamos de sobra», que la vida «era ardua y efímera, pero que no había otra, general, porque nosotros sabíamos quiénes éramos mientras él se quedó sin saberlo para siempre ... volando ... hacia la patria de tinieblas de la verdad del olvido ... ajeno a los clamores de las muchedumbres frenéticas que se echaban a las calles cantando los himnos de júbilo de la noticia jubilosa de su muerte y ajeno para siempre jamás a las músicas de liberación y los cohetes de gozo y las campanas de gloria que anunciaron al mundo la buena nueva de que el tiempo incontable de la eternidad había por fin terminado» (p. 271). Con esta nota triunfal, muy semejante a la que concluye «Los funerales», termina *El otoño*, excepto que los Buendía, cuya presencia (fantasía y soledad) es indispensable en la caracterización del viejo dictador, intervienen para que sintamos lástima por éste, por el modo en que trataba de ocultarse a sí mismo la realidad, por su soledad, en fin, así que su mediación, que funcionaba ya para que nos identificáramos con el dictador como «patriarca» en nombre de su «soledad» elevada a un plano seudometafísico, también interviene para disminuir considerablemente el júbilo por la conclusión del «tiempo incontable de la eternidad», la cual están ya manipulando, además, los políticos y ese «nosotros» que ha entrado el primero al palacio decrépito.

El proceso de mitificación de su material narrativo merced al cual el escritor idealizaba su relación personal con aquél en *Cien años,* tergiversando la intención de que representase el universo latinoamericano y el suyo individual al mismo tiempo, que lo movió a escribir la primera novela, continúa, pues, funcionando para convertir el lado pintoresco de los dictadores de principios de siglo, como Porfirio Díaz, Cipriano Castro, etc., en una cualidad que se aparta diametralmente de la verdad en la dirección del melancólico y alienado autor (todavía) de *Cien años,* e impedir el hacerle frente a la historia pasada (el tirano es cruel, pero la fuerza de su personalidad —o, más bien, la de su imaginación— permiten que le perdonemos tantas cosas) y también a la presente (no obstante el conciliábulo de los políticos, se abre un futuro de esperanza para el país).

Es claro que *El otoño,* como explica González Echevarría, contiene una crítica de la dictadura como régimen político no sólo porque caricaturiza al tirano, sino porque lo presenta como ausente en realidad del *centro* de una estructura que repite la mera enunciación de su poder, pero lo ignora a él mismo (oculto en la «cáscara de su soledad», sin duda); mas para apreciar el valor negativo de esa caracterización del «patriarca» y su poder *ausente,* me temo que es menester un análisis tan brillante y tan documentado en las teorías de Derrida como el de ese crítico (35). El lector, pero también el crítico promedio, tiende, mientras tanto (lo mismo vale para *El recurso del método,* de Carpentier), a gozar con el discurso a través del cual se expresa el dictador, hundiéndose en él a medida que se va desenrollando esa prodigiosa, avasallante imaginación. Es decir, que en un instante en el que las tiranías, tanto en Latinoamérica como en el resto del Tercer Mundo, acrecientan la efectividad de su aparato represivo, sus alianzas internacionales, su control de los medios de propaganda, *El otoño,* al ofrecernos una visión nostálgica del «dictador de antaño», primitivo y bárbaro, pero preferible al moderno por impredecible, facilita el que nos olvidemos de este último —aparte ahora de que semejante tipo de tirano no ha existido sino para quienes no lo sufrieron en carne propia (36).

El caso de *El otoño* sugería que la mitificación como procedimiento novelístico, tras el indiscutible logro artístico que constituye *Cien años,* podía convertirse para García Márquez en una técnica expresiva de la «modernidad» del escritor, de su propia, peculiar modernidad: la fantasía dentro de un discurso aparentemente de corte realista, y como toda técnica, en un procedimiento que podría vaciarse de sentido, pero el cual garantizaba a su dueño, no obstante, un puesto prominente en la «nueva narrativa latinoamericana»; es decir, como un autor *moderno,* complejo, incluso «deconstructivista» o «decentralista», un autor que sí vale la pena estudiar porque el análisis de sus estructuras narrativas descubre iluminadoras complejidades. De cuentista de garra, cronista ameno, autor de una novela tan apasionante como original, y activista político, Gabriel García Márquez estaba en peligro de convertirse, con *El otoño*, en otro objeto favorito de la crítica formalista-estructuralista-postestructuralista en su versión hispánica, la cual había desdeñado hasta ahora un poco *Cien años*.

Excepto que, como en realidad no debía interesarle para nada ese tipo de proselitismo, García Márquez ha sorprendido a sus críticos con una novela que rechaza las premisas de las anteriores, cuando después de abandonar públicamente la escritura de ficción (37), ha vuelto a ella con una obra corta, *Crónica de una muerte anunciada* (1981), que resuelve, a mi ver, el problema que para el futuro desarrollo de la novelística de su autor planteaba *Cien años*, y aun con mayor urgencia *El otoño*. Se trata, en efecto, de una crónica, género o enfoque en el que García Márquez había conseguido ya una obra estupenda, *Relato de un náufrago* (1951, 1970), donde un joven marinero le cuenta al periodista, con una voz que parece la propia, sus aventuras al garete en una balsa salvavidas por el Caribe.

Crónica de una muerte anunciada está narrada por el propio García Márquez en cuanto tal: hay menciones de parientes apellidados Márquez e Iguarán, como los abuelos del novelista, y de Mercedes Barcha, a quien el narrador propone matrimonio (ed. colombiana cit., p. 60), y que es, en efecto, la esposa del escritor, y rodean también al narrador algunos nombres que se proponen identificarlo con alguien allegado a los Buendía a través de García Márquez (el general «conservador» padre del novio puso en fuga en una ocasión al coronel Aureliano, y el abuelo del narrador es el coronel Gerineldo Márquez [p. 47] —personaje de *Cien años*). El suceso a relatar fue el único objeto de todas las conversaciones en un pueblo que podría ser Aracataca o cualquier otro de la misma región de Colombia entre el Caribe y la Ciénaga (pero no Macondo, pues se trata de un pueblo real): el asesinato de un amigo del narrador, premeditado y anunciado a voces, por los hermanos mellizos de una joven desposada, quien, al ser devuelta por su ultrajado marido a la casa paterna, al descubrir que no era virgen, acusa al futuro muerto de ser su «autor» (p. 131).

Los procedimientos estilísticos característicos de García Márquez, que culminan o hallan su más perfecta expresión en *Cien años*, hacen la lectura de este texto igualmente absorbente, facilitando el mismo tipo de identificación afectiva por parte del lector que tenía lugar allí, aumentada en este caso por nuestro deseo de evitar el desenlace anunciado desde la primera línea («El día en que lo iban a matar»). Imaginación, exageración, ilogicidad, misterio (Bayardo San Román se establece en el pueblo sin otro propósito que porque «Andaba de pueblo en pueblo buscando con quien casarme» [p. 37], y decide hacerlo con Angela Vicario después de verla una sola vez de lejos y a medias, durante la siesta [p. 40], y hasta un poco de pura fantasía (la desaparición del mobiliario de la quinta de Xius por obra del fantasma de la antigua propietaria: p. 113) recuerdan *Cien años* y *El otoño*, pero no resultan en la transformación *mágica* de una realidad que conserva, por el contrario, toda su complejidad, inclusive cultural (el muerto es de origen árabe, la madre de Bayardc de Curazao), respecto a las reacciones psicológicas lo mismo que las relaciones sociales y económicas entre personajes de cuya verdad resulta esencial, en el caso de esta novela, que no dudemos. Paralelamente, la participación del autor García Márquez en el relato como personaje, en su calidad de testigo parcial del mismo y alguien que ha entrevistado a los testigos y algunos actores del drama, estudiado inclusive el sumario del caso, y hecho toda clase de indagaciones «para esta crónica» (página 60), no resulta tampoco en una mitificación del tipo de la que tiene lugar en *Cien años* respecto a la relación entre el narrador y su material. El de *Crónica* puede ser, en efecto, García Márquez, pero conservando siempre respecto al caso la distancia necesaria para iluminarlo, para explicar cuanto es explicable en él, que es el único modo de recuperar en verdad cierta vivencia juvenil (quizá real, quizá sólo parcialmente real), necesaria a su vez para entender mejor, junto con la propia historia, la de ese mundo —familiar, regional, latinoamericano, en fin— que las novelas anteriores falsificaban tan estupendamente (38).

NOTAS

(1) *Crónica de una muerte anunciada,* la última novela de García Márquez, ha aparecido en una edición simultánea de La Oveja Negra (Bogotá), Diana (México), Sudamericana (Buenos Aires) y Bruguera (Barcelona). La edición colombiana es de más de un millón de ejemplares.

(2) *Cien años de soledad* (Buenos Aires: Sudamericana, 1969), página 9.

(3) Véanse estos ejemplos: «Años después, frente al pelotón de fusilamiento, Arcadio habría de acordarse del temblor con que Melquíades le hizo escuchar» (p. 68); «Años después, en su lecho de agonía, Aureliano Segundo habría de recordar la lluviosa tarde de junio en que entró en el dormitorio a conocer a su primer hijo» (p. 159); «Muchos años después, el niño había de contar todavía, a pesar de que los vecinos seguían creyéndolo un viejo chiflado, que José Arcadio Segundo» (p. 259); «Pocos meses después, a la hora de la muerte, Aureliano Segundo había de recordarla como la vio la última vez, tratando de bajar sin conseguirlo el cristal polvoriento» (p. 299).

(4) Sobre el modo como el procedimiento ha encandilado a algunos críticos. véase Carlos Blanco Aguinaga, «Sobre la lluvia y la historia en las ficciones de García Márquez», *De mitólogos y novelistas* (Madrid: Turner, 1975), p. 37, n. 8.

(5) Noé Jitrik, «La perifrástica productiva»..., *Producción literaria y producción social* (Buenos Aires: Sudamericana, 1975). El de Jitrik es sin duda el más riguroso y convincente de los análisis formalistas de ese procedimiento, además de contener agudas explicaciones sobre el papel de la casa como motivo espacial y centro productor de la escritura en *Cien años,* sobre el uso de los verbos, etc. El crítico no cuestiona, sin embargo, la existencia del manuscrito como *precedente* del relato.

(6) La ciénaga al sur de Macondo, ilimitada según los gitanos, se confunde con un mar «donde había cetáceos de piel delicada con cabeza y torso de mujer, que perdían a los navegantes con el hechizo de sus tetas descomunales» (p. 17); sirenas como en las que, en efecto, creían aún los navegantes del Renacimiento. Cuando José Arcadio Buendía llega al mar en el curso de sus exploraciones cree que «Macondo está rodeado de agua por todas partes» (p. 18), como la isla Utopía. Jean Franco explica cómo este mundo de fantasía y mito expresa el latinoamericano, pues también en las áreas más remotas de éste los contactos con el exterior fueron por mucho tiempo esporádicos y caprichosos (*The Modern Culture of Latin America. Society and the Artist,* Penguin, 1970, p. 253).

(7) En *La nueva novela hispanoamericana* (México: Joaquín Mortiz, 1969).

(8) Mario Vargas Llosa, *Gabriel García Márquez: historia de un deicidio* (Barcelona: Barral, 1971). Angel Rama critica la interpretación de Vargas Llosa como una defensa romántica del artista que ignora el papel de la obra como mediación entre aquél

y su público (*García Márquez y la problemática de la novela,* Buenos Aires: Corregidor, 1973).

(9) Empleo aquí el término «fantástico» no con el sentido que le da Tzvetan Todorov (*Introduction à la littérature fantastique,* París: Seuil, 1970) del género que expresa la duda en cuanto a si los hechos narrados son verosímiles o sobrenaturales, sino aplicándoselo a lo que el crítico llama «lo maravilloso: lo sobrenatural aceptado de acuerdo con nuevas leyes».

(10) Véase el prólogo de Carpentier a su novela *El reino de este mundo* (1949), «De lo real maravilloso americano», publicado el año anterior, y más recientemente en *Literatura y conciencia política en América Latina* (Madrid: Alberto Corazón, 1969). Para un repaso de la teoría de lo real maravilloso, véase Ángel Rama, «Los productivos años setenta de Alejo Carpentier (1904-1980)», *LARR,* XVI, 2 (1981), 224-45, y para una aguda crítica de los presupuestos ideológicos del término, Horst Rogmann, «Realismo mágico" y "negritude" como construcciones ideológicas», *I & L,* II, 10 (1979), 45-55. En el artículo que sigue en el mismo número de esa revista, Ileana Rodríguez defiende el uso del término por Carpentier.

(11) Así se titula la tercera parte de *Clamor. Tiempo de historia,* 1949-1963.

(12) Véase Francisco Ayala, «Nueva divagación sobre la novela», *RO,* XVII, 54 (1967), 294-312.

(13) Véase sobre todo ello Morán, *Novela y semidesarrollo, op. cit.,* esp. IV, «La novela del semidesarrollo», y sobre el realismo mágico, II, «El valor de la palabra en el infradesarrollo: poesía y novela en la cultura de la descolonización», pp. 170 y ss. Véase también a propósito de la utilización literaria de los contextos americanos, Carpentier, «Problemática de la actual novela latinoamericana», *Literatura y conciencia política, op. cit.*

(14) Citado por Alastair Reid en un artículo reseña, «Basilisks' Eggs», *The New Yorker,* Nov. 8, 1976, pp. 180 y ss. Para una lista de las entrevistas con el novelista, véase Margaret Eustella Fau, *Gabriel García Márquez. An annotated bibliography,* 1947-1979 (Greenwood Press, 1980).

(15) En un libro lleno de brillantes intuiciones: *Cien años de soledad: una interpretación* (Buenos Aires: Tiempo Contemporáneo, 1972). Véase esp. IV, «El fin: cierre de la ficción».

(16) «Se llamaba Pilar Ternera» (p. 31); «Se llamaba Petra Cotes» (p. 165); «Se llamaba Fernanda del Carpio» (p. 175); «Se llamaba Mauricio Babilonia» (p. 243); «Se llamaba Nigromanta» (p. 325). Santa Sofía de la Piedad, como más tímida, se escapa a esta introducción parcialmente: «Era virgen y tenía el nombre inverosímil de» (p. 102).

(17) Es ésa la tesis del libro de Ludmer: Macondo es una sociedad dominada por la escisión burguesa entre cuerpo y mente típica de las sociedades latinoamericanas, hasta que el último (penúltimo en realidad) Aureliano, al unir en sí las zonas «mente» y «cuerpo» (es decir, verga), al legitimar la zona cuerpo antes «derrotada» por su intelectualidad, abre el camino, por medio del incesto, el cual viola el tabú social, hacia el encuentro con la propia identidad perdida, que es lo mismo que decir la lucha contra la represión política e ideológica. Pero «el verdadero final», concluye Ludmer, es el desciframiento de los manuscritos como «doble» del relato, el que explican como ya escrito, por un personaje —Aureliano— quien es también lector. Un ensayo de próxima aparición (John Incledon, «Textual Murder in»...) explica agudamente la función del incesto dentro de la novela como expresivo del intento de imposición y quiebra final de la voluntad de las sociedades occidentales de excluir, para mantener sus propias premisas, cuanto es ajeno a ellas mismas, según se ha hecho tradicionalmente en Latinoamérica separando naturaleza

y cultura, «civilización» y «barbarie». Véase también para una interpretación del parentesco y las relaciones sexuales en *Cien años* como una crítica de la cultura latinoamericana, Mercedes López Baralt, «*Cien años de soledad*; cultura e historia latinoamericanas replanteadas en el idioma del parentesco», *Revista de Estudios Hispánicos* (UPR), VI (1979), 155-76.

(18) Adalbert Dessau, «"Civilización y barbarie" en la novela latinoamericana», *Actas del V Congreso de la Asoc. Intern. de Hispanistas* (Université de Bordeaux, 1977), pp. 335-44. Según el crítico, la soledad es en la novela «una manera de ser espiritual condicionada por la falta de contactos con la civilización, un hecho espiritual y subjetivo, la "negación de la solidaridad"» (página 341); de modo que la interpretación de García Márquez de la realidad latinoamericana es semejante a la del *Facundo*, excepto que Sarmiento se propone cambiarla, traer la civilización, y García Márquez demuestra cómo ello es imposible para el fundador de Macondo, quien salió en busca de la civilización y sólo halló los restos de un galeón enclavado en «un espacio de soledad y de olvido» (p. 18), lo mismo que para su último descendiente: «la historia de la familia era un engranaje de repeticiones irreparables, una rueda giratoria que hubiera seguido dando vueltas hasta la eternidad de no haber sido por el desgaste progresivo e irremediable del eje» (p. 334). De modo que, arguye Incledon (véase n. 17), el movimiento de ese eje no es exactamente circular, sino elíptico, «off-center, producing a wearing away of the axle which will ultimately destroy the machine. Its movement is decentered, producing an endless series of permutations».

(19) Véase a propósito Graciela Maturo, *Claves simbólicas de Gabriel García Márquez* (Buenos Aires: García Cambeiro, 1972), y, sobre paralelos bíblicos, Leo Pollmann, *La "nueva novela" en Francia y en Iberoamérica* (Madrid: Gredos, 1971), p. 341.

(20) Sarduy nota que los personajes de *Cien años* y el entrelazamiento de los episodios de su historia no son la función de sistemas exteriores o interiores a la escritura misma, sino que los engendra, produce, descompone y arrebata las necesidades del movimiento de aquélla (reseña de la novela en *Review*, 1970, 171-2).

(21) La importancia de la soledad como sino crece desde que nos acercamos a la segunda mitad del texto, según sugieren estos ejemplos: «Aureliano Buendía rasguñó durante muchas horas, tratando de romperla, la dura cáscara de su soledad» (p. 149); «Ursula era el único ser humano que había logrado desentrañar su miseria» (p. 151); «Aureliano Buendía apenas si comprendió que el secreto de una buena vejez no es otra cosa que un pacto honrado con la soledad» (p. 174); «Amaranta pensaba en Rebeca, porque la soledad le había seleccionado los recuerdos» (p. 190); «había necesitado [Rebeca] muchos años de sufrimiento y miseria para conquistar los privilegios de la soledad» (p. 191); «Se hubiera dicho que bordaba durante el día y desbordaba en la noche [Amaranta], y no con la esperanza de derrotar en esa forma la soledad, sino todo lo contrario, para sustentarla» (página 222); «Meme no revelaba todavía el sino solitario de la familia» (p. 223). Incluso Remedios la Bella, descrita como un ser sobrenatural e indiferente, por tanto, al mundo cotidiano, aparece al final «vagando por el desierto de la soledad» (p. 204) —lo cual, sin embargo, no es sino el resultado de que nadie se le había acercado «con un sentimiento tan primitivo y simple como el amor» (p. 203).

(22) Véase Hernán Vidal, «Narrativa de mitificación satírica: equivalencias socio-literarias», *Literatura latinoamericana e ideología de la dependencia, Hispamérica*, IV, anejo I (1975), 57-72.

(23) El producto del Premio Rómulo Gallegos, por ejemplo,

que obtuvo en 1972, se lo donó a MAS (Movimiento al Socialismo) (*Crónica de una muerte anunciada,* nota biográfica). Véase la bibliografía de Fau para los artículos políticos de García Márquez, muchos de ellos reunidos en *Periodismo militante* (Bogotá: Son de Máquina, 1978).

(24) Véase sobre ello el art. cit. de *The New Yorker,* páginas 186 y ss.

(25) Gabriel García Márquez y Mario Vargas Llosa, *La novela en América Latina: diálogo* (Lima: Carlos Milla Batres, 1969), página 26.

(26) Un personaje de *La muerte de Artemio Cruz,* el coronel Gavilán, vive exiliado en Macondo, y recuerda el heroísmo de Cruz (pp. 254, 260); el último Aureliano tiene un amigo llamado Gabriel, quien es bisnieto del coronel Gerineldo Márquez (p. 329), y vivirá en París en la habitación «donde había de morir Rocamadour» (p. 342) —el hijo de la Maga, de *Rayuela.*

(27) Véase, por Raquel Kersten, «Gabriel García Márquez y el arte de lo verosímil», *RI,* XLVI, 110-111 (1980), 195-204, para una explicación de las técnicas a través de las cuales (lenguaje cotidiano, precisiones convincentes, repeticiones, etc.) se hace verosímil el relato. En una entrevista dice el autor que su «problema más importante era destruir la línea de demarcación que separaba lo que parece real de lo que parece fantástico», de modo de reducir «lo maravilloso a nivel cotidiano» (José Domingo, *Insula,* XXIII, 259, 1968, p. 6).

(28) Véase a propósito María Ana Diaconescu, «Grupos y núcleos narrativos en la obra de»... *XVII Congreso del IILI,* I (Madrid: Cultura Hispánica, 1978), 642-54.

(29) *El coronel no tiene quien le escriba* (Buenos Aires: Sudamericana, 1968), p. 46.

(30) *Los funerales de la mamá grande* (Buenos Aires: Sudamericana, 1968), p. 146.

(31) Véase el art. cit. de Blanco Aguinaga, quien concluye: «En las ficciones publicadas ... antes de *Cien años de soledad,* la lluvia era símbolo de una realidad histórica que el novelista no escamoteaba; aquí se pretende que el símbolo ocupe el lugar de la realidad misma (realidad, no lo olvidemos, a la que el novelista, y no nosotros, ha recurrido para armar su ficción). Al así pretender que el símbolo sea la realidad misma, el novelista apunta hacia soluciones falsas del problema por él mismo creado (o recreado) de manera tan original y compleja» (p. 48). En la «lucha entre el mito y la realidad, la ignorancia y el conocimiento», el novelista «resuelve arbitrariamente la contradicción exaltando la ignorancia y el mito», lo cual elogia unánimemente la crítica como la «fuente de una belleza que mana de la absoluta *libertad* fabuladora del escritor. Podría ser García Márquez el primero que llegue un día a rechazar tan alocado elogio de nunca usadas humanas libertades» (p. 50). En un ensayo cuya primera versión es de 1964, señalaba Angel Rama a propósito de uno de los primeros cuentos famosos de García Márquez, «Un día después del sábado», y como una constante, la «oscilación del propio autor respecto a los planos donde debe ubicarse una explicación: si en el social o en el metafísico. Eso otorga curiosa indecisión al planteo general, donde se alternan las explicaciones realistas y las irrealistas» («Un novelista de la violencia americana», *Nueve asedios a García Márquez,* Santiago de Chile: Editorial Universitaria, 1972, pp. 106-25, 113). En *Cien años* sigue moviendo al escritor la búsqueda de la realidad, «pero en vez de encauzarse a través de una estricta elaboración realista que imponía pesar cada palabra, componer cada situación como una máquina perfecta de economía y austeridad expresiva ... se encamina por una libérrima recreación merced a la cual estima que toca ardiente y más próximamente lo real» (p. 121) cuando «la

obra no es el mero reflejo de una realidad ajena, sino que es el devenir del propio escritor como parte integrante de un todo real que él elabora y por el cual terminará siendo elaborado» (página 123). Véase el mismo ensayo en *Sobre García Márquez*, ed. Pedro Simón Martínez (Montevideo: Biblioteca de Marcha, 1971), pp. 54-67.

(32) Véase, sobre la relación de Proust con la clase que describe su narrador, Walter Benjamin, «Una imagen de Proust», *Iluminaciones*, I (Madrid: Taurus, 1971), I y II.

(33) *El otoño del patriarca* (Buenos Aires: Sudamericana, 1975), p. 270.

(34) Véase Hans Magnus Ensensberger, «Rafael Trujillo», *Raids and Reconstruction: essays on politics, crime and culture* (London: Pluto Press, 1976). Lo mismo que el «patriarca», el último emperador de Etiopía, ya sin poder, pero aún no depuesto oficialmente, continuaba yendo a su oficina cada mañana, con su edecán, y sentándose ante una mesa llena de teléfonos que ya no lo llamaban (véase Ryszard Kapuscinski, *The Emperor: Downfall of an Autocrat*, New York, 1983); sólo que Etiopía se halla a considerable distancia histórica de las naciones que gobiernan nuestros dictadores.

(35) Roberto González Echevarría, «The Dictatorship of Rhetoric/The Rhetoric of Dictatorship: Carpentier, García Márquez, and Roa Bastos», *LARR*, XV, 3 (1980), 205-28, esp. 214. Véase la respuesta a este artículo por Gerald M. Martin, «On Dictatorship and Rhetoric in Latin American Writing: A Counterproposal», *LARR*, XVII (1982).

(36) «Gabriel García Márquez y América Latina», *Silex*, 11 (abril 1979) contiene una serie de estudios que, sobre la base de *El otoño*, examinan la posibilidad de un cambio político, destacando el despertar del pueblo al final como un mensaje ideológico positivo. Reseñando *La función de la historia en "Cien años»*..., por Lucila Inés Mena (Barcelona: Plaza y Janés, 1979), libro cuyas interpretaciones son más bien de tipo mitológico, Seymour Menton señala que la «soledad» como condena representa la de la sociedad burguesa, cuya desintegración comienza con el final del siglo de bipartidismo en Colombia en 1948 (asesinato de Gaitán) y el estallido de «la violencia» (*Hispamérica*, IX, 27, 1980, 114-5). Para una interpretación de *El otoño* como políticamente positiva, véase Kalmar Barsy, «*El otoño del patriarca*, primavera del pueblo», *Sin Nombre*, XII, 1 (1981), 46-53, donde tras un análisis de la organización del relato y las implicaciones de aquélla, se concluye que la nación que cuenta su propia historia a través de la del «patriarca» recobra o adquiere consciencia de sí misma y de lo que debe ser su propia historia durante el velorio, a medida que la presencia del dictador va desapareciendo; así que «el protagonista último de la novela en su conjunto no es el patriarca, sino el pueblo». Regina Lanes, en *Gabriel García Márquez. Revolutions in Wonderland* (University of Missouri Press, 1981), se explica la ausencia de un movimiento revolucionario en una novela que comienza con el dictador ante un tribunal popular, novela escrita además por un autor de izquierdas, por la profunda desconfianza de éste ante el poder (p. 100).

(37) Véase Angel Rama, «García Márquez entre la tragedia y la policial o Crónica y pesquisa de la crónica de una muerte anunciada», *Sin Nombre*, XIII, 1 (1982), 7-27, para un estudio de esta novela, y en particular del papel del narrador en ella en relación al modo como García Márquez, «poeta de mayorías», combina la «modernización narrativa» y «la tradicional cultura de su tierra».

(38) Ya revisadas estas páginas he leído, por Jorge R. Rogachevsky, «Politics and the Novel in Latin America»... (Council on International Studies, Special Studies Series, núm. 128, State

University of New York at Buffalo, 1980), donde se concluye que García Márquez es a la vez confirmación y excepción a la ideología de *non-commitment* típica del escritor moderno, creando una dialéctica entre «involvement and isolation, both of which poles offer unacceptable possibilities». En *Cien años,* y aún más en *El otoño,* García Márquez se manifiesta contra la ideología individualista: no obstante lo cual, continúa aislado dentro de «an intellectual tradition of individuation», sin poder concebir «a dynamic communal force which will transform the culture. For this reason García Marquez fluctuates between an exotic pessimism and an uncritical optimism — yearning to find the means of transformation, but never grounding himself in a clearly conceived historical process» (p. 20).

University of New York at Buffalo, 1980), donde se concluye que García Márquez es a la vez confirmación y excepción a la ideología de *non-commitment* típica del escritor moderno, creando una dialéctica entre «involvement and isolation, both of which poles offer unacceptable possibilities». En *Cien años*, y aún más en *El otoño*, García Márquez se manifiesta contra la ideología individualista; no obstante lo cual, continúa aislado dentro de «an intellectual tradition of individuation», sin poder concebir «a dynamic communal force which will transform the culture. For this reason García Marquez fluctuates between an exotic pessimism and an uncritical optimism—yearning to find the means of transformation, but never grounding himself in a clearly conceived historical process» (p. 20)

JUAN RULFO: LA MENTALIDAD AFECTIVA

Pedro Páramo (1955), de Juan Rulfo, es la primera novela hispanoamericana moderna, y aunque su impacto en México y fuera de éste no tuvo lugar en toda su fuerza inmediatamente (1), fue mucho mayor que el que tuvieron en la década del veinte, *La vorágine, Don Segundo Sombra* y *Doña Bárbara,* cuya fama me parece —aunque habría que estudiar la cüestión con cifras editoriales a la mano— que es en gran parte obra de la crítica que ha visto en ellas un nexo que sugiere el comienzo de un movimiento (2), en tanto que para el lector crítico de 1955, lo mismo que para quien la lea por primera vez hoy, *PP* se revela inmediatamente como un *clásico* por derecho propio: nada le falta ni le sobra. *PP* ha sido, además, la obra que junto con *Ficciones,* de Borges, más ha contribuido a la fama internacional de la literatura hispanoamericana (3).

La lectura crítica más frecuente de *PP* ha sido la que se concentra en su estructura con la intención de clarificar el aparente caos de vivos y muertos, voces y sucesos en constante trasiego, y estudia, en consecuencia, el movimiento de los personajes que escucha (pues se trata sobre todo de voces) Juan Preciado a partir de su llegada a Comala, y de las voces cuyos monólogos dominan la segunda mitad de la novela, a partir del momento en que Preciado es enterrado; el papel del narrador —inicialmente Preciado, pero luego omnisciente, bien que discretísimo en cuanto a permitir que sean los muertos mismos los que hablen (lo cual ocurre desde un principio, sin que medie introducción acerca de quienes son)—, y la secuencia cronológica. Una primera apariencia caótica resulta en seguida modificada y a la postre anulada cuando el análisis crítico descubre que puede organizar las voces respecto a su relación con Preciado, con Pedro Páramo y con el deterioro del pueblo, desde el Comala anterior a la usurpación del poder por el cacique que recuerdan Doloritas y el cura, hasta la aldea fantasmal/infernal donde muere Páramo. Este, cuya infancia es, en el recuerdo del Pedro muerto que rememora el efecto sobre sí de Susana, la de un niño tierno y pensativo, sólo empieza a convertirse en el futuro destructor del pueblo natal por el efecto de dos acontecimientos paralelos, la partida de Susana y el asesinato de su padre.

Si aceptamos la premisa sobrenatural de la conversación entre los muertos, resulta que los diálogos y monólogos de éstos no difieren en nada de los de cualquier novela postrealista; los constantes *flashbacks* que se entrelazan con ellos van construyendo mientras tanto una narración del todo coherente, y en la que no queda, además, ningún cabo suelto (4), de la interacción de un grupo humano cuya conducta, sin embargo, no resulta ni lógica ni coherente. El autor jamás pierde el control de los personajes —las voces— que desde un principio nos hace escuchar el texto, ni tampoco deja de mantener la necesaria distancia respecto a aquéllos, no identificándose con *ninguna* de *sus* voces, de modo que puede ser todas ellas al mismo tiempo, y hasta presentar, por ejemplo, el mismo episodio desde varios puntos de vista. Lo cual no quiere decir que *PP* aspire a ningún tipo de *objetividad* narrativa que el lector debe extraer de esa muralla de sombras que levanta: la situación de Juan Preciado entre la muerte y la vida afirma, por el contrario, la imposibilidad de precisiones categóricas respecto a la relativa verdad de ese tráfico de la memoria —pues es de eso de lo que se trata en definitiva, de los recuerdos de las voces que constituyen la novela evocando conversaciones pasadas— entre la vida y la muerte.

Aunque la acción de *PP* no sigue un orden lineal, sí es siempre *precisable*, de modo que el examen estructural de la novela demuestra que no se trata, como quisieron algunos, de una novela-fantasma, de una novela lírica o subjetiva al estilo de las de Virginia Woolf o, entre nosotros, las de María Luisa Bombal, ni tampoco de una novela postmodernista o *nueva*, donde se prescinde de la descripción de sentimientos, se aspira a barajar posibilidades narrativas y puntos de vista, o al puro juego lingüístico.

Sería posible suponer a *PP* como perteneciente al realismo mágico, en la medida en que la novela se basa en una imposibilidad racional —la comunicación de los muertos entre sí, y con los vivos—, desarrollada, sin embargo, dentro de un argumento realista y psicológico, hasta cierto punto. Excepto que, contrariamente a lo que sucede en las obras de ese género, *PP* (al igual que *Cien años* y otras obras de García Márquez) sucede en un plano *real*, como si esas voces de muertos fuesen reales; es decir, que la obra no posee en modo alguno la vaguedad semilírica que se suele identificar con esa provincia de lo fantástico.

Otra lectura de *PP* es la que, partiendo de su relación con la novela regionalista —evidente en la reproducción de un universo real y en la lengua de los personajes—, las premisas y aspiraciones de la cual supera al universalizarlas, estudia los aspectos sociales de la novela, y más específicamente el papel en ella de la relación entre el terrateniente todopoderoso y el proceso revolucionario mexicano. Para Jean Franco, por ejemplo, la novela expresa un pasado, el del México oligárquico, vivo en la memoria de sus personajes. Juan Preciado, hijo del cacique, como todos los demás hombres del pueblo —como todos los mexicanos lo son de ese pasado—, va en busca de su padre, por quien, no obstante su brutal falta de escrúpulos, el autor nos permite que sintamos cierta simpatía a cuenta de que lo que representa está ya muerto, según garantiza el final de la novela (5). En un ensayo posterior, Franco ha refinado esa interpretación explicando cómo Páramo constituye un anacronismo como el jefe de una estructura feudal conservada no obstante que ese señor o cacique ya no cumple sus obligaciones respecto a los «vasallos» que todavía vienen a solicitar su ayuda. Su único interés es el dinero, pues el mundo se ha cosificado sin que se haya constituido entretanto una burguesía, como sucedió en Europa; de ahí que la novela transmita una visión fragmentada del mundo (6). Por esta vía, *PP* trasciende también los generalmente estrechos límites ideológicos de la novela de protesta, permitiéndole a su lector entender en lugar de sólo acusar el pasado.

Es menester tener muy presente que el pasado de opresivo latifundismo expresado en *PP* no ha muerto, sino que sobrevive a lo sumo disfrazado con apariencias de agricultura científica; como lo sabe muy bien Rulfo, según lo demuestran cuentos de *El llano en llamas* [en especial «Nos han dado la tierra», el más antiguo de ellos (7), la acusación más efectiva que puede concebirse al fracaso de la promesa revolucionaria agrarista de la Revolución Mexicana], además de algunos de sus guiones cinematográficos (8).

La interpretación de la novela por Hernán Vidal parte de esa realidad de la que Juan Rulfo está tan consciente: el fracaso de *PP* expresa el del ideal capitalista en Latinoamérica, con su aspiración a reformar la mentalidad latinoamericana y hacer de sus oligarcas empresarios tenaces y agresivamente individualistas; aspiración imposible de cumplir, pues requería nada menos que saltarse toda una etapa en el desarrollo capitalista contra la voluntad y los planes de los países dominantes, los que exigían la continuación de la dependencia latinoamericana (9); de ahí que pese a su acumulación, quizá no del todo metódica, pero de cualquier modo muy astuta, de tierras, su manipulación de los revolucionarios alzados, su tacañería con el fiel abogado Trujillo, es la conducta errática y cierto desorden lo que impera en los actos de Páramo. Y, sobre todo, una oscura voluntad suicida, que es la que lo lleva a abandonar por fin la acumulación de riqueza para sentarse a aguardar la muerte. Lo cual nos lleva a Susana, la razón de que Pedro atesore toda esa riqueza, y también de que la desprecie, o la lectura mítica de la novela.

Como el propio Rulfo ha confirmado, Susana San Juan es mucho más que un mero personaje de *PP*; es una fuerza aglutinante que no puede «ubicar» (10); de modo que varios críticos han tratado, partiendo del papel fundamental de este personaje dentro de la trama de *PP*, de explicarse la organización y el propósito de la novela. Bastos y Molloy analizaron en un estudio de 1977 la importancia de la figura materna, y de la femenina en general, en la composición de la novela: el viaje que emprende Juan Preciado (a quien algunos han confundido con Telémaco) ha sido inspirado por su madre, y mujeres, o encarnaciones de lo femenino y materno —Eduviges, Damiana, la hermana incestuosa, Dorotea— son las que lo guían no al encuentro con el padre, sino al regreso al seno materno, donde por fin conocerá, a través de las voces, a su padre (11). (A lo cual hay que agregar que Pedro parece directamente motivado en su conversión en un «rencor vivo» por el efecto sobre su madre de los sufrimientos que le ha infligido su marido: al oír que su padre ha sido asesinado, pregunta: «¿Y a ti quién te mató, madre?»: p. 28.) En un ensayo posterior, probablemente el más completo sobre el tema, las mismas críticas examinan el papel de Susana como el hilo conductor de los motivos de la trama. La amada de Pedro es una fuerza *transgresora* que conduce la acción siempre más allá, más lejos, fuera de los límites «normales», a través de un tránsito de la cordura a la locura en el cual su discurso desajustado subraya cómo ve la realidad de otro modo que quienes la rodean, borrosamente, haciendo conexiones extraordinarias mientras se *desvive* en un proceso que expresa su diferencia fundamental respecto a los demás personajes. Susana es la clave de la novela, de la peregrinación de Juan, de la distancia de su madre respecto al páramo de Comala, de la carrera de Pedro y de su muerte mientras aguarda el amanecer, mientras contempla el lucero del alba, «la estrella que progresa hacia la luna [la cual] se enfrenta y contrapone a la presencia de la muerte» («La estrella»..., artículo cit., p. 261). La novela se iba a llamar «La estrella junto a la luna» (12), título que sugiere un itinerario cuyo destino es la luna; es decir (aunque las autoras citadas no desarrollan esta conexión en todas sus posibilidades), que Susana expresa ciertos poderes relacionados con la luna, y a través suyo con Astarté-Iris-Afrodita-Diana, diosa de la noche (Susana pasa las noches en vela, divagando, pensando), del amor, nacida del agua (el elemento más ajeno al desierto que es Comala y con el cual se identifica Susana violentamente) (13), pero también de la castidad (Susana no tiene hijos, y que sepamos, ha sido de un solo hombre), inalcanzable, en fin, por la muerte, representada a su vez por Pedro, señor del desierto, del infierno, de la «Media-Luna», la luna incompleta que aguardará eternamente su otra mitad (14).

Esta elaboración de mitos universales dentro de *PP* no es, claro, deliberada por parte del autor, así que corresponde al mismo proceso mediante el cual Rulfo es capaz de utilizar el lenguaje popular o coloquial con extraordinaria originalidad poética, construyendo, mediante un tejido de conversaciones y monólogos donde una serie de voces de cuya espontaneidad no cabe la menor duda, se comunican entre sí, o con nosotros, o bien superponen sus respectivos monólogos, una suerte de complejísimo monólogo interior-novela, en el que asociaciones lo mismo que rupturas narrativas parecen resultar de un proceso inconsciente.

La lengua de *PP*, como en general cuanto hace a la escritura desde un punto de vista lingüístico en vez de filológico, es sólo recientemente cuando empieza a recibir atención crítica, no obstante ser la originalidad de esta novela en cuanto estructura lingüística de mucho más largo alcance, más interesante, en fin, que en lo que hace al argumento, la organización de éste, o el papel de la fantasía —como resulta evidente de compararla con otras novelas hispanoamericanas contemporáneas. En un estudio del monólogo interior en los cuentos de Rulfo, Paul W. Borgeson, después de estudiar en detalle la técnica característica de Rulfo (asociación, impresiones sensoriales, «suspended coherence», etc.), nota la relación de esos procedimientos con el concepto del ideologema de Kristeva: «el encuentro de una organización textual ... con los enunciados que asimila en su espacio o a los que remite en el espacio de los textos exteriores»; es decir, el modo en que una palabra se relaciona con la totalidad del texto en el que se inscribe (15) — la base de la «intertextualidad». Por medio de esa afirmación de la unidad de la escritura, el lector aprehende el todo instantáneamente, desde la misma perspectiva que el personaje que parece estar expresando sus pensamientos según se le ocurren, sin someterlos al escrutinio de la razón lógica, y, sobre todo, como si estuviesen en contacto directo con nosotros, los lectores, o sin mediación del narrador que organiza el conjunto. Esta especie de *objetividad* narrativa, típica del *stream of consciousness*, adquiere en la pluma de Rulfo un poder inusitado gracias a esos procedimientos que afirman la subjetividad del personaje de modo de poder comunicarnos sus impresiones y sus pensamientos al ritmo mismo que tienen lugar. «In the Rulfian world the only reality, being internal, is the very thoughts and sensations of the characters» (16).

La presencia de un narrador externo es mucho más marcada en *PP* que en los cuentos de *El llano* (1953), de los cuales sólo una tercera parte incluye una voz autorial explícita («El hombre», «En la madrugada», «Luvina», «La noche que lo dejaron solo», «¡Diles que no me maten!», «No oyes ladrar los perros»), pero tan discreta que se aparta a un lado en cuanto surge la voz de los personajes para dejarlos hablar sin necesidad de introducción: son las voces de éstos las que importan, las que el narrador quiere que recordemos, en lugar de la suya propia; de ahí que los cuentos más efectivos de la colección sean aquellos donde nos habla directamente desde un principio el personaje, o donde la presencia del narrador resulta mínima (por eso, de los mencionados antes, «La noche que lo dejaron solo» y «El hombre» son, aunque extraordinarios como todo texto de Rulfo, menos logrados que los otros tres) (17). El monólogo interior de Rulfo difiere, sin embargo, del tradicional en que incluye, subrayando cómo han ocurrido fuera o sin intervención de la mente monologante, las palabras de otros personajes, diálogos, transiciones temporales, lo cual resulta en hacer de esa voz en contacto directo con nosotros un equivalente del narrador externo; es decir, que el *autor* que compone el texto habla a través de sus voces tal y como si fuesen uno y lo mismo, en una identificación total con ellas. En *PP*, un narrador ordena la descripción e introduce, cuando le parece necesario, las voces, pero sin tomar nunca el primer plano, que pertenece a éstas. La explicación de los hechos, el sentido de cuanto allí se representa, la intencionalidad de la obra hay que buscarla en las voces que dialogan o monologan sin cesar.

En el caso de la novela, lo mismo que en el de los cuentos, su efectividad en cuanto vehículos significativos y transmisores del espíritu o la intención de la obra depende directamente del certero empleo por Rulfo de giros coloquiales y de palabras populares, constantemente, pero sin que por ello la novela o los cuentos adquieran un carácter regionalista, sino que asombrosamente se mantienen en un plano poético no-realista del todo diferente, sin embargo, al característico de la novela «lírica». Como explica Bastos, Rulfo emplea constantemente en *PP* clichés estrictamente contingentes en lugar de universales (hay, nota la crítica, un solo refrán en todo el texto), pero socavando al mismo tiempo su valor semántico, con una flexibilidad semejante a la arbitrariedad y capacidad polisémica de los signos independientes. El sistemático empleo de la lengua popular (vocabulario y sintaxis) evita, por medio de sutiles alteraciones lingüísticas, la reproducción mecánica del habla, los arreglos que producen significados rutinarios, las duplicaciones simétricas de situaciones y atributos, la pérdida o desgaste de sentido, en fin, que acarrea la repetición de fórmulas; de modo que la frase hecha y la expresión campesina pueden tener un sentido literal o bien uno opuesto al usual, de lo que resulta la reactivación de mitos universales por medio del lenguaje, la estilización irónica del habla popular y un peculiarísimo lirismo que domina la totalidad —en lugar de sólo segmentos de ella— de la materia narrativa (18).

El análisis del contenido mítico de *PP*, el de su lengua y el de su trama como un fluir de voces entrelazadas, se encuentran todos ellos estrechamente relacionados con las declaraciones de Rulfo sobre cómo las historias del *Llano* —la consideración del cual no puede, como va resultando claro de lo que precede, separarse de la de *PP*— son las que le contó el tío Celerino, borracho siempre, mientras iban ambos del pueblo a su casa o de su casa al rancho: «Yo no sólo iba a titular los cuentos de *El llano en llamas* como los "Cuentos del Tío Celerino", sino que dejé de escribir el día que se murió. Por eso me preguntan mucho que por qué no escribo: pues porque se me murió el tío Celerino, que era el que me platicaba todo...» (*Escritura,* p. 305). Rulfo exagera en esta declaración, concretándolo en una fórmula capaz de despistar a sus críticos, la pertenencia de aquellas narraciones a una tradición oral, por medio de establecer su conexión directa —dependencia, de hecho— de la voz de quien se las ha transmitido, un *inventor* de historias basadas en sucesos históricos y en hechos reales, y al mismo tiempo niega la verosimilitud de esas historias en cuanto sucesos verídicos, explicando que el tío Celerino era muy mentiroso y por ello cuanto le contaba y escribió eran «puras mentiras» (Ibíd.). Es de aquella voz, de cualquier modo, insiste el escritor, de la que depende su poder, su inspiración: «muchos me han preguntado por qué no escribo más, y bueno, pues no tengo ya quien me cuente nada, ¿no?, y...

pero a ver si encuentro otra persona que me cuente algo, porque me gusta, me gusta escribir, sí, y más cuando es literatura» (p. 306).

Aunque *PP*, de la cual trata en seguida, no depende del tío Celerino directamente, me parece que el autor la sitúa también fuera de su propio control: «Lo mismo pasó [que con *El llano*, "que era un libro tan chiquito que tenían que rellenarlo con algo, entonces tuvieron que agregarle allí material de desecho"; afirmación más bien confusa en relación a lo que sigue] con *Pedro Páramo*. A *Pedro Páramo* yo le quité muchas páginas, como unas cien páginas, pero después ni yo mismo lo entendí. Entonces pasa que después inventé que era un libro para leerse tres veces y a la tercera vez pues ya se entendía de qué trataba» (p. 306) (19), en la medida en que la eliminación de pasajes parece hecha no de acuerdo con un plan, sino obedeciendo la misma fuerza que le permitió componer los cuentos (dar vida a narraciones orales). Los mundos, tanto argumental como lingüístico, de *PP* y de los cuentos del *Llano* son muy semejantes porque su origen es el mismo no necesariamente en cuanto entidades narrativas, historias o fábulas que inventaba (quizá) el tío Celerino, sino respecto al mundo donde se afianzan sus raíces; mundo visto —pero sobre todo *escuchado*— por el autor mientras acompañaba al tío por la provincia («El, debido a que era un hombre respetable, según dijo el Arzobispo de por allá de su rumbo, lo nombró para confirmar niños, y andábamos en eso, confirmando niños de pueblo en pueblo»: Ibíd.), y evocado muchos años después para convertirlo en escritura. Mundo rural o a lo sumo semirrural, cuyo espíritu y sustancia Rulfo concibe oralmente; de ahí que, incluso después de expresado como escritura, lo atribuya al tío Celerino; es decir, que esos cuentos («La cuesta de las comadres», o la historia de la muerte de Miguel Páramo) no dependan para su efecto de una historia generalmente atroz, pero contada como si fuese trivial, ni tampoco de su organización en un argumento (*récit*) cuya complejidad suele ser mínima, sino de la voz o las voces a través de las cuales se evoca el suceso, se lo interpreta, se lo relaciona con otros; depende también de la *calidad* de esas voces, del *tono*, un principio retórico propio de la lírica, y gracias a cuyo efecto, combinado con la oralidad característica de ese discurso, el acto narrativo resulta absolutamente inseparable de la historia: la voz que cuenta organiza aquélla como cosa propia, y la lengua popular sirve al monólogo interior de suerte que el discurso literario se identifica con un proceso *anterior* a su conversión en literatura: el espontáneo fluir de la consciencia.

A través del tío Celerino, o durante sus propias peregrinaciones por el campo (más adelante, en la misma entrevista, Rulfo recuerda los viajes que hacía con un cura de quien se hizo amigo después que «se me murió mi tío Celerino»: p. 311), el autor ha escuchado de un narrador que sabe de ellos, o hasta de sus mismos protagonistas, ciertos sucesos, o incluso los ha presenciado él mismo, pero el modo como llegan a él, como lo *penetran* de suerte de tocar la fibra que pondrá en movimiento la escritura, es siempre a través del oído; así que hablando de *PP* describe simplemente la novela, en la misma entrevista, como conversaciones entre muertos: «Entonces ella [Susana], cuando muere, empieza a recordar la vida, y hay algunos monólogos: sí, ella nunca conversa con los demás muertos; en cambio, los demás muertos platican unos entre otros, se cuentan sus cosas, sus penas, sus alegrías, todo» (p. 307). Conversaciones que un narrador transcribe, pero cuyo orden y curso proviene totalmente de ellas mismas en lugar de serle impuesto desde fuera por un artista distante y perfectamente consciente de sus medios; de ahí su carácter espontáneo y natural y la impresión de que la historia en cuestión no podría contarse de otro modo, pues depende directamente del flujo de una consciencia en el instante mismo en que se hace palabra, flujo incontrolable al que tan sólo puede seguírselo.

No puede ser difícil para quien haya leído a Rulfo con cuidado aceptar la interpretación de éste del origen de su obra como esencialmente oral, lo cual explica también el inmenso poder de esa obra, o qué la distingue tan dramáticamente de otras narraciones y novelas contemporáneas que también reproducen el habla popular —pero no emanan directamente de ella. Queda sin explicar, sin embargo, el proceso que conduce allí, por una parte, y, finalmente, por qué, si es en realidad ése el enfoque de Rulfo, éste abandona en cierto momento de su carrera la literatura (20), como si el habla popular, que sería por definición una fuente perenne de materiales e incentivos para la creación, pudiera agotarse, o como si, en efecto, nuestro autor necesitase una nueva fuente de historias que reemplazase a las del tío Celerino, no obstante que fue mucho después de muerte éste cuando empezó a escribir.

La respuesta a estas preguntas hay que buscarla hurgando más en lo que se venía diciendo en cuanto a la concepción (aparte de que lo sea o no en realidad su origen) oral de esa obra, y el modo como está concebida y narrada cada historia —es decir, la naturaleza ontológica de las voces, sean de vivos o de muertos— no según un plan lógico externo a sus protagonistas, el cual depende de la voluntad autorial, sino cómo la entienden, no importa si se trata de un suceso pasado o de uno que está teniendo lugar según se lo narra, aquéllos, procedimiento que es a su vez independiente de que haya una sola voz, o varias, o incluso un narrador externo que ordene aquéllas, según se explicó ya. De ahí, pues, que existan lagunas en lo narrado, que nos puedan chocar las reacciones de los personajes o el desenlace de cierto episodio o de toda la narración, que falten las explicaciones sobre cómo sucedió esto o lo otro, y el porqué de determinada reacción o falta de ella. No se trata aquí de artificio, de una composición deliberadamente llena de espacios vacíos o agujeros narrativos, al tipo de las de Henry James, Conrad y, hasta cierto punto, también Proust; de la experimentación con el punto de vista y la veracidad del narrador. No, porque además los modelos iniciales de Rulfo, los escritores que le han sido más queridos, aquéllos que leyó en su juventud y que han sido, por tanto, la influencia explícitamente literaria más poderosa durante su iniciación artística, y de quienes sigue gustando todavía, son «los nórdicos, Knut Hamsun, Bjornson, Selma Lagerloff, en fin... A mí siempre me ha gustado la literatura nórdica porque da la impresión de un ambiente brumoso, neblinoso, ¿no? Me gusta mucho lo triste a mí; lo triste y lo opaco. Entonces todos los escritores nórdicos me interesan. Pero no sé si tenga yo influencia de Halldor Laxness ... Yo tenía, además, una teoría: que la literatura europea pasaba primero por el norte, por los países nórdicos, y luego entraba a Europa por Rusia y que más o menos ése es el camino que seguimos. Y hasta la fecha me gustan a mí mucho los escritores nórdicos» (p. 309) (21).

¿Pero qué relación podrá haber entre el mundo de *Pan*, por ejemplo, con el de *PP*, «Es que somos muy pobres», «Luvina», «Nos han dado la tierra»? ¿Estará Rulfo burlándose de nosotros? ¿Será toda esta explicación sobre su narrativa y sus orígenes como escritor una gran tomadura de pelo, como temíamos que fuese lo del tío Celerino, sin duda —nos parece ahora— una invención de ese escritor esquivo e irónico? ¿Y por qué, puesto que no han dejado de gustarle esos autores (la pregunta del entrevistador a la que responde la cita anterior ha sido: «Usted dijo una vez que le habría gustado escribir *Salka Valka*. ¿Cómo influyó en usted?»), no influyen en que continúe escribiendo? Mas es precisamente la distancia del mundo representado por esos narradores nórdicos respecto al propio, al conocido tan de primera mano por Rulfo, lo que debió acercarlo a ellos inicialmente, por dos vías en apariencia opuestas, pero en realidad paralelas, que establecen un vínculo muy firme entre él y esa literatura. Ya sabemos que Rulfo no siente la necesidad de explicarse y explicarnos lógica o racionalmente lo que cuentan sus voces y cómo reaccionan, actitud que es consecuencia de su conocer (de escuchar) éstas desde tan cerca que no requieren de ninguna mediación discursiva para él; lo mismo que tampoco necesita explicarse los personajes de las novelas escandinavas, mas por la razón exactamente contraria: su aparente lejanía respecto a la propia cultura paraliza de entrada cualquier esfuerzo interpretativo haciéndolo parecer inútil y a la postre innecesario, pues el futuro escritor que leía a Hamsun o a Lagerloff se hallaba tan bien centrado en, y sus fuerzas artísticas dependían de tal modo de ese mundo popular y local que ha escuchado con tanta pasión, que está seguro de que no podrá *entender* —sólo gozar— ningún otro. Lo que lo atrae en la literatura nórdica, explica, es la impresión que provoca de bruma en su espíritu, de algo opaco y triste que corresponde a sus preferencias más íntimas; es decir, una condición, bajo características físicas totalmente opuestas, aplicable sin mengua alguna de esa tristeza que lo atrae, a sus propias narraciones de la «tierra caliente» mexicana, las que resultan a su vez igualmente opacas ante el posible esfuerzo interpretativo, en su caso por la cercanía del escritor a ellas. Mas hay todavía otro factor a considerar, y es que la literatura nórdica, lo mismo que su cine, expresa muy a menudo cierta inconsistencia lógica o racional, una actitud muy diferente a la hispánica, italiana, francesa, británica, alemana, etc., aun y cuando se trate de obras influidas por las mismas corrientes (el naturalismo en el caso de Hamsun, el existencialismo en el de los novelistas modernos); actitud que recuerda las sagas, la épica germánica primitiva y, en definitiva, una mentalidad «pre-lógica», según la terminología de Lucien Lévy-Bruhl.

En sus estudios de la mentalidad del hombre primitivo, este antropólogo y pensador llegó a varias conclusiones revolucionarias: las funciones de la mente no son las mismas en todos los grupos humanos, de modo que la diferencia entre nosotros y los salvajes no es que éstos, según se argüía, usen esas funciones erróneamente (así que, de estar en su lugar, nosotros actuaríamos del mismo modo), sino que el hombre primitivo piensa o razona de modo diferente a como lo hace el civilizado; tampoco de acuerdo con una lógica propia, como lo muestra el que ambas mentalidades no son en modo alguno ininteligibles la una para la otra, sino que las funciones mentales del no-civilizado no obedecen exclusivamente las leyes de nuestra lógica, ya que no se basan, como sucede en ésta, en la estricta causalidad (22), con la consecuencia que aquél no entiende la necesidad, según la percibimos nosotros, de evitar las contradicciones a toda costa. Para la mentalidad primitiva —que Lévy-Bruhl llama «pre-lógica», mas subrayando que no es ni anti ni paralógica, ni tampoco un estado anterior a la aparición del pensamiento lógico— las cosas pueden ser al mismo tiempo ellas y algo más, ellas y las otras, dependiendo de conexiones que nada tienen que ver con nuestra lógica. Juan Preciado, al igual que el arriero Abundio, pueden estar vivos y muertos al mismo tiempo sin que ello entrañe una contradicción para quienes se comunican con ellos, y en consecuencia la trama de *PP* no tiene, para aceptar esa contradicción evidente (para nosotros) que pasar al plano lírico, según ocurriría en ese caso en otras novelas, o al de la literatura fantástica, sino que continúa siendo *realista.* Los personajes de Rulfo no actúan o dejan de actuar de acuerdo con razonamientos que tengamos que entender *racionalmente,* movidos por causas o motivaciones perfectamente precisables: Doloritas Preciado acepta gozosamente casarse con Pedro, quien nunca la ha pretendido, para dos días después que se lo piden, y le agradece a Dios tamaña felicidad, «aunque después me aborrezca»; le ruega a una amiga que la sustituya en el tálamo la primera noche, pues está menstruando, y abandona a su marido junto con su hijo cuando aquél le sugiere que lo haga, odiándolo, pero sin protestar. Muchos ejemplos más de falta aparente de causalidad lógica podrían extraerse de *PP,* al igual que de los cuentos del *Llano,* donde prácticamente en cada relato pueden hallarse conclusiones u observaciones que no podemos verdaderamente derivar de sucesos anteriores o de las palabras que preceden en el diálogo (23).

La conducta de esos personajes no es instintiva, pues los instintos nos llevan a adoptar lo mejor para nosotros, evitar el peligro, etc., o meramente fatalista, como a menudo se presume del carácter mexicano por su ascendiente indígena, pues esto se traduce básicamente en pasividad, sino que responde a una lógica sólo parcialmente inteligible fuera de sus propios cánones, o para la *normal* u occidental, y dominada por los sentimientos, los cuales sustituyen al racionamiento lógico y sirven, además, de vehículo para una comunicación de tipo mística con los espíritus de la naturaleza.

La evolución del pensamiento de Lévy-Bruhl a partir de su tesis inicial ilumina el problema de definir la mentalidad pre-lógica. Frente a la crítica de otros etnólogos y filósofos, así como de los sociólogos, a su teoría (24), Lévy-Bruhl explica en primer lugar que no se trata, en el caso de la mentalidad primitiva, de mero animismo (seres y fenómenos naturales están animados por espíritus), sino de un tipo de percepción de la realidad según la cual tanto los seres vivos como los inanimados participan de unos mismos poderes presentes en la naturaleza, están constituidos por la misma sustancia, y pueden, por tanto, transitar de una a otra categoría libremente. Esa mentalidad es social, pero por obra del básico misticismo con el que entiende su agente o sujeto la propia función dentro del orden natural, no la afecta la experiencia, así que —es aquí donde entra en juego su carácter a-lógico— no deducirá leyes lógicas o causales de aquélla y de la observación de la causalidad, o de la contradicción entre los hechos y sus creencias; es decir, no lo hará sino en otro instante de un proceso que conduce —no de acuerdo con una evolución lineal, desde luego— hacia el tipo de mentalidad que estamos acostumbrados a interpretar y a plantearnos como objeto de estudio filosófico (25).

En el curso de varios libros e investigaciones, Lévy-Bruhl llegó a abandonar del todo el término «pre-lógico», insistiendo en cambio en la continuidad de ambas mentalidades, la pre-lógica y la lógica, pues la estructura de la mente humana es la misma dondequiera esté, así que el hombre primitivo es también capaz de conceptos, aunque menos sistematizados o factibles de ser organizados racionalmente. La observación de Lévy-Bruhl de que de las creencias y prácticas de los hombres primitivos pueden abstraerse constantes que rigen las conexiones entre la realidad y el mito, enlaza naturalmente con el estructuralismo de Levy-Straus; su postulación de una continuidad entre ambas mentalidades, la primitiva o mística y la lógica, confirma, a través de la afirmación de una estructura permanente de la mente humana, la validez universal de esas constantes, y sugiere la importancia de su estudio. Es el papel del sentimiento lo que a la postre subrayará Lévy-Bruhl: las buenas o malas cualidades de objetos y animales no presuponen la existencia en ellos de un alma, de un poder específico y, por tanto, localizable, sino que lo sobrenatural se expresa espontáneamente, en sueños y visiones que confirman nuestra unidad con la naturaleza: los mitos no existen para satisfacer una curiosidad intelectual, como si el primitivo fuese un civilizado que razona mal, sino para demostrar la intervención de lo sobrenatural en el curso de la experiencia.

Por tanto, Susana San Juan no constituye una representación de Afrodita ni de Artemisa, ni tampoco es una combinación de las dos según su valor respectivo dentro del panteón grecorromano, en el cual las cualidades o atributos de los dioses han sido, primero, tamizados y, luego, ordenados lógicamente, evitando que un dios tenga los mismos —o al menos los principales— atributos y poderes que otro; sino que es ambas, además de Astarté e Isis, pues su concepción corresponde a una etapa anterior de la actividad mítico-religiosa, dominada totalmente por la afectividad, y en la cual las contradicciones, aunque resulten obvias, carecen de importancia, pues no se concibe la realidad como separada del sentimiento. Y tampoco Pedro Páramo representa, como sucedería en obras conscientemente simbólicas o alegóricas, un arquetipo, sino que manifiesta *espontáneamente* ciertas cualidades, todas ellas presentes en la naturaleza, y que pueden aparecer, por tanto, en varios arquetipos, pero también en personajes perfectamente verosímiles e imitados de la realidad. La clave que distingue su caracterización en la novela de Rulfo de la que tendría en novelas de esos otros tipos (alegórica, psicológica) es que está visto (es decir, interpretado) por una mentalidad —que no es la de Rulfo, naturalmente, sino la de las voces en cuyo vehículo éste se ha convertido temporalmente— que cree en la unidad mística de la naturaleza, y cuyo curso no lo controla el razonamiento lógico, aunque tampoco excluye éste. Por eso Pedro puede representar a un mismo tiempo al cruel terrateniente y a su opuesto, el amante rechazado y melancólico, con lo que el cuadro, tanto social como psicológico, que pinta la novela gana tremendamente en efectividad.

Esa mentalidad que Lévy-Bruhl llamará finalmente «mística» nunca desaparece del todo, pues los conceptos se desarrollan a partir de representaciones colectivas, las que contienen, por definición, un elemento o residuo místico, además de que es imposible deslindar en aquéllos el aparato lógico de la base emocional. Como la mentalidad mística no entra en oposición, sino que simplemente ignora o es indiferente al pensamiento lógico, la coexistencia de ambos es posible aun cuando el segundo continúe progresando a expensas de la primera, o incluso cuando su victoria resulta tan aparente que no parece dejar espacio para el pensamiento pre-lógico que es la situación que retratan las narraciones de Rulfo. Lo que sucede allí, y en particular el modo en que la acción va siendo enunciada por el discurso del narrador no-externo, es en realidad sólo excepcionalmente ilógico de acuerdo con las leyes de la causalidad, o hasta sorprendente, pero sí posee una cualidad afectiva, entrañable a la vez que no analizable por la razón, que sugiere esa mentalidad pre-lógica estudiada por Lévy-Bruhl. Porque, básicamente, en el discurso de la voz que allí escuchamos, los opuestos parecen posibles; es decir, no se trata de que no podamos explicarnos la conducta del personaje (véanse los ejemplos citados) de acuerdo con un proceso racional o lógico, ni tampoco, desde luego, de que esos seres sean verdaderos místicos que se creen poseídos por el espíritu de la naturaleza, sino de que parecen siempre capaces de pensar una cosa y su opuesto al mismo tiempo, un objeto y aquello que lo niega, sin que exista una transición aparente de una a otra posición. Es así como perciben el mundo las voces de Rulfo, y ésa la perspectiva que adopta éste al constituirse en su intermediario.

La posibilidad de pensar opuestos a la vez resulta un problema complejísimo, del cual trató ya Nietzsche al negar la validez de la ley aristotélica de la contradicción como el principio último de la lógica, para afirmar, en cambio, que sí pueden pensarse atributos opuestos del mismo objeto al mismo tiempo, pues en realidad no conocemos las entidades, sino que tan sólo creemos en ellas, al igual que en la posibilidad del conocimiento, creencia que se basa a su vez en la suposición de que las sensaciones nos enseñan la verdad sobre las cosas (26). Es obvio que en los sueños se producen constantemente contradicciones como las que estudió Lévy-Bruhl en el pensar del hombre primitivo; que el niño, hasta alcanzar cierta edad, tampoco evita —o entiende— la contradicción o la ilogicidad de ciertas afirmaciones, lo mismo que suele ocurrir, según se dijo ya antes en relación a la germánica, en la poesía épica primitiva, y puede en general suceder siempre en la poesía, fuerza o don que no tiene por qué sujetarse a la consistencia lógica, la cual es, a fin de cuentas, un principio restrictivo del pensamiento (27).

La conexión entre mentalidad primitiva y civilizada que revela el estudio de aquélla explica también cómo Rulfo puede expresar modos de conducta típica de aquélla aun cuando sus personajes no sean indios, pues como él mismo explica: «no, no hay indios en mi literatura» (*Escritura,* p. 312). Esta declaración ocurre al final de unos comentarios sobre costumbres religiosas y sociales de los indígenas que demuestran ampliamente qué bien conoce el autor y cuánto le interesa la mentalidad indígena, la cual concluye que es muy difícil de penetrar aun para quien como él vivió en íntimo contacto con ella por tantos años como resultado de su trabajo entre los indios (28): «Resulta muy difícil, muy compleja y completamente hermética. Solamente un antropólogo podría escribir sobre ellos, pero con las características antropológicas, sociales» (p. 310). Los personajes de *PP* y del Llano no son indios, ni tampoco son todos ellos mestizos (Pedro, por ejemplo, debe ser blanco, según corresponde a su posición social de terrateniente; de ahí su atractivo para Doloritas, quien es muy morena: p. 21), pero su mundo cultural y social es un mundo mestizo, en el cual la cultura indígena sobrevive de muchos modos, alimentando y modificando la europea, española o blanca. Ese mundo cultural del campo de la provincia mexicana ha sido, ateniéndolos a lo que el propio Rulfo cuenta, el de su infancia y juventud, la fuente, pero también el soporte de su obra, porque es al sentimiento que expresan los miembros de ese mundo triste y un poco hermético que quería dar vida —que no es lo mismo, sino algo bien distinto, a *interpretar.*

Quizá la comparación de la perspectiva narrativa de Rulfo con la de una novela como *Things fall apart* (1958), de Chinua Achebe, pueda ayudarnos a entender finalmente el porqué de la novedad y el éxito de la empresa de aquél. Los personajes de Achebe, habitantes de una comunidad Ibo en el Africa occidental, pertenecen todos ellos inicialmente al tipo de mentalidad que Lévy-Bruhl llamó primeramente primitiva o pre-lógica. El narrador externo que describe las reacciones de esos personajes es, sin embargo, un hombre perfectamente civilizado, y su propósito es reproducir cómo afecta al mundo del clan con sus creencias mágicas el contacto con la cultura europea a través de la colonización, para lo cual comienza por mostrar cómo ciertas creencias del clan no satisfacen del todo a todos sus miembros, cómo éstos mismos u otros actúan independientemente, cuáles son sus motivaciones, qué piensan, etc. Es decir, que como el narrador no es aquí el vocero de sus personajes, sino su intérprete consciente o deliberado, mantiene siempre una distancia respecto a ellos que resulta en el acrecentamiento del valor documental —antropológico y social o histórico— de la novela, en lugar de en su calidad afectiva —algo independiente a su vez de su capacidad como cuadro humano y psicológico, el cual es también estupendo. Algo semejante sucedía con las novelas indigenistas tradicionales (*Aves sin nido, Raza de bronce, El indio,* incluso *Huasipungo*), donde un narrador describía costumbres y creencias de la población indígena explotada desde una perspectiva cuya distancia respecto a la de sus sujetos trataría violentamente José María Arguedas de acercar a éstos en *Yawar fiesta* (1940), su primera novela y la única de todas ellas verdaderamente indigenista —junto con varios de sus cuentos—, por medio de la identificación emocional del narrador con el mundo indígena.

No obstante la total identificación de Rulfo en cuanto escritor con la sociedad que vive en las páginas de su obra, ésta concluye o se paraliza con *PP,* texto apenas posterior a los del *Llano.* Después de afirmar que la novela «La cordillera», la cual venía diciendo hacía años que estaba escribiendo, no existió nunca (aunque más adelante dice que había escrito algunas páginas de ella), sino que se trataba de una invención para justificar un silencio de otro modo incomprensible, con la composición de una nueva obra, Rulfo, en esa entrevista de 1974, equipara su caso con el de García Márquez: «Es el mismo caso de Gabo García Márquez, que dice que escribió *El otoño del patriarca* y que hace muchos años que la escribió, pero que no la quiere publicar. Yo también digo eso: Ya la escribí, pero no la quiero publicar. Todos conocemos el fin del *Patriarca* de Gabo, pero la novela nadie la conoce ... Yo creo que eso es lo único que existe de esa novela. El Gabo es tanto o más mentiroso que yo, y eso se hace porque están seguido molestando: —"Oye, y ¿qué pasó con la siguiente novela?"...»

(página 316). Quizá aquí Rulfo, con una ironía muy cortés (muy mexicana), está expresando cómo en su opinión *El otoño* —aparecida al año siguiente de la entrevista, en 1975— no añade en realidad nada a la obra de su autor, según se trató ya de explicar, sino que, por el contrario, al machacar sobre lo mismo —una soledad cada vez más metafísica— contribuía a encerrar aún más la obra de García Márquez en el callejón por donde su estupenda transformación de la memoria, tanto personal como colectiva, en fantasía, la estaba llevando.

El que se publicara *El otoño,* y después de ella la *Crónica de una muerte anunciada,* vale entretanto para subrayar la diferencia de su autor respecto a Rulfo, al cual, llegado cierto momento de su carrera, le sobreviene un silencio irrompible. Hacia el final de la entrevista, aquél comenta despectivamente sus obras primerizas, publicadas recientemente: «*Un pedazo de noche* fue la primera novela que yo empecé a escribir; era una novela de ésas que escribe uno cuando empieza a escribir: muy retórica, muy llena de cosas. Esa era una novela urbana. El personaje central era la soledad.» Un fragmento de otra (o de la misma) obra ha aparecido como cuento, «pero formaba parte de una novela que se llamaba algo así como *La soledad del padre casado,* creo. Tenía un título muy raro y trataba de eso de los barrios de prostitución, de la soledad que vive una persona en una ciudad. Tenía como cuatrocientas páginas, pero era muy mala. Pero la añadieron ahora que hicieron el libro», a lo cual él no se opuso porque siempre deja hacer a los editores con sus obras (o más bien con las reediciones de éstas) lo que quieran: «soy tonto ... eso es apatía, ¿no? Pos ... si quieren publíquenlo, si quieren déjenlo de publicar. En realidad una cosa ya escrita deja de interesar, ¿no? Está muerta. Como dice Atahualpa Yupanqui: Le llega la antigüedad, ¿no?» (pp. 316-17).

La referencia, como colofón a este breve repaso de su aprendizaje literario, a un cantante de canciones tradicionales y de protesta, sirve para definir idealmente la actitud de Rulfo respecto a la propia obra como un proceso casi independiente de él mismo, a la vez que subraya qué distantes se hallaban aquellos primeros textos del hallazgo de su voz auténtica. El encuentro con ésta unos años después expresa la vuelta al mundo natal, a cierto espíritu que los intentos de escribir novelas urbanas o existencialistas no habían, afortunadamente, matado en él. Sólo que la aprehensión de aquél, por medio de la apertura a las voces que tanto debieron impresionar su niñez, adolescencia y primera juventud, resulta tan trascendental, tan poderosa, y tiene repercusiones tan profundas, que de hecho lo encierra en ese universo: Rulfo descubre éste como artista, lo captura y lo expresa cabalmente, pero será también dominado por él. El proceso no fue súbito, naturalmente: «Nos han dado la tierra» aparece en 1945; un fragmento («Una estrella junto a la luna») de *PP* en 1954. Anterior al primer cuento publicado de Rulfo es la novela «La soledad del padre casado» (un fragmento de la cual, «Un pedazo de noche», apareció en 1959), pues según los datos del autor se la dio a Juan Larrea para una revista de «los refugiados españoles al llegar a México» (*Escritura*, p. 316), pero no mucho; «Un pedazo de noche» —a no haber sido reescrita— tiene poco que envidiarle a *PP*. O sea, que el autor había hallado ya su voz para 1945 —perfecta en «Nos han dado la tierra»—, pero en 1953 ó 54, ya acabada la primera versión de *PP*, sigue inseguro sobre su «estilo», elimina páginas, reescribe, no sólo porque va a dar el salto del cuento a la novela, sino a una del todo diferente a sus primeros intentos de ficción larga (29).

Si la mentalidad pre-lógica, mítica o afectiva no difiere de la civilizada sino en cuanto al ordenamiento de prioridades, el vínculo de la conducta con ciertas fuerzas independientes de ella y el énfasis en el sentimiento en vez de en el raciocinio o la lógica, no puede sorprender que el *escritor* Rulfo haya podido atraparla, ya que el paso del universo del artista culto al de sus personajes campesinos puede consistir en una leve alteración de las perspectivas. Su descubrimiento de esa mentalidad es trascendental para el narrador, pues entraña el establecimiento de afinidades de temperamento que no se habían definido hasta entonces, o entretanto el escritor se esforzaba por hallar su camino por la misma vía urbana, psicológica, social, etc., que atraía a sus contemporáneos.

Como consecuencia, Rulfo queda apresado para siempre dentro de ese «llano en llamas» de sus ficciones, de modo que pueda escuchar, tal y como surgen, los murmullos que salen de la tierra, por así decirlo. Pero también queda incapacitado, precisamente porque es un escritor culto en vez de un narrador popular, porque cuando acertó a dar vida a ese mundo situado ya en el pasado, en el recuerdo, su presente era el vulgar y cotidiano de la ciudad amorfa, burguesa, cosmopolita, para continuar alimentando su arte de esas voces, sin que pueda tampoco, a causa de ellas mismas, continuar escribiendo, es decir, extrayendo del mundo en que vive, día tras día, fuerzas creativas, como sí hacen otros escritores igualmente cultos, pero que han aceptado de lleno el presente urbano (Fuentes, Vargas Llosa, Cortázar). Cuánto más efectivas no son esas voces que escuchó Rulfo, sin embargo, con todo y pertenecer a muertos (en *PP*) que los vagos «rostros sin mañana» que ve Artemio Cruz antes de morir (*Artemio Cruz*, p. 278). Estos últimos se supone que deberán confirmarnos en la esperanza de un «futuro» (Ibíd.) donde su presencia será (quizá) por fin efectiva en cuanto a la capacidad de transformar el presente. En tanto, o mientras tiene lugar la revolución que Artemio vislumbra (quizá) y que su autor ha rechazado más tarde como posibilidad, las voces de los personajes de *El llano en llamas* y de *PP* sí que nos ponen en comunicación directa con la raíz del pueblo hispanoamericano —lo mismo que «la madre» de *La guaracha* mientras trata, inútilmente, de integrarse en el proceso de «modernización» de Puerto Rico. El modo como Rulfo ha logrado darle vida para siempre a un mundo que es parte esencial de la realidad americana sugiere nuevos caminos para nuestra literatura.

NOTAS

(1) «Era un libro que no tenía ninguna aceptación, y ahora, entre la juventud, entre la generación actual, y sobre todo los estudiantes, son los que lo están leyendo ... Al principio se editaron 200 ó 300 ejemplares; después 1.000, y pasaron como diez años antes de que se volviera a editar. Y ahora, en los últimos cuatro años, se han editado 400.000 ejemplares» («Juan Rulfo examina su narrativa», *Escritura,* I, 2, 1976, 305-41, 306-7. La entrevista tuvo lugar en 1974).

(2) Afirma Alejo Carpentier que a los hombres de su generación les produjo un «fabuloso efecto» la aparición de esas tres novelas «allá por la década 1920-1930» («Problemática del tiempo y del idioma en la moderna novela latinoamericana», *Escritura, ibídem,* p. 191).

(3) *PP* ha sido traducida a 18 lenguas extranjeras a partir de 1958, y *El llano en llamas* a nueve (Arthur Ramírez, «Hacia una bibliografía de y sobre Juan Rulfo», *RI,* XL, 86, 1974, 135-71).

(4) Véase a propósito Luis Leal, «La estructura de»..., *Homenaje a Juan Rulfo,* ed. Helmy F. Giacoman (Madrid: Anaya/Las Américas, 1974).

(5) Franco, *The Modern Culture, op. cit.,* pp. 243-4.

(6) Franco, «El viaje al país de los muertos», *La narrativa de Juan Rulfo. Interpretaciones críticas,* ed. Joseph Sommers (México: Sep/Setentas, 1974), 117-40.

(7) Publicado en la revista *Pan,* de Guadalajara, en 1945 (bibliografía cit., p. 138).

(8) *La fórmula secreta* y *El despojo,* incluidos en Rulfo, *El gallo de oro y otros textos para cine,* ed. Jorge Ayala Blanco (México: Era, 1980). Sobre la primera, que se iba a llamar «Coca-Cola en la sangre», y «es una película ANTI», véase *Escritura,* página 315.

(9) Vidal, «Narrativa de mitificación satírica», art. cit. Véase también Carlos Blanco Aguinaga, «Realidad y estilo de Juan Rulfo», en *La narrativa de...,* ed. Sommers, sobre cómo la historia es el enemigo de esos personajes, que viven al margen de ella, de modo que cuando irrumpen en el tiempo real, es violentamente. Esa angustia de una tierra concreta, pero vista subjetivamente, es la vía de entrada a una realidad histórica concreta de la existencia mexicana. En la entrevista que abre el mismo volumen, el editor menciona que la visión que nos da Rulfo es la de un México muerto, donde el progreso es imposible.

(10) Continúa diciendo Rulfo en la entrevista ya citada que hay muchos nombres simbólicos en la novela, como el de la mina «La Andrómeda», «que está muy lejos en el universo», de modo que cuando el padre de Susana se va allí «significa que no está en ninguna parte». Susana, por su parte, «simboliza el ideal que tiene todo hombre de esa mujer que piensa encontrar alguna vez en su vida» (p. 307).

(11) María Luisa Bastos y Sylvia Molloy, «La estrella junto a

la luna: variantes de la figura materna en»..., *MLN*, 92 (1977), 246-68.

(12) Bastos y Molloy, «El personaje de Susana San Juan: clave de enunciación y de enunciados en»..., *Hispamérica*, VII, 20 (1978), 3-24, p. 24, «*Una* estrella junto»... según bibliografía cit., página 138, n. 26.

(13) Véase cómo describe el mar, en el que se baña (o más bien se hunde y entrega), desnuda y sola, pues su marido, Florencio, la sigue el primer día, pero luego se siente «solo, a pesar de estar yo allí» (*Pedro Páramo*, México: FCE, 1975, pp. 99-100).

(14) Véase, además de los artículos de Bastos y de Molloy, el de Julianne Burton, «Sexuality and the Mythic Dimension in»..., *Symposium*, XXVIII, 3 (1974), 228-47 (sobre la dimensión psicosexual de los personajes de la novela, esp. Susana y Juan Preciado, quien nunca rompe los lazos que lo atan a la madre, en tanto que Pedro, el tirano, triunfa al final en una visión de un mundo irredento e irredimible), y mi propio artículo «Algunas observaciones sobre el simbolismo de la relación entre Susana San Juan y Pedro Páramo», *Cuadernos Hispanoamericanos*, 270 (1972), 584-94.

(15) Paul W. Borgeson, Jr., «The Turbulent Flow: Stream of Consciousness Techniques in the Short Stories of Juan Rulfo», *Revista de Estudios Hispánicos*, XIII, 2 (1979), 227-52, p. 245.

(16) Art. cit., p. 251. Véase también el de Arthur Ramírez, «Spatial Form and Cinema Techniques in»..., *REH*, XV, 2 (1981), 233-49, sobre cómo la estructura de la novela depende de la percepción de relaciones entre grupos de palabras desconectadas o yuxtapuestas que tienen que ser percibidas simultáneamente, al igual que las escenas de la primera parte de la novela tienen que ser retenidas en estado de suspensión hasta que reaparecen en la segunda, de acuerdo con una técnica similar a la del montaje cinematográfico. Para un rigurosísimo análisis del estilo de Rulfo, esp. en *El llano*, desde el punto de vista del orden gramatical, el léxico, etc., véase Nilda Gutiérrez Marrone, *El estilo de Juan Rulfo: estudio lingüístico*, New York: Bilingual Press, 1978.

(17) *Antología personal*, introd. por Jorge Ruffinelli (México: Nueva Imagen, 1978), contiene dos textos antiguos, «Un pedazo de noche» (1940), en primera persona, y tan bueno como *PP* o *El Llano* en su recreación del lenguaje popular, y «La vida no es muy seria en sus cosas» (1945), con un narrador externo, más lírico y menos logrado. Las ediciones más recientes de *El llano en llamas* incluyen dos nuevos cuentos, «El día del derrumbe» y «La herencia de Matilde Arcángel», el primero en forma de diálogo, y el segundo con un narrador que cuenta la historia del sucedido de viva voz, como hacen los narradores del *Llano*.

(18) María Luisa Bastos, «Clichés lingüísticos y ambigüedad en»..., *RI*, XLIV, 102-103 (1978), 31-44.

(19) Más adelante dice que se le hacía «muy grueso» el libro, de modo que le quitó páginas para que al público «no le diera flojera leerlo». También a él le costó trabajo al principio (¿leerlo, escribirlo?), pero «ya a la tercera vez lo entendí, ya más o menos le agarré el hilo. Soy partidario de los libros pequeños», pero, de cualquier modo, la eliminación de páginas no fue arbitraria, sino que eliminó «las explicaciones. Era un libro un poco didáctico, casi pedagógico: daba clases de moral y yo no sé cuantas cosas y todo eso tuve que eliminarlo porque no soy muy moralista y además... sí, fui dejando algunos hilos, aquellos hilos colgando para que el lector me... pues, cooperara con el autor en la lectura. Entonces es un libro de cooperación» (p. 308).

(20) Rulfo responde a la pregunta de si la novela en la que se decía que trabajaba hacía muchos años, «La cordillera», está aún en preparación, ha sido desechada o está terminada: «Sí,

¡ya la tiré a la basura! Sí, *La Cordillera* no existe. En realidad nunca existió» (p. 316).

(21) La influencia de la literatura escandinava, al igual que la de la rusa y la eslava en general, sobre la hispanoamericana, está muy poco estudiada, aun cuando algunos de esos novelistas, como Hamsun, tuvieron gran difusión en castellano. Creo percibir una huella de este último en el primer Onetti, por ejemplo.

(22) Para un resumen de las teorías de Lévy-Bruhl, véase Jean Cazeneuve, Lucien Lévy-Bruhl (New York: Harper, 1972).

(23) Por ejemplo, la acción asesina del narrador de «La cuesta de las comadres», o el modo como el vengador o criminal de «El hombre» se disculpa varias veces y pide excusas de la gente a la que está, mientras tanto, asesinando; lo que le dice a su padre, que le pide ayuda, un personaje de «¡Diles que no me maten!»: «No. No tengo ganas de ir. Según eso, yo soy tu hijo. Y, si voy mucho con ellos, acabarán por saber quien soy, y les dará por afusilarme a mí también»; las reacciones del hablante en «Paso del norte» respecto al camarada muerto, o a su propio padre; las de Pancha, en «Anacleto Morones» (*El llano en llamas*, México: FCE, 1964, pp. 21, 27, 39, 85, 125, 126, 141).

(24) Walter Benjamin nota que la convicción de que un mismo objeto se halla al mismo tiempo en varios sitios, que Lévy-Bruhl atribuye a la mentalidad primitiva, es propia del sueño, al igual que de la psicosis, y reprocha al antropólogo el no haber intentado una explicación o «mediación» histórica entre ambas mentalidades, sin duda por influencia de la escuela de Frazer (*Iluminaciones,* I, ed. cit., «El problema de la sociología del lenguaje». El artículo, de 1935, es anterior a la reforma por Lévy-Bruhl de su teoría.

(25) El esquimal, por ejemplo, reconoce la contradicción existente en decir que el primer caribú llevaba pantalones de caribú, pero ello no afecta su creencia (Cazeneuve, p. 12). De lo que se trata es de la categoría afectiva de lo sobrenatural, la cual define el elemento común a todas las representaciones de tipo místico. A partir de cierto momento en la evolución del pensamiento lógico, el hombre dejará de decir que él es cierto animal, para explicar que ese mismo animal es su antepasado. Mitos y símbolos resultan a partir de ahí esenciales, pues sin ellos la participación en la naturaleza no podría ser concebida, y el hombre se halla ya en camino del concepto, especialmente una vez que lo cognoscitivo se separa de lo afectivo. En el instante en el que las conexiones que hacían la percepción mística pierden valor, el hombre percibirá las contradicciones y podrá asimilar la enseñanza de la experiencia. Aunque no existe una evolución continua de uno a otro estado, Lévy-Bruhl señala cómo en el más primitivo (el de los aborígenes australianos) domina el sentimiento de participación total, en tanto que entre los indígenas americanos se distingue entre lo sagrado y lo profano (Cazeneuve, p. 9).

(26) Véase Paul de Man, «Action and Identity in Nietzsche», *Yale French Studies*, 52 (1975), 16-30, quien señala las contradicciones en el argumento del filósofo (pp. 22, 29, 30).

(27) Véase sobre ello Heidegger, *Hölderlin y la esencia de la poesía.*

(28) A la pregunta del entrevistador sobre si está de acuerdo en que su obra contiene «una tercera dimensión del indio, un punto de vista exploratorio de su hermética interioridad», Rulfo responde que «El indio mexicano, como todos los indios, tiene una mentalidad muy difícil», que él no ha escrito jamás sobre los indios, ni los incluye su obra, pero que sí los conoce bien, pues trabajó entre ellos por más de quince años (como empleado del Instituto Indigenista), al cabo de los cuales lo único que sabe de ellos es lo que se ve de su conducta, y jamás cómo piensan. A estas afirmaciones siguen varios ejemplos de sincretismo reli-

gioso indígena, en gran parte resultado de la violencia de la conquista (pp. 309-12).

(29) Rulfo le dice a Sommers que *PP* fue sobre todo «una búsqueda de estilo. Tenía yo los personajes y el ambiente. Estaba familiarizado con esa región del país, donde había pasado la infancia, y tenía muy ahondadas esas situaciones. Pero no encontraba modo de expresarlas. Entonces, simplemente lo intenté hacer con el lenguaje que yo había oído de mi gente, de la gente de mi pueblo. Había hecho otros intentos —de tipo lingüístico— que habían fracasado porque me resultaban un poco académicos y más o menos falsos. Eran incomprensibles en el contexto del ambiente donde yo me había desarrollado. Entonces el sistema aplicado finalmente, primero en los cuentos, después en la novela, fue utilizar el lenguaje del pueblo, el lenguaje hablado que yo había oído de mis mayores, y que sigue vivo hasta hoy», hasta que resulta *PP*, cuyo «personaje central es el pueblo» (*La narrativa de...*, pp. 18-9).

DEL EXPERIMENTO AL COMPROMISO

Como ha dicho definitivamente Fernández Retamar hablando del intelectual cubano, pero con frases que resultan traducibles a cualquier circunstancia latinoamericana, incluyendo la de los países más avanzados, nadie que haya cortado caña por una temporada, al mismo tiempo que soviéticos y estadounidenses colocaban sus astronautas en la Luna, puede dudar «de que sea el suyo un país subdesarrollado, aunque pueda él recibir personalmente cada semana *L'Express* o leer cuatro idiomas. Su óptica quedará enmarcada dentro de esa realidad. Escribirá y sobre todo pensará dentro de ese contexto» (1).

Aún más que el artista, el escritor, el intelectual de los países desarrollados, el de los periféricos, trabaja con enorme dificultad, desempeñando oficios que no le interesan, halagando, engañando y engañándose en un ambiente cuyas limitaciones asfixia y alienación decrecen proporcionalmente al estado de desarrollo del país y a su proximidad a una transformación radical del orden social. La diferencia crucial entre ambos intelectuales y artistas es que los del país subdesarrollado trabajan para el futuro, pues si su obra posee el valor al que aspira, corresponderá a condiciones culturales que no pueden ser ya las del subdesarrollo, aun y cuando reproduzca aquél miméticamente, además de que cuando hace esto último con una conciencia política firmemente basada en la historia, se proyecta más allá de los límites de su propia circunstancia y fuera, por tanto, del subdesarrollo (2). Es ése el ideal al que debe aspirar la obra, en tanto que en la realidad de la creación artística que tiene lugar día a día, hora a hora, las tensiones propias de la sociedad en estado de subdesarrollo afectan irremediablemente el producto del artista lo mismo que el del crítico, los cuales van a expresar a través de los medios y los objetos a su disposición —una metodología inadecuada, soledad y alienación de los personajes, aspiración desmedida a la universalidad, reducción de la realidad a esquemas alegóricos más o menos simplificadores, inclusive la experimentación a todo trance— la inseguridad, los anhelos y los fracasos de la burguesía a la que indefectiblemente pertenece el escritor (3).

Una vez que nos detenemos en la relación entre creación artística y subdesarrollo, cabe distinguir, de acuerdo con Morán, entre subdesarrollo neto y semidesarrollo. En el primero —del cual ya no quedan casi ejemplos en América—, mundo totalmente cerrado, explícita, oficialmente dependiente, la obra artística es un acto político por definición, pues expresa una voluntad de afirmación cultural y, por tanto, nacional y descolonizadora. En el semidesarrollo —dentro del cual hay también grados muy diversos, desde el muy próximo al subdesarrollo al ya cercano al «despegue» económico—, la obra del escritor refleja, con las estructuras políticas y sociales del mundo donde se produce, la superposición dentro de él de formas culturales a menudo opuestas.

Ese artista del semidesarrollo —el latinoamericano en general— debería buscar una síntesis de valores antiguos y nuevos que le permita encontrar el sentido de su propia modernidad, sólo que la falta de conciencia histórica de su verdadera condición como intelectual en una sociedad capitalista «semidesarrollada», así como de lo que hace a la relación de dependencia de la sociedad en que vive respecto al capitalismo transnacional —conciencia que terminaría descubriéndole cómo, pese a las apariencias en contrario, continúa perteneciendo al subdesarrollo, puesto que el «despegue» que lo rodea depende directamente de la decisión de las economía centrales—, suelen llevar a nuestro intelectual por otros caminos, y deseando trascender a toda costa el subdesarrollo que le parece que ha dejado ya por lo menos parcialmente atrás, afirma la alianza que espontáneamente ha contraído con las burguesías de su propio medio, para, con la misma prisa que éstas, saltarse etapas no importa a costa de qué, y sin atención alguna a si creará un producto auténtico, o, como sucede en las economías latinoamericanas más desarrolladas, meramente «armado» allí, por disposición de las transnacionales.

El resultado será un artista separado de su propia cultura como no lo está ni el del superdesarrollo capitalista, que refleja espontáneamente la alienación consustancial a este, ni, desde luego, el del subdesarrollo neto, que, sabiéndose marginal, trata de invocar el valor de su cultura original contra la opresora, o contra el vacío cultural. Por más que la obra de nuestro escritor coopere con los fines de la sociedad en proceso de o con aspiraciones al despegue, ésta se halla, sin embargo, demasiado atareada en su carrera por alcanzar el modelo avanzado como para prestarle atención a ese artista, el cual ha desatendido mientras tanto las contradicciones de la sociedad en que vive; las cuales su obra reproducirá, pero inconscientemente, de modo que no contribuyen a empujarla fuera de las restricciones de ese medio.

Mientras tanto el escritor del subdesarrollo latinoamericano no entienda cuál es su posición, su producción tenderá a asumir la misma función que la economía de los países industrializados continúa asignándole a la de los dependientes en plan de desarrollo, la de exportadores de materia prima (en el caso del subdesarrollo neto) o de proveedoras de mano de obra barata y de garantías a la inversión de capital, lo cual puede traducirse en términos artísticos como productores de exotismo (pues es aún de esa manera como se lee en Europa y en Estados Unidos a autores tan sofisticados y «europeos» como Carlos Fuentes, y hasta a Borges, excepto, quizá, en ciertos círculos estrictamente académicos) y receptores o consumidores entusiastas de todas las modas literarias europeas y norteamericanas y, desde hace unas pocas décadas, también de toda la teoría literaria que se produce en los países avanzados, mientras más reciente mejor; sólo que a veces, entre lo que demoran en llegar las publicaciones académicas, el modo como lo hacen, generalmente sin beneficio de una discusión previa o contemporánea con su recepción por parte de quienes han estado presentes a la enunciación de esas teorías, según ocurre en Europa, y lo mucho más aún que tardan las traducciones (a menudo incompletas cuando aparecen), la teoría en cuestión empieza a ser rechazada allí donde se originó cuando se adopta de esta orilla.

No cabe duda, al mismo tiempo, que en Latinoamérica la inestabilidad social y económica, lo reciente de las instituciones políticas y sociales, lo precario del orden social en general, dentro de un cuadro general de pobreza, atraso industrial, caos institucional y social, hace que exista un contacto mucho más estrecho entre el fenómeno político y el cultural, al cual le falta el relativo aislamiento que la continuidad cultural y el orden social facilitan en Inglaterra, Francia, Estados Unidos, etc. Lo cual sugiere que debería existir también por parte de ese escritor latinoamericano un interés mayor, una comunicación más vital con una situación histórica o política de cuyos efectos puede protegerse mucho menos fácilmente, y sólo a costa de mayor ceguera deliberada, que su congénere del capitalismo avanzado (4). La conciencia de la estrecha relación entre la producción artística y la puramente económica como parte de un mismo proceso histórico y cultural constituye para el artista el primer paso para entender el subdesarrollo y, en consecuencia, para dejarlo atrás como preocupación limitadora en cuanto absorbe toda nuestra energía con el fin de rechazarlo, olvidando que es parte de un complejo histórico para superar el cual definitivamente en nuestras sociedades, las cuales se han desarrollado desde el principio a la zaga y en relación de dependencia respecto a las del capitalismo avanzado, habrá que comenzar con una alteración radical del orden político, pues el del subdesarrollo no constituye un orbe externo al del desarrollo industrial, sino que convive con y dentro, de hecho, de éste, por ser el resultado de la violencia que vienen ejerciendo desde hace siglos los países centrales, para beneficio propio, contra los de la periferia.

La marginalidad de nuestros países constituye el punto de partida para entender nuestro subdesarrollo. Como es bien sabido, España (y más específicamente Castilla, pues Aragón era de hecho una potencia europea o mediterránea en 1500) y Portugal habían tenido un desarrollo histórico que las ponía a la zaga del resto de la Europa occidental, política y económicamente, en la última década del siglo XV, de modo que inician la colonización del Nuevo Mundo con un enfoque básicamente feudal, con la consecuencia de que sus colonias padecerán una doble marginalidad, primero respecto a la metrópoli y después por lo que les toca de éstas, que lo estaban respecto al resto del «sistema mundial» (5). La independencia latinoamericana la deciden factores políticos tanto como económicos, ambos provocados o relacionados con el ardiente deseo de las clases superiores criollas por controlar su propio desarrollo económico y político independientemente de las metrópolis, mas lo que afirma o garantiza esa independencia es su importancia, a lo largo del siglo XIX, para la expansión del capitalismo inglés y norteamericano, y se desarrolla allí a expensas, naturalmente, del crecimiento y evolución independiente o normal de las formas de producción local. Lo mismo que ocurre con el desarrollo de nuestra cultura a partir de la independencia, la cual se afirma a través de la búsqueda de lo autóctono frente a lo ibérico (el romanticismo de Echeverría, por ejemplo), pero al mismo tiempo que se rechaza el «pasado» cultural colonial se absorbe a grandes dosis lo europeo —es decir, francés, inglés y hasta alemán— como vehículo para afirmar lo nacional en contra de lo español y portugués. El intelectual latinoamericano olvida de ese modo su propia marginalidad, lo cual podía haberlo ayudado a desarrollar, partiendo de una comprensión realista de su propia situación, los valores o formas de la cultura local y a absorber la europea de modo que ayudasen sus elementos al desarrollo de los otros.

Es sólo cuando el artista comprende que cada obra que se produce tiene un valor político específico y un papel que desempeñar en el proceso histórico nacional y continental (entendiendo por éste el universo latinoamericano) como podrá contribuir efectivamente a dejar atrás el subdesarrollo, porque también habrá entendido qué es éste, tanto en lo que hace a la sociedad donde actúa como respecto a la situación de la propia obra en relación a la producción cultural de los países avanzados. Comprenderá entonces no sólo que no hay subdesarrollo cultural, verdaderamente —algo que sus propios esfuerzos por asimilar la cultura de aquellos países y su conversión de esa asimilación en un producto propio ya se lo sugería—, sino que no hay tampoco subdesarrollo, semidesarrollo y desarrollo, como fenómenos separables, sino una estructura política dentro de la cual nuestras naciones desempeñan el papel de subdesarrolladas que hace falta al capitalismo avanzado: si ese vínculo que nos hace depender de éste se rompe, desaparece también el subdesarrollado que depende de él —que es, de hecho, dependencia— y el país queda libre para proseguir su propio desarrollo, sin prefijos que categoricen éste de acuerdo con normas foráneas.

Lo cual no quiere decir, traducido a lo cultural, que deba cortarse el vínculo con la cultura de los países centrales, la cual es parte integral de nuestro acervo, lo mismo que la ibérica, sino que al igual que tampoco podemos prescindir, ni es razón de que se haga así, de la maquinaria y de la técnica de las naciones industrializadas, hay también que aprender a utilizar su cultura para producir, a nuestro propio ritmo, y empleando esencialmente nuestra propia materia prima, una cultura nacional, producción que no es, claro, estática o definitiva, sino que va sucediendo al paso que se van modificando las relaciones sociales y la estructura económica y, en el interior de ese proceso constante, también la interacción entre grupos culturales y poder político.

II

Desde que hace unos quince años comenzó a explicarse la situación económica de Latinoamérica en términos de su dependencia de los países industriales capitalistas, esos análisis se han articulado en una teoría que cuenta entre sus adherentes a muchos de los más importantes sociólogos latinoamericanos. Defendida, atacada, explicada, modificada, la teoría de la dependencia latinoamericana es objeto constante de interés porque permite una visión coherente del desarrollo de la economía latinoamericana, desde los tiempos coloniales hasta el presente, como una serie de dependencias —de las metrópolis coloniales primero, de Inglaterra después; de Estados Unidos, principalmente, desde el último cuarto del siglo XIX para muchos países (Centroamérica, el Caribe, México parcialmente), y a partir de la segunda guerra mundial para el resto también— que no se limita a la economía, sino que afecta toda la fábrica social y política, de modo que no se escapa de ella la literatura.
La conciencia de nuestra dependencia es el resultado de la comprensión del fracaso de la modernización o industrialización de Latinoamérica que se llevaba a cabo desde hacía varias décadas, cobra impulso en la del cincuenta, y aún más a principios de la siguiente (con agencias como la Alianza para el Progreso y CEPAL —Consejo Económico para la América Latina, de la ONU—), pero ya para esas mismas fechas empieza a ser objeto de un examen objetivo que oponiéndose al panegírico oficial del supuesto éxito del avance económico de Latinoamérica, fuese capaz de diagnosticar las razones por las que incluso los países con mayores recursos económicos, capital, etc., empeoraban económicamente a ojos vistas, o de que los regímenes con sinceras intenciones reformistas fuesen incapaces de eliminar la miseria redistribuyendo aunque fuese parcialmente la riqueza nacional.
Como parte del desarrollo capitalista del «sistema mundial», la dependencia latinoamericana ha dado lugar a un subdesarrollo (o semidesarrollo) industrial capitalista que, al mismo tiempo que es fuente de desigualdades económicas e intensifica la penetración de la economía nacional por la extranjera, acelera el desarrollo de ciertas fuerzas productivas, de modo que dependencia y desarrollo pueden

coexistir perfectamente. Aquélla ha transformado la estructura económica, social y cultural de Latinoamérica a lo largo de un proceso que parece afianzarse en los últimos años; de ahí que sea menester estudiar la economía dependiente en relación al acontecer histórico del que es parte, y a entender el cual, reconstruyéndolo científicamente, se dirige, en definitiva, el análisis de la dependencia; de otro modo, la teoría o serie de hipótesis surgida de ese análisis, se convierte en otro artículo de consumo más, en una aplicación mecanicista de ciertas conclusiones a todos los problemas sociales —del tipo del antiimperialismo simplista con que primero se atacó la dependencia (como si ésta fuese de origen exclusivamente político, o como si las naciones que afecta pudiesen en realidad existir independientemente de una estructura económica internacional y de un proceso de cambios sociales que afecta incluso a los países socialistas)— que nos aleja de su solución (6).

Ya una primera ojeada de las características de la dependencia revela cuánto en común tiene con su desarrollo el de la literatura iberoamericana: al igual que la orientación de nuestras economías hacia el mercado de exportación por obra de su progresivo control por intereses extranjeros resulta en el desarrollo exagerado de capitales y puertos a costa del resto del país, y a la larga en una expansión económica que, por limitarse a ciertos sectores, no requiere cambios estructurales de gran magnitud (7), así también nuestras literaturas se desarrollan a la sombra exclusiva de las metropolitanas, primero, y, luego, de las demás europeas, o a espaldas del todo de una tradición indígena, popular, oral, que, lo mismo que las poblaciones del interior, languidece abandonada y amenaza con desaparecer del todo, absorbida, como el campesino que trata de asentarse en la capital, por una industrialización improvisada.

La cual, no obstante su precaria condición, o la vecindad del subdesarrollo, existe, según se decía antes, es tan real como la «nueva» literatura latinoamericana que florece en nuestros centros culturales, hermana en complejidad y sutileza de las producciones más sofisticadas de la cultura de los países del capitalismo avanzado. Un automóvil producido en México o un refrigerador argentino son también hermanos gemelos, después de todo, de otros hechos en Detroit, Turín o París, excepto que la maquinaria que los ha creado y muchas de las piezas que los componen provienen, como los experimentos de nuestros novelistas y los métodos de sus críticas, de fuera, que es de donde provienen también nuestra cultura y la lengua misma en que escribimos. En la trama social, los diversos factores influyen recíprocamente unos sobre otros, de modo que no son sólo las estructuras económicas y sociales creadas por el proceso de la dependencia en su curso histórico las que exigen participar de lleno en la industrialización, integrarse en el mundo del superdesarrollo, sino que también cooperan a ello (recibiendo de vuelta el apoyo de ese proceso en marcha) las estructuras culturales, cuyos agentes provienen social e ideológicamente de la misma capa social burguesa, liberal, capitalina, que, aliada con las oligarquías terratenientes, monopolizó los frutos de la independencia política en el siglo XIX y sentó las bases de nuestra dependencia económica de las naciones industrializadas.

Lo mismo que el nacionalismo, o incluso el anti-imperialismo, no bastan para superar la dependencia económica, tampoco la cultural se reduce a un problema de penetración, aun y cuando ésta sea una constante de la historia latinoamericana y haya adquirido en nuestros días caracteres más exhaustivos y, por tanto, más destructivos (8). Penetración y dependencia culturales son condiciones del proceso histórico latinoamericano, resultado de ese proceso e impuestas por éste, las cuales podemos aspirar a modificar de varios modos, pero cuyas consecuencias —el modo como han afectado nuestra sociedad, nuestra cultura— resulta imposible anular, pues constituyen ya un factor de nuestro mismísimo ser o condición, al igual que lo es a estas alturas la industrialización dependiente de Latinoamérica y de los países subdesarrollados en general. De hecho, la dependencia es de un modo tan intrínseco parte de nuestro ámbito vital en su totalidad, que para hacernos plenamente conscientes de ella en todas sus exhaustivas ramificaciones se requiere alejarnos del medio propio, radicarnos temporalmente en el de las culturas hegemónicas que tanto nos atrae y del que somos parcialmente hechura, para comprender cómo, en cuántas esferas, de qué minucioso modo nos afecta, hasta qué punto los actos que creíamos ser resultado exclusivo de nuestra voluntad, dependen en realidad de decisiones tomadas muy lejos de nosotros (9). Sólo mediante esa realización será posible hacer de la inevitable dependencia un elemento fructífero, adoptando de ella lo que podría vigorizar nuestra sustancia autóctona y ayudar a precisarla. Es necesario evitar, por tanto, que la creciente consciencia de la dependencia resulte, a través de una ansiedad paralela a la que puede provocar en el escritor la evidencia en su escritura de la de otros (10), en falsas autodefiniciones construidas sobre la mera negación de los valores del colonizador, cuya existencia dentro de nosotros no puede rechazarse totalmente sin violentar la nueva o más auténtica realidad que se trata de crear para poner fin a la dependencia en cuanto estructura represiva de nuestro potencial y mecanismo que controla nuestra historia.

El obvio paralelo entre la dependencia económica que resulta de una situación histórica que comprende toda la estructura política y social, y cultural, ha sugerido a varios críticos la investigación de las relaciones entre ambas. M. J. Fenwick, por ejemplo, estudia en una obra reciente (11) de qué modo reproduce *La casa verde,* de Vargas Llosa, de hecho con independencia de la voluntad del autor, la estructura de dependencia que por caracterizar la economía peruana, abraza todo el complejo social del país, tanto en la selva como en el llano (12).

Un proyecto más ambicioso es el de Hernán Vidal, quien ha explorado el modo cómo nuestra dependencia de Europa se manifiesta tanto en la literatura romántica como en la del «*boom*», en forma de actitudes e identificaciones que expresan a su vez aspiraciones culturales típicamente dependientes: civilización = ciudad = cultura europea contra barbarie = interior, lo indígena o no europeo; el artista como conductor de masas; hasta que ya en nuestros días, ante el fracaso del proyecto civilizador o europeizante de la burguesía liberal decimonónica —al cual no puede reemplazar como ideal la industrialización de Latinoamérica, proyecto económico incapaz de entusiasmar a los intelectuales, además de que resulta imposible de llevar a cabo, según lo demuestran los males sociales que crea sin resolver otros—, la novela hispanoamericana insistirá en lo grotesco y lo irracional como manifestaciones de una desintegración histórica (13). En un artículo posterior, Vidal plantea varias posibilidades para el estudio de la literatura hispanoamericana a partir del de la dependencia (el modo como se definen los escritores frente al prestigio o universalidad de la cultura europea, el modo como representan la ciudad, adoptan y adaptan el discurso literario europeo o reflejan en sus textos los proyectos de la clase dominante, etc.), todas ellas encaminadas a ahondar en el estudio de la reproducción de aquélla —entendida no como mera explotación de la periferia por el centro, sino como un complejo social que incluye conflictos de clase y la posibilidad de una transformación revolucionaria— en la literatura, entendida a su vez como algo más que «la estructuración de una visión del mundo elaborada por diversos sectores conflictivos, sino también como argumentación reproductora y/o justificadora de un sistema de explotación laboral» (14).

En un magistral ensayo de 1975 (15), Jean Franco ha planteado la relación entre dependencia y literatura latinoamericana desde el período colonial hasta el contemporáneo, señalando los principales efectos de la una sobre la otra: ignorancia deliberada de la literatura popular u oral; auge de la poesía barroca como discurso que reproduce el vacío, la multiplicación de los significantes sin significado, de la paradoja como el arte de discurrir sobre problemas cuya solución está predeterminada; el costumbrismo como la posibilidad de incluir en el discurso literario una versión ya inofensiva de la «barbarie» indígena; modernismo, vanguardismo; distorsión de los cánones y de los objetos mismos representados por la novela realista; carnavalización, en fin, expresiva en esta definición de la conciencia (o de la sospecha) de que nuestros actos son un ejercicio puramente transitorio y hasta contradictorio, en vez de componer los mosaicos de un fresco histórico con un significado descifrable. Partiendo de la dependencia latinoamericana como paradigma crítico, Franco nos urge al estudio de los textos como objetos políticos en lugar de a su consumo (el cual aparece generalmente disfrazado de acto crítico); especialmente cuando esos textos pretenden no tener otro objeto que ellos mismos, pues es entonces como, por reproducir también la aparente neutralidad de la tecnología moderna, mejor colaboran con una situación de dependencia, cuyo mantenimiento necesita de nuestra despolitización. A la cual se oponen, en cambio, porque no permiten que se los lea sino políticamente (de modo que cualquier lectura del texto tendrá que caber dentro de ésta), obras como *Yo, el Supremo,* de Roa Bastos; *La noche de Tlatelcoco,* de Poniatowska; *Homenaje a los indios americanos,* de Cardenal. Es el análisis político —en el sentido de la ciencia de la *economía política,* que es con el que se viene empleando la palabra a lo largo de estas páginas— de la literatura, y más específicamente el que tiene en cuenta cómo la afecta ideológicamente la situación de dependencia el que le permite a Franco señalar, por ejemplo, que las novelas de Carpentier convierten los artefactos de la cultura europea en un *bricolage,* o cómo en *Paradiso* la totalidad de la tradición intelectual occidental puede ser evocada a propósito de una mera discusión de sobremesa: «Así, pues, se cita a San Pablo de Tarso, a Antonio Pérez, el favorito de Felipe II, y a José Martí sobre los efectos de comer excesivamente o muy poco, con lo que el texto, al reunir estas autoridades para comentar sobre una cita tan trivial, trae a primer término el acto de consumir, que aparece aquí divorciado de todo proceso de producción» (p. 76).

Que es exactamente lo contrario de lo que se proponen como finalidad interna, según preveía ya Adam Smith (*The Wealth of Nations,* IV, III, II), la industrialización y el comercio dentro de la economía capitalista (y también la novela de Lezama, cuyo propósito es la producción cultural desmedida en vez del consumo —incluido el cultural— al que puede aludir ésta o la otra secuencia): la producción en lugar del consumo, el cual se sacrifica constantemente a aquélla; es decir, que se lo subordina al proceso por medio del cual se extrae capital, de modo de inundarnos, según sucede en los países del capitalismo avanzado, con productos sólo superficialmente diferentes entre sí, repetitivos, inútiles, pues en realidad no es su consumo lo que importa, sino su producción masiva y por medios cada vez más sofisticados. Paralelamente, la literatura postmodernista va más allá de la moderna en su experimento con la relación autor-texto-lector, quisiera destruir todo vestigio de significado, quisiera ser parte —mera variación, como la que pueda existir entre dos zapatos de baile, o entre dos aparatos «procesadores» de alimentos— de un texto infinito, indefinido, constante, que comprenda no sólo la literatura, sino también la crítica; escrito por todos, dirigido a nadie sino a sí mismo. Resulta, sin embargo, que las máquinas y las prendas de vestir que más se parecen entre sí, hasta confundirse, suelen ser las más inútiles, las de uso más pasajero o fácilmente reemplazable. A medida que su utilidad crece, aumenta también proporcionalmente la importancia del estilo, de la marca, de un proceso destinado, por tanto, en mayor medida al consumo en lugar de a la producción indefinida de capital con las conocidas consecuencias de exceso de éste, inflación, etc.

El modo más certero de contratacar nuestra dependencia será para la economía latinoamericana —comprendida la política y la cultural— cambiar la dirección hacia la cual la encamina, apresurando así su asimilación por él, el capitalismo transnacional, y concentrarse, en lugar de en la producción, en el consumo; que es lo mismo que decir en el consumidor, tan necesitado de un producto que lo ayude a definir la propia situación en un mundo en constante proceso de cambio, donde figuran juntos lo auténtico y lo falso y lo meramente extranjero, y donde su alienación crece a medida que su nacionalidad, la local y la americana, parecen más difíciles de precisar, no porque realmente lo sean, sino porque la dependencia, al crecer, oculta el proceso histórico que ha conducido a ella. El cual es irreversible como pasado, pero no cuando nos proyectamos hacia el futuro.

III

Resulta obvio incluso para los conservadores que hayan examinado la situación mundial con una actitud receptiva a sus transformaciones, que nuestro universo enfrenta una crisis cuyas dimensiones y consecuencias, al igual que el modo de superar estas últimas, afectan tanto a los países capitalistas como a los socialistas, cuyas respectivas economías resultan a esta altura interdependientes.

Vivimos en un mundo cuyos recursos parecen disminuir rápidamente en tanto que la población crece en los países pobres a ritmo acelerado (se prevé un crecimiento del 50 por 100 sobre la cantidad actual para el año 2000) y la cantidad de tierra productiva apenas si aumenta (un 40 por 100 para el final del mismo siglo), no obstante el uso de fertilizantes y pesticidas, cuyo empleo disminuye a su vez el de la cantidad de petróleo disponible, al mismo tiempo que afecta, junto con otros factores físicos, la densidad de la capa de tierra sembrable. Las reservas terrestres de materias combustibles (petróleo, gas y carbón), aunque abundantes, son finitas, y el empleo de fuentes alternativas de energía aceptables (la solar), o incluso el de la nuclear, requiere una inversión de capital de difícil obtención dados los problemas que confrontan las sociedades capitalista y socialista al presente. Mas no son sólo el subsuelo, o la cada vez más escasa tierra que lo cubre, sino también bosques, ríos, mares, atmósfera, en fin, que respiramos, los que disminuyen a ojos vistas por efecto de la polución y otras formas de deterioro (16). Un libro reciente sustenta, en fin, que la energía del universo no es constante, sino que se transforma continuamente de útil a inusable, lo cual afecta negativamente el equilibrio del universo además de apresurar el agotamiento de las fuentes de las que depende nuestra civilización para su mantenimiento (17).

Sucede más y más frecuentemente que las transnacionales establecen centros de producción en países del Tercer Mundo, donde la mano de obra es barata y ultraeficiente, a causa de la escasez de trabajo y de protección contra los efectos del desempleo, y donde el Estado garantiza la docilidad de esos obreros por la fuerza, y ofrece generosas exenciones tributarias. Contra lo que esos mismos gobiernos proclaman o incluso creen, al igual que ciertos economistas y sociólogos partidarios de la integración a todo trance del Tercer Mundo en el orden capitalista industrializado, el traslado por los países desarrollados a los subdesarrollados de industrias y capacidad tecnológica en general, no ha conseguido ni podrá tampoco resultar, a menos de acompañarla una transformación radical de sus objetivos, en un verdadero mejoramiento de la situación de esos países capaz de beneficiar a todos sus habitantes en vez de a las burguesías que sirven a esa industrialización desde fuera. Esto es así aun y cuando esas compañías permanezcan en el país en vez de tan sólo aprovechar las ventajas que les ofrece por unos años y recuperar con creces, gracias a las exenciones de impuestos, el capital invertido. Su presencia misma, en primer lugar, contribuye a empeorar el desequilibrio entre la población rural y la urbana, pues la creación de nuevas industrias en las ciudades contribuye muy efectivamente a la creciente despoblación de los campos, con toda su secuela de males sociales (18). La relativa industrialización de la agricultura en algunos países, o el mejoramiento del rendimiento de la tierra por medio de fertilizantes y semillas de mejor calidad, sólo favorece al campesino con los medios necesarios para aprovechar esas mejoras. O a las transnacionales dedicadas a la industrialización y comercialización de productos alimenticios, las cuales adquieren tierras en el Tercer Mundo (lo mismo que en Estados Unidos y Europa), para mejorar la efectividad de sus operaciones, en tanto que los países subdesarrollados deben importar de esas mismas compañías una cantidad cada vez mayor de productos alimenticios, incluidos muchos de los mismos que antes producían ellos (19).

Esa industrialización no disminuye el crónico desempleo que sufren los países del Tercer Mundo (y cada vez en mayor medida también los industrializados) sino muy marginalmente, en tanto que se necesitaría la creación de ciento veinte mil empleos por día para absorber al billón de personas que para el año 2000 serán parte de las fuerzas laborales en el Tercer Mundo (un 85 por 100 del total en el mundo) (20). La explicación de que el traslado de la producción industrial a los países subdesarrollados no contribuya a un aumento ni remotamente proporcional de los empleos disponibles, es que esas industrias, contrariamente a la mayoría de las locales que desplazan o absorben, obtienen sus mayores ganancias a través de la inversión de capital (el cual, a causa de la inflación que afecta al mundo capitalista, y el aumento de los intereses bancarios, abunda extraordinariamente en los países industrializados) en mejoras técnicas que aumentan la uniformidad en la calidad de sus productos; es decir, en la automatización de la producción en vez del uso de más obreros, aun y cuando los sueldos de éstos sean bajos.

Esta práctica, característica de las transnacionales que controlan una porción constantemente creciente de la producción industrial capitalista, es, en vista de su éxito, también adoptada por industrias locales, sean nacionales o también dirigidas desde el extranjero, como las textiles, que dependían mucho menos hasta hace poco de la automatización, pero tienen que aumentar ésta para continuar operando. A estas desventajas hay que agregar que el establecimiento de industrias en el Tercer Mundo no implica una transferencia equivalente de capacidad técnica, la cual continúa bajo el control de las transnacionales, al igual que las decisiones relativas a precios, distribución del producto y, en definitiva, la conveniencia o desventaja de permanecer en cierto país. Súmense todos estos factores y resulta obvio que la modernización de los países subdesarrollados por vía de la transferencia más o menos temporal a ellos de la industrialización capitalista, resulta en un aumento de su dependencia de los países industrializados sin una mejora del nivel de vida de todo el país que compense del desempleo (también por aumentar la población urbana), la desproporción entre las entradas de ricos y pobres, la deuda nacional (de modo que la mayor parte de los ingresos del país se emplean en el pago de los intereses de préstamos constantemente renovados a bancos internacionales [21], y el Estado debe reducir continuamente los servicios sociales) y el malestar social, en general, agravado por la conspicua presencia de una movilidad social y un consumismo que se alejan a pasos agigantados de las posibilidades económicas de las clases pobres.

Para los países industrializados del bloque capitalista, los cuales sufren también no sólo los efectos desestabilizadores de una inflación combinada con una depresión económica universales, sino además los de un creciente desempleo provocado por una automatización que afecta todas las fuentes de trabajo (industrias, bancos, agencias del gobierno, etc.), la única posibilidad de solución a largo plazo —la inversión de capital en la construcción de armamentos, recurso típico de la economía norteamericana en tiempos difíciles, es una solución temporal; el aumento del sector público de la economía tampoco puede ser ilimitado, habida cuenta de los precios inflacionarios y el crecimiento de la deuda pública nacional— es el aumento del consumo de productos industriales en los países subdesarrollados o del Tercer Mundo, un aumento que, de ser tan sólo relativamente proporcional al de la población, podría triplicar o hasta cuadruplicar el del mercado por el que compiten, con creciente agresividad, astucia y vehemencia, consorcios norteamericanos, europeos y japoneses. Pero las condiciones presentes de la estructura económica y política del mundo capitalista sugieren, por el contrario, un aumento de la pobreza, de modo que para el comienzo del nuevo siglo se calcula que entre 600 millones y un billón de personas vivirán, pese al mejoramiento de la capacidad industrial y hasta contando con el crecimiento de la producción económica universal, en la más abyecta pobreza.

Una solución universal de esa al parecer inevitable crisis económica sería la redistribución de los recursos económicos de acuerdo con la capacidad productiva y las necesidades de quienes los usamos; de modo que aun y cuando aquéllos sean, según arguyen muchos, finitos, puedan beneficiar a todos los seres humanos por igual, con lo cual quizá logre también prolongarse su duración, en tanto que el crecimiento económico como un fin en sí mismo sólo resulta en aumentar el desequilibrio social, económico y ecológico del planeta. Pero es claro que esa redistribución universal de recursos tiene que suceder primeramente país por país, pues no sería lógico pedir al obrero francés, por ejemplo, que redujese su nivel de vida en favor de la totalidad de países como la India, Colombia o las Filipinas, donde no se hace prácticamente nada por reducir el crecimiento de la población o la inmensa riqueza de las oligarquías que usurpan el poder.

¿Revolución industrial, pues? ¿Pero cómo? La clase obrera de los países industriales ha pactado con o ha sido neutralizada por la empresarial, mientras que en el Tercer Mundo posee aún menos homogeneidad y unidad de principios, y hasta se confunde ideológicamente con un campesinado a su vez en vías de desaparición como clase. El mantenimiento del orden capitalista en las dos terceras partes del mundo dificulta la evolución del socialismo, en aquellos países donde ha triunfado, hacia el establecimiento de la sociedad comunitaria ideal, pues como esas naciones participan crecientemente del comercio y el tráfico internacionales, sus economías dependen cada vez más de las capitalistas con las que han tenido que integrarse parcialmente de modo de aumentar la producción (o meramente el consumo) de acuerdo con las expectativas de su población; lo cual resulta en mejoras, pero retarda la justa distribución de recursos y la desaparición definitiva del orden burgués dentro de esas sociedades. China ha vuelto del todo la espalda a los movimientos de liberación del Tercer Mundo en su afán por mejorar su propia situación política y económica, y los partidos comunistas europeos deben colaborar con los burgueses incluso cuando ello requiere aceptar el empobrecimiento de la clase obrera en favor del mantenimiento de la producción industrial al nivel (crecimiento constante a todos los niveles en lugar de proporcional a las necesidades de toda la población) que exigen las transnacionales.

De todo lo cual podría deducirse que es el orden capitalista el que sigue imponiendo la pauta a nuestra civilización, de modo que si las economías de Hungría o de la República Democrática Alemana, pongamos por caso, deben competir en el mercado capitalista junto con las de Bélgica e Italia; Yugoslavia depende para su estabilidad de la exportación anual o permanente de miles y miles de sus obreros como mano de obra barata; Cuba necesita para su subsistencia de un generosísimo subsidio de la Unión Soviética, y la China ha tenido que abandonar sus ambiciosos planes de industrialización al nivel de las grandes potencias para dedicarse de nuevo a manufacturar para la exportación cajitas de bambú y kimonos de seda falsa, ¿por qué no deberá la literatura latinoamericana, a la que ahora parece ofrecérsele, gracias a esa situación de saturación de la que se hablaba respecto al mercado internacional capitalista, en relación al libro también, la oportunidad de competir con los productos más estimados de las literaturas francesa, norteamericana, etc., aprovechar esa ocasión única de vender sus productos allí donde resultan mejor cotizados, en lugar de solamente en el mercado interno, que no los había apreciado antes; incluso si ello requiere (según hacen, seguramente, los directores de industria de muchos países socialistas) someter los objetos a cierta dosis de maquillaje, más o menos acorde con su naturaleza, más o menos necesaria o sentida, de suerte que se confundan con los más acabados de la industria capitalista? Pero incluso si el proyecto capitalista nacido de la Revolución Industrial ha fracasado, según sugieren tantos hechos; si, lo que resulta aún más drástico, los recursos del universo disminuyen a ritmo acelerado; si el fin de nuestra civilización —sea violenta o lánguidamente— es inevitable, alegrémonos al menos de que la literatura latinoamericana no haya llegado demasiado tarde a reclamar su sitio en el último festín. Todo lo contrario: la obra de sus más activos exponentes en 1980 corresponde exactamente a las corrientes más avanzadas de la literatura occidental según se la practica en estos momentos en los centros culturales de mayor prestigio; es más, lo mismo está sucediendo respecto a la crítica de esa literatura por la avanzada intelectual del hispanismo profesional y académico, la cual nada tiene que envidiarle a la crítica más sofisticada, pues conoce a Lévi-Strauss, a Barthes, Eco, Baktine, Derrida y las tendencias que éstos representan tan bien como el equipo de *Tel Quel*.

El desarrollo de la literatura latinoamericana en los últimos años —el «*boom*»—, el éxito editorial de ciertas novelas, el crítico de muchas más, la toma de conciencia por parte de esa literatura de ser parte activa de la universal en su desarrollo contemporáneo, a la vez que poseedora de cualidades únicas y extraordinariamente originales; la atención que ha recibido y continua recibiendo en el extranjero; la posición preeminente que dentro de cada cultura nacional y de la latinoamericana en general se deriva de todo ello para el escritor, sea radical, de izquierda, liberal o conservador, apolítico o reaccionario, podría igualarse en sus resultados al fenómeno de la modernización económica o relativa industrialización de buena parte de Latinoamérica (incluidos países como Guatemala, donde ahora se produce acero). En apariencia, los países prosperan, acercándose rápidamente al modelo norteamericano y europeo —algunos más que otros, y todos ellos menos en los últimos años que a principios de los setenta, por efecto de la crisis económica mundial—, pero en realidad al grueso de la población no sólo no la beneficia esa prosperidad, sino que entre la inflación y el desempleo está ahora en peor situación que hace unos años (lo mismo puede decirse de la burguesía media y la clase obrera de los países industriales), no obstante las apariencias y la abundancia de bienes materiales y de capital. Las novelas de García Márquez y de Vargas Llosa son leídas por cientos de miles de lectores; estos mismos escritores, y Fuentes, Sarduy, Lezama, etc., son, además, traducidos al francés, al alemán, al inglés, y sus libros reseñados por críticos europeos y norteamericanos de gran fama. ¿Mas afecta ello verdaderamente el curso de la cultura colombiana, mexicana, peruana, el de la literatura latinoamericana en general? Parece más bien como si su función dentro de aquélla fuese la misma que rascacielos de cristal, fábricas de automóviles y astilleros respecto a la Ciudad de México, Bogotá o incluso Buenos Aires: representar la pertenencia de la capa superior de las economías de esas naciones al mundo del capitalismo industrial. Los mendigos que hacen guardia frente al edificio, o los miles de ex campesinos que hacen cola junto a la fábrica con la esperanza de hallar trabajo en ella, revelan que de lo que se trata es de una *aspiración a pertenecer* al mundo del capitalismo avanzado, pues aunque rascacielos y astilleros pertenezcan de derecho a éste, como parte, al cabo, de los conglomerados internacionales que los levantaron y los controlan, demasiados millones de campesinos desplazados, de mendigos, de obreros desempleados separan todavía, inevitablemente, a la capa económicamente superior de la población del país en cuestión, de los verdaderos dueños —en Nueva York, Francfort o Tokio— de las empresas que explotan. Lo mismo que separan el «*boom*» de la novela latinoamericana del florecimiento (lento crecimiento de raíces, flor, fruto, en vez de súbita explosión) de la cultura latinoamericana, analfabetismo, miseria, inestabilidad política, una educación superficial que no lleva a la gran mayoría de la población más allá de malas películas, «tebeos» y programas de televisión dominados, como el resto de los medios de comunicación de masas, por las transnacionales extranjeras y sus representantes. Lo mismo sucede en Norteamérica y cada vez más también en Europa occidental respecto a la difusión de la cultura, pero en Latinoamérica las masas apenas salidas del analfabetismo tienen aún menos defensas (pues tampoco el Estado ayuda en ello con programas culturales de vasto alcance) contra la agresiva estulticia que los asalta, para adormecerlos, desde los aparatos de televisión, las pantallas de los cines y los puestos de revistas; alejando, por tanto, cada vez más la posibilidad de un desarrollo fructífero de la cultura latinoamericana, lo mismo que la crisis mundial del capitalismo aleja cada vez más para Latinoamérica la posibilidad de integrarse con en vez de continuar dependiendo de las naciones industrializadas.

IV

Aunque con una historia o historias propias que se remonta a las crónicas de la conquista e incluye versiones en castellano de obras de la literatura indígena (como el

Popol Vuh) y figuras de primer rango, Premios Nobel, etc., nuestra literatura no ha tenido todavía un impacto sobre las demás, ni como conjunto ni a través de autores individuales, del tipo que lo tuvo la norteamericana con Poe ya en la primera mitad del siglo pasado, y con Whitman durante la segunda, como bloque después de la segunda guerra mundial con los autores de la llamada «generación perdida» (Faulkner, Hemingway, Dos Passos, Fitzgerald, Steinbeck). De modo que aunque esas literaturas hispanoamericanas no son ya provincias de la española y cada vez más sus autores empiezan a ser conocidos fuera de los límites del mundo hispanoamericano (a los de Neruda y Borges se han unido en la última década al menos media docena de nombres como parte de los que todo hombre culto debe conocer o al menos ser capaz de identificar instantáneamente como los principales autores latinoamericanos), distan aún de obtener el reconocimiento que reciben literaturas europeas cuya tradición —por haber empezado a florecer después del Renacimiento— y volumen no son mayores que el de las hispanoamericanas o el de la latinoamericana en su conjunto (las escandinavas, por ejemplo, o la rusa y la irlandesa; incluso la literatura checa o la polaca paréceme que atraen mayor atención entre la crítica regular de Francia, Inglaterra y Estados Unidos que la brasileña o las hispanoamericanas). El panorama que presentan al lector extranjero educado, pero no especialista, es el de literaturas muy jóvenes que recientemente empiezan a madurar, y donde son todavía muy obvias las influencias recibidas de la francesa, la inglesa, la estadounidense, etc.

Lo cual no deja de ser cierto: nuestro romanticismo es por lo menos tan tardío como el español y, al igual que éste, es trasplante del francés, a su vez casi todo él de segunda mano; realismo y naturalismo suceden en casi toda Hispanoamérica, con mayor retraso aún que en España, con el agravante de no llegar a producir un solo escritor de la importancia de Galdós o de Clarín; nuestro modernismo es, por fin, una corriente relativamente original que influye en la poesía y la prosa españolas contemporáneas, pero Darío saca su lección regeneradora del verso de Verlaine y otros poetas franceses de segunda clase, de modo que el modernismo, en definitiva, retarda la asimilación del simbolismo por la poesía española e hispanoamericana, en tanto que las tendencias que constituyen lo que la crítica anglosajona llama *modernism* no llegan a la literatura hispanoamericana sino con gran retraso, confusamente y a trompicones. De hecho, la nueva novela hispanoamericana no es, en general, ni más original ni menos dependiente de la influencia de autores y tendencias extranjeros que la del siglo pasado, aunque, eso sí, refleja esas corrientes desde más cerca, con mejor conocimiento de ellas y, sobre todo, a menos distancia temporal que solía ocurrir antes. El interés de algunos novelistas y críticos en años recientes en demostrar cómo sus obras o aquellas que les interesan más, respectivamente, expresan los principios de la filosofía postestructuralista, resulta también en la afirmación de vínculos estrechísimos entre nuestra literatura y la europea.

La crítica de nuestras literaturas debería, tras reconocer su dependencia de sus fuentes españolas, europeas, norteamericanas, dedicar más atención a estudiar la tradición cultural y la historia nacional y continental a través de la cual pasan esas influencias antes de ser reelaboradas localmente, e investigar desde esa base la literatura latinoamericana, sus fuentes, contexto, tradición o como quiera llamársele; proyecto éste más útil que el acto al que se entregan contemporáneamente tantos críticos de «deconstrucción» gratuita: es decir, una deconstrucción no dirigida a revelar falsas premisas e hipótesis y renovar de ese modo la lectura crítica de los textos, sino a demostrar cómo carecen de contexto cultural e histórico (lo cual es imposible), o, más modestamente, a analizarlos formalmente de acuerdo con los principios más sofisticados de la narratología, la semiología, etc., lo cual es a menudo —al igual que en el caso de la deconstrucción más o menos «derridiana»— la excusa para componer otro texto literario paralelo a aquél de donde se parte, repitiéndolo (con difer*a*ncias) dentro de una intertextualidad que quisiera negar de plano la historia.

El otro tipo de estudio, el que parte de aquélla para explicar la posición de una obra dentro de un contexto histórico-cultural —que es el único modo de entenderla—, conduce, en lugar de a la afirmación de una libertad imposible, por ahistórica, al de la dependencia cultural y política de la obra en cuestión respecto al universo donde se inserta. Después de todo, la originalidad de la literatura hispanoamericana, en el caso de *El matadero* lo mismo que en el de *Cobra,* es el resultado de haber estado abierta desde el momento mismo de su nacimiento como entidad independiente (o semiindependiente) a la influencia de un vasto, heterogéneo, variadísimo contexto cultural, mayor del que disponían los escritores españoles contemporáneos de Echeverría, por ejemplo, gracias a comprender, además del español en el que se habían educado, el del propio país, que, aunque reducido, contenía posibilidades únicas provenientes del elemento «bárbaro» o autóctono; para la época del modernismo, lo más sobresaliente de la literatura del resto de Hispanoamérica, y cantidades mucho mayores de literatura europea y hasta norteamericana que las que se hallaba dispuesto a recibir su congénere madrileño, por hallarse éste mucho más atento a la propia tradición literaria nacional, y menos inclinado también, por quién sabe qué razones culturales, a aprender idiomas extranjeros.

A partir del momento en que se rompe su vínculo con la española, la literatura hispanoamericana se desarrolla de modo mucho menos ordenado (romanticismo, costumbrismo, realismo-naturalismo, simbolismo, etc.) que las literaturas francesa, inglesa, española incluso, a la merced de influencias de origen muy diverso y hasta contradictorias. Resulta así que la literatura hispanoamericana puede saltar etapas genialmente —hacia adelante lo mismo que hacia atrás— en la pluma de un escritor de gran talento, y producir obras no sólo de mucho poder artístico, sino también muy originales, las cuales la falta de un aparato cultural adecuado ha hecho que apenas recibieran atención crítica incluso en el medio local, y casi ninguna, desde luego, fuera de Hispanoamérica hasta años recientes, por causa del prolongado desinterés en la cultura latinoamericana por parte de la europea y anglosajona. Los escritores, entretanto, deambulan a través del siglo XIX y buena parte del siguiente del regionalismo al universalismo, del decadentismo al compromiso, a menudo incapaces de dar cuenta artísticamente de los procesos históricos y sociales que viven, exagerando o negando éstos, empeñados en representar una realidad nacional o su opuesta, la universal, en continuar una tradición (generalmente hispánica en el pasado, pero que podría ser ya entonces universal) o en romperla estruendosamente.

Esas contradicciones y callejones a menudo sin salida no han desaparecido con el advenimiento de la «nueva novela» y el «neobarroco», cuyas tan a menudo arbitrarias actitudes respecto a los procesos sociales, y sus proclamas de libertad absoluta para un texto que no debe representar sino su propia trama de palabras (la escritura como propósito en sí mismo), o su interés en la elaboración, de espaldas a la historia, de interpretaciones de tipo mítico, las cuales funcionan también como pura escritura, no compensan su brillantez o la actitud sin duda enormemente abierta con que esos mismos autores se acercan, como americanos, al contexto de la literatura universal, sino que continúan contribuyendo a la confusión de corrientes contradictorias que marca el desarrollo de la literatura hispanoamericana, y por ende —lo cual afecta a los mismos autores que no creen en la existencia de semejante entidad— a la atención que recibirán, pues el volumen, pero también el rigor de ese interés crítico, dependen en gran medida de la noción de un panorama en el que sea posible discernir ciertas constantes y directrices.

Es así, después de todo, como un conjunto heterogéneo, pero definible sobre todo en cuanto tal —como literatura latinoamericana en lugar de cubana, argentina o mexicana—, como se ha venido tratando de aquélla desde su aparición hasta nuestros días. De hecho, un primer efecto del *boom* fue, según se ha señalado a menudo, el aumento de la comunicación entre los escritores, no sólo a través de su participación en congresos continentales e internacionales cada vez más frecuentes, sino de un modo más íntimo e inefable, al facilitar el que los autores hispanoamericanos de súbito se descubriesen unos a otros, o descubriesen más de la obra de cada uno a través de ese aumento en la comunicación resultado del éxito editorial, o del mero hecho de que ahora la obra respectiva resultaba más accesible; pero es más, aun cuando ya se conociesen de antes hasta personalmente, ahora algo los confirmaba por primera vez como pertenecientes a un mismo mundo cultural, y el enorme éxito de algunos de ellos parecía sugerir que también los otros serían leídos, aunque fuese en menor escala, pues al cabo compartían una tradición, expresaban un mismo universo (22). Me parece que ese sentimiento —y no sólo su manifestación inicial más eufórica, cuando además coincidía con la victoria de la Revolución Cubana, las esperanzas del triunfo de las guerrillas revolucionarias en muchos países y la Revolución Peruana— se halla en vías de rápida desaparición, en gran parte gracias a la desmedida atención de la crítica al puro experimento y a las actitudes de ruptura, es decir, a cuanto la acerca más a la crítica europea y norteamericana contemporánea que provee el aparato teórico en el que prefieren basar sus lecturas esos críticos —generalmente sin cuestionarlo—, de modo de afirmar la propia pertenencia al mundo de los países superdesarrollados que ha generado o puesto en circulación (en el caso del formalismo ruso, por ejemplo) esta nueva versión del análisis literario formalista —sin duda más compleja y rica, gracias a su vena filosófica, que los exámenes de texto filológicos de antaño.

Porque la atención que de pronto recibe la literatura latinoamericana como conjunto —en lugar de restringirla a éste o el otro autor, según ocurría ocasionalmente antes— fuera del continente parece afirmar aquélla para siempre dentro del campo de la «civilización», el que tradicionalmente representaba desde que, durante la primera mitad del siglo XIX, se plantea en la historia de nuestra cultura la oposición entre «civilización» y «barbarie» —esta última entendida como la resistencia por parte de las poblaciones nativas y semiindígenas a la imposición de los modos de vida y de producción cultural europea por sus agentes entre los representantes de la población criolla. El interés de algunos escritores en la «barbarie», con la intención de representarla artísticamente con un sentido positivo —*Martín Fierro,* la novela costumbrista regionalista, la indigenista, la social en general, expresa un compromiso con la salvación de valores nacionales, el cual es de tipo político, en tanto que la pura experimentación con nuevas formas y técnicas, la polisemia, la intertextualidad (sobre todo la «carnavalesca»), el neobarroco, que tanto excitan a la crítica, representan una alianza que quisiera ser por fin indisoluble entre nuestra novela y esa cultura de donde extrae tanta fuerza y que empieza ahora a darle su lugar en el concierto de la literatura universal. Se supera también mediante ese paso la preocupación sobre la pertenencia a y la contribución al desarrollo de una literatura nacional expresiva de tradiciones y de tendencias características de cierto grupo con un pasado común. Contrariamente a su antecesora, aún fiel a la idea de una comunidad cultural representativa de otra nacional, la «nueva novela latinoamericana» representa en su aspecto más distintivo, según la crítica, la aspiración a instaurar un universo artístico autónomo respecto a cualquier tradición y a cualquier nación también, atento sólo a las corrientes que colorean el paisaje del arte contemporáneo, a su vez siempre en constante transformación —lo mismo que el mercado de valores, a cuyos altibajos y necesidades responde únicamente el capitalismo industrial, en vez de las necesidades de ésta o la otra nación. En resumen, la plena integración de la literatura latinoamericana con la occidental la libera definitivamente de la preocupación con la autodefinición en relación a la cultura que debe representar —europea o autóctona—, búsqueda de una autodefinición (de un origen, en un sentido filosófico en lugar de literal) que para algunos ha resultado en pérdida de energía creativa, en tanto que ahora, con la fuerza que genera un nacer de nuevo, puede unirse de lleno a la literatura postmodernista que celebra la ausencia de centro, origen y propósito.

Las novelas de Salvador Elizondo o las de Néstor Sánchez, por ejemplo, no se proponen verdaderamente, por más que tengan lugar a ratos (aludan, se refieran: es imposible hallar la palabra adecuada para caracterizar la relación con un escenario real de obras cuya intención explícita es el ejercicio narrativo) en México y la Argentina, revelarnos nada sobre esas naciones en cuanto entidades culturales, sociales, históricas, ni tampoco desarrollar (explicarse) la propia relación con ellas; lo cual no quiere decir que ésta no exista o que sea indescifrable; todo lo contrario: el determinar esa relación —operación que no excluye, sino todo lo contrario, necesita del análisis formal más sutil— resultará en iluminar esos mismos textos de modo mucho más certero y más útil, por tanto, en relación al proyecto de construir una cultura nacional y latinoamericana, que el «deconstruirlos» de espaldas a su contexto cultural e histórico, tal y como si fuesen, de hecho, textos de John Barth o de Jean Ricardou —es decir, ajenos o *neutrales* culturalmente para el crítico, que se cree por efecto de todo ello profesor del Departamento de Literatura Comparada de Yale University, o miembro del equipo de *Tel Quel*. Aún más grave por sus consecuencias, sin embargo, es que la misma actitud se aplique a toda la literatura latinoamericana. Carlos Fuentes, Donoso, Sarduy, Lezama, Cortázar, los novelistas de los cuales se ocupa más frecuentemente, por ejemplo, la *Revista Iberoamericana*, la decana de las publicaciones dedicadas a la crítica de la literatura latinomericana en Norteamérica, sí intentan (según he tratado de demostrar en el caso de algunos de ellos) darnos versiones totalizadoras de las sociedades a las que pertenecen, no obstante lo cual la crítica que se apropia sus textos aún húmedos de las prensas los tratará como si fuesen de Julieta Campos o de Luisa Valenzuela, es decir, de escritores cuyo interés explícito no es revelarnos la fábrica social, sino la propia relación con la palabra y procesos íntimos al cabo más propios de la lírica que de la literatura de ficción. Pero es más, incluso un texto de Vargas Llosa o de García Márquez, novelistas obviamente apasionados por iluminar la sociedad y la historia en torno de ellos, recibirán el mismo tratamiento.

Contrariamente a lo que sucede en el caso de otras literaturas jóvenes —aún más jóvenes—, como las africanas en inglés y en francés, las hispanoamericanas no enfrentan el mismo problema que aquéllas respecto a una literatura indígena, oral gran parte de ella, pero también escrita y, de cualquier modo, muy viva como presencia contemporánea, en tanto que nuestras literaturas indígenas han sido transcritas o traducidas y se hallan, aun en aquellos países de numerosa población aborigen, en rapidísimo proceso de desaparición, merced a un proceso de «cholificación» o mestizaje cultural que no equilibra la enseñanza de las lenguas indígenas, de modo que la cultura hispánica y el castellano absorben, borrándolos, los restos de una literatura erosionada por cuatrocientos años de sistemática opresión. La cultura hispanoamericana y las literaturas que la expresan son europeas de origen, y esencialmente también europeo u occidental ha sido, desafortunadamente, el curso que han seguido en su desarrollo, de modo que las indígenas no constituyen respecto a ellas sino una presencia muy difícil de precisar, una huella —en la que hay que incluir las literaturas orales de las naciones africanas que entraron, ya desde el siglo XVI, a formar parte de la cultura latinoamericana— que los años borran, un eco lejano, al cual algunos han tratado de darle vida literaria, pero pocas veces con éxito —pienso específicamente en las leyendas de Miguel Angel Asturias—, por la dificultad de transmitir en vehículo castellano a lectores —en vez de escuchas— educados en la literatura occidental, una voz de origen tan ajeno.

Esa voz y esa huella continúan existiendo, sin embargo, a menudo más intensas y profundas que lo que imaginábamos o parece a primera vista; es más, no desaparecerán nunca del todo en la medida en que nuestra población es racialmente mixta en lugar de europea; es decir, no desaparecerán del todo si nuestros escritores y críticos le prestan atención, y en vez de asumir que toda nuestra cultura es europea, incluso cuando el propio origen racial lo sea —o parezca serlo, pues la mezcla de razas en Latinoamérica nos alcanza a casi todos—, se dirigen a ese elemento indígena que, aunque mutilado y a menudo silencioso, continúa vivo. Y digo que se dirijan a él porque no se trata solamente de una tarea de recreación, sino de un acto triple en el que el escritor que escucha y transcribe lo hace también para alcanzar por ese medio (cosa que no le interesaba hacer a Asturias, por ejemplo, pero atormentaba a José María Arguedas) lo que sobrevive en el presente de la voz indígena, y de esa manera revivirla, renovarla, afirmarla, no para el placer de eruditos y etnólogos, sino para integrar la cultura popular —que es de eso en definitiva de lo que se trata, pues es allí donde subsiste la aborigen— con la que absorbimos en escuelas y libros; cultura popular que incluye, es claro, la hispánica, y de cuya revitalización depende nuestra supervivencia, cada vez más precaria, como entidad política y cultural independiente.

La puesta en práctica de este proyecto no implica el abandono por la literatura latinoamericana de ninguna de las realizaciones de las europeas de las que por derecho propio forma parte, incluso de aquellas más revolucionarias estilística o formalmente, de las más introspectivas, difíciles, exigentes. Lo que sí requiere, en cambio, es un compromiso del escritor con su tiempo capaz de integrar esas conquistas de la literatura moderna con la urgencia de comunicarse con los millones de seres recién salidos del analfabetismo, y a quienes nada dicen los textos autorreferenciales que sea capaz de apartarlos de «tebeos», tiras cómicas y folletines televisados.

Lo que necesitamos es una novela más atenta al significado —y no solamente al sonido, práctica que apunta, sin embargo, al camino correcto a seguir, y cuya proliferación hay que celebrar, aunque no baste por sí misma respecto al propósito de que se trata aquí— de la voz del personaje como expresiva del vínculo con la cultura nacional, y más atenta también al movimiento de la historia contemporánea y el modo como afecta éste a Latinoamérica. Pero aún más urgente es la necesidad de una crítica que responda a la literatura de conciencia en lugar de hacerlo solamente, o con preferencia exclusivista, a la experimental, una crítica preocupada por revelar la existencia de aquélla en lugar de ignorarla, preocupada por estudiarla y descubrir sus valores y sus defectos para de esta manera contribuir a su mejora, en vez de a su desaparición, según resulta de su silencio; una crítica, en fin, que abandonando prejuicios minoritarios, y sacudiendo el peso de la importancia, al parecer incuestionable, de tal o cual autor, se disponga también a estudiar a fondo, de modo de darle el valor que verdaderamente tiene (mucho o poco, el que sea) a la literatura comprometida e incluso a la simplemente realista; una crítica, en fin, que no trate todas las obras con el mismo criterio —el cual podría sintetizarse diciendo que el texto no tiene otro objeto que sí mismo, y si no es así (caso en el que cae, obviamente, toda novela o cuento social) no merece su interés—, sino que, por el contrario, investigue la realidad cultural, histórica, social, que encierra u oculta incluso el texto más aparentemente autorreferencial. De hecho, para ayudar eficazmente a concluir la dependencia semicolonial que destruye a Latinoamérica, incluida su cultura, la crítica debiera dar la prioridad en su atención al compromiso sobre el ejercicio estético, no para aceptar aquél como valor incuestionable, sino precisamente para analizarlo, criticarlo, censurarlo si es necesario, pues, paralelamente, tampoco se rechazarán otros tipos de literatura, sino que se los someterá al *mismo* riguroso análisis, estético, pero también sociológico e histórico, de modo de determinar su situación dentro de un marco al que no se escapan, pese a las pretensiones que sobre ello hagan, al igual que tampoco son, por definición, superiores a la comprometida; deslinde axiológico éste que sólo la crítica a la que aspiramos puede llevar a cabo efectivamente.

V

Todo lo cual nos trae al caso de las sociedades revolucionarias respecto a la literatura, el cual se examinará a través de uno que resulta paradigmático —o al menos muy rico en lecciones—, el de Cuba, donde la cultura era, como resultado de las condiciones sociales imperantes, y no obstante existir allí unidad lingüística, mayores índices de alfabetización, y una clase media más numerosa que en otras naciones latinoamericanas, tan elitista como en éstas (y mucho más que en la Europa occidental), circunstancia cuyas consecuencias agravaba el no existir en Cuba una verdadera cultura nacional con firmes raíces en el pasado nacional y una clara conciencia de su posición en el mundo.

Con todos los medios editoriales y publicitarios a la disposición de un estado socialista, se puso en práctica en Cuba una reorientación radical de la cultura del tipo de la delineada en los párrafos anteriores, basada en un compromiso entre literatura vanguardista o moderna y literatura comprometida. En varias colecciones de ensayos sobre la cultura cubana postrevolucionaria, Fernández Retamar, Mario Benedetti, Oscar Collazos, Adolfo Sánchez Vázquez y otros escritores cubanos y extranjeros celebran el modo como la Revolución Cubana, contrariamente a lo que esperaban sus enemigos y una mayoría de intelectuales, extranjeros tanto como cubanos (estos últimos exiliados casi todos ya para entonces), proclama en 1961 la libertad total de la cultura («Palabras a los intelectuales», de Fidel Castro, en 1961, y «El socialismo y el hombre nuevo en Cuba», del «Che» Guevara, en 1962) casi en el mismo sentido con que entendía esa «libertad» la asociación o «congreso» así llamada, y de infausta memoria (la patrocinaba la CIA como medio de infiltrar los cuadros intelectuales del «mundo libre»), pues en aquellos momentos, a dos años apenas de la victoria de 1959, se declara que el intelectual es libre para escribir cuanto se le antoje, siempre y cuando no sea en contra de la Revolución («dentro de la Revolución, todo», etc.), y el «Che» ataca con palabras demoledoras el sectarismo con que algunos acusaban entonces el arte moderno en nombre de un realismo y un populismo que, significando un retroceso artístico, no podían contribuir, sino todo lo contrario, al espontáneo desarrollo del arte en Cuba, y a su través a la mejora de la educación de las masas y la formación de una sólida cultura nacional, obvios objetivos de una política revolucionaria.

Tratando de las generaciones de intelectuales presentes en Cuba al triunfo de la Revolución, Fernández Retamar, después de explicar cómo a la más importante, la que se agrupó en torno a la revista *Orígenes,* no la preocupaba lo social, prefiriendo el cultivo de una intimidad-clave de la poesía, declara que a la siguiente, la que madura con el triunfo de la Revolución, le corresponde ganar el terreno perdido por las anteriores, de modo que la vanguardia artística alcance por fin a la política, respecto a la que ha andado siempre retrasada, haga frente —críticamente— a los gravísimos problemas del país y del continente, y añada a la problemática intelectual la política, de modo de contribuir efectivamente al desarrollo de una cultura nacional «rigurosa» —la cual requiere a su vez la participación de las masas en la actividad cultural, así que el intelectual tendrá que desarrollar un pensamiento altamente original de modo de integrar en su tarea a esa masa que había aprendido a ignorar, lo mismo que lo hacía la vida política del país (23). La llamada de Fernández Retamar es por una adhesión crítica del intelectual a la Revolución (p. 163), mas crítica, entiéndase bien, precisamente porque ese intelectual se halla dentro de, es él mismo la Revolución, la está haciendo, la vive, la sufre, la goza, sabe que no se trata de una realidad histórica pasada, sino en proceso de realizarse. El intelectual, por tanto, tiene que ganarse el derecho a la crítica, sugiere Benedetti, explicando la primera «entrega» del caso Padilla (que ha culminado recientemente con la salida del poeta de Cuba permanentemente, pero continúa preocupando tanto a los intelectuales críticos del régimen fuera de Cuba) (24).

El entusiasta artículo del escritor uruguayo sobre la situación presente (1968) de la cultura cubana, trata también de la mutua fertilización de vanguardia política y artística, de cómo —ejemplo de ello— el afiche y el cine documental han sabido responder en Cuba a la gran apetencia popular de cultura (ediciones de 15.000 ejemplares que se agotan en pocos días, más de trece millones de libros publicados anualmente), pero concluye pronosticando que la urgencia de mantener en constante crecimiento el esfuerzo revolucionario necesario para hacer avanzar el país fuera del subdesarrollo, obliga a rechazar en literatura al igual que en los demás órdenes el desaliento en favor de la «mística revolucionaria» (p. 31), la cual se aviene además perfectamente con el alto grado de politización de la sociedad cubana. Rechazar la nota de desaliento (como la que expresa el poemario de Padilla *Fuera de juego*) no es lo mismo, sin embargo, que rechazar el experimiento, aunque pueda a la larga interpretarse de ese modo, y de hecho el discurso del ministro de Educación que cita Benedetti articula una posición más restrictiva que la de las palabras de Castro de 1961: «habría que ... preguntarles a qué libertad [de expresión] se refieren; nuestra revolución define una línea. No se discute la expresión estética, sino cómo sirve el arte al pueblo, a su felicidad, a su desarrollo cultural. Para esto hay toda libertad» (p. 32). El crítico concluye pronosticando un aumento de la presión «para que los intelectuales se integren en la revolución» (Ibíd.).

La posición expresada por el ministro cabe todavía, no obstante, dentro de la del «Che», quien en «El socialismo y el hombre nuevo en Cuba» rechazaba el realismo socialista como una simplificación que «anula la auténtica investigación artística» (25), pero urgía al mismo tiempo a los intelectuales y a los artistas a trabajar por la creación del «hombre nuevo» (aun y cuando no sean auténticamente revolucionarios), que será el único modo de sentar las bases de la verdadera libertad, que sólo existirá con el «completo desarrollo de la sociedad nueva» (p. 526). Se acepta, pues, como base incuestionable la libertad del artista, y hasta se lo incita a experimentar con nuevas formas («para ir más allá hay que partir de algún lado, y la vanguardia parece un buen punto de partida) (26), pero también se insiste, como era de esperar, en el concepto del trabajo —incluido el artístico— como «deber social» (p. 525), y en el liderazgo del Partido como la «organización de vanguardia» (p. 529) dentro de la nueva sociedad.

Todos esos intelectuales cubanos y simpatizantes de la Revolución parecían coincidir en 1970 no sólo en la posibilidad de una alianza entre vanguardia política y vanguardia artística, sino en su necesidad, si el país iba a salir finalmente de un subdesarrollo que es cultural lo mismo que económico, social y político. Para Adolfo Sánchez Vázquez, la vanguardia artística es, por definición, progresista, de modo que resulta un contrasentido hablar de «vanguardia decadente»; la sociedad burguesa trata de impedir la vinculación espontánea entre ambas vanguardias, pero la Revolución Cubana ofrece la prueba de que una alianza entre ambas es posible (27). Sánchez Vázquez subraya, para evitar confusiones, algo que también sugería Fernández Retamar en el ensayo citado: la revolución artística o literaria no es la que transforma la sociedad, pues incluso cuando el artista ha logrado mantener abiertos «los puentes que le llevan a los demás» (p. 93), su esfera de acción es otra que la política, de modo que le importa no «hipotecar su libertad de creación» (y su capacidad crítica, añadía Fernández Retamar), aun cuando reconociendo la propia obligación por luchar «por abrir esos puentes», se incorpore en «diversas formas a la lucha por la tranformación radical de la sociedad». Se trata de una «doble necesidad»: ser revolucionario o creador en el terreno del arte y comprometerse al mismo tiempo con la Revolución socialista, pues la revolución no termina para el artista, en cuanto miembro de una sociedad histórica, en su arte; es más, contrariamente a lo que los defensores de «la libertad de la cultura» nos vienen diciendo desde hace cien años —o después del fracaso de las revoluciones de 1848 y la transformación del romanticismo revolucionario en decadente, y aceptable de ahí en adelante para las burguesías ya para entonces dueñas del poder—, el conformismo político no es indispensable para ser revolucionario en el terreno artístico, sino que, por el contrario, la alianza de ambos equivale a hacerse cómplice de un orden que en realidad, o no obstante los gestos con que trata de ganarse la anuencia del artista, sigue siendo su enemigo, pues lo es de toda revolución, de todo acto creativo y original. (En países como los nuestros, ese orden muy a menudo ni siquiera pretende ser el amigo del arte, sino que lo ataca bárbaramente en cuanto se cree amenazado por sus poderes críticos.)

Se trata, con todo, para el escritor y el artista, de un equilibrio, mantener el cual dificultan las tentaciones de la sociedad burguesa que pretende halagarlo, la necesidad de cierto grado al menos de aislamiento para la creación, el contacto con una masa que, incluso cuando se halle sinceramente comprometido con su mejora cultural, a menudo le parecerá ajena a sus preocupaciones más íntimas o verdaderas, o él mismo incomprensible para ella. De cualquier manera, el compromiso del escritor con la revolución no puede, si va a ser efectivo, forzarse.

El apoyo del estado socialista en Cuba al arte moderno a través de exposiciones, ediciones, becas, subvenciones a algunas editoriales extranjeras (28), representaba un modelo de convivencia y hasta de cooperación que muy justificadamente entusiasmó a muchos artistas, pues significaba una drástica ruptura con otro modelo de ominosas implicaciones, la política cultural soviética posterior a Lenin (realismo socialista, ignorancia más o menos discreta de escritores modernistas, persecución de disidentes). La Revolución había empleado la difusión de la cultura, con independencia de escuelas y mensajes artísticos y hasta políticos, como instrumento político para asegurar de ese modo también su supervivencia afianzando sus conexiones internacionales, pero de paso había así ayudado enormemente al auge de la nueva novela latinoamericana. La atención que despertaba internacionalmente el caso de Cuba revierte sobre el apoyo que prestaba el aparato cultural cubano al conocimiento de la obra de escritores clave de ese movimiento (29), los que a partir de su apoyo a la Revolución y sus estancias en La Habana empiezan a ser vistos como un grupo.

Mas para 1970 esa alianza se resquebrajaba rápidamente y la libertad absoluta con la que muchos escritores habían identificado el célebre lema de Castro de 1961 (que Desnoes caracteriza muy gráficamente como «Cree en la Revolución y escribe lo que te venga en ganas»: art. cit., p. 539) es cuestionada oficialmente por los líderes de la Revolución, exigiéndole al escritor que cumpla desde ahora mismo el papel que el «Che» apenas delineaba para un futuro más claro.

Dos críticos, conservador uno (Rodríguez Monegal), izquierdista el otro (Angel Rama) sitúan la primera articulación de ese cambio en la política cultural cubana en el discurso de clausura de Castro del Congreso de Educación y Cultura de abril de 1971 (30), donde el Jefe del Estado, colérico por las repercusiones que había tenido el encarcelamiento de Padilla entre sus colegas intelectuales de Europa y América, ataca a los «seudoizquierdistas descarados que quieren ganar laureles viviendo en París», les dice que su actitud los desenmascara como quienes son, y les asegura que no podrán volver a utilizar a Cuba, ni ganar más premios allí, pues no son revolucionarios de verdad, sino agentes de la CIA (31). Unos años más tarde, en 1975, Castro anuncia en el Primer Congreso del Partido Comunista de Cuba que había sido un error tratar de crear «nuestros propios métodos», «una interpretación idealista» del marxismo, para instaurar el socialismo, proyecto que ahora utilizará la experiencia de otros países, e impondrá al artista «normas orientadoras asentadas en los principios marxista-leninistas y arraigadas en nuestras realidades nacionales», de modo que coopere eficazmente a la tarea revolucionaria con una obra donde esté bien presente «como sustento animador», el humanismo socialista (citado por Desnoes, páginas 540-41), y el Ministerio de Cultura creado por estas fechas se encarga, mediante la centralización de un aparato cultural de donde se había eliminado ya la disidencia más o menos abierta y la protección más o menos oficial a la obra puramente individualista, de cumplir la tarea esbozada por el líder.

Resulta muy difícil juzgar hechos, especialmente artísticos, que están teniendo lugar en estos mismos instantes, y aún más difícil parece el poder extraer conclusiones duraderas de ellos cuando, por continuar Cuba bloqueada, los libros de sus escritores resultan dificilísimos de obtener incluso en los países que mantienen relaciones comerciales con Cuba, las revistas cubanas llegan con retraso, las noticias de lo que pasa son inciertas, pues provienen de viajeros con puntos de vista diferentes y fuentes a menudo contradictorias.

Para Rodríguez Monegal, la política cultural cubana despliega una estrategia destinada a ignorar la nueva narrativa latinoamericana en favor de los escritores que continúan demostrando su adhesión incondicional al régimen, de suerte que como de los narradores del «*boom*» sólo García Márquez se cuenta en ese grupo, es solamente su obra la que promueve el aparato cultural cubano, el cual ataca o ignora la de los demás, excepto la de Lezama, quien no desertó del país, como tantos otros, y cuya fama y solidez de conexiones internacionales eran mucho mayores que las de otros escritores cubanos por datar de la década del cuarenta; pero también en su caso nota el crítico una «conspiración de silencio» respecto a *Paradiso,* por ser obra más controversial, y que el examen crítico de la obra de Lezama se destina a un público muy especializado, lo cual limita su «peligrosidad cultural» (art. cit., p. 654). Es cierto también que se publican libros y artículos, además de sobre García Márquez, sobre Rulfo, Onetti y Carpentier, pero como ninguno de ellos participa verdaderamente de las tendencias más revolucionarias de la novela contemporánea, el que el aparato cultural cubano difunda su obra, no obstante no ser ésta política (con excepción de la última novela de Carpentier, *La consagración de la primavera*), y hasta un poco decadente (Onetti, Carpentier mismo), llama menos la atención de Rodríguez Monegal, decidido partidario e importantísimo propagandista de la novela experimental, la cual no sólo le parece el único camino posible para el verdadero novelista, sino la que más inquieta a un régimen como el cubano, pues como requiere la total devoción del escritor, precluye necesariamente su interés en el proceso histórico, y como afina al mismo tiempo sus facultades, lo hará más crítico y menos alcanzable por la propaganda, con la que, además, no colaborará. Es indudable que si, como afirma este crítico, esa política cultural cubana ha resultado en que se desatienda del todo la literatura de las últimas décadas, sus efectos son dañinos desde ya respecto al desarrollo de una crítica seria y bien informada (que es como debe ser la marxista), al igual que respecto al de una literatura nacional.

Angel Rama, en un estudio sobre el modo como el discurso político hispanoamericano se reviste en las épocas revolucionarias de la característica racionalización de la literatura neoclásica (discursos de Bolívar, novela regionalista), señala también que después de 1971 la crítica cubana da la primacía como modelo a un tipo de realismo racionalista más capaz de transmitir claramente un mensaje político que la literatura «plurisemántica y a menudo ambigua» dominante en los primeros años de la Revolución, la cual representaba la supervivencia de tendencias anteriores que la nueva sociedad debe someter a cierta unidad ideológica. El modelo de esa nueva literatura, según lo proclamó José Antonio Portuondo (32), es la novela de Manuel Cofiño *La última mujer y el próximo combate* (1971). Esta, al igual que *Sacchario* (1970), de Miguel Cossío, es tan convencional como texto novelístico como los de Carpentier (con una acción siempre reconocible, dirigida hacia el lector en lugar de hacia ella misma, etc.); novelas primerizas ambas que muestran un manejo todavía ocasionalmente imperfecto de la técnica (demasiado conscientes de sí mismas o literarias, poco económicas, etc.) y son, además, en cuanto novelas políticas, demasiado explícitas y hasta machaconas. Ambas son, no obstante, novelas modernas que emplean los procedimientos característicos de la novela post-Joyce (pluralidad de voces, monólogo interior, mezcla de discurso objetivo y subjetivo, inclusión de documentos) en el curso de dar vida a varios personajes dentro del marco de la transformación revolucionaria de la sociedad cubana. Que este proceso esté presentado de manera monolítica, simplista, acrítica, es materia después de todo discutible, pues se encuentra asociada directamente con la visión que de su país tienen esos escritores (33).

De cualquier suerte, no puede enjuiciarse de la misma manera la obra de otro narrador cubano joven, formado, además de surgido después de la Revolución (que no es el caso de Cofiño o de Cossío), y cuyos libros de narraciones elogia Rama como una «prolongación del realismo libre» (página 302), relacionándolos con la literatura de la vanguardia. Norberto Fuentes demuestra un compromiso tan entusiasta con la Revolución en sus visiones de la campaña de la sierra del Escambray como Cofiño o Cossío, pero su mayor interés en la voz popular, el modo como se deja poseer a menudo en sus descripciones por el subjetivismo y hasta por el inconsciente (hay ocasiones en que *Cazabandidos* y *Condenados de Condado* —1970-1971— recuerdan de cerca las colecciones de cuentos de Reinaldo Arenas, o sus novelas *Celestino antes del alba* y *El mundo alucinante*), al acercarse a los personajes directa, íntimamente, sin atender primero a consignas (alguno de los «bandidos» —los guerrilleros contrarrevolucionarios— resulta corajudo; los soldados perjudican algún inocente, beben más de la cuenta, se aburren, etc.), pero tampoco a un plan determinado, como si verdaderamente la acción que cuenta tomase completa posesión de esos textos; todo ello hace más rica su pintura de la Revolución en marcha, no por ambigua o crítica, sino por más personal, más variada en los puntos de vista, más abierta —lo mismo que resultaba la de Desnoes en *Memorias,* y por razones muy parecidas.

El caso de Norberto Fuentes, y no el de Padilla, resulta el más interesante y sintomático respecto a los problemas que confronta la nueva sociedad en su proyecto de construir también una nueva cultura. Sus excelentes reportajes-cuentos fueron criticados en la revista del ejército, cuya imprenta o dirección de publicaciones patrocina ahora las novelas policiales de Luis Rogelio Nogueras (*Si muero mañana, El cuarto círculo,* de 1978 y 1980, la segunda con Guillermo Rodríguez Rivera), las cuales tiene razón Desnoes en elogiar como efectivas en cuanto narraciones fácilmente accesible a las masas, apasionantes (es difícil dejar su lectura), gracias sobre todo al empleo de la técnica detectivesca, y que celebran al mismo tiempo las virtudes revolucionarias (un contraespía que descubre un proyecto de asalto contrarrevolucionario a un puerto cubano; un superpolicía que desenmascara a un criminal también enemigo de la Revolución), pero sin convertirse tampoco para ello en propaganda explícita (34). Se trata, sin embargo, de novelas que no resisten el análisis crítico, pues distan mucho de ser buena literatura policial (incluso del tipo de la que hace Agatha Christie, o Raymond Chandler y Mickey Spillane, que son sus modelos, para no hablar de la narración policial de Gadda, Sciascia o Borges). A *Si muero mañana* la perjudica irremediablemente la descripción errada del medio norteamericano, que el autor desconoce —defecto imperdonable en una narración realista—, y a ambas, la absoluta perfección de sus héroes, superhombres incansables y de dedicación a toda prueba. Como dice Desnoes, mucho más efectiva hasta ahora que la literatura como arte revolucionario es la canción que escriben en Cuba Pablo Milanés y Silvio Rodríguez, pero es claro que este arte no puede llenar el sitio que pertenece a la novela, la poesía y el teatro.

¿Quiénes serán o de dónde saldrán los escritores de la Revolución, los forjadores de esa nueva cultura que aspira a crear el Estado cubano y tan bien describe Fernández Retamar? Es claro que muchos de esos cuentistas y novelistas que empezaron a publicar después de 1959, y a quienes se conoce tan mal fuera de Cuba, gracias al bloqueo —como Manuel Pereira, Jesús Díaz (35) o el propio Nogueras—, son aún muy jóvenes y puede, por tanto, esperarse mucho de ellos, al igual que de los artistas aún más jóvenes que se van formando en los varios «talleres» de escritores. Sería verdaderamente trágico que todos los narradores de probado talento, como Norberto Fuentes, Reinaldo Arenas o Desnoes, optasen por el silencio o dejasen el país. Pero acaso nos impacientamos demasiado, esperando que surja ya mismo de un experimento que cuenta apenas una década —pues es claro que el esfuerzo por alcanzar la masa y crear una cultura revolucionaria no dio comienzo con el triunfo de la Revolución, que tuvo primero que dedicarse a tareas más urgentes y depender mientras tanto del talento de los intelectuales ya formados —una generación de novelistas de primera categoría.

No obstante, el apoyo oficial a un tipo de literatura como el de esas novelas policiales de tanto éxito, justifica, me parece, el que, sin dudar en ningún instante de las buenas intenciones del proyecto de crear una cultura por la participación de las masas en la empresa cultural, y estando de acuerdo en que sólo así podrá elaborarse una verdadera cultura nacional, podamos cuestionar como método que conducirá a ello el representado por tal apoyo. Esas novelillas interesan a las masas, son leídas por gente que lee poco habitualmente y con una educación elemental, y resultan también muy superiores a los «tebeos» sentimentales y a los librillos de aventuras que lee constantemente la población de clases bajas (sobre todo) en los países del Tercer Mundo, y también en Estados Unidos y Europa (cuando no están viendo la televisión); pero que sea ése el camino que los llevará a leer cosas mejores es algo que pongo en duda, pues no veo en esa literatura sino la semilla de un tipo de escritura idéntica a la generatriz, de suerte que aun y cuando surjan muy pronto esos nuevos escritores que ansiamos, podría suceder que la masa «educada» en una literatura revolucionaria-policial todavía no estuviese lista para recibirlos.

Como concluye Rama, el realismo, si es tal, no puede aceptar la dirección idealizante que quería imponerle el discurso político revolucionario, de suerte que si, en efecto, algunas novelas y colecciones de cuentos cubanos recientes tienden hacia el «realismo socialista» como resultado de presiones ideológicas derivadas a su vez de la reacción del proceso revolucionario contra su generosa promoción de una vanguardia artística comprometida sólo parcialmente con él, la defección de artistas y el empeoramiento, en fin, de la situación económica hacia 1970, no hay que presumir que la situación perdure, pues aun y cuando la ideología de la Revolución quisiera cambiar radicalmente de rumbo en dirección al stalinismo y actitudes paralelas, la estructura de la sociedad y de la cultura cubanas, las relaciones de Cuba con el resto de Latinoamérica, Europa occidental y Estados Unidos, y los efectos de la política cultural del gobierno entre 1959 y 1971, con la resultante estructura de organismos de difusión cultural y educación ciudadana (que sería muy difícil de desmantelar totalmente incluso por el más riguroso aparato burocrático), y el mundo de expectaciones creado por ellos, lo impedirían. Y también contribuirían a impedirlo con su tarea y su atención el resto de los escritores y críticos hispanoamericanos si, dejando de interpretar el texto como un objeto que se basta a sí mismo y cuyo aparente propósito es menester deconstruir de suerte de abolir el logocentrismo, prestasen más atención a la historia que sucede en torno y a la progresiva destrucción de su propio porvenir cultural y político por obra y gracia del imperialismo transnacional —destrucción que paralela, sin duda alguna, la decentralización del universo que postula el postestructuralismo, pero al menos en sus resultados inmediatos y políticos no contribuye a la libertad de la nación, el individuo o el Estado.

Es obvio que Cuba después de la Revolución continúa ofreciendo condiciones ideales para el crecimiento espiritual del artista por medio de su integración en un proyecto nacional de largo alcance que incluye la participación de las masas recientemente liberadas de la explotación, proyecto que, después de algunas vacilaciones iniciales y a medida que se afirma el socialismo, se propone también construir una nueva cultura con y para esas masas, para el futuro, para el «hombre nuevo». El proyecto entraña, no obstante, un grave peligro si en el curso de tratar de llevarlo a cabo se pierde la conciencia crítica como la pauta para explicarse, estudiar y a la larga justificar la creación artística, sustituyéndola por un reduccionismo o pragmatismo político simplificador.

Lo que esperamos de Cuba no es ya el escritor de origen burgués que ha tomado conciencia de la realidad política y escribe con la pasión que sólo dan las causas nobles hondamente sentidas. Lo que nos preguntamos si podrá surgir, es un nuevo escritor, proletario, formado dentro de las instituciones revolucionarias y capaz de expresar el espíritu de éstas y de la Revolución de un modo verdaderamente adecuado a lo que ésta es y se propone.

La Revolución da lugar a una nueva percepción del mundo por las masas a las que ha liberado, pero es claro que tratándose, como es, de un fenómeno concreto, no puede crear también un orden cultural, tarea que queda en realidad a la estructura donde al cabo se inserta y la cual incluye la cultura burguesa en crisis, que si acepta el triunfo revolucionario y se integra sinceramente con él, se pondrá en contacto con la problemática real del país que antes había podido darse el lujo de ignorar, para reconstruir la cultura nacional de modo que sirva de base a la creación de la nueva cultura, la revolucionaria-proletaria (36).

Pero entretanto, y en contra, en realidad, de la consecución de este proyecto, el Estado (el Partido en el caso de Cuba y los países comunistas) recela del intelectual que se le ha unido, exige más de él y termina echándole en cara que no concuerde con sus propias prioridades, a lo cual el artista y el escritor responden encerrándose en sí mismos —que ha sido siempre, en Cuba, el primer paso hacia el exilio. No sucede así, obviamente, en todos los casos, pero también muchos de esos que no se han marchado, se han burocratizado hasta el punto de casi enmudecer en cuanto a la persecución de la propia obra; la cual tiene por fuerza que estar llena de contradicciones en este período que quién sabe cuánto durará en definitiva, pues es claro que en tanto no sea universal el triunfo del socialismo, sociedades como la cubana, la vietnamita, la alemana del Este, e incluso la soviética, integradas como se hallan, por fuerza, y aunque sólo sea marginalmente, en el mercado internacional, no pueden evolucionar movidas por sus propias fuerzas solamente, sino que la sociedad capitalista que las rodea (como el reciente éxodo masivo de miles de personas puso de manifiesto en el caso de Cuba, a más del que continúa de intelectuales —Padilla, Triana y Desnoes los últimos) ejerce sobre su desarrollo una influencia, sin duda, perjudicial por perturbadora.

Sería mucho más fructífero, por tanto, para el desarrollo de esa nueva cultura liberada si el estado revolucionario aceptase íntegra, sinceramente, la contradicción natural a la labor de sus intelectuales —de origen tan burgués como los mismos líderes políticos, sólo que a ese pasado no lo mitiga, en su caso, como en el de los políticos, un historial revolucionario combatiente y la práctica de la política y de la construcción revolucionarias. «Che» Guevara, y Lenin antes que él (37), aceptaban esa contradicción: por lo mismo que la Revolución teoriza a partir de la praxis, del experimento que se lleva a cabo, no debe excluir la *práctica* del arte aun cuando los principios del artista contradigan abierta, indirecta, parcialmente, los de la Revolución, pues quizá sean útiles en cuanto a su resultado artístico, y puedan de ese modo ayudar a la creación cultural en que se halla empeñada la sociedad a corto o a largo plazo.

Como es natural en todo aquello donde la praxis política se entrelaza con la voluntad del artista, resulta aquí bien inútil proponer soluciones o caminos a seguir, los cuales dependerán siempre de las circunstancias particulares de cada caso. La única regla, me parece, es evitar a toda costa la fosilización de las actitudes por parte del Estado, cuando éste se niega a aceptar la contradicción inherente en la tarea artística; inherente a ella, en definitiva, tanto antes como durante, después y hasta mucho después seguramente, del triunfo revolucionario, en esa etapa feliz que ya no veremos el que escribe estas páginas ni sus improbables lectores.

VI

Dada la situación de Latinoamérica como continente dependiente o subdesarrollado en relación a una economía capitalista en evidente crisis, a la vez que forma parte de un mundo, el llamado «tercero», que lucha, abierta o incluso inconscientemente, por independizarse y encontrar su propio camino dentro de una distribución socialmente justa de la producción y el consumo de bienes materiales y culturales, parece urgente que nuestra literatura deje de expandirse con vistas a un tipo de «mercado», el internacional capitalista, que, aunque la recibe con interés, no puede continuar expandiéndose si no aumentan los consumidores —también de cultura— en los países dependientes, lo cual no podrá ocurrir en esos países en tanto no tenga lugar en ellos una reestructuración de su organización social que ponga, de hecho, fin a la explotación que ahora los sujeta. Todo lo cual sugiere como el mejor camino a seguir para la literatura latinoamericana un consistente volver la mirada sobre sí misma con el fin de desarrollar los propios recursos con vistas primeramente al mercado interno, por así decirlo, en lugar de continuar tratando de «exportarlos» como bienes de consumo, y contribuir a través de esa drástica inversión de lo que parece su curso actual —a juzgar por la crítica y el movimiento editorial— al desarrollo de la cultura nacional, y por ende de la latinoamericana, como parte de un proyecto revolucionario dirigido a la consecución de la verdadera independencia.

El tipo de novela latinoamericana que cuenta con mejor acogida crítica —las de Carlos Fuentes, Donoso, Carpentier, Sarduy, etc.—, o el modo, que viene a ser lo mismo, como se analiza la obra de esos autores, además de la de prácticamente todos los demás novelistas importantes, aspira a hacer su literatura equivalente a la de los autores europeos y norteamericanos contemporáneos o postmodernistas, por el procedimiento de aplicarles a los nuestros los mismos enfoques críticos, las mismas premisas metodológicas aprendidas de la crítica francesa contemporánea, principalmente; es decir, de espaldas al contexto social y político donde se han producido aquellas obras, *como* si fuesen, pues, intercambiables con esas admiradas —y admirables— creaciones de la literatura contemporánea de los países centrales, que es lo que desea el crítico.

Esta actitud paralela la práctica de las transnacionales importando su tecnología de acuerdo con sus propias necesidades en lugar de las del país en cuestión, y exportando, de ser posible, todas sus ganancias, además de las que obtienen por el consumo forzado dentro del país de productos hechos allí en todo o en parte, exportados de acuerdo con las exigencias de la red de mercados de las transnacionales, y reimportados después al mercado nacional. Así también importamos nosotros literatura y crítica, en apariencia libremente, pero en realidad porque nos obligan a importarlas nuestra dependencia también cultural de los países del capitalismo avanzado; las aplicamos a nuestra producción cultural, y exportamos entonces ésta —o al menos intentamos hacerlo— al mercado cultural internacional, sólo para reimportarla desde la perspectiva en que allí es apreciada.

Una primera solución, que es más bien un modo de detener la situación de importación y expendio cultural que se acaba de describir, en tanto se da tiempo a la creación de una verdadera cultura nacional-latinoamericana, es la atención a la voz del protagonista de nuestra historia, la pasada tanto como la presente (el cual no es siempre también el protagonista de nuestra literatura), y otra, el cultivo de la literatura documental y de testimonio, caminos en realidad casi intercambiables por su semejanza.

Como ha señalado Angel Rama, la historia literaria ignora lo que cualquier sociólogo e historiador sabe perfectamente, cómo la lucha de clases «compone el meollo del desenvolvimiento secular del continente» (38), contienda que tiene una expresión muy característica en el modo cómo las minorías colonizadas —es decir, los grupos que comparten el poder con la metrópoli, sea la colonial o la neocolonial, y que han aceptado integralmente y se dedican sinceramente a difundir la cultura proveniente de ésta— viven ignorantes del medio cultural nativo, y de ese modo desarrollan su producción cultural, en tanto tiene lugar, primero oralmente y después subrepticiamente, como en secreto, merced al silencio que la acoge (que la ignora), una cultura popular basada en las tradiciones y modos de vida de las clases populares descendientes de los colonizadores más lo que sobrevive de las indígenas; hasta que en cierto instante de su desarrollo aflorará —lateralmente— a la escena literaria para pintar la vida de esa otra sociedad. La separación entre ambas culturas, agrega Rama, ha retardado la muy necesaria renovación de la lengua culta que ponga fin del todo al «hipercultismo» de tanto escritor latinoamericano. Esa falta de contacto entre las dos culturas ha cesado ya, o ha dejado de ser tan estricta como lo era hace sólo veinte años (Rama menciona los casos de Mallea y de Caballero Calderón, novelistas que aspiraban a la universalidad por vía de un castellano perfectamente académico y neutral, por tanto, en cuanto a su pertenencia a ésta o la otra nación), según resulta evidente al leer prácticamente cualquier novela latinoamericana contemporánea, donde casi invariablemente se hace al menos algún uso del habla popular local. También resulta evidente, por otra parte, el enorme interés en la literatura documental que recoge las voces del pueblo en toda su fuerza original.

La atracción por la voz *real* del personaje no es un fenómeno exclusivamente latinoamericano, por más que haya tenido entre nosotros manifestaciones tan señeras y que se remontan al principio de los cincuenta o aun antes, como los cuentos de Rulfo, y haya producido luego una obra monumental en la misma dirección, *Gran Sertao,* de Guimaraes Rosa, donde aún más consistentemente se elimina al narrador culto que antes solía reservarse la integridad del discurso, sustituyéndolo por uno popular, mas sin hacer a éste pintoresco.

Igual o semejante interés en la verdadera voz del personaje, sin la mediación del narrador, se halla por doquiera en la literatura norteamericana, probablemente más que en ninguna otra entre las contemporáneas, y, debido a su prestigio y difusión, la tendencia ha influido en las demás, de modo que ocurre ya con frecuencia en la italiana, la británica, incluso la francesa, por tradición más «literaria». En una obra de teatro reciente, *American Buffalo,* de David Mamet, el espectador tiene la impresión no sólo de que no sucede nada en cuanto acción (pues se trata de planear un robo que no tienen lugar), sino que el interés del dramaturgo reside exclusivamente en el habla de sus personajes, habla vulgar, llena de clichés, digresiva hasta el punto de provocar la impaciencia del espectador, pero sin que ninguno de los personajes perciba la ausencia que reelaboran incesantemente; con lo cual se llama la atención sobre el vacío social que representa a la perfección su lengua: el de una sociedad insegura, que se alimenta de clichés, que habla constantemente del éxito económico como pauta y meta, pero en realidad sólo hace acumular desperdicio por falta de dirección y de autoconocimiento (39). Es ésta una literatura no de caracteres y de acción, y por tanto tampoco explícitamente de ideas, sino que su propósito es lograr por el vehículo de la transcripción fidedigna de nuestro lenguaje diario e inconsciente, una apropiación mimética del mundo tan efectiva que sea capaz de revelarlo tal cual es, fuera de sus disfraces.

Intención que entraña, sin embargo, varios peligros. El primero de ellos es el abandonar la noción, al dejar de perseguirlo como propósito, de significado, con lo que el literario puede convertirse en un ejercicio sin otro sentido que la contemplación de sí mismo. Así, en la transcripción de la voz coloquial en libros documentales de entrevistas, por ejemplo, se deja a veces por completo al lector la tarea de organizar aquellos testimonios para que adquieran sentido y tomen su sitio dentro de un complejo significativo, sólo que al abandonar el autor-editor la labor que le corresponde por definición, la colección que ha reunido puede convertirse en una confusa amalgama. Este obstáculo es sorteable si quien transmite esas voces se halla plenamente consciente de su función dentro de la sociedad que representan; si además ese autor está comprometido con la transformación más o menos radical de la sociedad de la que quiere ser vocero (como es probable que lo esté si tanto le interesan las voces de sus actores «en bruto» o sin la mediación de un narrador o de una interpretación que pueda tergiversar su significado), es también probable que su selección y ordenación le den un sentido a ese material, y hasta sugieran cierta acción a seguir.

Otro peligro de la atención a la voz popular es que el interés en el tipo de expresión espontánea, no tamizada por la razón, que abunda en esa voz, y que al estudiar la obra de Juan Rulfo empezamos por llamar manifestación de la mentalidad prelógica, y al final mentalidad afectiva, pueda conducir al callejón sin salida que representa la mitificación deliberada, por Jung, del «inconsciente colectivo» como generador de mitos, y su aplicación literaria en forma de arquetipos, por Frye, lo cual representa otra mediación, más drástica inclusive, por su voluntad ordenadora y totalizadora, del autor como intérprete externo de la acción que pinta la obra literaria.

Camino lleno de dificultades y trampas, sin duda, éste de atrapar literariamente la voz popular, también porque la cultura dominante se impone sobre la dominada, así que el escritor que trata de transmitirnos las voces de ésta, como pertenece por su educación a la otra, ha de evitar constantemente el verterla en su propio molde en lugar del auténtico. Existen, además, respecto al problema de transmitir las voces del indio, algunas dificultades casi insuperables, pues éstos, debido a su idioma —donde quizá no hay pronombres, o no se declinan los verbos, o carecen éstos de tiempos como los nuestros—, conceptualizan de modo muy diferente. Antropólogos y escritores, no obstante, han sido capaces de acercarse a y de recoger esas voces en toda su autenticidad, o al menos de modo que podamos comprender su espíritu y su situación en la tierra, según lo demuestran los casos de Ricardo Pozas respecto al chamula Jolote, de Oscar Lewis con la familia Sánchez y con Pedro Martínez, y los de dos escritores pertenecientes ellos mismos a dos culturas a la vez, José María Arguedas y Augusto Roa Bastos (quienes mezclan sabiamente el quechua y el guaraní, respectivamente, con el castellano, para trasmitir la exacta personalidad de esos pueblos a través de su esfuerzo por expresarse —lo que resulta en darle aliento a una cultura en trance de desaparición—); que es también el caso de la chino-norteamericana Maxine Kingston, cuyos esfuerzos respecto a los inmigrantes chinos han sido igualmente fructíferos (40).

Otro peligro a sortear es el del nativismo, el caer en la persecución de cierta cualidad, prácticamente metafísica, que diferencia a esos pueblos de nosotros —del tipo de la *négritude* que trató de definir Sartre—, la valorización de la cual puede, por un lado, convertirla en material exótico exportable y, por el otro, cerrar el camino al pueblo que la posee al contacto natural con el movimiento de la historia que debe poco a poco transformarlo (41). Porque es claro que se trata aquí, en cuanto al indio americano lo mismo que a la población rural que nos transmite Rulfo, o al subproletariado de origen rural cuyas biografías han recogido Lewis y Elena Poniatowska (*Hasta no verte, Jesús mío*), de una población en irremediable proceso de desaparición, por obra de un movimiento histórico de asimilación racial, urbanización y progreso social. Mas en tanto tiene lugar su desaparición, escuchemos a esas poblaciones, recojamos su testimonio de viva voz, que es la manera no sólo de preservar su cultura arqueológicamente, sino de facilitar que continúe viviendo, pues se la transmite mientras está todavía viva. El habla popular o coloquial, por su parte, pierde por el desgaste histórico y el contacto con nuevas capas sociales mucho de sus raíces, pero permanece viva y en constante proceso de transformación como el vehículo de la cultura popular cuyas mejores simientes nos interesa conservar. En el contacto con esa voz popular muchos escritores han hallado aún más que material para su obra: la energía que la mantiene activa. En el caso de un novelista, Luis Rafael Sánchez, de quien ya se trató ampliamente por su importancia para una literatura en proceso de «despegue», la puertorriqueña, el hallazgo del habla popular representó una apertura y una liberación que le permitió dar el paso de una obra convencional a la estupenda revelación que es *La guaracha del Macho Camacho* (42) —revelación también de cómo es posible combinar compromiso y experimento, libertad artística y denuncia, juego y testimonio.

En definitiva, el interés universal en el idioma popular y en una literatura oral y documental, refleja, con el derrumbe de antiguas barreras cultistas y la tendencia hacia una literatura abierta que niega la distinción entre arte y vida, el rechazo universal del concepto de la literatura como un sistema cerrado, como un código perfectamente cescifrable por mediación del autor, y también el de éste como centro de su propio universo, además del universalismo y la búsqueda de universalidad, a la que sustituye ahora su contrario, la de una personalidad nacional específica que debe hacerse presente en la obra artística (43).

Para que su tarea dé fruto, es menester que el autor o escriba que transcribe sólo lo que escucha sepa distinguir siempre entre verdad y ficción, de suerte que aunque el discurso que nos comunica no sea parte de un argumento compuesto u ordenado independientemente de sí mismo, aunque la práctica del escritor corresponda a la imposibilidad filosófica de distinguir entre literatura y no literatura de acuerdo con una norma lingüística, debe evitar a toda costa el encerrarse en el callejón sin salida a donde conduce a la crítica contemporánea el negar todo sentido al discurso crítico lo mismo que al artístico, al histórico, etcétera, que analiza o deconstruye mientras tanto tan brillantemente; no porque éste exprese un orden caduco (lo cual acepta parentéticamente), sino porque lee la historia sólo como ficción. Esa nueva crítica revela el modo como la cultura en la sociedad capitalista resulta otra mercancía más, pero el negar (o al menos ignorar del todo) la posibilidad de otro orden que reemplace aquél —en realidad porque siente que su ejercicio y su función dependen de él, que no sólo la sostiene, sino que favorece su práctica por inocua y por alienante— la conduce a volverse sobre sí misma para contemplar y desmontar infinitamente su propia práctica en tanto se lamenta de la imposibilidad del ejercicio crítico como revelador de lo que dicen los textos (44).

Si el escritor puede y hasta debe aspirar a ser transcriptor de un texto que es el espontáneo de las voces que escucha, ha de ser porque quiere ser el historiador más justo, más objetivo, de una realidad que sólo se reifica, para que la entendamos, en las palabras auténticas de sus actores. Su tarea, es cierto, implica una negación del logocentrismo que afecta nuestra cultura, puesto que las voces que escucha no han sido organizadas por un autor omnisciente dentro de una historia que expresa lo que aquél quiso decir, pero esa *decentralización* o abandono del autor como origen todopoderoso de significados no quiere decir que las voces en cuestión carezcan de sentido: todo lo contrario, el artista que se convierte por decisión propia en oído, aspira a revelar un sentido, sólo que se trata en este caso del que esas voces poseen, del suyo auténtico; aspira a llevarnos de regreso al pueblo a través de sus propios códigos culturales recogidos y transcritos de la única manera en que no serán falseados o tergiversados. La plurisignificación que resulta naturalmente de ello ataca en su centro la norma artística tradicional, pero para revelar la trama social en toda su complejidad y, quizá, incitarnos así a la acción política.

Rechazo de los convencionales y búsqueda de nuevos enfoques particularmente fructífero en el caso de Latinoamérica, donde las culturas de los países colonizadores en sus manifestaciones tanto culta como popular conviven con las indígenas, con las africanas, y más adelante con las de los inmigrantes europeos; o entran en contacto, en el caso de los emigrantes hispánicos a Estados Unidos, con la cultura anglosajona, dando lugar a una literatura de excepcional riqueza, la chicana, y a otra menos rica, pero muy vital también, la nuyorrican; fenómenos éstos, sin duda, pasajeros, pues esos escritores terminarán asimilándose a una u otra cultura, la nueva o la original que tratan de recuperar, pero mientras ello sucede, el contacto o interrelación de las culturas da lugar a obras de estupenda espontaneidad.

De lo que se trata es de escuchar la voz del ser vivo que es el personaje de la obra literaria, tal y como surge, y de ese modo contrarrestar un juego con las formas que aleja cada vez más la literatura de ficción (lo mismo podría aplicarse al teatro) de su origen mimético, así como del pleno ejercicio de su capacidad de hacer que la reproducción de la realidad exprese por lo menos tan cabalmente como otros enfoques la visión del mundo y la subjetividad del autor. Con lo cual se evitaría la rápida pérdida de vigencia de la novela en un universo donde otras técnicas (el cine, la televisión) resultan, sin duda, mucho más efectivas para llenar, por más que de modo distorsionado, la apetencia de recreación mimética del hombre. Es por eso por lo que hasta en la mismísima Francia existe un interés creciente en la voz popular, en memorias de campesinos, en los residuos de la cultura popular, en fin; aquello que el pueblo ha mantenido a duras penas contra la invasión de la cultura libresca con la que también se ha inundado a todos los pueblos colonizados, y con el mismo efecto de destruir su cultura (45).

Hace doscientos años, uno de los fundadores de la nación estadounidense, Madison, soñó para el Nuevo Mundo con una cultura —cuyo sentido y proyecciones hubiesen satisfecho a Marx— donde no habría una clase específica de literatos, ni tampoco los géneros conocidos, sino que en la ideal igualdad democrática de las nuevas naciones, los más educados enunciarían para sus conciudadanos, probablemente de viva voz, las leyes, la moral, la historia que estos necesitaban; quizá también la poesía y la narración. Sueños, utopías trescientos años después de Tomás Moro, pero aun así... Y casi contemporáneamente con Moro, Shakespeare, que había leído sobre el Nuevo Mundo —como Montaigne— y a quien preocupaban las posibilidades que representaba el contacto de las culturas indígenas con los colonizadores, hace de los caribes o «caníbales» un personaje, Calibán (46), quien en *The Tempest* se maldice por haber aprendido la lengua de su amo, Próspero. Contra lo cual, es claro, nada podemos hacer ya, pues mal que nos pese dominamos, como Calibán, la lengua de nuestros antiguos amos, y hasta la de los nuevos, a la vez que sería ejercicio vano aprender con vistas al futuro lenguas indígenas en proceso de extinción.

La solución a esa encrucijada no es, como proponía Rodó, afirmarse en la enseñanza de Próspero —hacer a Calibán abandonar su rebeldía para convertirse en estudiante del buen duque— de modo de defenderse de la invasión del «calibán del norte»; ni tampoco, como alguna vez propusieron los «antropofagistas» brasileños, convertirnos verdaderamente en «caníbales» para devorar la cultura europea en su totalidad (47), pues de ese banquete o carnaval caníbal ni resultará anulada la cultura que nos obsesiona, ni surgirá nada nuevo, sino seguramente una indigestión que arrasará por vía del excremento o del vómito con cuanto había, bueno y malo, en las vías digestivas del antropófago. No es de este modo como tiene lugar la asimilación cuyo fruto es la cultura, sino absorbiendo la dominante y la indígena, o lo que quede de ésta, con vistas a recuperarla en una síntesis que será la cultura nacional. Es así como han procedido los escritores americanos negros, y también, siguiendo su ejemplo, los de las antiguas Indias Occidentales británicas, consiguiendo por ese camino una nueva lengua y una síntesis cultural de la que aún andan lejos la mayoría de los escritores latinoamericanos.

La única revolución es la que produce una transformación total, a todos los niveles, de la estructura social, transformación que terminará liberando al hombre. Y es obvio que el camino hacia ella no es a través de voces prestadas, que son a su vez enfoques prestados (es así como Carpentier ha tratado de describir América, y más específicamente la Revolución Cubana) (48), sino a través del tipo de apertura total que —también en el caso de Cuba— representa la obra de Norberto Fuentes, donde la Revolución vive verdaderamente, tal y como es, tal y como suena. Y hasta, ¿por qué no?, a través del tipo de gozo en el lenguaje, en la alegría de escribir (49), en el amor a la palabra vernácula (tan diferente del rebuscado y deliberadamente culto de su admirado Lezama) de Sarduy, el cual lo acerca al propio origen, demostrando en ese camino de París a La Habana cómo se trata también en su obra de reproducir cierta sociedad —en choteo.

Pero estas lucubraciones han ido ya demasiado lejos y amenazan con dejar de ser verdaderamente críticas para acercarse, quizá, hasta la postura postestructuralista que antes criticaba, según la cual la crítica no tiene que desentrañar el sentido de los textos, y mucho menos que revelar sus conexiones con la estructura histórica donde se inserta; no tiene ni siquiera que ser lógica, sino que, puesto que no existe un centro significativo en ninguna parte, puede «repetir» esos textos en la espera de que las «diferencias» entre las repeticiones iluminen ciertas células (significativas) que nos conduzcan a otros textos, y así infinitamente. No, no propongo ello, pero tampoco que toda la literatura latinoamericana se convierta en una *repetición* de textos populares, o que se dedique exclusivamente a escuchar las voces indígenas y las que expresan la tradición oral, abandonando para siempre la recreación imaginativa y hasta subjetiva de la realidad, la fantasía, el juego formal o los escenarios europeos que al cabo también nos pertenecen. Lo que se intenta es urgir al desarrollo de una literatura y de un discurso crítico capaces de poner fin a nuestra dependencia; por cualesquiera medios, entre los cuales me he concentrado en los aparentemente más expeditivos, que no pueden ser, sin embargo, las únicas vías posibles hacia la solución de problema tan complejo.

Ya desde su surgimiento a finales del siglo pasado, el movimiento indigenista en literatura se propuso algo muy parecido a lo que hacen los textos recogidos y organizados por Pozas, Lewis, Poniatowska, o Miguel Barnet (*Biografía de un cimarrón*): rescatar al indígena, y más adelante, pero inspirada, sin duda, en gran medida por la novela indigenistas, hubo una novela de protesta social con escenarios o focos muy diversos, género que por limitado en sus posibilidades artísticas, y al cabo también en sus aspiraciones, pues su pintura de la realidad resultaba programática, ya no cuenta con adeptos. Pero toda obra artística es social, de suerte que el escritor que, como se exige a sí mismo Roa Bastos, esté comprometido con las luchas colectivas (que no es lo mismo que el «proceso democrático», pese a lo que digan algunos) por la creación de un orden social justo (50), reflejará inevitablemente su aspiración por lo que debe ser y su protesta por lo que es, en su obra, incluso cuando se trata de una novela del empuje filosófico y la complejidad formal de *Yo, el Supremo*, la cual resulta también novela de denuncia y de afirmación nacional y contribuye al despertar de la conciencia y el progreso de la historia hacia la libertad.

Los medios de los que se vale un artista ni siquiera él mismo puede predeterminarlos, sino que cada obra crea dentro de sí las condiciones y las posibilidades para su propio significado. La novela, entre tanto, como género objetivo —condición de su existencia que quisiera hoy poner en duda y hasta negar tanto parte de la crítica como algunos novelistas— se apropia el mundo y crea, como explica Goldmann, un universo imaginario pero coherente, cuya estructura corresponde a aquélla hacia la que tendía confusamente el grupo humano, de modo que no hará falta que ese novelista esté comprometido con la revolución para que sus novelas reflejen un estado social opresivo, o la necesidad de una transformación radical del orden político, los cuales *reproducirá* de acuerdo con sus propios códigos, que toca entonces al crítico desentrañar. Así sucede en las novelas de Vargas Llosa respecto al verdadero estado de la sociedad peruana, el cual reconstruyen, gracias al talento del novelista y, lo que es más importante, su pasión por la realidad, mucho más eficazmente que algunas novelas explícitamente políticas —como *La muerte de Artemio Cruz* respecto a México. Si al novelista lo poseen sus personajes y la acción que se hila en torno suyo —como es siempre el caso cuando su vocación es sincera—, no se *propondrá* ofrecer soluciones al problema político, por más impostergable que le parezca, dentro del texto, sino que la conclusión política surgirá espontáneamente de aquél dentro del movimiento de la creación artística.

Lo que importa como cualidad esencial para el proyecto delineado aquí es la identificación del novelista con el propósito de transmitir cierta realidad de modo que se aprecie toda su complejidad, que se recuerde, que viva en nuestra memoria. Para lo cual no es la técnica realista la única posible (que no es lo mismo que decir que ya no posea ésta ninguna efectividad: ahí está el caso de José Luis González), pues es claro que como resultado de la evolución e interacción de las formas artísticas, el realismo no resulta ya el único camino, sino que existen otros quizá incluso más ricos, más atractivos por su mezcla de puntos de vista y de géneros, pero igualmente capaces de transmitir una realidad que ya no interesa por sí misma del modo que lo hacía a un Balzac o a un Galdós, sino que vamos ahora a ella *a través* de la escritura, cuya *realidad* en cuanto a la obra es la primera que reconocemos —sólo que no debe quedarse allí todo el esfuerzo del narrador. De la inmersión de éste en la realidad y el compromiso, el elemento crucial es el primero, por eso es que en *El matadero,* aunque la denuncia de una situación oprobiosa desde una perspectiva errada afecta negativamente la obra, lo pintado allí continúa hablándonos poderosamente, además de que podemos, con un poco de cuidado, desentrañar el verdadero sentido de la realidad que se ha querido representar, el cual se reconstruye como una visión retrógrada, pero exacta, del proceso social.

Algo parecido sucede en *Cien años de soledad,* donde la mitología personal del novelista interviene, sobre todo hacia el final, para tratar de confundir a su favor lo que continúa siendo, sin duda alguna, una poderosa pintura de la triste historia de Hispanoamérica desde la perspectiva de un niño en una aldea remota. La lista sería infinita: experimento más o menos frívolo, compromiso más o menos explícito, lirismo u objetivismo conducen siempre en la ficción, el teatro, y hasta la poesía, a un retrato del mundo que contiene el autorretrato del autor, de modo que escritores abiertamente comprometidos con la revolución, como Lisandro Otero, pueden darnos una visión de la realidad que añora el pasado burgués (subdesarrollado) y no es capaz de incorporar el presente revolucionario. Como también les ocurre a novelistas más experimentados, como Oscar Collazos, por ejemplo, cuyos héroes —¿retrato ideal de sí mismo?— están pintados como ociosos, de modo que su única actividad, aparte de la más bien vaga de escritor, a veces, es la sexual —otra especie de ocio (*Crónica del tiempo muerto, Los días de la paciencia*).

Pero éstos, o el de Cortázar en *Libro de Manuel* con respecto a la revolución, son casos de fracasos personales, más o menos temporales, que no niegan la sinceridad del esfuerzo del novelista por transmitir cierta realidad, lo cual hace con un sentido opuesto al que su compromiso político quería atribuirle. Ese retrato de la realidad posee respecto a la tarea de construir una identidad nacional y latinoamericana un valor que decrece proporcionalmente con el esfuerzo del crítico por desentrañar su sentido *contra* el aparente del texto en cuestión. De ahí que si el autor consigue transmitirnos, ya sea dentro de la novela, ya como documento, la voz del pueblo respecto a cuya realidad no cabe duda, su pintura será aún más efectiva en acercarnos al proyecto de una cultura latinoamericana.

NOTAS

(1) «Hacia una intelectualidad revolucionaria en Cuba», *Ensayo de otro mundo* (Santiago de Chile: Editorial Universitaria, 1969), p. 158.

(2) Véase Roque Daltou, «Literatura e intelectualidad: dos concepciones», *Literatura y arte nuevo en Cuba* (Barcelona: Estela, 1971), p. 126.

(3) Véase Adolfo Prieto, *Literatura y subdesarrollo, op. cit.*, 4.

(4) Oscar Collazos señala que los contactos entre el escritor y la sociedad han sido mucho más políticos en Latinoamérica que en los países productores de modelos teóricos para el estudio de la literatura, y agrega: «les élites intellectuelles de l'Amérique Latine suivent un mécanisme *autocolonisant:* nous continouns a être les "exportateurs" de produits artistiques et les "importateurs" de concepts par lesquels nous essayons d'expliquer une littérature qui a ses propres règles de naissance et de développement» («Difficultés et aspirations d'une sociologie de la littérature Latino-américaine», *Ideologies, littérature et société, op. cit.*, páginas 139-40).

(5) Empleo aquí el concepto de «world-system» según lo desarrolla Immanuel Wallerstein.

(6) Véase André Gunder Frank, *Hacia una teoría histórica del subdesarrollo capitalista en Asia, Africa y América Latina. Feudalismo, capitalismo, subdesarrollo* (Ibagué, Colombia: Universidad de Tolima, 1971); Fernando Cardoso y Enzo Falleto, *Dependencia y desarrollo en América Latina* (México: Siglo XXI, 1969); Theotonio Dos Santos, «La crisis de la teoría del desarrollo y las relaciones de dependencia en América Latina», en Helio Jaguaribe, *La dependencia político-económica de América Latina* (México: Siglo XXI, 1970), pp. 147-87; Richard Fagen, «Studying Latin American Politics: Some Implications of a *dependencia* approach», *LARR*, XII (1970), 3-26; Frank Bonilla y Robert Girling, *Structures of Dependency* (Stanford University Press, 1973); Bonilla, Fagen, Steven Jackson et al., «An Assesment of Empirical Research on *dependencia*», *LARR*, XIV (1979), 7-28; Cardoso, «The Consumption of Dependency Theory in the United States», ibídem, XII (1977), 7-24.

(7) Véase José U. Caterina y Carlos R. Allio, *Análisis sociológico y psicológico de la dependencia*, Col. Dependencia (Buenos Aires: Guadalupe, 1973).

(8) Véase Gustavo Luis Carrera, «Pénétration culturelle: signe essentiel a la littérature en Amérique Latine?», *Ideologies, littérature et société*, pp. 31-56.

(9) Véase Jacques Leenhardt, «Literature and Exile», PEN/FTW, *Pen American Center Newsletter*, 46 (abril 1981), p. 4.

(10) Véase a propósito Harold Bloom, *The Anxiety of Influence; a theory of poetry* (New York: Oxford University Press, 1973).

(11) *Dependency Theory and Literary Analysis, op. cit.*

(12) Hacia el final de la novela, Anselmo menciona que él también ha vivido en la selva, lo cual estrecha los vínculos entre las dos regiones donde transcurre la acción.. Es claro que la novela siguiente de Vargas Llosa, *Conversación en la Catedral*, contiene una visión por lo menos tan válida políticamente de la sociedad peruana.

(13) *Literatura hispanoamericana e ideología liberal, op. cit.*

(14) «Teoría de la dependencia y crítica literaria», *I & L*, III, 13 (1980), 116-21.

(15) «Dependency Theory and Literary History», art. cit. Véase también el artículo «The Crisis of the Liberal Imagination».

(16) «Is this the way the world ends?», *Public Citizen* (Fall, 1980).

(17) Jeremy Rifkin with Ted Howard, *Entropy: A New World View* (Viking Press, 1980).

(18) Richard J. Barnet, «The World's Resources», III, Human Energy, *The New Yorker* (abril 7, 1980), 46-115. El artículo cita un informe del Instituto Max Planck, de Starnberg, en la República Federal Alemana, como la investigación más rigurosa y completa del establecimiento en países subdesarrollados de plantas industriales dedicadas a la exportación (pp. 50 y ss.).

(19) Véase Penny Lernoux, «Latin America: a political guide to thirty-three nations», *The Nation* (agosto 22-29, 1981), 133-48, especialmente sobre Chile y Venezuela.

(20) «The World's Resources», art. cit., pp. 68 y 80.

(21) Ibídem, p. 84.

(22) Véase Mario Benedetti, «Situación del intelectual en la América Latina», *Literatura y arte nuevo*, pp. 145-52.

(23) Fernández Retamar, «Hacia una intelectualidad revolucionaria», art. cit., pp. 145 y ss. Véase también Graciela Pogolotti, «Sobre la formación de una conciencia crítica», *Literatura y arte nuevo*, pp. 101-7.

(24) «Situación actual de la cultura cubana», *ibid.*, pp. 7-32; páginas 27 y ss., sobre la crítica al libro de Padilla en *Verde Olivo*, la revista de las Fuerzas Armadas, los ataques contra éste, que el crítico deplora, y la polémica de Padilla con Lisandro Otero y su defensa de Cabrera Infante. Preso en 1971, Padilla hizo luego una autoacusación a la que se dio gran publicidad. Véase también, por Benedetti, «Las prioridades del escritor», *El escritor latinoamericano y la revolución posible* (México: Nueva Imagen, 1981), pp. 59-82.

(25) «Che» Guevara, «El hombre nuevo», en *Los dispositivos en la flor, op. cit.*, pp. 525-32, p. 527.

(26) Así lo interpreta Fernández Retamar en «Hacia una intelectualidad revolucionaria», p. 155. Benedetti cita también al «Che»: «Se busca entonces la simplificación, lo que entiende todo el mundo, que es lo que entienden los funcionarios. Se anula la auténtica investigación artística y se reduce el problema de la cultura general a una apropiación del presente socialista y del pasado muerto (por tanto, no peligroso). Así nace el realismo socialista sobre las bases del arte del siglo pasado» («El escritor latinoamericano y la revolución posible», en *op. cit.*, p. 109; Desnoes, p. 527).

(27) Sánchez Vázquez, «Vanguardia artística y vanguardia política», *Literatura y arte nuevo*, pp. 91-6.

(28) Rodríguez Monegal, «La nueva novela vista desde Cuba», artículo cit., p. 650.

(29) Desnoes, «Epílogo para intelectuales», art. cit., p. 535.

(30) Rodríguez Monegal, art. cit., y Rama, «Littérature et révolution», *Litterature latino-américaine d'aujourd'hui, op. cit.*, página 301.

(31) Desnoes, p. 547.

(32) «José Antonio Portuondo a présenté un de ses romans comme l'expression littéraire authentique et correcte du mouvement revolutionaire», Rama, art. cit., p. 301.

(33) Véase, sobre la novela de Cofiño, John Deredita, «Vanguardia, ideología, mito»; Roberto González Echevarría, «Sobre Manuel Cofiño, *La última mujer*», *RI*, «Letras cubanas», número citado, y Julio Rodríguez Puértolas, «Manuel Cofiño o la superación de lo real-maravilloso», *I & L,* I, 3 (1977), 73-80. Para Desnoes la novela «es un resumen del pasado y un anuncio del futuro ... elaborada con las técnicas de cajón de los años 60, resume varios elementos formales de la novelística que la precede, como debe ser, y los populariza, como puede ser, con un contenido político de receta, como no debe ser ... Que se haya leído ampliamente es bueno, que sea menos ambigua y contradictoria que la realidad y los personajes que presenta, es un principio de degeneración espiritual», y cita el elogio de Portuondo, incluido en la ed. de Siglo XXI, sobre cómo es «una realización feliz de novela revolucionaria, entendiendo por tal aquella en la cual la imaginación creadora está al servicio de una intención clara y definidamente política: exponer el proceso dialéctico del nacimiento de una conciencia socialista» (pp. 549-50). Lo cual creo que logra, en la medida en que da vida a los contrarevolucionarios que viven dentro del mundo que se trata de transformar, e incluso da cuenta de las dudas de los campesinos, sus protestas, etc., en cuanto a la reforma agraria.

(34) En su ensayo-epílogo a *Los dispositivos,* Desnoes, aunque reconociendo que las novelas de Nogueras son estereotipadas y sus personajes arquetípicos, para de ese modo llevar más fácilmente al público su mensaje revolucionario (o más bien socialmente positivo), las elogia como literatura popular —la necesidad de estudiar la cual plantea— «sin falsas pretensiones, sin un ápice de mala conciencia por dedicarse a un "género menor"» (pp. 550-1). En una ponencia reciente (Asoc. Intern. de Literatura Comparada, X Congreso, New York University, agosto 22-29, 1982, Inter-American Literary Relations, «Detectives North and South»), Enrique Sacerio Garí provee, en tanto explica el empleo del modelo de la novela detectivesca de Chandler y Hammett en Cuba, importantes datos sobre la polémica en torno a ese tipo de literatura (su utilidad, sus peligros, la posibilidad de producir una novela policial de más categoría intelectual) en Cuba, la cual data ya de varios años.

(35) Jesús Díaz (n. 1941), autor de la colección de cuentos *Los años duros,* y de guiones de cine, ha sido llamado «el Cabrera Infante de la Revolución» (véase introd. a la selección correspondiente en *Los dispositivos*). Muy interesante es también *El comandante Veneno,* de Manuel Pereira.

(36) Véase Rossana Rossanda, «Problemas de una cultura revolucionaria», *Literatura y arte nuevo,* pp. 129-43.

(37) Adolfo Sánchez Vázquez, «Notas sobre Lenin y el arte», ibídem, pp. 129-43.

(38) *Los gauchipolíticos rioplatenses* (Buenos Aires: Calicanto, 1976), pp. 14 y ss. Véase también Franco, «Dependency and Literary History».

(39) Véase la reseña de *American Buffalo* por John Lahr, *The Nation* (oct. 10, 1981), 353-4.

(40) Véase Linda Ching Slede, «Maxime Kingston's China Men: The Family Historian as Epic Poet», *Melus,* VII, 4 (1980), 3-22. Kingston es conocida por su novela *The Woman Warrior.*

(41) La interpretación de Sartre («Orphée», de *Situations,* III) ha sido rechazada por Fanon, Césaire, y más recientemente por Wole Soyinka (*Myth, Literature and the African World*).

(42) Arcadio Díaz Quiñones, «El oficio y la memoria: Luis Rafael Sánchez», art. cit., p. 29.

(43) Calvin Tomkins nota en la pintura europea más reciente una tendencia a destacar su especificidad nacional («The Art World», *The New Yorker*, dic. 7, 1981).

(44) Véase Roman V. de la Campa, «La cultura de la enajenación lingüística» (ponencia presentada en el «Encuentro Cultural» patrocinado por el Círculo de Cultura Cubana, Nueva York, mayo 8-9, 1981).

(45) Véase a propósito Marc Soriano, «Tradiciones populares y sociedad de consumo. La situación en Francia», *Educación* (Departamento de Instrucción Pública de Puerto Rico), 47 (mayo 1980), 73-92.

(46) Véase Fernández Retamar, *Calibán. Apuntes sobre la cultura en nuestra América* (México: Diógenes, 1971), p. 14.

(47) Emir Rodríguez Monegal, «The Metamorphosis of Caliban», *Diacritics*, VII, 3 (1977), 78-83.

(48) Véase a propósito Rama, «Los productivos años setenta de Alejo Carpentier», art. cit., pp. 236 y ss.

(49) Roland Barthes, en el prólogo a *Para la voz* (Madrid: Fundamentos, 1977), celebra en Sarduy «la alegría de alguien que tiene una buena relación con el lenguaje, lo que hoy me parece muy raro. Severo Sarduy habita el lenguaje de una manera feliz: ama las palabras ... por afecto ... resplandece de la felicidad de escribir ... recibo ese texto moderno sin miedo: sin miedo a no comprender, a aburrirme, a que me intimide» (p. 8).

(50) Roa Bastos, en el prólogo a *Madera quemada* (Santiago de Chile: Editorial Universitaria, 1967) expone la necesidad para el escritor de asociar su obra a las luchas colectivas, aunque siempre desde los límites propios de su condición de escritor. Si rehuye la necesidad de actuar sobre su contorno, su obra resultará inocua v sin peso específico.

INDICE DE LOS PRINCIPALES AUTORES CITADOS

INDICE